Guide culturel

Civilisations et littératures d'expression française

sous la direction de
André Reboullet et Michel Tétu

RÉFÉRENCE

Ouvrage publié sous le patronage de l'AUPELF

HACHETTE

SOMMAIRE

Introduction

Un grand nombre de peintres d'origine étrangère firent partie de l'École de Paris. Dans les années 50, l'avant-garde théâtrale française était illustrée, entre autres, par trois noms : Beckett, Adamov et moi-même. Des personnalités également d'origine étrangère siègent à l'Académie Française, professent dans l'enseignement supérieur français...

La culture française nous a aidés à découvrir, à cristalliser, à objectiver un certain esprit humaniste, un langage à la fois français et universel. En français, des hommes de partout peuvent se parler, se rencontrer, exprimer le meilleur d'eux-même.

Aujourd'hui, plusieurs civilisations et littératures distinctes s'expriment en français. Le présent *Guide culturel* fait ressortir ces variétés en dégageant les spécificités des civilisations et l'évolution du français à l'échelle du monde. D'une nouvelle façon, à l'ère de l'universalité planétaire, le français est le lieu de rencontre d'hommes et de pays du monde d'aujourd'hui.

EUGÈNE IONESCO
de l'Académie Française

Avant-propos

Ouvrage d'initiation aux littératures et aux civilisations des pays d'expression française, *le Guide Culturel* répond à une attente et s'inscrit tout naturellement dans l'action menée par l'A. U. P. E. L. F. pour le développement des études françaises à travers le monde.

Nombreux sont ceux, parmi les professeurs de français, langue maternelle, langue seconde ou langue étrangère, qui souhaitent faire, dans leur enseignement, une large place à l'étude de ces littératures et de ces civilisations. Tout concourt à justifier cette aspiration : le souci de diversifier les motivations des étudiants, une légitime curiosité pour des formes nouvelles d'écriture, une plus juste appréciation des richesses présentes – et sans doute – futures de ces cultures . . . Mais la réalisation de ce vœu pourtant si évident se heurtait, jusqu'ici, à des obstacles nombreux, l'insuffisance d'outils documentaires, la médiocrité de la diffusion des œuvres culturelles, le manque d'une réflexion de type pluridisciplinaire qui faciliterait l'intégration des cultures très diverses dans l'enseignement de la langue française en sont les plus apparents.

Le *Guide Culturel* apporte une première solution. Solution partielle certes mais pourtant précieuse. Le lecteur trouvera ici, une série d'inventaires documentaires sélectifs (mais aussi complets que possible) et descriptifs (sous une forme condensée) de toutes les formes langagières d'expression culturelle : littérature, théâtre, contes et récits, chanson, cinéma. Pour chacune des aires culturelles où la langue française est un moyen d'expression, ces inventaires sont précédés d'une étude qui précise la place et la fonction qu'occupe, ici et là, la langue française et qui esquisse les approches possibles de ces cultures. Deux panoramas, en début d'ouvrage, situent la langue française et les cultures francophones dans le monde. Deux études pédagogiques ouvrent des perspectives nouvelles à l'enseignement du français.

L'A. U. P. E. L. F. ne pouvait qu'apporter un patronage actif à cette entreprise. Rappelons que, depuis 1972, elle s'efforce de réaliser un regroupement des départements d'études françaises dont deux caractéristiques majeures méritent d'être soulignées :

– l'expression *études françaises* embrasse la littérature et la civilisation de tous les pays partiellement ou entièrement de langue française ;

– la coopération internationale trouve sa plus haute expression et ses chances d'avenir dans un dialogue des cultures qui ne peut être authentique que dans la réciprocité. Les départements d'études françaises, où qu'ils soient à travers le monde, doivent représenter pour les francophones autant de fenêtres ouvertes sur toutes les cultures. En d'autres mots, il ne s'agit pas uniquement de faciliter et consolider l'action des départements d'études françaises mais tout autant de favoriser, par le moyen de la langue française, le dialogue des cultures.

Et c'est justement dans la mesure où aujourd'hui les auteurs qui s'expriment en français appartiennent aux aires culturelles les plus diverses qu'un *Guide Culturel des pays d'expression française* représente un apport certes modeste mais utile à cette difficile et nécessaire entreprise du dialogue des cultures. Communautés occidentales, communautés des Caraïbes et de l'océan Indien, d'Afrique Noire, du Maghreb et du Proche-Orient, voire un peu de l'Extrême-Orient, expriment leur personnalité, leur démarche, leurs déchirements, leurs combats, leurs aspirations, dans des œuvres de tous genres dont ont été sélectionnées ici quelques-unes des plus significatives.

Contribuer à la diffusion et à la connaissance de ces diverses littératures, et à ces sociétés, tels sont les objectifs immédiats de cet ouvrage. Mais il s'agit, bien plus et bien au-delà, de contribuer par là à l'essentiel, qui est la rencontre des peuples et la communion des civilisations. Et ce sera l'honneur de la langue française d'en être par excellence l'artisan et l'expression.

Jean-Marc LÉGER

Secrétaire Général de l'A. U. P. E. L. F.

Unité et diversité de la langue française

1 Peut-être n'est-il pas hors de propos de rappeler quelques principes généraux. La *diversité* interne d'une langue est un fait normal, qui n'est nullement incompatible avec l'*unité*.

1.1 Une langue *historique*, comme le français, avec sa tradition écrite vieille d'un millénaire, son extension à des territoires vastes et discontinus, ses emplois qui, dans une large zone de son domaine, couvrent toutes les fonctions sociales dévolues au langage, une telle langue se diversifie *nécessairement* en un très grand nombre de *variétés* (1) .

Laissant de côté la variation diachronique (états de langue successifs) pour nous placer uniquement sur le plan de la synchronie, nous observerons que des situations linguistiques homogènes, c'est-à-dire à l'intérieur desquelles on ne noterait que des différences individuelles, *idiolectales*, sont inexistantes ou tout au moins vraiment exceptionnelles, limitées à des communautés d'extension très réduite, dont tous les membres partageraient le même mode de vie et où les fonctions sociales du langage seraient peu nombreuses ou peu différenciées. Les situations dites unilingues que l'on rencontre normalement se caractérisent par l'hétérogénéité, la coexistence au même moment et jusque dans le même lieu de plusieurs variétés.

1.2 Celles-ci sont à mettre en corrélation avec différentes *variables* socio-culturelles que l'on peut grouper en quatre classes :

a) l'appartenance des usagers à des *groupes*, constitués sur la base de la *localisation* ou du *compartimentage social* : une communauté humaine d'une certaine importance est composée non d'individus mais de groupes, c'est *une communauté de communautés* ;

b) les *fonctions sociales* exercées par le langage, telles que les fonctions officielle et administrative, religieuse, scientifique et technique, pédagogique, économique, littéraire, de communication courante, etc. ;

c) les *situations d'énonciation* : circonstances de lieu et de temps, rôle respectif des interlocuteurs, type et style de contact (contact mettant l'accent sur les personnes ou sur le statut de celles-ci ; style cérémonieux ou non, intime ou non, sérieux ou non), sujets traités ;

d) les *modalités de l'acte de communication* : registre oral ou écrit, classe d'événements linguistiques (dialogue, récit, chanson, discours . . .), limitation ou non-limitation du

1 Nous utilisons à dessein ce terme neutre pour désigner toutes les formes du français, sans avoir à discuter s'il s'agit de *langues*, de *dialectes* ou de *styles* différents.

nombre de destinataires (conversation, lettre personnelle ou au contraire texte oral ou écrit destiné à être diffusé par des moyens de masse).

1. 3 L'action de plusieurs variables peut se combiner dans certaines limites de compatibilité, liées probablement à la forme de la société. C'est ainsi qu'une variété sociale peut être sujette à se différencier régionalement, une variété fonctionnelle ou régionale, à se différencier socialement, une variété relevant des modalités de communication, à se différencier selon les situations, etc. La réalité linguistique nous met ainsi en présence d'un nombre considérable de variétés.

1. 4 A la fois indices et facteurs du maintien d'une unité sous-jacente à cette diversité sont certains faits que l'on peut observer dans des situations déterminées :

a) la diversité n'est même pas perçue par les usagers, ce qui suppose que l'intercompréhension se réalise dans une très large mesure ;

b) ou bien la diversité est perçue mais n'empêche pas les usagers de garder une désignation, une « étiquette » commune pour les différentes variétés ;

c) de nombreux usagers possèdent une compétence multiple leur permettant de disposer d'un éventail de variétés complémentaires à employer selon les circonstances (2) ;

d) les variétés présentent entre elles une variation continue : une variété n'a jamais en propre qu'un nombre limité de traits particuliers ; qui plus est, les variétés n'apparaissent pas comme des ensembles, *stables et discontinus*, de particularités ; elles n'ont qu'une individualité relative, caractérisée par la *fréquence* particulière de certains traits et une certaine *constance* dans la combinaison de ceux-ci.

2 Grande est la diversité des situations où se trouve le français dans le monde ; elle est partiellement responsable des particularisations de cette langue dans l'espace.

2. 1 L'*histoire du fait français* nous permet d'opposer la *tradition* à l'*expansion. Stricto sensu*, le français étant de souche d'oïl – quel qu'ait été son mode de formation –, ne relève de la tradition française que la partie septentrionale du domaine gallo-roman, qui, débordant des limites politiques de la France, englobe la Wallonie (Belgique romane), la

2 Ceci s'applique principalement aux variétés liées à des variables *autres* que l'appartenance à des groupes régionaux ou sociaux, d'où sans doute la pertinence d'une distinction entre deux classes de variétés.

Suisse romande et le Val-d'Aoste (appartenant à l'aire des parlers de transition dits franco-provençaux).

Tout le reste de la francophonie, y compris des territoires situés à l'intérieur des frontières de la France, est zone d'*expansion*. L'expansion peut être plus ou moins ancienne et se présenter sous plusieurs formes susceptibles de se conjuguer et qui se laissent ramener par schématisation à quatre types. Il y a *superposition* lorsque, généralement pour des raisons politiques, une langue en vient à assumer partiellement ou exclusivement dans un territoire alloglotte des fonctions sociales considérées comme supérieures (telles que l'administration, l'enseignement, les relations internationales, etc.). L'*importation*, elle, est liée à des déplacements de population. Le *rayonnement culturel* fait qu'une langue, le plus souvent sous sa forme littéraire, est étudiée en dehors de son domaine et qu'en tant que langue étrangère elle est pratiquée par des alloglottes d'un certain niveau socioculturel. Enfin, l'expansion prend la forme de l'*implantation* lorsqu'une langue étrangère devient langue maternelle d'un grand nombre d'habitants d'un territoire donné.

La superposition, souvent doublée du rayonnement culturel, aboutissant à l'implantation, à des dates et à des degrés différents, s'observe dans les territoires politiquement français qui n'appartiennent pas à l'aire des parlers d'oïl.

Superposition et rayonnement culturel se conjuguent au grand-duché de Luxembourg ; ancienne superposition, rayonnement culturel et importation, dans la région de Bruxelles.

Importation, dans des proportions et selon des modalités différentes, au Canada, dans les îles de Saint-Pierre et Miquelon, en Louisiane, en Haïti, dans les Antilles françaises et ci-devant françaises, en Guyane française, dans l'archipel des Mascareignes (île de la Réunion, île Maurice) et dans les Seychelles, dans les « établissements français d'Océanie », en Nouvelle-Calédonie, dans la partie française des Nouvelles-Hébrides. En certains de ces points, l'importation se combine avec la superposition (notamment en Haïti, dans les Antilles et la Guyane française, à la Réunion). Les îlots linguistiques constitués par l'importation ont pu avoir un développement démographique considérable, assurant une implantation massive : c'est le cas au Canada où « au cours de ces quatre-vingt-dix années qui ont suivi la conquête, les francophones sont passés de 70 000 à 670 000 » (G. Dulong (3)).

Dans les trois pays du Maghreb, le fait français est dû principalement à une ancienne importation, maintenant pra-

3 *Les Régionalismes canadiens* dans *Le Français en France et hors de France*, II, p. 49.

tiquement résorbée, conjuguée à une superposition, exclusive autrefois, partielle aujourd'hui.

En Afrique subsaharienne et à Madagascar, l'expansion du français s'est faite principalement par superposition, secondairement par une importation assez récente et réduite en nombre.

En Asie, la situation est très variée : outre le rayonnement culturel en bien des points (notamment Proche-Orient, Iran, Indes), on observe des faits de superposition partielle au Liban et dans les États qui couvrent le territoire de l'ancienne Indochine française.

2. 2 La situation géographique (continuité territoriale ou isolement par rapport à un « centre directeur » de la langue ; proximité d'un centre de rayonnement d'une autre langue), l'organisation politique et économique (appartenance à un État, à une zone d'influence) contribuent aussi à diversifier le fait français dans le monde. Les frontières politiques peuvent produire une différenciation non seulement dans la langue de l'administration mais aussi dans celle de la conversation, comme le montre la comparaison entre le français de Wallonie et celui des régions françaises contiguës.

La domination économique américaine sur Haïti, appuyée sur une occupation militaire de dix-neuf ans, a introduit nombre d'anglicismes lexicaux ou sémantiques dans le français de ce pays.

Les facteurs géographique et économique différencient la position du français en Wallonie et au Québec, deux zones francophones relevant politiquement d'États bilingues. La première, adossée à la France, est francophone homogène ; la seconde est isolée dans un continent anglophone, placée dans l'orbite de l'économie américaine, et elle comprend dans ses limites d'importantes minorités anglophones.

2. 3 Du point de vue linguistique, on devra distinguer entre des situations *unilingues* (compte tenu d'une diversité interne normale,) (cf. 1) et *plurilingues* (4) .

Le plurilinguisme pourra être une situation *de fait* (cf. 2. 4) ou *de droit* (et de fait), comme à Bruxelles ou à Montréal par exemple, ce qui aura des répercussions sur le plan sociolinguistique (exercice exclusif ou concurrentiel des fonctions officielles) (cf. 2. 4).

Les contacts, plus ou moins intenses et prolongés, qu'implique le plurilinguisme peuvent consister en relations

4 Nous employons à dessein ce mot pour couvrir, outre les situations bilingues, celles qui sont plus complexes, comme au Val-d'Aoste, au grand-duché de Luxembourg, en Afrique noire, etc. Nous ne jugeons pas utile d'introduire ici la distinction entre bilinguisme et diglossie.

avec des substrats, superstrats ou adstrats (en un même lieu ou en des lieux contigus), s'établir avec des variétés linguistiques apparentées plus ou moins étroitement ou non apparentées, être simples ou multiples, selon qu'ils lient une langue donnée à une seule ou à plusieurs autres variétés. C'est ainsi, par exemple, que, parmi les traits du français régional de Wallonie ou de Suisse romande, certains sont attribuables à des substrats dialectaux d'oïl, d'autres à des adstrats germaniques ; le français d'Afrique du Nord doit ses particularités à l'influence combinée notamment de l'arabe, de l'espagnol, de l'italien, du français méridional ; le français du Canada joint à des archaïsmes, des dialectismes provenant de l'Ouest de la France et des anglicismes ; dans le français du Zaïre, on trouve, à côté d'éléments lexicaux provenant des langues bantoues, des mots d'origines portugaise et anglaise, ces deux langues ayant servi, à des époques différentes, de *lingua franca* sur les côtes d'Afrique.

2. 4 Le facteur sociolinguistique intervient aussi pour différencier les situations.

Le plurilinguisme pourra être largement répandu (par ex. Strasbourg est bilingue à 85 pour cent) ou limité par l'action d'une ou de plusieurs variables sociales (par ex. bilinguisme à la campagne *versus* unilinguisme français prédominant en ville, ce qui est le cas de certaines régions de France) ; dans un même milieu social (par ex. le milieu rural), il pourra, selon les zones, être intense (ce qui est le cas, en France, des zones des parlers non romans, catalan, toscan et pyrénéen), usuel (en zone d'oc et en de rares points de la zone d'oïl) ou seulement sporadique (en zone d'oïl et franco-provençale). En relation aussi avec certaines variables, dans une situation plurilingue, tantôt le français dominera, tantôt il sera dominé, et cela quantitativement et/ou qualitativement. Par exemple, si tous les Haïtiens parlent créole, 6 à 7 pour cent seulement parlent spontanément le français et en font leur langue d'usage ; les quelques milliers d'autres bilingues se servent spontanément du créole ; le reste de la population est unilingue créole.

Différents rapports s'instaurent ainsi entre variétés linguistiques en présence : langue majoritaire *vs* langue minoritaire, langue de prestige, de promotion sociale *vs* langue dépréciée, langue protégée ou favorisée *vs* langue défavorisée, voire combattue, langue polyfonctionnelle *vs* langue à emplois limités, usage exclusif d'une langue dans certaines fonctions *vs* usage concurrentiel, langue maternelle *vs* langue officielle ou langue d'appoint, etc. Des faits de tous ordres, sociologiques, psychologiques, religieux, politiques, économiques, conditionnent ces rapports et peuvent les modifier : dans deux villes bilingues, Montréal et Bruxelles, le français occupe des positions différentes, défavorisé qu'il est, dans la première, par des facteurs socio-économiques qui jouent en sa faveur dans la seconde ; au Val-d'Aoste, la position du français s'est détériorée à la suite de la formation du royaume d'Italie ; combattu ouvertement par le régime fasciste, le français est aujourd'hui menacé notamment par l'immigration, l'organisation des circuits économiques et des *mass media*. A l'île Maurice, le français a été progressivement dépouillé par l'administration britannique de certaines de ses fonctions, dont la fonction d'enseignement, ce qui rend précaire sa position dans le nouvel État indépendant. Une modification des rapports entre langues s'observe dans le Maghreb à la suite de la politique d'arabisation et est prévisible en Afrique noire, parmi les conséquences de la politique d'« authenticité ». Des réactions politico-culturelles contre la centralisation linguistique se manifestent en France, tendant à faire sortir les langues régionales de leur situation d'infériorité. De même, un mouvement de réhabilitation du créole se produit en Haïti. On lutte au Québec pour faire du français « la langue du travail ». Une prise de conscience francophone, certaines mesures officielles et des initiatives privées raniment en Louisiane une implantation du français qui était vieillie et menacée.

2. 5 Une grande diversité se manifeste également du point de vue *écologique*. Il est clair que l'expansion du français l'a introduit dans des milieux naturels et/ou socio-culturels très différents de son milieu d'origine et très variés : Canada, Antilles, Maghreb, Afrique noire, etc.

2. 6 Compte tenu de la diversité des situations et de la multiplicité des points de vue, on pourrait, au prix d'une assez forte schématisation certes (5) , répartir la francophonie entre les zones suivantes (6) :

1 France

1 a) zone des parlers d'oïl et villes de l'ensemble du pays à part l'Alsace,

5 La réduction inhérente à tout schéma fait que, d'une part, certaines situations particulières n'y trouvent pas de place, telles celles du Liban, de la Louisiane, du grand-duché de Luxembourg, et que, d'autre part, certaines distinctions fondées en réalité ont dû être effacées : par exemple, entre la Wallonie (zone de tradition) et Bruxelles (zone d'expansion) ou entre le Québec et le reste du Canada français.

6 Ce schéma s'inspire d'une analyse de la situation linguistique en France due à B. Pottier et d'un aperçu de P. Pieltain sur le français hors de France, cités tous deux dans les références bibliographiques. On peut rappeler aussi le schéma triparti de M. Houis dans « La francophonie africaine. En quoi est-elle spécifique ? ».

1 b) milieu rural occitan,

1 c) milieux ruraux catalan, corse, breton, flamand,

1 d) Alsace.

2 Zones hors de France caractérisées par la tradition d'oïl ou une implantation transformée en implantation massive :

2 a) Belgique francophone, Suisse romande, Val-d'Aoste,

2 b) Canada français.

3 Territoires d'Outre-mer, à longue tradition française, avec immigration en nombre réduit, un certain mélange de races et formation de parlers créoles : notamment Haïti, les Antilles françaises, l'archipel des Mascareignes.

4 Zones où l'expansion a été réalisée principalement par superposition : anciens protectorats et colonies français et belges. Dans cet ensemble on pourrait distinguer :

4 a) Afrique noire et Madagascar,

4 b) Maghreb (où la part de l'importation a été plus considérable),

4 c) États correspondant à l'ancienne Indochine française.

5 Zones de rayonnement culturel :
Proche et Moyen-Orient.

3 La *particularisation* de la langue dans l'espace tient à son *développement interne* combiné avec le jeu des *facteurs externes* en dépendance de la situation propre à chaque zone.

C'est ainsi que l'on peut distinguer dans le français du Canada cinq sources de divergences par rapport au français de France :

a) à l'isolement géographique et politique du Canada (à partir du traité de Paris, 1763) est due la conservation de nombreux archaïsmes (*catin* « poupée », *barrer* (la porte) « fermer », *cabaret* « plateau avec lequel on passe des rafraîchissements ») ;

b) un certain nombre d'innovations, tout en étant conformes aux tendances générales du français, se sont faites indépendamment du français de France : des dérivations comme *érablière, neigère* « cabane remplie de neige tassée et qui sert de glacière », *raquetteur, traversier* « navire servant au transport des véhicules et de leurs passagers d'un bord à l'autre d'une étendue d'eau », *savaneux* « marécageux », *vivoir* « salle de séjour » ;

c) les circonstances de l'importation (notamment origine régionale, niveau social, profession des immigrants) et de l'implantation expliquent à la fois un certain nombre de dialectalismes provenant surtout de l'Ouest de la France, la formation d'un franco-canadien commun ainsi que l'extension d'emploi de mots du vocabulaire maritime : *placoter* « barboter dans l'eau, potiner, travailler sans soin » (en Bretagne : *placoter* « marcher dans la boue »), *mitan* « milieu », *bouette* « appât pour la pêche à la morue » (d'origine bretonne), *baillarge* « orge », *fardoche* « surgeon » ; extensions d'emploi : *empanner* au sens de « immobiliser dans la neige », *être à l'ancre* « être sans emploi », *prélart* « revêtement de sol » ;

d) le contact avec des langues amérindiennes : *achigan, atoca, ouaouaron* (cf. ci-dessous) ;

e) l'influence de l'adstrat anglo-américain : *appointement* « rendez-vous », *boss* « patron », *canne* « boîte à, de conserve », *mettre la pédale douce* « mettre une sourdine », *à la journée longue* « toute la journée », *à l'année longue* « toute l'année » (7) . Sur le plan lexical, de nombreuses innovations correspondent aux besoins suscités par un milieu naturel ou socio-culturel nouveau. Quelques exemples : *achigan* (amérindianisme), nom vulgaire de la perche noire ; *agriculturisme*, idéologie selon laquelle la vocation et l'avenir du Canada sont dans la vie rurale ; *atoca* (amérindianisme), nom vulgaire de l'airelle canneberge ; *biculturalisme* « phénomène social de la coexistence de deux cultures et de deux langues nationales » ; *bordages*, « bordures de glace des rivières, des fleuves, glaces adhérentes aux rives » ; *cabane à sucre*, « petit bâtiment construit dans une érablière et où l'on fabrique le sucre et le sirop d'érable » ; *carriole*, « voiture d'hiver sur patins bas, pour le transport des voyageurs » ; *épluchette (de blé d'Inde)*, « action de dépouiller les épis de maïs, fête au cours de laquelle on épluche le maïs » ; *millage*, « nombre de milles parcourus, indiqué au compteur d'un véhicule automobile » ; *ouaouaron* (amérindianisme), « grenouille géante de l'Amérique du Nord » ; *poudrerie*, « neige fine et sèche que le vent soulève en tourbillons » ; *rang*, « type de peuplement rural », etc.

De même, la particularisation du français de Belgique révèle l'action de divers facteurs externes : localisation périphérique, favorable au maintien d'archaïsmes, tels que *septante, nonante, attraire* (en justice), *endéans* (pour *dans le délai de*) ; absence de liens politiques avec la France, sauf pendant une brève période qui a suivi la Révolution, et *realia* socio-culturels propres (tradition administrative, vie publique,

7 Cf. G. Straka dans la préface de la *Bibliographie linguistique du Canada français* de G. Dulong.

débats politiques, etc.), d'où notamment des termes officiels comme *bourgmestre* (pour *maire*), *échevin* (pour *adjoint au maire*), *régent* (professeur non licencié de l'enseignement secondaire) ; contacts, d'une part, avec des dialectes d'oïl encore vivants (donc bilinguisme français-dialecte chez bon nombre de Wallons) et, d'autre part, avec des adstrats germaniques (flamand, allemand), d'où deux séries de calques et d'emprunts, qui sont d'ailleurs des séries ouvertes : « *je ne peux mal* » (signifiant « je n'ai garde » ou « je ne risque rien ») calque du wallon *dji n'pou mau, rombosse* « pomme entière cuite au four dans une enveloppe de pâte », du wallon *rôbosse* ou *rombosse, crolle* « boucle de cheveux », du wallon *crole*, lui-même emprunté au germanique (néerlandais *krol*), *drève* « allée ou avenue bordée de chaque côté par une rangée d'arbres », du moyen néerlandais *dreve*, « *qu'est-ce que c'est pour un* (livre) ? », calque du germanique, etc.

En Afrique noire francophone, on peut tenir pour facteurs externes de particularisation :

a) les interférences linguistiques avec les langues autochtones et avec d'autres langues qui ont été l'instrument d'une expansion commerciale ou coloniale (portugais, anglais, arabe) ;

b) les besoins expressifs et communicatifs nouveaux suscités par le milieu naturel et socio-culturel. Quelques exemples : *baraquer* « faire agenouiller son chameau », de l'arabo-berbère *berek ; boubou* « vêtement », du wolof-sérère *mboube ; balafon* « xylophone mandingue », du mandingue *bala* « xylophone » et *fo* « frapper » ; *potopoto* ou *potopote* « marais vaseux, boue, pisé, gâchis », d'origine africaine ; *capita* « conducteur de caravane, chef d'équipe, chef de village », du portugais *capitão ; tchop* « nourriture, repas », de l'anglais *chop ; barza* « véranda », de l'arabe de Mascate par l'intermédiaire du swahili, etc. Par adaptation aux réalités socio-culturelles, le mot *dot* a pris en Afrique centrale le sens de « somme d'argent ou cadeau que le jeune homme ou sa famille donne à la famille de la future épouse, selon les conventions de mariage passées entre les deux familles », le mot *frère*, dans l'expression des liens de parenté, s'applique même à des cousins éloignés. On notera, en outre, une néologie active qui emploie les ressources et les procédés propres au français : *dévierger* (« déflorer », employé aussi au Canada) ; *enceinter* (« rendre une femme enceinte ») ; *serpent-cracheur* (« espèce de *naja* africain ») ; *herbe à éléphants* (*Pennisetum purpureum*), etc.

4 En synchronie, on pourrait songer à classer les particularités linguistiques selon les trois critères suivants :
1) le plan de la langue qui est affecté (plan phonique, morpho-syntaxique ou lexical) ;
2) la portée des particularités : elles touchent au système ou consistent seulement en variantes ;
3) leur caractère positif (présence de traits spécifiques) ou négatif (absence de traits présents dans d'autres variétés).

4. 1 Il est bien connu que les variétés régionales du français peuvent se distinguer par des traits qui relèvent des trois plans de la langue.

Ainsi, sur le plan phonique, pour citer seulement quelques exemples, le français du Canada est marqué par la tendance à palataliser et à assibiler *t* et *d* devant *i* ou *ü*, à rendre antérieure l'articulation de *a* nasal, à donner une plus grande ouverture à *è* ouvert ; le français de Haïti compte parmi ses caractéristiques l'ouverture de *o* fermé, la faiblesse d'articulation de *r* (*la woute* pour *la route, véité* pour *vérité, foid* pour *froid*) ; le français de Belgique est marqué, entre autres, par ses phénomènes d'articulation relâchée, d'allongement desévoyelles, de lenteur du débit, la non-distinction de *ui* et de *oui* (*huit* prononcé comme *ouit*) ; le français du Val-d'Aoste nasalise imparfaitement les voyelles et les allonge par compensation, il articule fréquemment les consonnes finales (par ex. *t* de *nuit*), aspire la consonne *r*, n'amuit presque jamais le *e* dit muet, ouvre le *o* fermé, fait sonner une consonne nasale dans un mot comme *chanter*, etc. Un peu partout aussi, on signale des caractéristiques prosodiques (intonation, rythme de la phrase).

La morphosyntaxe n'est pas à l'abri des différenciations régionales ; plus difficiles à cerner, ces phénomènes ont été peu étudiés jusqu'à présent dans certaines zones. Le français canadien dit : « C'est le plus beau blé *qu'il y a pas* sur le marché » pour « c'est le plus beau blé *qu'il y ait* sur le marché » ; « *gênez-vous pas* ! » pour « *ne vous gênez pas* ! » ; « soixante-*et*-deux, soixante-*et*-quinze » pour « soixante-deux, soixante-quinze » ; *sur* semaine pour « en semaine ».

La distinction entre pronoms de régime direct et de régime indirect est inconnue en français de Haïti (« vous *le* plaisez » pour « vous *lui* plaisez ») comme en acadien de Louisiane (« Paul *les* en donne » pour « Paul *leur* en donne ») ; ce dernier, sur le modèle de l'anglais, dit : « Je manque mon amie Marie » pour : « Mon amie Marie me manque ». Le futur s'exprime souvent au Val-d'Aoste par la forme du présent suivie de l'adverbe *puis : je viens puis*, tandis qu'en Suisse romande et en Bresse on emploie *vouloir* comme auxiliaire : *je veux tomber* (pour *je vais tomber*). Dans le Nord et l'Est de la France ainsi qu'en Belgique, on relève fréquemment le tour : « Donnez-moi du vin *pour mon mari emporter* », « j'ai emporté ce livre *pour moi lire* en voyage ». Sur le modèle de *avoir chaud, ~ froid*, le français de Belgique construit *avoir facile, ~ difficile, ~ dur, ~ bon* (tours attestés d'ailleurs en certains points de France, notamment dans l'Est). On identifie aisément comme méridionales des constructions telles que : « *Je me suis* fumé une cigarette », « Il *s'est* perdu le chapeau », « sentir *à* l'ail », « Je *suis* été ». Calquant l'italien, le Corse dira : « Quelle heure *sera*-t-il ? ». Même le français régional de l'Île-de-France et de l'Orléanais présente quelques traits originaux de morphosyntaxe : « *devant* la guerre », « *tout* la semaine », « ils allaient *leur* (prononcé *leu*) baigner », « y en a *très ben* (pour « il y en a *beaucoup* »), « y a *pas mais* un pommier » (pour « il *n*'y a plus un pommier »).

Mais on sait que c'est sur le plan lexical (mots et expressions) que les usages régionaux présentent le plus de particularités. Celles-ci apparaissent non seulement là où on les attend, c'est-à-dire dans les champs sémantiques liés aux réalités et modes de vie régionaux, mais même dans d'autres qui n'ont aucune spécificité locale. Des exemples bien connus de ce dernier cas sont la *loque à reloqueter* de Belgique et la *wassingue* du Nord de la France (pour *serpillière*), les *bourriers* du Poitou (pour *ordures*), la *débarbouillette* et le *vivoir* du Canada (respectivement « carré de tissu-éponge dont on se sert pour se laver » et « salle de séjour »). Mais la différenciation peut aussi se manifester dans le sémantisme : en français de Haïti, *crocheter* une porte, c'est la fermer ; on a signalé plus haut l'évolution sémantique de *dot* en Afrique centrale ; en Belgique, *posture* a pris un second sens, celui de statuette, et *auditoire* se dit à la fois de la salle de cours ou de conférence et de l'assemblée des auditeurs ; à moins de 100 km de Paris, dans l'Orléanais et l'Île-de-France, le terme générique de *serpent* n'inclut ni l'orvet, ni la couleuvre, ni la vipère, *macabre* signifie « lourd, puissant », *repas* « festin », *guetter* s'emploie pour *garder* : « on guette les vaches » . . . ou les enfants (emploi noté aussi à Montréal).

Si les traits phoniques sont assez constants et spécifiques, les particularités morphosyntaxiques et lexicales peuvent ne caractériser un usage régional que par leur fréquence relative : ainsi en est-il de certains « belgicismes » qui, en réalité, ne sont pas propres au français de Belgique (par ex. le tour « avoir facile » ou le mot *aubette*) mais y apparaissent avec une fréquence particulière dans le discours.

Qui plus est, nous constatons aussi qu'un emploi plus fréquent que dans d'autres zones d'éléments morphosyntaxiques ou lexicaux appartenant au français commun peut contribuer à particulariser un usage régional : ainsi le grand nombre d'occurrences du mot *assister*, dans l'acception d'« aider », est caractéristique du français du Hainaut belge.

Nous sommes ici aux confins de la *parole* et de la *langue*, pour reprendre la distinction saussurienne. Dans de tels cas, la particularisation tiendrait à une répartition statistique.

On sait aussi que, du point de vue de la communication entre groupes et donc de l'unité de la langue au niveau de l'ensemble de la communauté, les différenciations sur les trois plans n'ont pas la même importance : « . . . il est certain, par exemple, qu'une altération généralisée du timbre des voyelles ou une confusion des marques morphologiques font courir à l'unité de la langue des dangers autrement graves que l'insertion dans le vocabulaire de mots étrangers au français central, au français codifié. Aussi bien, le lexique n'a jamais constitué le bastion principal dans la citadelle d'une langue » (M. Piron) (8) .

4. 2 Les particularités modifient le système ou introduisent seulement des variantes.

Il semble bien que bon nombre de traits phoniques régionaux sont sans incidence sur le système : « Pour ce qui touche à la prononciation, les écarts régionaux s'insèrent dans les espaces non bloqués du système phonologique et utilisent ainsi les possibilités de réalisations inutilisées dans les autres régions » (G. Tuaillon) (9) . Ainsi en est-il de la prononciation helvétique, comtoise, belge aussi, de *sirop* avec *o* ouvert final, étant donné qu'en cette position le français commun n'emploie que *o* fermé et que par conséquent l'opposition *o* ouvert – *o* fermé s'y trouve neutralisée.

C'est aussi l'avis de L. Warnant qui écrit : « En ce qui concerne la phonologie, il semble bien que la plupart des caractéristiques acoustiques qui marquent plus ou moins fortement les parlers régionaux, ne résultent que de réalisations phonétiques diverses des phonèmes d'un seul et même système, celui du français neutralisé » (10).

8 *Pour un inventaire général des « usances » de la francophonie*, communication faite à la Ve Biennale de la langue française, Dakar, 1973, dans *Le français hors de France* (cfr. infra), p. 38-p. 45.

9 *Revue de linguistique romane*, t. 36, numéros 141-142 (janvier-juin 1972), p. 162.

10 *Dialectes du français et français régionaux* dans *Langue française* 18 (mai 1973), p. 119.

Mais la prudence de L. Warnant est justifiée : il n'y a pas lieu de *généraliser* cette conclusion. Certains exemples fournis plus haut montrent que la différenciation peut porter sur des traits pertinents ou sur la combinatoire, amenant ainsi des confusions de phonèmes ou de séquences : par ex. en Haïti, l'abolition de l'opposition *o* fermé – *o* ouvert (*pôle-Paul*), l'amuïssement total de *r* dans un groupe formé de consonne + *r* : *le froid* et *le foie* se confondent (« X est mort du *fwa* »).

Les modifications du système morphosyntaxique sont peut-être assez rares, encore que, entre autres faits, certaines confusions de pronoms en français de Haïti, en acadien, en français régional de l'Orléanais, certaines formations du futur (Val-d'Aoste, Suisse romande) en fournissent des exemples.

Nous sommes d'accord avec G. Tuaillon pour reconnaître que « le français régional se définit surtout par des unités lexicales : elles trouvent autant de place qu'elles veulent dans le système lexical qui est un système ouvert, non bloqué. Elles y ont un statut comparable à celui des synonymes, ou des équivalents argotiques des mots français. Tous les équivalents lexicaux peuvent coexister ; ils alourdissent le dictionnaire, ils n'altèrent pas le système. Ils ne gênent la compréhension que la première fois qu'on les entend. Mais qui ne bute pas un jour ou l'autre sur un mot inconnu ? On l'apprend, on l'intègre facilement à son code lexical et, qu'elle soit utilisée de façon active ou simplement passive, la nouvelle acquisition ne bouscule pas l'organisation antérieure : il y a de la place pour tous les mots dans un système lexical. Le français régional en profite » (11). Il conviendrait pourtant d'ajouter que lorsque les particularités consistent, non dans l'introduction de lexèmes propres, mais dans des changements sémantiques affectant des lexèmes communs, le réseau des relations, le système, s'en trouve modifié et la communication risque d'être perturbée. Ainsi en va-t-il, par exemple, du mot *cité* que, sous l'influence de l'anglais, le français administratif du Canada emploie dans le sens de « ville », et qui, d'autre part, en français du Zaïre, s'applique exclusivement à une agglomération ou à une partie de ville peuplée d'autochtones, l'un et l'autre de ces usages s'écartant de celui du français commun, de telle sorte que le mot a des valeurs sensiblement différentes dans ces trois emplois : « la *cité* de Carcassonne », « la *cité* de Montréal ,», « la *cité* de Kinshasa ».

On ne pourrait d'autre part assurer que *seuls* les traits pertinents mettent la communication en jeu dans des

11 Ouvrage cité, pp. 162-163.

situations concrètes. L. Warnant remarque fort justement que, parce que les particularités régionales sont souvent des traits superficiels, comme la prononciation ou l'intonation de la phrase, *le discours tout entier prend une apparence spécifique* (12). Celle-ci peut dérouter l'auditeur et troubler gravement la communication, au cours d'une première phase du moins, jusqu'à ce que s'établisse une accoutumance. Ainsi en est-il par exemple – nous le savons d'expérience – de la palatalisation-assibilation de *t* et *d* par le locuteur canadien, de la faiblesse articulatoire de *r* (avec, dans certaines conditions, allongement de la voyelle : [pa:lé] pour [paRlé]) chez le locuteur haïtien. La difficulté de compréhension pour l'auditeur non habitué est accrue du fait que ces traits superficiels spécifiques se présentent en faisceaux, plus ou moins denses selon les locuteurs.

Inversement, des différences de système ne troublent pas nécessairement la communication. Ainsi nous semble-t-il en être des oppositions de quantité qui subsistent en Belgique (par ex. *ami* avec *i* bref, distinct de *amie* avec *i* long) alors qu'elles ont disparu du français de Paris : un tel trait pourra paraître redondant à l'auditeur parisien mais ne fera pas obstacle à la communication.

4. 3 On a vu plus haut que la particularisation pouvait être affaire de répartition statistique : fréquence anormalement basse ou élevée d'un trait du français commun. Le fait qu'une innovation de la variété tenue traditionnellement pour le « parler directeur » n'ait pas ou pas encore atteint une variété régionale contribue à caractériser celle-ci. Plusieurs observateurs ont remarqué, par exemple, que le français de Belgique est moins « avancé » que celui de sa voisine du sud (13), notamment parce que l'accueil fait aux traits argotiques est beaucoup plus restrictif. La négation *ne . . . pas* garde généralement en Belgique ses deux éléments constitutifs dans les mêmes variétés de langage où, en France, elle se simplifie. Il y a donc une sorte de *caractérisation négative*, qui ne porte pas seulement sur les innovations. Des mots de vieille souche, relevés comme des synonymes dans les dictionnaires généraux, peuvent en réalité être répartis dans l'espace, chacun étant d'emploi exclusif dans son aire. Ainsi en est-il de *sac* et de *poche* par exemple ; en Belgique, on ne connaît que le premier, alors que le second est le seul usité au Québec et dans certaines régions de France (entre autres le Bordelais). Si, en France,

12 Ouvrage cité, p. 113.

13 Cf. M. Piron, *Aspects du français en Belgique* dans le *Bulletin de l'Académie royale de langue et littérature françaises*, t. XLIII, n° 3 (1965), p. 249.

cacahuète et *arachide* sont en concurrence avec une nette prédominance du premier (fréquence absolue de 28 contre 11 dans le *Dictionnaire des fréquences* du *Trésor de la Langue française*), au Zaïre le second est employé exclusivement, au point d'être pratiquement le seul mot connu. Ce phénomène peut donc atteindre non seulement la *parole* mais aussi la *langue* (14) .

5 Une particularité ne se perçoit évidemment que par comparaison, ce qui implique un point de référence. Ainsi est posé le problème de la norme ou des normes.

5. 1 Il est bien clair qu'il y a plusieurs normes à l'intérieur d'une même langue, que chaque variété possède sa norme. A. Goosse parle d'une *norme spontanée* qui « varie selon les temps, selon les lieux, selon les milieux » et résulte d'un *consensus* tacite et non prémédité. Il y oppose la convention explicite de la *norme puriste*, qui n'existe que pour les « langue de civilisation » et est essentiellement *conservatrice* et *centralisatrice* (15) .

En ce qui concerne le français, on sait que cette norme remonte au XVIIe siècle, qu'elle se fonde partiellement sur la norme spontanée d'un milieu restreint, à savoir la Cour. A l'heure actuelle, certains l'identifient à l'usage de la bourgeoisie parisienne cultivée. De son côté, J. Hanse, pour cerner la notion de *bon usage*, fait entrer en ligne de compte « à la fois la tradition, le français parlé par l'homme instruit et cultivé, le français écrit par les bons auteurs modernes [. . .], par ceux qui ont prouvé leur connaissance de la langue et de ses finesses, mais aussi leur amour de la clarté et leur conscience de la valeur sociale de la langue, et enfin le français défini par les meilleurs grammairiens » (16).

On voit combien la notion de bon usage peut être composite, comment elle intègre des critères géographiques, sociaux, culturels, qualitatifs, pseudo-logiques aussi (la « logique » interdirait de *poursuivre un but* !), mêlant parfois les registres (le français écrit proposé par d'aucuns comme modèle de français parlé). On ne s'étonnera donc pas des interprétations subjectives, plus ou moins puristes, plus ou moins laxistes, qui en sont faites. On ne s'étonnera pas non plus des hésitations de cette norme, que prouvent surabondamment, sur le plan morphosyntaxique, les exemples patiemment amassés par M. Grevisse dans *Le bon usage*, entre autres, et, sur le plan phonique, l'enquête menée par

14 Cf. S. Faïk, *Le Français au Zaïre* (à paraître).

15 *La Norme et les écarts régionaux*, dans *Le Français en France et hors de France*, II, p. 93.

16 *Dictionnaire des difficultés grammaticales et lexicologiques*, Amiens, Bruxelles, 1949, p. 14.

A. Martinet : « Sur 66 Parisiens de 20 à 60 ans appartenant dans l'ensemble à la bourgeoisie et réunis par le hasard en 1941, il ne s'en est pas trouvé deux pour répondre de façon absolument identique à une cinquantaine de questions visant à dégager le système vocalique de chaque informateur ». (17). Mais cette diversité n'était même pas perçue par les usagers, constatation qui conduit A. Martinet à distinguer, chez tout individu, une « norme linguistique active, impérative, qui règle l'emploi qu'il fait de la langue, et une norme passive, beaucoup plus lâche et tolérante » (18).

5. 2 La notion traditionnelle du bon usage a beau être hétérogène, non linguistique et de contours assez flous, on aurait tort d'en sous-estimer l'influence : idéal déclaré de la pédagogie traditionnelle, trop souvent instrument de discrimination sociale, elle reste le modèle de langue inavoué de nombreux linguistes modernes.

Cependant, l'un d'eux, Jean Dubois, prétend décrire un français contemporain répondant à une norme définie sans référence à un groupe social, à une fonction culturelle ou à un usage historiquement privilégiés : « La langue qui est ici considérée se définit comme la moyenne des emplois actuels, une fois rejetés les écarts les plus grands. La norme retenue est donc celle des générations moyennes [. . .] ; l'écart est alors constitué par les usages des générations antérieures ou postérieures. Le français analysé est la langue des groupes sociaux urbains, dont le volume de communications est le plus grand relativement à l'ensemble linguistique français : l'écart est ici constitué par les usages régionaux et individuels, ce que l'on appelle les dialectes ou patois et les idiolectes ; il est aussi constitué par les usages personnels des écrivains [. . .]. Cette langue se définit encore par son utilisation entre les locuteurs de groupes sociaux différents, à l'exclusion des conduites qui ne sont usuelles qu'à l'intérieur d'unités sociales restreintes (langues techniques, argots, etc.) : la norme se définit par l'intercompréhension la plus étendue. Le français étudié est alors dit « neutralisé », puisqu'il représente dans sa totalité un cas non marqué, par opposition aux cas marqués que sont les français régionaux, littéraire ou populaire » (19).

L. Warnant a excellemment discuté des implications de cette définition ; il a montré que beaucoup de linguistes

17 *Éléments de linguistique générale*, Paris, 1967, p. 149.

18 Ouvrage cité, p. 150.

19 *Grammaire structurale du français. Nom et pronom*, Paris, 1965, p. 5.

français identifient le *français neutralisé* au *français central* sans fonder théoriquement ni objectivement leur position. Or celle-ci, poursuit-il, pourrait être justifiée « au prix d'une redéfinition du corpus » : « Il faudrait, au départ, considérer qu'il n'existe aucun *dialecte* privilégié et recueillir un nombre suffisant de corpus régionaux, les corpus des *dialectes* de Paris, de Lille, de Marseille, de Liège, de Genève, de Bordeaux. Il faudrait procéder à l'inventaire de ces corpus et ensuite constituer le corpus du *français neutralisé*. Le principe qui servirait de critère dans cette dernière opération serait celui du plus grand nombre d'usagers » (20) . En fait, on peut s'attendre que la plupart des traits ainsi retenus, parce que communs ou statistiquement dominants, soient des traits du français central. Tous les traits de ce dernier ne seraient cependant pas retenus, spécialement ceux qui, confinés dans certains niveaux de langue, littéraire ou populaire, n'auraient pas l'appui d'un usage assez étendu. En revanche, des traits considérés traditionnellement comme régionaux seraient accueillis dans le français neutralisé, tout simplement parce que n'ayant pas d'équivalent en français central. Ainsi en irait-il, par exemple, de *poudrerie* (français du Canada), de *drève* (français de Belgique), de *potopote* (français d'Afrique noire) et, en général, des mots qui répondent spécifiquement aux besoins d'expression et au patrimoine culturel des francophones vivant dans des milieux différents du milieu français ou parisien.

Sur le plan des tâches concrètes, la proposition méthodologique de L. Warnant (constitution d'un corpus de corpus) est à rapprocher de celle que M. Piron développait en décembre 1973 à la Ve Biennale de la langue française de Dakar : établir un inventaire général des « usances » (c'est-à-dire les variétés géographiques) du français.

A notre sens, c'est seulement en partant de l'observation systématique de la pluralité des variétés du français et en acceptant les principes posés par L. Warnant que l'on pourra fonder objectivement un *français commun*, qui serve de référence à la francophonie tout entière.

Probablement constatera-t-on, expérience faite, que ce français neutralisé correspond sensiblement au bon usage traditionnel, débarrassé d'un certain nombre de vieilleries, raretés et complications qui font le régal des puristes « petit-boutistes ».

Un autre intérêt d'un tel inventaire serait, comme le souligne M. Piron, de rendre un certain nombre de termes régionaux disponibles pour des emprunts internes qui enri-

20 Ouvrage cité, p. 107.

chiraient la langue française. Précieuse ressource, surtout à notre époque où se marque, dans le langage, une tendance à la sur-détermination, c'est-à-dire à la recherche de signes univoques, dont le sémantisme ne soit plus lié au contexte.

Nous ajoutons que ce serait un instrument efficace pour adapter la didactique du français à la pluralité des situations de la francophonie. Les « usances » une fois décrites, les écarts entre elles pourraient être étudiés objectivement : des tests d'intellection permettraient notamment de les mesurer en tant qu'obstacles possibles à la communication et donc d'évaluer dans quelle mesure ils sont « tolérables » ou non, ce qui permettrait à la pédagogie de concentrer ses efforts sur des objectifs bien précis.

6 A notre estime, une vue réaliste du français dans le monde pourrait conduire aux quelques conclusions suivantes.

6. 1 La sociolinguistique reconnaît l'existence d'une communauté linguistique « dès l'instant où tous ses membres ont au moins en commun une seule variété linguistique, ainsi que les normes de son emploi correct » (21) . L'extrême diversité des situations dans la francophonie nous interdit d'exiger plus que ce minimum. Une francophonie impérialiste poursuivant une politique de colonisation linguistique serait d'ailleurs vouée à l'échec dans le monde d'aujourd'hui (22) .

6. 2 Le français étant devenu, à des titres divers, le bien commun de la francophonie, la seule norme admissible serait fondée sur l'usage commun ou prédominant de l'ensemble de la communauté. L'ethnocentrisme n'est plus de mise.

Le français commun sert dès à présent de véhicule à une pluralité de cultures. Par conséquent, il doit accueillir tous les mots si étroitement liés à la vie quotidienne, à la géographie, aux traditions, à l'organisation sociale des divers peuples de la francophonie qu'il serait « impossible de les rejeter sans porter atteinte non seulement au patrimoine culturel mais aussi aux moyens d'expression des sujets parlants » (M. Beaulieu) (23) .

21 Cf. J.A. Fishman, *Sociolinguistique*, Bruxelles, Paris, 1971.

22 Cf. M.-J. Calvet : « La seule francophonie selon nous souhaitable et réalisable serait une certaine communauté linguistique aussi vaste et aussi ouverte que possible. Cette association de pays parlant français devrait respecter les autres langues en usage dans ces pays mêmes et développer les complémentarités entre ces autres langues et le français. Résolument opposée à tout monolinguisme obsessionnel et expansionniste, la francophonie impliquerait un ensemble d'équilibres fondé sur un ensemble de bilinguismes, partout où la situation le requiert . . . » (dans *Le Français en France et hors de France*, I, p. 87).

23 Préface de *Canadianismes de bon aloi*, Québec, 1969, p. 4.

6. 3 La variété commune du français sera normalement celle qui sera employée pour la transmission écrite et orale, à longue distance, de messages à caractère principalement informatif, intellectuel. C'est sur elle que le dirigisme linguistique portera ses efforts, c'est là que son action se justifie le mieux et peut avoir la plus grande efficacité. Le pédagogue veillera aussi à assurer le maximum d'unité à cette variété : unité aussi complète que possible en matière morphosyntaxique, unité relative en matière phonique (élimination des particularités qui font obstacle à l'intercompréhension).

En matière lexicale, non seulement les termes spécifiques nécessaires auront pleinement droit de cité comme on l'a dit plus haut, mais des variantes régionales de l'usage commun seront tenues pour acceptables si elles sont de formation correcte et n'introduisent pas d'ambiguïté.

6. 4 L'enseignement de la norme ne peut être facteur d'inhibition. Le pédagogue reconnaîtra le polymorphisme linguistique comme un *fait normal* et comme une *ressource positive* à exploiter pour assurer la pleine maîtrise de l'expression et de la communication. Cette maîtrise doit porter à la fois sur le maniement fonctionnel et le maniement social du langage ; elle permettra au locuteur de choisir, dans chaque situation, la variété linguistique la plus appropriée. Bien sûr, les tâches concrètes de l'enseignement varieront selon que le polymorphisme est fait de la coexistence d'idiomes différents ou de variétés d'une même langue, ces deux types de situations se rencontrant dans la francophonie. Mais les principes restent les mêmes : il s'agit toujours de prendre conscience de ce polymorphisme, de bien distinguer les variétés entre elles et de s'entraîner à en user à propos.

6. 5 Le pluralisme en matière de normes peut se justifier par des raisons *pratiques* : être compris dans un milieu déterminé (24) , *psychologiques* : ne pas inculquer à des locuteurs le sentiment d'une infériorité culturelle et linguistique, *sociologiques* : rester intégré à un groupe, ne pas se singulariser. C'est une attitude *positive* parce que les variétés spontanées

24 Voyez les remarques de bon sens d'A. Goosse : « Moi-même, si j'emploie *soixante-dix* quand je m'adresse à mes étudiants, je dis *septante* quand je parle à mon jardinier. On peut rêver d'un français vraiment universel, mais en attendant que ce rêve se réalise, il faut aussi essayer de se faire comprendre des gens avec lesquels on vit. Si je veux manger du poisson, je commande de l'*elbot* et non du flétan, sinon je courrais le risque de jeûner, puisque le mot *flétan* est tout à fait inconnu chez nous » (dans *Le Français en France et hors de France*, II, p. 100). Dans le même ordre d'idées, ajoutons qu'en dehors de quelques milieux assez restreints, celui qui, en Belgique, inviterait des gens à *déjeuner* provoquerait incompréhension et stupéfaction, car on y *déjeune* le matin, on y *dîne* le midi et on y *soupe* le soir . . .

d'une langue sont un indice de vitalité, reflètent une véritable appropriation de la langue par les locuteurs et témoignent de la créativité de ceux-ci, créativité qui peut d'ailleurs être utile pour l'enrichissement ou le renouvellement de la langue commune. C'est enfin une attitude *réaliste* pour deux raisons. Une raison générale d'abord : c'est que le langage par sa nature est le lieu d'une perpétuelle tension entre socialisation et individualisation, entre normalisation et liberté créatrice. La seconde raison, particulière, tient à la diversité des situations qu'occupe le français dans le monde (25).

Mais une telle attitude n'est-elle pas *dangereuse* pour l'unité du français ? Tenter, par le dirigisme linguistique, d'uniformiser le français serait de toute façon une entreprise vaine. Le meilleur facteur d'unité linguistique est, pour reprendre l'expression de F. de Saussure, la « force d'intercourse ».

On constate que les divergences entre variétés ne sont nulle part aussi accentuées que lorsque les locuteurs restent confinés dans leur groupe régional ou socio-culturel, enfermés dans certains types de situations ou limités à certaines modalités de communication. Plus grande est la mobilité des sujets parlants à ces différents points de vue, plus les divergences s'atténuent d'une part et plus multiforme d'autre part devient la compétence du locuteur-récepteur et, en fin de compte, plus assurée est l'unité de la langue sous la diversité qui règne en surface. Une société démocratique, assurant la mobilité sociale de ses membres, et les techniques modernes de locomotion et de diffusion sont éminemment favorables au jeu de la « force d'intercourse ».

Si nous voulons contenir la particularisation du français dans des limites telles qu'une suffisante intercompréhension subsiste, le moyen le plus sûr est de développer les relations, les échanges – particulièrement mais pas exclusivement d'ordre culturel – entre toutes les zones de la francophonie.

Une telle politique jointe à la diffusion d'une variété commune assurera à la francophonie l'unité nécessaire tout

25 C'est en somme ce pluralisme en matière de normes que préconisait M. Paquot dans son intéressant article *Conceptions provinciales du « bon usage »* (*Cahiers de l'Association internationale des études françaises*, n° 14, mars 1962, pp. 95-112) : « ... ce qu'est, au fond, je crois, le bon usage. Une réalité facile à définir ? Non. Un mythe ? Pas davantage ; mais un ensemble d'attitudes mentales, ou mieux de tendances diverses, selon le temps, le lieu, les circonstances multiples, et qui s'imposent à nous, que nous nous exprimions de manière à nous faire comprendre (et *de qui* ?), à nous faire apprécier (et *par qui* ?), ou simplement, à satisfaire, pour notre besoin propre, à des habitudes sentimentales et expressives. Et c'est pourquoi il existe toujours plusieurs bonnes façons d'écrire et de parler » (p. 111-112).

en sauvegardant les valeurs que portent les « normes spontanées ».

Notre langue nous semble moins menacée aujourd'hui par les particularismes régionaux et la créativité populaire, foisonnement de vie, que par les prétentions des cuistres et des snobs, par le purisme inhibiteur des uns, par les jargons pseudo-savants des autres (« franglais », « hexagonal », etc.), qui stérilisent le génie français.

Willy BAL
(Université de Louvain)

BIBLIOGRAPHIES

BALDINGER (K.) dans *Lexicologie et lexicographie françaises et romanes*, Paris, C. N. R. S. 1960, pp. 164-174.
Bibliographie provisoire concernant les français régionaux, arrêtée en 1957.

DULONG (Gaston), *Bibliographie linguistique du Canada français*, Québec, Les Presses de l'Université Laval, Paris, C. Klincksieck, 1966.

PAINCHAUD (Paul), *Francophonie. Bibliographie 1960-1969*, Montréal, Les Presses de l'Université du Québec, 1972.

CARAYOL (Michel), CHAUDENSON (Robert), *Bibliographie des études linguistiques sur les parlers de l'Océan Indien* (depuis 1960), Cahier du Centre universitaire de la Réunion, 1 (décembre 1971), pp. 53-67. Concerne aussi les français régionaux.

CHAUDENSON (Robert), *Le lexique du parler créole de la Réunion*, Paris, Champion, 1974, 2 vol. (voir la bibliographie, pp. 1217-1236).

GÉNÉRALITÉS, RECUEILS OU NUMÉROS SPÉCIAUX DE REVUES

BLANCPAIN (M.) et REBOULLET (A.), *Une langue : le français aujourd'hui dans le monde*, Paris, Hachette, 1976.

Bilinguisme et francophonie, sous la direction de Jean-René LADMIRAL, dans *Ethno-Psychologie. Revue de psychologie des peuples*, 28e année, 2/3 (juin-septembre 1973).

Le Français, langue vivante, dans *Esprit*, 30e année, n° 311 (novembre 1962).

Le Français en France et hors de France. I. *Créoles et contacts africains*. II *Les Français régionaux. Le Français en contact*. Actes du colloque sur les ethnies francophones (Nice 26-30 avril 1968), 2 fasc. [=*Annales de la Faculté des lettres et sciences humaines de Nice*, n° 7 (1er trimestre 1969) et n° 12 (octobre 1970)].
Le tome I contient une brève bibliographie, pp. 93-97.

Les Parlers régionaux, sous la direction d'Alain LEROND, dans *Langue française*, n° 18 (mai 1973).

VIATTE (Auguste), *La Francophonie*, Paris, Larousse, 1969.

Le Français dans le Monde, n° 69 (décembre 1969) : *Unité et diversité du français contemporain*.

Fédération du français universel (éd.). *Le Français hors de France*. Dakar, 1973, Dakar, Abidjan, Les nouvelles éditions africaines, 1975.

DISCUSSIONS THÉORIQUES

DARBELNET (Jean), *Le Bilinguisme*, dans *Le Français en France et hors de France*, t. II, pp. 107-120.

GOOSSE (André), *La norme et les écarts régionaux*, dans *Le Français en France et hors de France*, t. II, pp. 91-100.

WARNANT (Léon), *Dialectes du français et français régionaux*, dans *Langue française*, n° 18 (mai 1973), pp. 100-125.

TRAVAUX SPÉCIAUX

Le français en France

POTTIER (Bernard), *La situation linguistique en France*, dans *Le langage*, sous la direction d'André MARTINET. Paris, N. R. F., 1968, *Encyclopédie de la Pléiade*, pp. 1144-1161.

Quelques monographies

BOILLOT (Félix), *Le Français régional de la Grand'Combe (Doubs)*, Paris, 1930.

MICHEL (L.), *Le Français de Carcassonne*, dans *Annales de l'Institut d'études occitanes*, t. I (1948), pp. 196-208 ; t. II (1949), pp. 80-110.

MIÈGE (Madeleine), *Le Français dialectal de Lyon*, Paris, P. Masson, 1937.

SÉGUY (Jean), *Le Français parlé à Toulouse*, Toulouse, Privat, 1950.

SIMONI-AUREMBOU (M.-R.), *Le Français régional en Ile-de-France et dans l'Orléanais*, dans *Langue française*, n° 18 (mai 1973), pp. 126-136.

Le Français hors de France

PIELTAIN (Paul), *Le Français hors de France*, dans *Le Français en France et hors de France*, t. II, pp. 5-28.

Le Français en Belgique

PIRON (Maurice), *Aperçu des études relatives au français de Belgique*, dans *Le Français en France et hors de France*, t. II, pp. 31-42.

BAETENS BEARDSMORE (Hugo), *Le Français régional de Bruxelles*, Bruxelles, Presses Universitaires de Bruxelles, 1971.

PIRON (Maurice), *Les Belgicismes lexicaux : essai d'un inventaire*, dans *Mélanges de linguistique française et de philologie et littérature médiévales offerts à M. Paul Imbs*, Strasbourg, Centre de philologie et de littérature romanes de l'Université de Strasbourg, 1973, pp. 295-304.

POHL (Jacques), *Témoignages sur la syntaxe du verbe dans quelques parlers français de Belgique*, Bruxelles, Palais des Académies, 1962.

Le Français en Suisse

PIERREHUMBERT (W.), *Dictionnaire historique du parler neuchâtelois et suisse romand*, Neuchâtel, Attinger, 1926.

Le Français dans le Val-d'Aoste

CHANOUX (Renée), « Histoire du Français dans le Val-d'Aoste », dans *Le Français en France et hors de France*, t. II, pp. 75-82.

Le Français au Canada

BARBEAU (Victor), *Le Français du Canada*, Montréal, Les publications de l'Académie canadienne française, 1963.

DULONG (Gaston), *Bibliographie linguistique* . . . (cf. *supra*).

GENDRON (Jean-Denis), *Tendances phonétiques du français parlé au Canada*, Paris, C. Klincksieck ; Québec, les Presses de l'Université Laval, 1966.

Glossaire du parler français au Canada préparé par la Société du parler français au Canada, Québec, L'Action sociale, 1930. (Rééd. récente aux Presses de l'Université Laval, Québec).

Le français au Québec, dans *Langue française*, n° 31 (septembre 1976).

Le Français en Louisiane et dans la zone des Antilles

BISSAINTHE (Max), *Bibliographie haïtienne*, Port-au-Prince, 1951.

CONWELL (Marilyn) et JUILLAND (Alphonse), *Louisiana French Grammar*, La Haye, Mouton, 1963.

PHILLIPS (Hosea), *Le Parler acadien de la Louisiane*, dans *Le Français en France et hors de France*, t. I, pp. 43-48.

POMPILUS (Pradel), *La Langue française en Haïti*, Paris, Institut des Hautes Études de l'Amérique latine, 1961.

POMPILUS (Pradel), *Le Fait français en Haïti*, dans *Le Français en France et hors de France*, t. I, pp. 37-42.

VALDMAN (Albert), *Créole et français aux Antilles*, dans *Le Français en France et hors de France*, t. I, pp. 13-28.

Le Français en Afrique

CALVET (Maurice J.), *Le Français au Sénégal : interférences du wolof dans le français des élèves sénégalais*, Dakar, C. L. A. D., 1968.

DUPONCHEL (L.), *Contribution à l'étude lexicale du français de Côte-d'Ivoire*, Université d'Abidjan, Institut de linguistique appliquée, 1972.

HOUIS (Maurice), *La Francophonie africaine. En quoi est-elle spécifique ?* , dans *Le Français dans le monde*, n° 95 (1973), pp. 6-11.

LANLY (A.), *Le Français d'Afrique du Nord, Étude linguistique*, Paris-Montréal, Bordas, 1973.

MAKOUTA-MBOUKOU (Jean-Pierre), *Le Français en Afrique noire*, Paris-Bruxelles-Montréal, Bordas, 1973.

Zone de l'Océan Indien

DESMARAIS (Nadia), *Le Français à l'île Maurice*. Dictionnaire des termes mauriciens. Port-Louis, R. Coquet, 1969.

Cahier du Centre universitaire de la Réunion, n° 3 (mai 1973). (Contient des articles de Michel CARAYOL, Robert CHAUDENSON, Pierre-Marie MOORGHEN, Pierre CELLIER sur la situation linguistique à la Réunion et à l'île Maurice et sur l'enseignement du français à la Réunion).

Divers

ABOU (Sélim), *Le Bilinguisme arabe-français au Liban*, Paris, P. U. F., 1962.

Langue française,

civilisations

et littératures

d'expression française

Il y a cinq ou six ans le monde occidental découvrait Alexandre Soljénitsyne. On s'empressa de le traduire. Et le *New York Times* du 25 juillet 1974, sous la plume de Richard Locke, jugeait ainsi de la valeur d'une traduction anglaise des nouvelles et poèmes en prose : « As english, it seems slack at times, and it's unfortunately shot through with anglicisms that seriously distort the meaning for American readers. » Ce qui en français veut dire à peu près ceci : le lecteur américain est gêné par la qualité de l'anglais qui est malheureusement rendue floue par l'emploi d'idiotismes britanniques (1) .

Oserait-on imaginer semblable article dans le *Soleil* de Dakar ou le *Devoir* de Montréal critiquant une traduction en langue française et lui reprochant d'être imprécise parce qu'employant des tournures trop hexagonales ! De France cela paraît impensable, où l'on croit souvent que le français parlé de l'Île-de-France est universel. Un commentateur parisien de radio France-Inter ne disait-il pas sa surprise en octobre 1975 après la représentation de la pièce « lyonnaise » de M. Mareschal *Une anémone pour Guignol*. Il avait aimé le spectacle mais avait découvert, amusé, l'accent et le parler des Lyonnais qui lui rappelaient, disait-il, « la découverte du parler québécois par les Français il y a une dizaine d'années ».

Du Canada, la chose serait pourtant possible. Après la représentation de *Pygmalion* de Bernard Shaw en 1967 dans la traduction québécoise d'Éloi de Grandmont, Jean-Louis Roux et le Théâtre du Nouveau Monde à Montréal où J. Hébert et le Théâtre du Trident à Québec ont abandonné les versions françaises des pièces modernes pour jouer à partir d'une traduction québécoise des pièces américaines telles que *La mort d'un commis voyageur* d'Arthur Miller ou *Equus* de Peter Shaffer.

La centralisation souvent excessive de la France, tout entière orientée vers Paris, s'est étendue pendant un temps à tout le monde francophone au niveau de la langue et de l'expression littéraire. Mais la situation a changé, bien que l'évolution linguistique des pays d'expression française ait été plus lente que celle des pays d'expression anglaise, espagnole ou portugaise.

1 Événement cité et abondamment commenté par Gérard Tougas, *Les Écrivains d'expression française et la France*, Paris, Denoël, 1973, p. 247.

LE FRANÇAIS ET LES AUTRES LANGUES EUROPÉENNES

On sait que l'importance d'une langue dépend de la puissance économique et politique de ceux qui la parlent, tout autant que de ses vertus intrinsèques, et souvent même beaucoup plus. Que s'est-il passé au cours des deux derniers siècles ? La puissance de l'Angleterre a décru alors que les États-Unis se développaient pour devenir un grand pays, le premier des « super-grands ». Les Britanniques se moquèrent longtemps de l'accent, des tournures et de la syntaxe relâchée des Américains. Il fut même de bon ton quand on parlait de ces derniers en Angleterre de singer leur façon de s'exprimer. G. B. Shaw disait avec humour que l'Angleterre et les États-Unis étaient deux pays désunis par une même langue. A cette époque, quelques éminents littérateurs d'outre-Atlantique souffraient de ce qu'ils ressentaient presque comme une tare vis-à-vis de l'élite britannique. Puis la civilisation américaine s'est imposée. L'importance du marché nord-américain permit l'essor de l'édition locale qui répandit ses productions à l'extérieur et multiplia, pour la clientèle de l'intérieur, des traductions et bientôt des retraductions en « américain » d'ouvrages précédemment traduits en anglais.

Il ne nous appartient pas de disserter sur l'évolution de la langue anglaise de chaque côté de l'Atlantique, ni de juger les mérites de la version américaine par rapport à l'original cultivé encore à Oxford. Le fait est qu'aujourd'hui il y a bel et bien deux littératures, l'une anglaise, l'autre américaine : il y a deux civilisations, et un étudiant ne pourrait faire des études sérieuses en anglais sans connaître la littérature et la culture américaines.

Il en est de même pour le monde hispanique. L'Amérique latine n'a pas la richesse ni la puissance économique de l'Amérique du Nord, mais le contact avec d'anciennes et riches civilisations comme celle des Incas ou des Aztèques, la nature d'un immense pays traversé par la cordillière des Andes ou l'épopée gauchesca des plaines argentines, ont créé de nouveaux modèles esthétiques et politiques. La langue s'est développée autrement qu'en Espagne. La littérature hispano-américaine a conquis ses titres de gloire avec des écrivains de notoriété mondiale, tels Miguel Asturias, Pablo Neruda ou Jorge Luis Borges. Il y a déjà plus d'un siècle que l'Académie espagnole enregistrait dans son dictionnaire les particularités de la langue hors d'Espagne. On peut ainsi relever, pour situer de nombreux mots et expressions, la mention Mexique, Chili ou Argentine, etc., et pour d'autres la mention castillan. On admet depuis, en Espagne, plusieurs parlers espagnols, plusieurs civilisations et littératures hispanophones.

Le Portugal a vu de son côté sa puissance économique et politique concurrencée par celle du Brésil qui, avec ses 90 millions d'habitants – comparés aux 9 millions du Portugal – se prépare pour le XXIe siècle et prétend devenir au Sud de l'Amérique ce que les États-Unis sont au Nord. Le nom de Rio semble à plusieurs de nos compatriotes plus prestigieux que celui de Lisbonne, et la population portugaise tiendrait tout entière dans l'agglomération de Sao Paulo. Pour les lusophones, les influences linguistiques sont maintenant moindres de l'est (Portugal) à l'ouest (Brésil) que vice versa. Il y a là encore sans aucun doute aujourd'hui deux ensembles culturels distincts et deux littératures.

Dans le monde francophone, la vapeur n'a pas été renversée de cette façon. La France reste le chef de file incontesté, le pays industrialisé le plus important et le plus représentatif sur le plan politique. Si Mexico ou New York sont devenues de grandes capitales intellectuelles pour les hispanophones et les anglophones, la place de Paris reste de loin souveraine pour les pays de langue française. La France a pourtant essaimé hors de ses frontières et le français s'est largement répandu à travers le monde. Mais seul des quatre grandes langues de diffusion mondiale, le français est resté étroitement lié au sort de sa mère patrie jusqu'au milieu du vingtième siècle.

On peut expliquer assez facilement ce phénomène unique. La France a constitué son Empire beaucoup plus tardivement que l'Espagne ou le Portugal. Ses défaites militaires du XVIIIe siècle l'ont privée de l'Inde et du Canada surtout qui aurait été un terrain propice à la constitution d'un deuxième grand État français si la Nouvelle-France avait pu suivre un destin parallèle à celui de la Nouvelle-Angleterre. Autre particularité : la France est le seul ou pratiquement (si on exclut Monaco) des quarante-deux pays « francophones » indépendants, où le français est l'unique langue en usage. Tous les autres connaissent un état de bilinguisme ou de multilinguisme (Belgique, Suisse, etc.), ou de diglossie (pays africains ou antillais, etc). Dans plusieurs cas le français n'est parlé majoritairement que dans une partie du territoire, même si celui-ci est de très grande taille : c'est le cas du Canada. Dans cette confédération de dix provinces, le français est parlé par une minorité en Ontario et au Nouveau-Brunswick (l'Acadie) et par une toute petite minorité dans sept autres provinces. Seul le Québec est essentiellement francophone, mais ce n'est constitutionnellement qu'une province malgré sa superficie égale à celle d'une bonne partie de l'Europe (Allemagne de l'Ouest, Pays-Bas, Belgique, Luxembourg, Suisse, France, Espagne et Portugal réunis).

On pourrait aussi tenir compte de la date assez récente de l'accession à l'indépendance de beaucoup de pays francophones. Haïti fait exception puisque l'île conquit son indépendance en 1804 : mais dès 1844 elle était définitivement scindée en deux, Saint-Domingue et Haïti, et cette dernière devait passer une vingtaine d'années sous la « protection directe » des États-Unis (de 1916 à 1934) qui poursuivirent longtemps encore leur politique de « coopération ».

Pendant ce temps là, l'Argentine était indépendante depuis 1816, le Mexique et le Chili depuis 1821, le Brésil depuis 1822, etc. La conscience nationale put s'y développer pendant le XIXe siècle dans la tradition d'un idéal romantique, une littérature naquit et l'expression linguistique avalisa peu à peu les particularismes.

D'autres raisons permettraient encore d'expliquer l'évolution moins rapide de l'univers francophone. Mais quel que soit le décalage dans le temps, le phénomène est le même : c'est le sort des empires, linguistiques ou non, de donner naissance, après une période de large extension, à de nouveaux ensembles homogènes qui éventuellement se sépareront du tronc commun. Le monde francophone s'est aujourd'hui déjà largement diversifié : c'est devenu une évidence au cours des dernières vingt années.

NATIONS ET CIVILISATIONS D'EXPRESSION FRANÇAISE

On ne saurait bien entendu considérer d'un bloc les pays francophones hors de France. Il est important de se méfier d'une généralisation trop hâtive, et avant l'étude détaillée que l'on trouvera dans les chapitres suivants des principales cultures s'exprimant en français hors de France, il est nécessaire de se persuader de la variété des pays francophones et de leur richesse.

La Suisse, la Belgique et le Luxembourg sont des pays bilingues, – ou multilingues – indépendants et européens. Le français y est une ancienne langue, pratiquée comme langue maternelle par une bonne partie de la population. Il s'est forgé au cours des siècles, parallèlement à ce qui se passait en France. Mais la proximité de la France dont ces pays sont limitrophes a eu une influence prépondérante si bien que le langage est tout compte fait relativement peu différent de ce qu'il est dans l'hexagone. Un accent, quelques tournures syntaxiques et des éléments lexicaux en constituent les principales différences. On peut voir dans ces pays une évolution souvent très semblable à celle des provinces françaises, avec la différence que constituent la conscience nationale et l'indépendance politique qui a permis de fixer des traits régionaux acceptés et pratiqués de la majorité alors qu'ils auraient été sinon rejetés, du moins considérés comme très particuliers et marginaux dans une province française. La culture de ces pays reflète cette situation : proche de la culture française, elle accuse des traits régionaux et s'est enrichie des contacts avec les autres cultures nationales, la flamande pour la Belgique, l'allemande pour la Suisse. C'est dans un contexte de biculturalisme que les arts s'y sont développés et que la littérature a trouvé ses traits originaux les plus marquants.

La Guadeloupe, la Martinique et la Réunion sont des départements français situés à des milliers de kilomètres de la France dans la mer des Caraïbes ou dans l'océan Indien. Ces petites îles officiellement de langue française sont d'un peuplement francophone plus récent (XVIIIe siècle essentiellement). Les Français qui s'y installèrent amenèrent des esclaves noirs à qui ils apprirent leur langue mais sans souci d'éducation comme on s'en doute.

Le contact du français avec les langues africaines parlées par les esclaves donna naissance à une nouvelle langue, le créole : « la dernière-née des langues latines », qui est aujourd'hui la langue la plus parlée de la population. A Haïti, la plus grande île de la Caraïbe, le créole s'est particulièrement développé avec l'indépendance bien que le français soit la langue officielle. Le degré de scolarisation y est peu élevé et une bonne part de la population campagnarde ne comprend que le créole. La culture repose sur d'anciennes traditions africaines modifiées au cours de l'histoire. On connaît la religion du vaudou par exemple. Ajoutons qu'en plus de l'éloignement de la France, le sous-développement contribue à un écart culturel profond. Les élites imitèrent d'abord la vie intellectuelle française mais peu à peu, avec la démocratisation et l'accès à l'écrit d'un plus grand nombre d'habitants, c'est une culture originale qui s'y est développée, faite de psychologie insulaire, de réminiscences africaines, et de revendications parfois camouflées d'ordre social, politique et racial. Le français qui a donné naissance au créole est à son tour influencé par lui et l'on rejoint un bilinguisme de fait qui n'est pas sans marquer la culture de ces régions.

Dans les pays du Maghreb (Maroc, Algérie, Tunisie), le français fut pendant une centaine d'années la seule langue officielle. Langue du colonisateur, elle remplaça l'arabe dialectal. Elle permit une plus grande scolarisation et ouvrit le monde arabe à l'Occident. Instrument de propagande, c'est par elle que l'on résista ensuite à la France pour l'amener à la décolonisation. Une abondante littérature de combat, qui donna naissance à plusieurs chefs-d'œuvre, s'y développa pendant les années qui précédèrent l'indépendance. De grands écrivains se révélèrent : Driss Chraïbi, Albert Memmi, Mouloud Feraoun, Mohammed Dib ou Kateb Yacine. Une fois acquise l'autonomie politique, le français resta langue officielle, langue scientifique et internationale ; mais peu à peu l'arabe fut remis à l'honneur et une importante campagne d'arabisation y est menée actuellement. Le français ne sera pas de si tôt remplacé, mais il doit désormais composer avec l'arabe, langue ancienne et prestigieuse qui retrouve ses lettres de noblesse et qui doit conduire les jeunes générations à s'exprimer à travers elle non plus seulement au niveau de la conversation courante dans une version dialectale, mais plus profondément dans la vie culturelle à tous les niveaux. La culture s'exprimant en français n'est donc qu'une partie de la culture locale. La littérature maghrébine est appelée essentiellement à faire le pont entre le monde occidental et les pays arabes.

Le cas du Liban est particulier. Les ravages de la guerre actuelle vont sans doute remettre beaucoup de choses en question, dont l'équilibre qui s'était instauré entre les langues (français et arabe) et les religions (chrétienne et musulmane). A présent, français et arabe y sont les deux langues officielles, le français étant davantage l'apanage de la classe aisée et de la promotion sociale, dans une correspondance assez marquée entre la classe dirigeante et la population d'origine chrétienne, sans qu'il y ait toutefois de totale identité. Plus que les Maghrébins, les Libanais sont à la fois occidentaux et orientaux, ce qui leur permet d'explorer avec bonheur le monde de l'imaginaire : on connaît la perspicacité du théâtre de Georges Schéhadé.

Au Québec et dans le Canada français, c'est l'anglais qui est langue de l'argent et du pouvoir, le français étant une langue plus populaire, celle des cultivateurs et des marins restés en terre nord-américaine après le traité de Paris qui, en 1763, cédait la Nouvelle-France à l'Angleterre. Le français a été réellement brimé par la colonisation anglaise qui, après avoir accepté la situation linguistique aussitôt après la guerre, s'employa tout au cours du XIXe siècle à la réduire pour tenter une assimilation qui ne put jamais se réaliser tant était grande la ténacité des anciens colons français. Bien implanté sur les bords du Saint-Laurent, le français est en Amérique du Nord une langue robuste enracinée dans le labeur des travaux de la terre et protégée pendant deux siècles par la religion catholique. Le Canada est officiellement bilingue mais le Québec seul, avec une partie de l'Acadie et de l'Ontario, maintient vivante la flamme qui s'exprime depuis quelques années avec une ardeur nouvelle dans la chanson, le théâtre et la littérature de fiction, particulièrement engagée. Un souffle nouveau anime la culture québécoise ; née en France, elle a été transplantée en terre d'Amérique et, après deux siècles, elle s'achemine vers une certaine plénitude, bénéficiant du dynamisme américain dans ce pays jeune, vaste et plein de promesses.

En Afrique noire, dite francophone, les nations sont jeunes, très jeunes même. La volonté de développement ne manque pas, mais la situation économique est loin d'être ce qu'elle est dans un pays fortement industrialisé comme le Canada. Le bilinguisme y est un état de fait mais il est rarement officiel. Le français est presque partout la seule langue officielle, langue internationale, qui cohabite dans les travaux quotidiens avec une multitude de petites langues parlées par quelques millions (rarement), quelques milliers (souvent) ou quelques centaines seulement parfois de locuteurs. On sait le désir qu'ont les Africains de voir se réaliser l'unité africaine, et l'unité linguistique devrait en être une des composantes. Cependant, la pression de la réalité est là qui ne permet pas d'envisager cette unité linguistique pour un avenir proche. Le français, langue du colonisateur occidental, est devenu dans les grandes villes comme Abidjan la langue qui permet aux diverses ethnies de se comprendre, d'être alphabétisées et instruites. C'est la langue de la promotion interne et externe du colonisé qui peu à peu l'a faite sienne. Il l'a drapée aux riches couleurs de l'Afrique, l'a enrichie pour lui permettre de désigner les réalités de l'Afrique (géographie, faune, flore, coutume) et l'a conduite à suivre le rythme des tam-tams et de la musique africaine dans l'expression poétique. C'est en français d'abord que se sont exprimées littérairement les revendications de la négritude et c'est dans un français qui s'africanise que la culture actuelle cherche à se renouveler. Les langues africaines sont appelées à se développer, du moins les plus importantes d'entre elles. Le français restera très longtemps la langue de l'expression internationale, scientifique et pour une bonne part culturelle.

Ainsi, comme on le voit par ces quelques exemples, on aurait tort de vouloir considérer globalement les pays francophones hors de France. Situations économiques et politiques différentes, cultures différentes, particularités et niveaux de langue différents : le monde francophone est fait de variété et de diversité. On voit aussi les dangers de l'emploi généralisé des mots « francophone » et « francophonie ». Dans certains pays, le français est l'élément moteur d'une culture jaillissante, dans l'autre il est surtout la marque d'un passé colonial que les individus et les gouvernements veulent rejeter aussi définitivement qu'il est possible. On doit donc se garder d'un néo-impérialisme culturel dans une entreprise de récupération linguistique. Contentons-nous de considérer – le plus objectivement qu'il est possible de faire – le phénomène linguistique que constitue l'implantation du français sous des cieux les plus divers, et si l'on veut bien envisager à partir de l'évolution de la langue l'expression des civilisations, on enrichira ses connaissances par la multiplicité des cultures qui sont véhiculées à travers elle.

LES LITTÉRATURES D'EXPRESSION FRANÇAISE

Dans la variété des cultures s'exprimant à partir de la langue française, il est un phénomène intéressant à considérer dans son développement historique. Nées de la littérature française pour la plupart, les jeunes littératures d'expression française ont suivi dans de nombreux cas une évolution semblable : imitation, découverte de valeurs originales, rejet de la littérature française et affirmation d'autonomie autour des grandes œuvres marquant une nouvelle culture. Ce n'est pas faire uniquement de l'histoire littéraire que de suivre cette évolution qui est enrichissante à plus d'un titre : à travers la langue française nous pouvons mieux comprendre, comme dans un microcosme, le développement de l'histoire culturelle du monde qui suit à l'échelle des nations celle des individus et des familles.

Comme il n'est pas possible d'envisager ici le développement de toutes les littératures, contentons-nous de noter les faits saillants de cette évolution à travers deux groupes différents, la littérature québécoise et la littérature noire.

Pendant tout le XIXe siècle, les écrivains d'en dehors de France avaient les yeux fixés sur la production littéraire métropolitaine. Les communications étaient difficiles, les représentants des Antilles ou du Canada par exemple se trouvaient toujours en retard d'une école littéraire, classiques sous les romantiques, romantiques sous les symbolistes, etc.

On sait combien l'expression en français était méritoire sur les bords du Saint-Laurent qui ne virent paraître aucun bateau français entre la signature du traité de Paris (1763) et le voyage de la *Capricieuse*, première frégate envoyée par la France en 1855 pour marquer le rétablissement des relations régulières entre la France et le Canada, et qui apportait dans ses cales les ouvrages de Victor Hugo.

Il n'était donc pas étonnant que Michel Bibaud, un des premiers poètes canadiens, publiât en 1830 un recueil d'*Épitres, satires, chansons, épigrammes et autres pièces de vers* dans lequel la prétention de l'auteur s'exprimait par ce vers : « Si je ne suis Boileau, je serai Chapelain. »

La plupart des œuvres écrites hors de France sont alors des œuvres d'imitation, « une littérature de décalcomanie », dit le Guyanais Léon-Gontran Damas, jugeant sévèrement la littérature écrite alors par ses congénères.

Il faut dire que pendant longtemps le Nègre tenta de se rapprocher le plus possible du Blanc : le rêve d'Etzer Vilaire n'était-il pas en 1900 « l'avènement d'une élite haïtienne dans l'histoire littéraire de la France, la production d'œuvres fortes et durables qui puissent s'imposer à l'attention de notre métropole intellectuelle » ? Étienne Léro dira plus tard avec dépit de ses compatriotes : « L'Antillais se fait un point d'honneur qu'un Blanc puisse lire tout son livre sans deviner sa pigmentation. »

Une telle littérature n'eut guère d'intérêt qu'exotique et documentaire, et encore pas dans tous les cas. Souvent les œuvres d'importance publiées en France à cette époque parurent même trop hardies hors de France pour qu'on les imitât carrément : on préféra suivre une tradition plus ancienne. La préface de Patrice Lacombe préludant à son roman *La terre paternelle*, publiée au Québec en 1846, est révélatrice de cette tendance. Dans une espèce de petit catéchisme du bon roman québécois, l'auteur s'en prend aux romans français de l'heure, trop noirs pour lui : « Laissons aux vieux pays que la civilisation a gâtés leurs romans ensanglantés, peignons l'enfant du sol tel qu'il est et doit demeurer, religieux, honnête, paisible de mœurs et de caractère, jouissant de l'aisance et de la fortune sans orgueil et sans ostentation, supportant avec résignation et patience les grandes adversités . . . » On comprend aisément l'épithète employée par Maurice Piron : une littérature « sous le signe du souverain poncif ».

Pourtant de cette littérature balbutiante allaient sortir peu à peu des œuvres régionalistes de fort bon aloi. Des noms émergèrent, symboles de la fidélité au sol natal sur lesquels s'enracinèrent les littératures nationales.

Comme le dit justement Maurice Zermatten dans sa préface aux *Morceaux choisis* de Ramuz : « Ramuz n'atteignit à l'universel qu'en pénétrant toujours plus loin au cœur de sa province. »

Les jugements portés sur les œuvres et les auteurs de cette période sont très divers : leurs contemporains tantôt les louent de reproduire avec justesse et amour les traits de leur pays – ou leur reprochent leur audace –, tantôt les comparent avec les écrivains français et pèsent les mérites de leur style. Il n'est pas facile d'écrire en français en dehors de France ! Et il est parfois très difficile de juger ceux qui écrivent dans la même langue que soi, mais dans le contexte d'une culture, d'une sociologie et d'une histoire notablement différentes. Le Québécois Octave Crémazie déplorait au XIXe siècle la dépendance obligatoire des écrivains canadiens vis-à-vis de la littérature française. Il écrivait, pessimiste, à son ami l'abbé Casgrain : « Plus je réfléchis sur les destinées de la littérature canadienne, moins je lui trouve de chance de laisser une trace dans l'histoire. Ce qui manque au Canada, c'est d'avoir une langue à lui. Si nous parlions iroquois, notre littérature vivrait » (2) .

Problème de métissage culturel et problème de la langue support obligatoire de la culture. Plusieurs générations ont été traumatisées, d'autres le sont encore dans plusieurs pays par la difficulté d'atteindre à une nouvelle synthèse culturelle, et, par le moyen d'une langue venue de l'étranger et expérimentée ailleurs, d'exprimer sans les trahir ses sentiments profonds. « Trahison », c'était le premier titre du magnifique poème de Léon Laleau qu'il reprit plus tard sous le nom de *Musique nègre* :

« D'Europe, sentez-vous cette souffrance
Et ce désespoir à nul autre égal
D'apprivoiser avec des mots de France
Ce cœur qui m'est venu du Sénégal . . . »

On se reportera sur ce sujet à la très pertinente préface de Jean-Paul Sartre à l'*Anthologie* de Senghor, intitulée *Orphée noir* (3) . Sartre est un des écrivains français qui ont le mieux compris ce problème de l'appartenance culturelle à deux groupes différents, de l'impossibilité de réduire l'un à l'autre, et ainsi de la difficulté d'écrire en français une œuvre africaine.

2 Octave Crémazie, *Lettre à l'abbé Casgrain* du 29 janvier 1867.

3 L. S. Senghor, *Anthologie de la nouvelle poésie nègre et malgache de langue française*, Paris, P. U. F., 1948 (Préface de J. P. Sartre, « Orphée noir »).

Le poème de Laleau est touchant dans sa simplicité. Il est la meilleure expression d'une génération, la dernière sans doute, à tenter de garder l'équilibre entre les deux pôles d'attraction que sont la culture française de la métropole et la prise de conscience naissante d'une civilisation considérée par d'aucuns comme primitive mais à laquelle l'écrivain est viscéralement attaché et qu'il doit s'appliquer à développer en lui.

La génération suivante ne se pose plus cette sorte d'interrogation : elle a choisi. « Mon passeport est déjà périmé, écrit le Québécois Hubert Aquin dans la revue *Parti pris*. Puis je ne sortirai plus jamais de mon pays natal. Je veux rester ici. J'habite mon pays » (4) . Le français étant sa langue maternelle, la situation est simplifiée, mais il veut couper les ponts avec la littérature française.

De façon nuancée, Gabrielle Roy exprime la même idée : « Je pense qu'il ne viendrait plus à l'idée de personne de nier qu'il y a maintenant une littérature canadienne française, avec ses caractéristiques à elle, sans doute quelque peu ambiguë, mais elle reflète une société ambiguë, ni française, ni nord-américaine, mais un peu de tout cela, et c'est là au reste (être québécois), ce côté ambigu, qui fait notre côté intéressant » (5) .

Écoutons un autre Américain québécois, Roch Carrier : « Je voulais vivre et surtout je voulais écrire, ce qui est pour moi une façon de vivre. Je refusais de succomber, je refusais de mourir par ce déchirement qui a tué tant d'aînés, écartelés entre une culture originale, française, étrangère, et leur culture québécoise ; ils n'avaient pas pu, écartelés qu'ils étaient, s'inventer un langage. Cette culture, que je nomme d'emprunt, ne peut être assimilée sans que l'on ait d'abord accepté sa culture propre ; autrement elle est agent d'aliénation ; la culture d'emprunt maîtrisera trop aisément notre culture autochtone. Quel homme, quel écrivain survivrait à un tel écartèlement . . . »

« Si l'on compare mes romans avec les recherches actuelles qui passionnent les jeunes écrivains de France, apparaîtra un océan de différences entre ce que je fais et ce qu'ils écrivent. Lecteur, je suis très intéressé par leurs recherches ; écrivain, écrivain du Québec, je n'y trouve pas un besoin viscéral de briser la tradition d'un genre littéraire qui n'existe pas encore ici. Je n'ai pas besoin de démembrer les mécanismes d'une langue que nous ne maîtrisons pas

4 Hubert Aquin, « Hubert Aquin, profession écrivain », in *Parti pris*, n° 4, janvier 1964, p. 31.

5 Gabrielle Roy, citée par Maximilien Laroche in *Le Miracle et la métamorphose*, Montréal, édit. du Jour, 1970, p. 27.

encore. Mon grand souci, dans un contexte où parler une langue et l'écrire est un acte difficile, était, plutôt que de pulvériser cette langue, de l'utiliser tout simplement pour nommer les choses de ma vie qui n'avaient pas encore été nommées et raconter ce que l'on n'a pas encore raconté. Écrivant mon roman, je ne me situe pas dans un univers de culture romanesque, je prends place parmi un Québec qui a été dépossédé de sa culture et qui, petit à petit, avec acharnement, s'applique à se donner une âme . . . Ce que nous appelons au Québec, avec la faim la plus profonde, ce n'est pas une petite feuille précieuse comme on les fabrique si bien en France, mais c'est un immense et sauvage printemps littéraire » (6).

C'est dans cet esprit-là que l'on écoutera Gilles Vigneault : « Mon pays ce n'est pas un pays, c'est l'hiver », ou que l'on lira Gaston Miron : « Québec, ma terre amande, ma terre amère ».

C'est dans le même esprit que l'on a déjà lu Aimé Césaire et son poème *Négritude* :

« Ceux qui n'ont ni inventé la poudre ni la boussole
Ceux qui n'ont jamais su dompter la vapeur
ni l'électricité
Ceux qui n'ont exploré ni les mers ni le ciel
mais ils savent en ses moindres recoins le pays
de souffrance . . .
mais ceux sans qui la terre ne serait pas la terre » (7).

A des œuvres littéraires de « colonisés » – culturellement parlant du moins – ont succédé des œuvres « libérées » qui ont permis la constitution de ces nouvelles littératures : elles sont la célébration des retrouvailles d'un individu – ou d'un peuple – avec lui-même. Il s'exprime pour lui-même sans référence à la souche maîtresse, et sans regard par-delà l'épaule du voisin.

« Je ne veux rien dire que moi-même
Cette vérité sans poésie moi-même
Ce sort que je me fais cette mort que je me donne
Parce que je ne veux pas vivre à moitié dans
ce demi-pays
dans ce monde à moitié balancé dans le charnier
des mondes morts . . . »

Paul CHAMBERLAND

6 Roch Carrier, « Comment suis-je devenu écrivain », in *Le Roman de langue française*, colloque du C. E. L. E. F., Sherbrooke, 1971, pp. 271-272.

7 Aimé Césaire, « Négritude », in *Cahier d'un retour au pays natal*, Paris, 1939 (rééd. Présence africaine, 1972).

Et cette vision artistique déborde le champ de la littérature pour s'appliquer aux autres arts et imprégner toute la culture. « Les frontières de nos rêves ne sont plus les mêmes, écrit le peintre Borduas dans *Le refus global*. Des vestiges nous prennent à la tombée des oripeaux d'horizons naguère surchargés » (8) .

L'ÉVOLUTION DE LA LANGUE FRANÇAISE

La langue française ne sort pas indemne de cette nouvelle prospection. Outil d'investigation, elle accompagne les démarches maladroites ou conquérantes des nouvelles générations lointaines. Elle participe aux explorations, se cuirasse, se colore, s'enrichit ; elle est aussi attaquée, blessée, mutilée même parfois. Elle se transforme peu à peu au fil de ces aventures. Il lui arrive d'être abandonnée au profit d'autres moins fières, plus sensibles et mieux habituées à la réalité indigène ou au contraire plus fortes. Quand elle s'adapte, elle en sort modifiée et plus expérimentée.

L'écrivain malien Massa-Makan Diabate exprimait récemment son point de vue sur l'usage du français comme langue de création :

« Fils de griots, petit-fils de griots et griot moi-même, j'ai pensé que la vitalité des langues africaines s'imposait. Aussi, j'ai toujours considéré la langue française comme un outil. Outil en ce sens qu'il permet une interprétation des cultures africaines dans les pays qui ont connu la colonisation française.

Élève de Kele Monson Diabate, l'un des prestigieux maîtres de la parole du Mali, j'ai appris que la parole était tantôt un fil qu'il ne fallait pas casser, tantôt une jeune épousée à mener avec douceur. J'ai appris aussi que la bonne parole mettait fin à tout. Et surtout qu'il ne fallait jamais par des conventions la brider, ce qui est le propre de l'Occident.

En ce sens j'utilise la langue française, en lui appliquant une réaction mandingue qui peut surprendre le lecteur français non averti.

Le poème mandingue est mi-chanté, mi-parlé sans dire, psalmodié. Au reste, je pense que les différentes réactions contre la langue française ne peuvent que l'enrichir, tant il

8 Paul-Émile Borduas, *Le Refus global*, 1948, rééd. édit. Parti pris, Montréal, 1974, p. 11.

est vrai qu'une langue n'est pas figée. Elle est un devenir comme toutes les acquisitions humaines » (9).

Du point de vue lexical, il n'est plus possible d'ignorer les particularités essentielles du français tel qu'il est pratiqué hors de France et surtout hors de l'Europe. Maurice Piron rêvait à la cinquième Biennale de la langue française à Dakar d'un futur dictionnaire universel du français. Celui-ci se réalisera sans doute dans un avenir assez proche sous l'impulsion de l'A. U. P. E. L. F. (Association des universités partiellement ou entièrement de langue française). Déjà les travaux des centres ou instituts de linguistique appliquée d'Afrique noire francophone ont permis d'en jeter les bases en constituant des lexiques nationaux (10) qui témoignent de l'originalité et de la vitalité de la création lexicale dans chacun de ces pays.

Mais une langue ne se réduit pas à son lexique. La création verbale concerne tous les mécanismes du langage, comme on peut le constater à la lecture des romans ou à l'audition des chansons populaires. « L'acte d'écrire la poésie est un acte de rupture, dit Paul Chamberland : la poésie est subversive ou elle n'est pas poésie. » L'expression littéraire des peuples francophones peut donner cette impression de rupture linguistique d'avec la langue française traditionnelle. Il ne faut pas s'y tromper : c'est un enrichissement et un signe de la vitalité de la langue. Le poète de l'île Maurice, Raymond Chasle, l'affirme avec raison : « La vitalité et l'évolution de la langue française, écrit-il, ne dépendent plus exclusivement d'une quelconque suprématie de l'hexagone. Tous ceux qui utilisent une langue sont les garants de sa mutation et de son devenir. Aux poètes plus qu'aux autres hommes, incombe la responsabilité solidaire du rayonnement de leur langue et de sa permanence » (11).

Ainsi justifie-t-il pour nous la nécessité d'une meilleure connaissance linguistique du français hors de France.

Lorsque Rivarol discourait au XVIIIe siècle sur l'universalité de la langue française, il fallait surtout entendre par là que les gens de qualité des pays européens pouvaient alors se comprendre et dialoguer en français. Mais la langue française

9 Massa-Makan Diabate, « Quelques réflexions sur l'usage du français comme langue de création », in *De tous les lieux du français*, Paris, Fondation d'Hautvillers, 1975, p. 51.

10 Laurent Duponchel, *Dictionnaire du français de Côte-d'Ivoire*, Abidjan, ILA, 1974 ; Suzanne Lafage, *Dictionnaire des particularités du français au Togo et au Dahomey*, Abidjan, ILA, 1975.

11 Raymond Chasles, « Quelques réflexions sur l'usage du français comme langue de création », in *De tous les lieux du français*, Paris, Fondation d'Hautvillers, p. 32.

est aujourd'hui plus « universelle » qu'au XVIIIe siècle, qui permet de découvrir par l'intérieur, c'est-à-dire à travers l'expression littéraire et plus généralement linguistique, ce que sont les Français, les Belges, les Suisses, les Québécois, les Africains, les Maghrébins ou les Antillais. Leurs problèmes et leurs préoccupations, leur mode de vie et leur culture, nous pouvons les percevoir parce que nous avons le même outil, la même clef (et pour une fois, il ne s'agit pas de clef anglaise !). A travers les œuvres que véhicule la langue française, nous pouvons toucher à l'Islam, à la catholicité et au protestantisme, à l'animisme, etc. Nous pouvons mieux sentir le point de vue des anciens colonisateurs et celui des colonisés ; le point de vue des blancs, des noirs, des jaunes, des Européens, des Américains, des Arabes, des insulaires et des Asiatiques.

On connaît les projections de L. S. Senghor appelant de ses vœux une « civilisation de l'universel ». Il rappelait en Sorbonne, dans un discours prononcé lors de l'inauguration de la chaire des études francophones en décembre 1974, ce grand avantage de la complémentarité des civilisations des pays francophones. « Gérard Tougas, rappelait-il, parle de « cette alliance du goût, de la sensibilité et de l'intelligence qui résume les manifestations les plus hautes de l'esprit français ». Il s'agit, dans la nouvelle entreprise de la francophonie, d'allier le goût à la force, la sensibilité à l'émotion, l'intelligence à l'intuition. Pour être, encore une fois, un homme ultra-humain parce qu'intégralement humain. »

LES PROBLÈMES DE LA FRANCOPHONIE

Les politiciens qui ont répandu le nom de la « francophonie » n'ont pas toujours aidé à son expansion, chargeant l'expression de connotations souvent restrictives. Les présidents Bourguiba, Senghor et de Gaulle ont rêvé d'une sorte de Commonwealth francophone à la fois économique et culturel. Ce rêve s'est éteint définitivement lors de la rencontre en 1973 du président Pompidou avec les chefs d'États africains. Mais le mot « francophonie », attaché au nom de L. S. Senghor, comme celui de négritude (inventé par Aimé Césaire) est l'objet de critiques parfois violentes des adversaires de sa politique. On connaît à propos de la négritude le mot du Nigérien Wole Soyinka : « Le tigre ne proclame pas sa tigritude, il saute sur la proie et la dévore. »

« Francophonie » ne désigne dans cet exposé, au sens général, que l'ensemble des pays où l'on parle français, que ce soit comme langue d'usage ou comme langue officielle. Il vaut peut-être mieux parler de « francité » ou de « communautés de langue française » pour désigner cette réalité qui caractérise une certaine complicité, une certaine « convivialité » (Jean Fanchette), une certaine façon de ressentir ensemble à partir du même moyen d'expression.

Senghor a d'ailleurs cru bon de préciser sa pensée : « La francophonie présentée dans ses dimensions géographiques et humaines (75 millions d'hommes ayant le français comme langue maternelle, 231 millions de francophones en puissance), je devrais vous parler du lien qui unit ces 42 pays : de la langue française. Mais il est moins question de cette langue, vous le savez, que de la civilisation dont elle est le véhicule, plus exactement, de son esprit : de la culture française. Cependant, s'il n'était question que de cela, comment pourrions-nous l'accepter sans renoncer à notre identité, nous Négro-Africains, nous Arabo-Berbères, Indochinois, Papous et Polynésiens, voire nous Belges, Suisses, Canadiens ? Si nous acceptons, comme objectif majeur de la francophonie, la défense et réalisation de la « francité », c'est qu'elle est liée, dans notre esprit, comme dans la réalité historique, à la défense et réalisation de nos cultures respectives » (12) .

Malheureusement, la difficulté de circulation des idées, tout particulièrement la médiocrité de la diffusion du livre d'un pays à l'autre, a jusqu'à présent retardé l'épanouissement de plusieurs littératures et la connaissance que l'on a de ses principaux auteurs.

Un écrivain haïtien ou mauricien, s'il n'est pas édité en France, doit publier sur place à compte d'auteur. Son livre est tiré à cinq cents exemplaires en général et il a bien peu de chance d'être lu en dehors de son île. En Afrique, le tirage moyen est de mille exemplaires et en Suisse, le maximum prévisible est de l'ordre de cinq mille. Si un ouvrage édité en Occident est rarement exposé dans un rayon de librairie en Afrique, édité en Afrique noire, il a dix fois moins de chances d'être exposé dans un magasin européen. Et lorsque l'ouvrage d'un écrivain francophone est publié à Paris, encore faut-il qu'il soit bien lancé et puisse bénéficier d'une publicité adéquate.

Plusieurs colloques ont été organisés sur ce sujet : à Dakar en 1970 à l'instigation de l'Agence de coopération culturelle et technique, à Liège en 1973 et à Paris au printemps 1975, organisé par l'A. D. E. L. F. (Association des écrivains de

12 L. S. Senghor, Discours d'inauguration de la chaire des études francophones, Paris, Sorbonne, 11 décembre 1974.

langue française). Chaque fois les mêmes constatations reviennent : en dehors de France, le livre francophone a peu de chances d'être édité, et s'il l'est, d'être diffusé. Le rôle du critique est important ; « figuier maudit : verdoyante apparence, mais point de fruits », écrivait l'écrivain haïtien Roger Gaillard (*Le nouveau monde*, 24 août 1974). On sait par exemple le sort des *Soleils des indépendances* de l'Ivoirien Amadou Kourouma qui obtint en 1970 le prix *Études françaises* décerné par les Presses de l'Université de Montréal. Il fut peu remarqué. Pourtant, réédité par Emmanuel Roblès dans la collection qu'il dirige aux Éditions du Seuil, il fut vite considéré comme un des meilleurs romans négro-africains. On sait aussi qu'en dix-huit mois, trois grands prix littéraires français furent accordés à des Suisses (Goncourt, Renaudot, Goncourt de la Nouvelle). Les trois ouvrages avaient été publiés en coédition par un éditeur suisse et un éditeur français. Jacques Chessex serait-il célèbre s'il n'avait été édité qu'en Suisse ? Et les ouvrages publiés uniquement en Suisse sont-ils de deuxième ordre ?

LES ORGANISATIONS FRANCOPHONES

« Je ne crois pas, affirmait Jean Fanchette, qu'il faille que la France prenne en charge la francophonie ; je ne crois pas à un système de francophonie qui serait une roue dont la France serait l'axe et dont les pays de langue française seraient les rayons. Il faut que les pays de langue française, les communautés de langue française prennent en charge leur destin . . . » (13) .

Depuis une dizaine d'années sont nés divers organismes qui à des degrés divers sont des agents essentiels de la circulation des idées et des catalyseurs de la pensée des francophones. Mentionnons les diverses associations des journalistes de langue française, des parlementaires de langue française, des écrivains de langue française, etc.

Décidée en 1969 à Niamey, l'Agence de coopération culturelle et technique est un organe intergouvernemental destiné à « affirmer et à développer entre ses membres une coopération multilatérale dans le domaine ressortissant à l'éducation, à la culture, aux sciences et aux techniques, et par là au rapprochement des peuples » (Charte de l'A. G. E. C. O. P., article 1er). Dans l'enthousiasme de la première conférence de Niamey, André Malraux avait lancé

13 Jean Fanchette,in *Culture française*, n° 3-4, 1975, p. 38.

ce défi : « Nous sommes chargés de l'héritage du monde, mais il prendra la forme que nous lui donnerons. » La constitution de cette agence fut parfois laborieuse et les rapports entre les États participants donnèrent lieu à quelques incidents. Depuis sa fondation, cependant, l'A. G. E. C. O. P. a mis sur pied des programmes fructueux : on lui doit entre autre la création du prix du cinéma francophone, le festival de la jeunesse francophone (la super « franco-fête » de Québec en août 1974) et de nombreux programmes dans le domaine des arts et littératures traditionnels, de l'éducation, des moyens de communication audio-visuels, etc.

L'A. U. P. E. L. F. (Association des universités partiellement ou entièrement de langue française) est aussi une importante association dévouée à la coopération internationale ; sa vocation est de rassembler toutes les institutions d'enseignement supérieur dont le français est la langue ou l'une des principales langues d'usage. Créée en 1961, une des doyennes de ces organisations, elle a acquis prestige et efficacité au cours des années, si bien qu'en 1972 elle pouvait étendre son action à tous les centres et départements d'études françaises à travers le monde, pour développer la collaboration entre ces centres et encourager par le moyen de la langue française un dialogue permanent des cultures.

Dans les universités se sont développées d'ailleurs, depuis une dizaine d'années, des chaires de littérature francophone ou même des centres d'études des littératures d'expression française, comme à Sherbrooke, à Paris XIII, à Avignon, etc. L'enseignement est sorti des frontières du monde francophone : on enseigne de plus en plus les littératures d'expression française hors de France dans les grandes universités du monde entier.

Nous sommes assurément au début d'un grand mouvement de prise de conscience de ce phénomène qui ne saurait que croître dans la mesure où se développeront les outils de travail : bibliographie, éditions scolaires et éditions critiques. Si les livres circulent difficilement au niveau des librairies, l'information scientifique se répand davantage qui permet aux bibliothèques de s'équiper. Il faut d'autre part plusieurs années pour former les professeurs nécessaires à répandre cet enseignement. De nombreux échanges se font entre universités. Il est nécessaire que dans chaque pays des professeurs soient formés aux diverses littératures et civilisations ainsi qu'aux différents aspects linguistiques. On peut prévoir que d'ici quelques années, ce sera devenu matière courante du programme. L'évolution du monde et le développement de civilisations encore jeunes ne peuvent que renforcer le courant.

Il y a cinquante ans, le Noir essayait de se blanchir par toutes sortes de moyens, et le francophone d'outre-France tenait à passer pour Français. Le temps n'est plus où Ramuz, matois, écrivait dans sa *Carte d'identité* « Je suis né en Suisse, mais ne le dites pas. Dites que je suis né dans le pays de Vaud qui est un vieux pays savoyard, c'est-à-dire de langue d'oc, c'est-à-dire français. » Le droit davantage reconnu à la différence permet un plus grand épanouissement personnel et national et en fin de compte sert, comme on l'a vu, la langue française et le patrimoine commun. Car, comme le rappelait le Zaïrois V. Mudimbe à un récent colloque du C. I. L. F., « il n'est point prouvé que la civilisation occidentale soit la Civilisation, aboutissement inéluctable et fin dernière de toutes les autres civilisations » (14) .

Aujourd'hui plus de cent livres francophones sont publiés chaque jour ouvrable ; plusieurs civilisations du tiers-monde s'expriment en français dans une « revendication virulente », et la « pureté » de la culture n'a plus le même sens que jadis dans notre époque où se développe, malgré la violence désordonnée et les atrocités de tous genres, un nouveau sens de la responsabilité. Hexagonaux ou non, francophones ou non francophones, notre vision des civilisations des pays d'expression française ne peut être celle de la génération de nos pères. Comme le disait Marie-Magdeleine Carbet à propos des Antillais, qui ont donné aux lettres françaises des Césaire, Glissant, Roumain et tant d'autres : « Bâtards d'accord ! (entre nous, qui ne l'est pas ?) Bâtards, mais de qui s'il vous plaît ? » (15) . Et chacun sait qu'en prenant de l'âge, le jeune bâtard peut devenir un adulte puissant, fécond et respecté.

Michel TÊTU

(Aupelf)

14 Barbara Kempf et V. Y. Mudimbe, *Langue et développement*, Colloque du C. I. L. F., Dakar, 23-26 mars 1976.

15 Marie-Magdeleine Carbet « Les Écrivains antillais et les difficultés de la diffusion », in *Culture française*, n° 3-4, 1975, p. 73.

Lettre à un professeur de français

Le singulier, ici, est insuffisant. Le pluriel, « aux professeurs de français », l'eût été tout autant. J'ai souhaité, en écrivant cette lettre, ne rien oublier de la diversité professionnelle qui est la vôtre. Le français peut être enseigné comme langue maternelle, langue étrangère ou langue seconde (1) ; le professeur peut appartenir à un pays francophone ou non francophone ; son public est composé d'enfants, d'adolescents ou d'adultes ; ce public étudie le français ou telle variété de français, et pour des objectifs différents. N'entrons pas plus avant dans les classifications et retenons qu'on aura souci, ici, d'éviter simplifications et généralisations.

Mon propos est de rechercher **comment** intégrer, dans l'enseignement du français, l'étude des civilisations qui s'expriment (qui ne s'expriment pas uniquement) en langue française et, donc, l'étude de leurs manifestations langagières : la littérature au premier chef mais aussi le récit oral, la chanson, le cinéma, la presse écrite, orale ou audiovisuelle. Ce afin de leur donner la juste place qui leur revient (sous-entendu : cette « juste place », ces civilisations ne l'occupent pas encore.)

Nul n'ignore – si nous feignions de l'ignorer la presse pédagogique nous le rappellerait cent fois (2) – que, pour résoudre les problèmes d'enseignement – particulièrement ceux de l'enseignement d'une langue – les solutions techniques sont secondes pour ne pas dire secondaires. Entrons donc dans le débat idéologique puisqu'on ne saurait l'éviter.

POURQUOI ?

Pourquoi cette lettre à vous, professeur de français, plutôt qu'à d'autres ? Parce que si l'on admet que les cultures dites d'expression française méritent d'être mieux connues (affirmation sur laquelle nous reviendrons) c'est vous qui, prioritairement, pourrez faciliter cette prise de conscience.

1 Langue seconde : qualificatif commode pour désigner la situation du français dans les pays où cette langue est langue officielle ou privilégiée sans être pour autant la langue maternelle de la majorité des habitants.

2 Par exemple dans *Le Français Aujourd'hui* n° 35, sept. 1976, où l'on peut lire, p. 54, à propos de l'enseignement du français à La Réunion : « Ramener le problème à une simple question de technique pédagogique c'est, à nos yeux, en méconnaître la complexité et ne pas voir qu'il comporte aussi des données psychologiques et sociologiques. »

Cette seconde affirmation n'est pas une évidence. Pour l'ordinaire, au niveau des décideurs : responsables politiques, autorités culturelles, éditeurs, etc, faire connaître ce qui est mal connu ne peut être le fait que des moyens de communication de masse. Exemple : dans un colloque tenu à Paris en avril 1975 sur la diffusion du livre québécois en France, colloque présidé par un universitaire, il est remarquable qu'à aucun moment n'ait été envisagé, parmi les moyens de diffusion, le canal scolaire et universitaire ; et qu'on se soit borné à inventorier les interventions de la presse, de la radio ou de la télévision, généralement pour en déplorer les défauts (3) .

Les raisons – très courtes – de cette prédilection et de cet oubli sont bien connues. La presse orale ou écrite s'adresse – potentiellement – à tous ; l'école seulement aux jeunes, et encore pas tous. La presse est rapide : en quelques coups de téléphone, on programme et organise une semaine francophone sur les ondes d'une dizaine de pays ; imaginez, à l'inverse, le temps nécessaire pour infléchir les programmes scolaires de ces mêmes pays. Enfin – et ce n'est pas le moindre argument – le monde des moyens de masse est brillant, flatteur, séduisant ; le monde de l'école . . . vous le connaissez, ces adjectifs lui conviennent si peu !

Et pourtant, au rebours de nos décideurs, je dirai qu'une action qui s'adresse à tous ne peut être que superficielle. N'en déplaise aux démagogues, la profondeur d'une influence culturelle a toujours été à l'inverse de la quantité de personnes qu'elle prétend atteindre. Je dirai que, puisqu'il faut se limiter, mieux vaut toucher les jeunes, plus ouverts, plus disponibles ; que la rapidité est liée trop souvent en amont à l'improvisation et en aval à l'éphémère. Je dirai que le durable m'a toujours paru préférable au brillant.

Ce doit être propos agréables à entendre pour des enseignants. Il n'empêche qu'il faut, encore, répondre à d'autres pourquoi. Je crois entendre tel ou tel d'entre vous : « Admettons que, mieux que d'autres, nous puissions, nous, professeurs de français, favoriser une meilleure connaissance des cultures d'expression française. Vous le dites et cela est votre affaire. La nôtre est de savoir pourquoi nous engager dans une telle action ? Est-il légitime, par exemple, de substituer à l'étude d'un roman campagnard de Giono celle de *Gouverneurs de la rosée* du Haïtien Jacques Roumain ? Et si la réponse est affirmative (qui, d'ailleurs, a autorité pour la donner ?), ne peut-on craindre que ce choix ne soit

3 *Culture française* numéros 3/4, automne-hiver 1975 : « La Diffusion du livre québécois en Europe ».

idéologiquement suspect ? Cette valorisation, cette surévaluation, parfois, d'œuvres exotiques écrites en français, n'est-elle pas la marque d'un dessein plus politique qu'authentiquement culturel ? En croyant servir telle civilisation éloignée, tel groupe minoritaire, n'allons-nous pas cautionner ce qui pourrait n'être qu'un néo-impérialisme linguistique déguisé ? Et si c'est la langue que, finalement, nous servons, est-elle instrument de libération ou de domination ? »

Ces questions ne sont pas mineures. Sans les esquiver, mais sans pouvoir ici y répondre pleinement, je me limiterai à quelques remarques. D'abord que l'enseignement d'une langue, le français en l'occurrence, est avant tout un enseignement de performances (écouter, parler, lire, écrire) et non, comme l'histoire ou la biologie, un enseignement de contenu. Il en résulte que, par exemple, faire place à la littérature française d'Afrique plutôt qu'à la littérature française d'Europe n'est pas le problème majeur. Cela dit, tout contenu est signifiant et l'enseignant appelé à décider n'évite pas, malgré ses précautions, de prendre parti. Parce que le français est ici ou là langue dominante ou langue dominée, la difficulté ne sera pas dans l'absence de choix ou dans un choix imposé, mais dans l'embarras du choix. Par référence à une géographie idéologique sommaire mais commode, il est, en tout cas, possible ici de se situer à gauche, à droite ou au centre.

Le dernier « pourquoi » sera celui de l'étudiant. On n'y peut répondre qu'a posteriori, la classe terminée et qu'on fait le décompte des visages animés ou moroses. Car la mesure, ici, est pragmatique : l'œuvre étudiée plaît ou lasse.

Les expériences sont encore peu nombreuses et vous ne seriez guère convaincus s'il était fait état des succès – réels – du collègue X ou du collègue Z. Le métier d'enseignant est un métier solitaire où chacun cherche sa vérité et fait son expérience. Il reste quelques faits significatifs : la place croissante prise par la littérature nationale d'expression française dans le pays considéré (4) (par exemple la littérature française du Sénégal dans l'enseignement sénégalais) ; l'augmentation du nombre des chaires de civilisations et littératures « francophones » dans les départements universitaires de français (et, notamment, ce qui est encourageant, dans les pays non francophones) . . .

4 « . . . on peut affirmer que, depuis quelques années écoliers et lycéens d'Afrique ne sont plus tenus dans l'ignorance de leur littérature d'expression française », M. Hausser dans *Négritude africaine, Négritude caraïbe*, p. 34, publication du Centre d'Études francophones de Paris XIII, Paris, 1973.

LES OBSTACLES

Si le « mouvement » reste encore trop lent, si le passage de la recherche à l'application ou du supérieur vers le secondaire s'effectue mal, l'explication en est connue.

Manque d'information d'abord. Jusqu'à très récemment cet « honnête homme » qu'est le professeur de français ne disposait pas d'outils documentaires qui inventorient, sélectionnent, orientent et graduent. Voilà une difficulté qui tend à s'amenuiser grâce aux bibliographies publiées par *Études françaises dans le monde*, le bulletin du Service des Études françaises de l'A. U. P. E. L. F. et, maintenant, avec le présent *Guide culturel.*

Manque d'outils ensuite. On a signalé ici même les inégalités et les insuffisances de l'édition francophone actuelle. Ce qui est vrai pour les œuvres culturelles telles qu'elles sont proposées – parcimonieusement – au grand public l'est plus encore pour ces produits aménagés, adaptés à l'enseignement et aux besoins divers des enseignés, que nous procure l'édition scolaire. Ici encore trop peu de réalisation, eu égard à l'ampleur des besoins. La récente *Anthologie didactique* (5) sur les *littératures de langue française hors de France*, publiée par la Fédération internationale des professeurs de français est un bon exemple mais isolé.

A supposer que l'on ait des professeurs de français informés, outillés et . . . convaincus, l'on bute sur **le manque de temps**. Dans l'état actuel des horaires et des programmes officiels et compte tenu des procédures didactiques toujours en vigueur, n'est-il pas chimérique, voire dangereux, de vouloir encore étendre le contenu culturel de l'enseignement du français, langue maternelle et, a fortiori, langue étrangère alors que les maîtres les plus sensés déplorent que leurs élèves s'essoufflent à acquérir l'usage des techniques d'expression et de communication ? N'allons-nous pas, dans le meilleur ou dans le moins mauvais des cas, condamner les étudiants à un encyclopédisme de pacotille ou à cette vision kaléidoscopique propre à la culture fournie par les moyens de masse ? Beaucoup d'entre nous le croient et le craignent.

5 Éditions, Duculot, Gembloux, Belgique.

LES ATOUTS

Et pourtant ! Certaines tendances récentes de l'enseignement en général, de l'enseignement des langues en particulier, permettent d'être plus optimiste et d'envisager des solutions réalistes.

Si nous voulons que les cultures francophones aient une place limitée – nous en convenons – mais équitable dans l'enseignement du français, il faut d'abord admettre – et faire admettre aux enseignants, aux responsables en matière d'enseignement – que l'intégration de ces cultures doit s'effectuer selon un processus de longue durée. C'est-à-dire étendu à l'ensemble des étapes de l'enseignement, jusques et y compris l'étape de la formation permanente qui touche les adultes et dont les possibilités ont été encore peu ou mal exploitées.

C'est dire encore que cette intégration ne doit pas se faire en cascade selon le schéma descendant traditionnel : création dans les départements universitaires d'études françaises de chaires de cultures ou de littératures d'expression française, formation des étudiants qui, devenant des professeurs d'enseignement secondaire formeraient, à leur tour, d'autres étudiants, lesquels . . . etc. Nous serions embarqués pour une génération ! A l'exemple des mathématiques modernes et des nouvelles théories linguistiques qui ont reçu application (partielle) dès l'école primaire avec un décalage de temps réduit et grâce à un recyclage rapide des enseignants, l'intégration des cultures francophones pourrait être réalisée, de l'école à l'université, d'un seul mouvement.

Ce faisant, nous nous situerions dans la ligne de ce que l'on pourrait appeler le « nouvel enseignement du français » et dont les orientations principales sont propres à conforter notre propos. Rappelons-les :

1 Les textes et documents contemporains sont aujourd'hui jugés mieux adaptés que les textes anciens à l'apprentissage de la langue actuelle. Or les littératures francophones – qui sont, pour la plupart, des littératures jeunes (du moins sous leur forme écrite) – sont plus riches en textes modernes qu'en textes classiques et ont ici l'avantage.

2 Un enseignement de type moins magistral, plus centré sur l'apprenant est généralement souhaité. Si ce vœu se réalise serait-il impertinent dès lors, de parier que l'étudiant aura plus de chance que son professeur d'être motivé par la découverte de cultures francophones lointaines ; et qu'au dépaysement dans le temps (qui nous est si cher !) il préférera le dépaysement dans l'espace ?

3 On sait la faveur que rencontrent les hypothèses sociolinguistiques dans l'enseignement du français. Ou, en d'autres termes, la sensibilisation de l'étudiant aux niveaux, registres et variétés de langue alors qu'avait longtemps régné la norme monarchique d'un français idéal dit « soigné » ou « soutenu ». Désormais, dès l'école primaire, un petit Français (mais aussi bien un petit Belge ou un petit Québécois) est invité à décoder ou transcoder les énoncés les plus divers (6). Il peut donc, parce qu'il dispose d'un meilleur outillage linguistique que ses aînés, lire, sans danger, une page d'un auteur francophone « déviant » par rapport à la norme linguistique de France. Et je prends le risque d'affirmer qu'il aura plus de profit à se colleter avec une page de *La Sagouine* d'Antonine Maillet qu'avec les bavardages proposés par tel manuel, même si ces bavardages sont authentiques parce qu'enregistrés dans quelques rues argotiques de Paris.

4 Enseignants et étudiants manifestent une curiosité attentive pour les conflits ou états de tension culturels. Bravo, car s'intéresser aux problèmes culturels des Basques, des Celtes ou des Occitans, ce qui est le cas en France (7) pourrait conduire, devrait conduire à s'intéresser aux problèmes des francophones ici ou là. Le combat des Québécois pour le français et, tout aussi bien, celui des Antillais pour le créole, relève tout comme certains mouvements régionaux, du souci de maintenir une identité culturellle vivante.

Il en va de même pour l'attrait ou la curiosité (des jeunes notamment) pour des cultures qui se créent, par opposition aux cultures qui s'étiolent ou se sclérosent. Dans une époque où chacun peut redouter l'uniformisation de l'espèce humaine, la diversité des cultures d'expression française doit apparaître comme une chance à préserver.

COMMENT ?

Nous y voilà enfin ! A partir des réflexions précédentes, de nombreux schémas didactiques sont possibles : ils devraient tenir compte à l'évidence des différentes variables,

6 Cela vaut – mais dans une moindre mesure – pour l'enseignement du français langue étrangère. Voir par exemple, certaines méthodes récentes.

7 En témoignent, parmi d'autres, deux numéros de *Le Monde de l'Éducation* (septembre et novembre 1976) consacrés partiellement au « réveil des langues régionales ».

selon le pays donné et selon la situation particulière d'enseignement. Celui qui sera proposé n'est pas plus valable qu'un autre. S'il fallait le qualifier, je dirais qu'il offre une solution plus banale que particulière, plus transposable qu'originale.

Notre stratégie – laissons la tactique à Michel Benamou ! – se déroule selon trois phases chronologiquement distinctes, si du moins l'institution scolaire ou universitaire le permet.

La première phase ne peut être qu'une **phase de sensibilisation** à l'une des cultures francophones. Initiation rapide qui se ferait à partir d'**œuvres-ouverture**, au sens que les musiciens donnent à ce dernier mot, Œuvres **brèves** : une nouvelle (de préférence à un roman), un film, une pièce de théâtre en un acte, une interview, quelques poèmes ou chansons, mais œuvres **signifiantes**, culturellement et linguistiquement sans être, pour autant, trop difficiles d'accès ; enfin œuvres **séduisantes** pour l'étudiant.

Pour prendre un exemple que j'ai souvent cité, le film *Le Mandat* de Sembene Ousmane, me semble une bonne « ouverture » qui peut faciliter l'initiation aux réalités de la vie dakaroise et aux attitudes culturelles des Sénégalais. Dans un genre différent, je n'hésiterais pas à extraire d'un récent ouvrage d'Albert Memmi, *La Terre intérieure* (8) le chapitre 4 (« les mystères de l'Occident ») qui a son unité : c'est le récit du premier séjour de Memmi, jeune étudiant tunisien, à Paris. Cette trentaine de pages peut être l'occasion favorable d'une prise de conscience des conflits culturels entre le Maghreb et la France, entre l'Orient et l'Occident, et de la réponse qui peut leur être apportée. Œuvre-ouverture aussi la chanson québécoise moderne par laquelle, plus sans doute que par tout autre genre, s'exprime la créativité culturelle des Québécois (9) ; à moins qu'on opte pour l'étude d'un exemplaire d'un quotidien québécois (*La Presse, Le Journal de Montréal, Le Soleil, Le Devoir*, etc.), étude qui, par comparaison avec d'autres journaux francophones peut, elle aussi, susciter un choc culturel et une curiosité profitable chez l'étudiant.

L'intérêt étant créé, la seconde phase ou **phase instrumentale** doit être consacrée à l'apprentissage du maniement de deux outils permettant d'aller plus avant. Ces deux outils pourraient porter des noms connus : manuel de langue(s)

8 Gallimard, 1976. Il s'agit d'entretiens entre Memmi et l'écrivain marocain Victor Malka qui l'interviewe.

9 Voir Françoise TÉTU : « Initiation à la culture québécoise par la chanson « dans *Le Français dans le Monde* n° 131.

française(s) manuel de civilisation(s), mais ils seraient fort différents de ce que l'édition scolaire ou universitaire nous propose sous ces étiquettes.

Habituellement, tout manuel de civilisation digne de ce nom a l'ambition de se présenter comme un inventaire complet et cohérent (même si l'auteur dans une préface précautionneuse explique que la réalité n'est jamais aussi systématique que la fiction décrite dans l'ouvrage). Le manuel nouveau que nous suggérons – et précisons que le manuel n'est pour nous que le résumé écrit d'un nouvel enseignement . . . qui pourrait aussi bien se passer de manuel ! – ce manuel original ne serait ni un inventaire ni un système, mais présenterait, en version aussi directe, authentique et motivante que possible, quelques-uns des conflits socioculturels propres au monde francophone (et Dieu sait qu'ils y abondent !) ; et puisque la langue française est au cœur de ces conflits, on se proposerait de mieux faire saisir comment, selon les situations, les groupes ou les moments politiques, cette langue peut prendre une intensité variable, une valeur positive ou négative.

Pareillement le manuel de langage ne devrait pas être un inventaire ordonné, une synthèse rassurante ; au contraire il ne cacherait rien des oppositions entre les forces qui tendent à l'unité du français et celles qui tendent à sa diversité ; et de la difficile nécessité pour les francophones de prendre parti, un parti risqué.

La phase finale ou **phase de spécialisation** serait consacrée à l'étude aussi poussée que possible de l'une de ces cultures francophones, étude qui utiliserait l'ensemble des ressources que la recherche pluridisciplinaire peut mettre à la disposition des étudiants (je pense ici aux travaux d'Alain Baudot à l'université d'York, Toronto). Ici, comme précédemment, on ne peut que préconiser un travail par équipe ou, mieux, individualisé, afin de permettre une diversification des sujets abordés.

Je suis parti d'un constat de carence relative pour proposer des solutions possibles. Le moment est propice à leur réalisation. Encore faudrait-il que les professeurs de français, mais d'autres aussi : responsables ministériels, éditeurs, etc., acceptent d'aller au-delà des vœux pieux, de faire un pas. Ce faisant ils serviraient à la fois l'enseignement du français mais aussi des cultures dont cet ouvrage permet de mesurer la riche diversité.

André REBOULLET

(Le Français dans le Monde)

L'intégration des textes (de civilisation et de littérature d'expression française) dans l'enseignement du français

LES FINALITÉS

Renouvellement des programmes, élargissement culturel, apport méthodologique : l'accès aux textes francophones peut avoir un effet tonique sur l'étude du français. Point n'est besoin d'une longue familiarité avec l'ensemble des pays de langue française pour en interpréter certains textes clef, mais une solide préparation culturelle et une certaine audace pédagogique s'imposeront. C'est surtout une question d'attitude. S'il convient de prendre conscience des problèmes complexes de la francophonie, il ne faut pas non plus s'en servir d'excuse pour taire la diversité de cent cinquante millions de franco-locuteurs virtuels. Cela aurait le même résultat pratique que l'ethnocentrisme hexagonal. La francophonie offre une ouverture culturelle aux petits Français de France aussi bien qu'aux jeunes Suédois apprenant le français. Aussi prendrai-je mes exemples, plutôt qu'à la Suisse ou à la Belgique, aux terres en apparence les plus éloignées, par leur culture propre, de la France et même de l'Occident tout entier.

MOTIVATION LINGUISTIQUE : VERS UNE POÉTIQUE DE L'ORALITÉ

Le rapport que les textes issus d'anciennes possessions françaises, maintenant intégrées ou indépendantes, entretiennent avec la langue de Paris demeure évidemment particulier. C'est la précaution la plus élémentaire que de reconnaître la dialectique inverse qui a fait du français une langue dominée au Canada et une langue dominante en Afrique. Le remplacement d'une langue vernaculaire par une langue véhiculaire de « haute » culture s'est fait par la force. Les textes clef du Tiers Monde sont l'inscription de cette force. La merveilleuse souplesse de la langue française à exprimer les cultures les plus exotiques ne doit pas faire oublier le mode particulier de son implantation, si différent quand on passe, par exemple, du Canada aux Antilles. Le discours didactique d'une certaine francophonie officielle laisse pas mal à désirer sur ce chapitre :

« En passant au monde antillais, nous quittons les peuples immémorialement francophones pour en venir aux francophones par choix. Seule une minorité blanche tient notre langue de ses ancêtres ; mais le plus grand nombre des Martiniquais, des Guadeloupéens, et tous les Haïtiens descendent d'esclaves venus d'Afrique et qui ont troqué leurs idiomes pour le nôtre, quitte à faire germer de celui-ci un parler nouveau, le *créole* » (1).

Ce qui est masqué par le mot péjoratif de « troc », c'est la façon dont les langues vernaculaires avaient été dispersées et réprouvées sur l'ensemble des plantations d'Amérique. Or l'histoire du peuplement antillais comprend non seulement la mystérieuse « venue » d'Africains déjà « esclaves » qui auraient adopté le français « par choix », mais la résistance à l'assimilation, que René Depestre a appelé un « marronnage culturel » du nom des esclaves *marrons* ayant pris le maquis et dont le pacte secret du créole provient en partie (2). Enfin, dans la hiérarchie « langue », « idiome », « parler », le français est au sommet. C'est un trésor que Prospero a donné à Caliban, lequel « s'acquitte » de sa dette en créant à son tour cette fleur des Antilles, le gentil créole . . . Il convient de corriger cette vue idyllique et ethnocentrique par une approche « ethnopoétique » : respect de l'oral, intérêt porté à l'arrière-fond culturel ancestral, reconnaissance de la validité artistique des cultures « autres ».

L'écriture des francophones antillais, maghrébins ou mauriciens pétrit un signifiant commun (le français) pour lui incorporer un signifié propre (leur culture). Ainsi, malgré l'absence, malicieusement remarquée, des créolismes chez Aimé Césaire, chacun de ses poèmes manifeste la volonté de « créer une langue nouvelle capable d'exprimer l'héritage africain » (3). Il a demandé à ses ancêtres bambaras des proverbes, des images, frappés du sceau africain. Le soldat qui garde Patrice Lumumba s'exclame : « Celui-ci, quand il parle, c'est la grue couronnée qui passe » (*Une Saison au Congo*, p. 90). En Bambara « je parle » se dit « n'kuma », et « n'guma » – presque le même mot – dénote la *Balearica pavonina*, « la grue couronnée, qui est constamment dans la symbolique bambara l'image du verbe » (4). Effort parallèle au Maghreb, d'où Jean Déjeux a rapporté les propos de la romancière Assia Djebar : « . . . Mon travail devenait une lutte contre le participe présent qu'en théorie je déteste,

1 Viatte (Auguste), *La francophonie*, p. 68, Larousse, Paris, 1969.

2 *Ethnopoétique libre et ethnopoétique forcée*, Communication d'Édouard Glissant au Symposium International d'ethnopoétique, Université du Wisconsin-Milwaukee, avril 1975, publiée en anglais dans *Ethnopoetics*. Alcheringa, Boston University Publications, Boston, 1976.

3 Interview d'Aimé Césaire, par René Depestre. *Pour la révolution, pour la poésie*, p. 158, Leméac, Montréal, 1974.

4 Colin (Roland), *Littérature africaine d'hier et d'aujourd'hui*, p. 71, Adec, Paris, 1965.

mais qui, en français, peut seul traduire la coexistence dans la conscience arabe de plusieurs temps » (5) .

Mais si nombre des textes antillais, maghrébins et même québécois témoignent d'une relation douloureuse ou problématique au français de France, d'autres, au contraire, ont parfaitement réussi la traduction – car il s'agit souvent de traduire les structures de pensée d'une langue vernaculaire en français, véhicule plus « universel », c'est-à-dire plus conforme aux besoins de communication dans le monde moderne. Une de ces structures fondamentales pour l'Afrique, c'est le dialogue qui imprègne tout récit. On retrouve ce trait comme une survivance dans le chef-d'œuvre de Jacques Roumain, *Gouverneurs de la rosée*, qui transcrit en français la dynamique des pronoms créoles, garants d'une forme africaine de communication spéciale à Haïti, l'« audience » (6) . Roumain n'écrit donc pas un récit sur le modèle européen (dont l'énonciation homogène et la temporalité sont linéaires malgré toutes les élasticités narratives), mais sur le modèle d'une tradition orale où le palabre est une forme d'art. Un Ivoirien, Ahmadou Kourouma, commence *Les Soleils des Indépendances* par cette phrase où je souligne le procédé de traduction :

Il y avait une semaine qu'avait fini dans la capitale Koné Ibrahima, de race malinké, ou *disons-le en malinké* : il n'avait pas soutenu un petit rhume . . .

Du passé simple – temps du récit écrit – l'auteur en viendra rapidement au passé composé et au présent d'un récit parlé, gesticulé, ponctué au rythme du conte africain (« Vous paraissez sceptique ! Eh bien, moi, je vous le jure » (7)) et entrelardé de savoureux apartés. La haute couleur, l'énergie en acte dans cette francophonie heureuse de sa différence, voilà de quoi motiver du point de vue stylistique une lecture étonnante. La langue française éclate, comme lorsque le coin de l'humour africain vous fend ici un syntagme : « le pays/malinké/natal », vous cite là un proverbe intraduisible. Si l'acquisition d'une certaine familiarité avec cette parole authentiquement francophone paraît séduisante, on aurait tort d'en minimiser la distance par rapport au français de France. A la limite, le texte francophone pourra représenter un texte-filtre entre le français

5 Déjeux (Jean), *Littérature Maghrébine de langue française*, p. 270, Naaman, Sherbrooke, 1973.

6 *Communication de Maximilien Laroche*, Colloque francophone de l'Université d'Indiana, Bloomington, mars 1974.

7 Kourouma (Ahmadou), *Les Soleils des Indépendances*, p. 7, Éd. du Seuil, Paris, 1970.

standard et une langue vernaculaire. Ainsi entre « scuse, j'étais dans les patates » et « excuse-moi, j'étais dans les nuages », le québecois standard garde l'expression paysanne « dans les patates » mais normalise syntaxe et grammaire : « excuse-moi, j'étais dans les patates » (8). L'intérêt de ces variantes est multiple. Bien sûr, ce qui prime sur la simple curiosité linguistique, c'est la mise en situation d'une humanité différente de la norme parisienne cultivée. Variante veut dire retour à l'oral et valorisation du spontané. Enfin variante signifie pluralisme culturel, c'est-à-dire le contraire de l'impérialisme linguistique.

MOTIVATION CULTURELLE : VERS UN DIALOGUE DES CIVILISATIONS

Outre leur intérêt de particularisation linguistique, les textes francophones offrent une expression souvent très émouvante – et donc pédagogiquement efficace – de cultures longtemps méprisées ou négligées par l'Occident, mais que leur littérature francophone a révélées mieux encore que ne l'a fait l'ethnologie. Car l'ethnologie procède de l'extérieur. Et dans un sens seulement : on n'a pas encore vu de mission congolaise venir sur place étudier les mœurs curieuses du paysan suisse ou normand. Mais l'écrivain, le chansonnier, le poète francophones ont inversé le courant de curiosité qui allait toujours de Paris (ou Londres ou Chicago) vers les civilisations captives ou dominées. En gros, c'est au public français que s'adresse le francophone publié à Paris, Montréal, ou même Yaoundé. Le Québécois et le Maghrébin ont en outre un public sur place, moins sûrement l'Antillais. A cet égard il est très intéressant d'étudier le choix des textes proposés par l'enseignement secondaire officiel aux Antilles et au Maghreb. Ce qui frappe, c'est que la conception de cette littérature francophone est surtout ethnologique. « La littérature algérienne, telle que la présentent les manuels scolaires, se réduit . . . pour plus de la moitié à l'inventaire, souvent minutieux, de l'univers traditionnel », affirme Charles Bonn dans une pénétrante étude, alors que son « enquête montrera le prestige énorme de la science et de la technique, comme, en général, de toute la modernité chez les Algériens de l'indépendance » (9). Dans son réalisme et sa laïcité, cette littérature des manuels

8 *La Francophonie au Québec*, Troisième stage pédagogique de l'A. A. T. F. de Chicago, Kendall College, Evanston, 1975.

9 Bonn (Charles), *La littérature algérienne de langue française et ses lectures*, pp. 101-103, Naaman, Sherbrooke, 1971.

scolaires correspond, toujours selon l'auteur, au « Discours social algérien », mais trahit « les aspirations collectives d'un pays qui a retrouvé sa souveraineté » : science moderne et religion profonde. Du point de vue politique il y aurait avantage à faire lire en Algérie ce qui peut moderniser le pays sans le couper de ses racines. Du point de vue pédagogique les textes les plus motivants sont également ceux qui répondent de plus près à l'attente des jeunes.

Parallèle antillais : l'anthologie, que J. Corzani et son équipe guadeloupéenne présentent comme « un chapitre régional antilloguyanais », ajouté aux chapitres inspirés par différentes régions de France, est surtout un excellent miroir ethnologique » (10) . La description – si nécessaire d'ailleurs comme thérapeutique du déraciné – y prime sur toute autre forme de discours. Le moment du cri (Césaire, Damas) et le moment de l'analyse (Glissant) n'y figurent que sous la forme voilée d'une éruption de volcan ou d'un cyclone. Or le cri de la négritude et l'analyse des problèmes antillais face à l'Occident (sous-développement, aliénation) ont été les deux dépassements historiques de l'ethnologie : africanité retrouvée, affrontement aux origines du peuplement et aux réalités économiques.

La formule du miroir ethnologique a l'avantage de faire coïncider l'image offerte aux lecteurs avec l'image qu'un peuple se fait ou se donne de lui-même. Visage que déforment certains tics hérités des manuels français, par exemple, le tic de la description, déjà remarqué. L'anthologie de la F. I. P. F. E., *Littératures de langue française hors de France* (Sèvres, 1976) en favorisant l'essai et l'épopée dans sa partie africaine, semble plus fidèle à la double vocation de l'élite noire : modernisation et renouement avec la tradition orale.

Mais, objectera-t-on en apparence avec raison, le professeur de français manque de formation ethnologique ; comment saurait-il extraire les valeurs culturelles d'un texte de langue française dont la civilisation d'origine est fort éloignée de la sienne ? Sur quelle base scientifique construirait-il les leçons culturelles qui mèneront à ce beau « dialogue des civilisations » évoqué par le professeur dakarois Mohammadou Kane (11) .

En fait, pour nous rassurer, nous pouvons adopter une définition sociolinguistique du mot « culture » : la culture, ce

10 Corzani (J.), *De sel et d'azur, textes d'explication antilloguyanais*, Avant-propos, Antilles, Hachette, 1969.

11 *Études françaises dans le monde*, Éditorial, (A. U. P. E. L. F.), vol. II, n° 2 (mars 1974).

sont les connotations partagées (André Martinet). La connotation nous fournit un critère pour distinguer les degrés de difficulté de l'intégration culturelle des textes francophones selon la civilisation à laquelle appartient l'élève.

distance entre civilisations	élève	texte	connotations	langue
0	Algérien Antillais Québécois	algérien antillais québécois	partagées partagées partagées	id. id. id.
1	Nigérien	sénégalais		différente
2	Antillais	algérien	autres mais proches	
3	Anglais, Suédois, etc.	québécois		différente
4	Anglais	maghrébin		différente

Ce qui transparaît dans ce tableau, c'est la différence entre le terme *culture* (système des valeurs dans un cadre national) et le terme *civilisation* qui regroupe des ensembles plus larges :

– La civilisation occidentale (française, suisse, américaine) ;
– La civilisation traditionnelle (africaine, maghrébine) ;
– La civilisation du Tiers Monde (Caraïbe, Maghreb actuel, Afrique des indépendances).

Un Québécois, qui appartient de force à la civilisation occidentale, rejoint – dans tel texte de Gaston Miron – une attitude du Tiers Monde :

Mon nom est « Pea Soup ». Mon nom est « Pepsi ». Mon nom est « Marmelade ». Mon nom est « Frog ». Mon nom est « dam Canuck ». Mon nom est « speak white ». Mon nom est « dish washer ». Mon nom est « floor sweeper ». Mon nom est « bastard » (12)...

12 Miron (Gaston), *L'Homme rapaillé*, p. 127, Presses de l'Université de Montréal, Montréal, 1970.

Attitude incompréhensible à un lecteur américain, partageant le dénoté de civilisation nord-américaine avec ce Québécois « colonisé », mais insensible à la connotation « nègre blanc ». C'est au texte clef de lui faire partager un moment cette optique nouvelle.

MOTIVATION PÉDAGOGIQUE : VERS UNE ETHNOPÉDAGOGIE

La motivation de l'élève dépend évidemment du type de textes qui est proposé. Une récente enquête parmi les étudiants de cinq universités du Sud des États-Unis indique l'ordre de préférence de leurs lectures en français. *Match* et *Marie-Claire* arrivaient premiers, suivis de près par *Le Petit Prince*, tandis que *Voix de la négritude* avait le 29e rang juste avant le français technique, bon dernier (13). Racisme ? N'est-il pas plus plausible de penser que la civilisation française s'offrait au lecteur avec sa pédagogie illustrée et son luxe d'exemples tirés de la vie quotidienne, les annonces, les slogans, la typographie parlante, alors que le livre africain restait lettre close ? Sans un effort égal de validation pédagogique les textes francophones ne pourront pas s'intégrer dans l'étude du français où pourtant les appelle la curiosité des élèves. Tout professeur de français à l'étranger sait que les revues et magazines illustrés ouvrent la voie aux lectures plus substantielles, et qu'un dossier pédagogique bien fait couvre toute la gamme qui part du dialogue artificiel, passe par l'extrait de presse ou par la tribune radiophonique, et culmine avec l'appréciation d'un texte plus littéraire discuté en profondeur. Il faut souhaiter que le B. E. L. C. et le C. R. E. D. I. F., déjà maîtres de la formule du dossier pour la civilisation française, en préparent l'équivalent pour la francophonie.

L'intégration de textes clef demande aussi une approche « ethnopoétique », c'est-à-dire se plaçant à la croisée de l'anthropologie et de la poétique appliquée. Un cas précis : le conte africain. Il constitue toute une pédagogie orale, car c'est par le conte que se transmet et se conserve une partie de la pensée traditionnelle. A nous d'en respecter les trois moyens pédagogiques principaux :

a) Le rythme, qui permet la mémorisation en l'absence d'une écriture qui fixerait la tradition, et qui assure l'inté-

13 Hooper (Ann C.), *Reading Interests in French College Students* dans *French Review*, vol. I, n° 1, Chapel Hill, oct. 1976.

gration collective au rythme de la nature (14). Parole scandée, répétition, artifices de soulignement le plus souvent perdus lors du passage au texte traduit et imprimé. Une pédagogie du conte devrait donc restituer au texte oral le rythme dont l'a privé la présentation linéaire du livre. Il lui faut une présentation « rythmo-pédagogique », selon le néologisme de Marcel Jousse (15).

b) La symbolique, qui repose sur un long entraînement. En Afrique les devinettes font les délices des enfants, et servent de pédagogie. Roland Colin cite quelques devinettes bambaras :

– L'huile est toute sa nourriture et cependant elle n'engraisse jamais (la lampe).

– Le seul moment où elle travaille, c'est quand elle est couchée (la natte).

Et Colin de conclure : « C'est une pédagogie particulièrement active pour délier l'esprit, l'exercer au jeu de la symbolique qui consiste à percevoir les équivalences entre les choses appartenant à des ordres différents (16) . . . »

c) La participation de l'auditoire – perdue dans la forme écrite, mais qu'une pédagogie active des langues vivantes saurait retrouver par analogie avec ses exercices d'entraînement à l'oral. Le propre d'un conte c'est d'être raconté, et la classe de langues est dans une situation culturelle favorable : passage de l'oral – même si c'est une oralité seconde, redécouverte – à l'écrit – même si le scriptural est devenu en Occident plus « naturel » que l'oralité.

Voyons maintenant comment ces trois motivations – linguistique, culturelle et pédagogique – peuvent fonctionner dans des leçons concrètes modestement proposées à défaut d'une méthodologie d'ensemble qui reste à constituer.

QUELQUES STRATÉGIES

Ces textes clef palimpsestes d'une langue maternelle sous-jacente, arabe, sérère ou créole, qui sont la clef de civilisations différentes de la culture française et même de la civilisation occidentale, comment les intégrer dans la péda-

14 Comhaire-Sylvain (Suzanne), *Une révolution culturelle : de la littérature orale à la littérature écrite* dans *Le nouveau dossier Afrique*, p. 86, Marabout, Paris, 1971.

15 Jousse (Marcel), *Anthropologie du geste*, p. 72, Gallimard, Paris, 1974.

16 Colin (Roland), *Op. cit.*, p. 124.

gogie du français ? Nos solutions devront satisfaire à deux impératifs difficilement conciliables :

a) Continuer l'apprentissage du français, selon des méthodes actives, en vue d'une communication authentique ;

b) Relier le texte clef à la réalité ethnosociale dont il est issu. La méthode sociolinguistique semble de prime abord s'imposer. Le texte clef permet en effet d'appréhender certains aspects d'une société à travers l'usage que l'auteur fait de la langue française. Mais s'y limiter ? Dans le cas d'un texte littéraire, la sociolinguistique valorise la fonction du texte dans la culture, mais risque de manquer l'aspect esthétique :

– sa *structure*, c'est-à-dire cela même qui permet aux connotations culturelles de s'organiser en un effet global sur le lecteur ;
– son *contexte* artistique, par exemple son rapport avec la tradition orale, avec la musique, avec le film.

« Lorsqu'il s'agit d'épouses, deux n'est point un bon compte. Pour qui veut s'éviter souvent querelles, cris, reproches et allusions malveillantes, il faut trois femmes ou une seule et non pas deux. Deux femmes dans une même maison ont toujours avec elles une troisième compagne qui non seulement n'est bonne à rien, mais encore se trouve être la pire des mauvaises conseillères. Cette compagne c'est l'Envie à la voix aigre et acide comme du jus de tamarin.

Envieuse, Khary, la première femme de Momar l'était. Elle aurait pu remplir dix calebasses de sa jalousie et les jeter dans un puits, il lui en serait resté encore dix fois dix autres au fond de son cœur noir comme du charbon. Il est vrai que Khary n'avait peut-être pas de grandes raisons à être très, très contente de son sort. En effet, Khary était bossue. Oh ! une toute petite bosse de rien du tout, une bosse qu'une camisole bien empesée ou un boubou ample aux larges plis pouvaient aisément cacher. Mais Khary croyait que tous les yeux du monde étaient fixés sur sa bosse.

Avec l'âge, le caractère de Khary ne s'était point amélioré bien au contraire, il s'était aigri comme du lait qu'un génie, enjambé, et c'est Momar qui souffrait maintenant de l'humeur exécrable de sa bossue de femme.

Momar devait, en allant aux champs, emporter son repas. Khary ne voulait pas sortir de la maison, de peur des regards moqueurs, ni, à plus forte raison, aider son époux aux travaux de labour.

Las de travailler tout le jour et de ne prendre que le soir un repas chaud, Momar s'était décidé à prendre une deuxième femme, et il avait épousé Koumba.

A la vue de la nouvelle femme de son mari, Khary aurait dû devenir la meilleure des épouses, la plus aimable des femmes – et c'est ce que, dans sa naïveté, avait escompté Momar – il n'en fut rien.

Cependant, Koumba était bossue, elle aussi. Mais sa bosse dépassait vraiment les mesures d'une honnête bosse. On eût dit, lorsqu'elle tournait le dos, un canari de teinturière qui semblait porter directement le foulard et la calebasse posés sur sa tête. Koumba, malgré sa bosse, était gaie, douce et aimable.

Le tamarinier est, de tous les arbres, celui qui fournit l'ombre la plus épaisse ; à travers son feuillage que le soleil pénètre difficilement, on peut apercevoir, parfois, en plein jour, les étoiles ; c'est ce qui en fait l'arbre le plus fréquenté par les génies et les souffles, par les bons génies comme par les mauvais, par les souffles apaisés et par les souffles insatisfaits.

Beaucoup de fous crient et chantent le soir qui, le matin, avaient quitté leur village ou leur demeure, la tête saine. Ils étaient passés au milieu du jour sous un tamarinier et ils y avaient vu ce qu'ils ne devaient pas voir, ce qu'ils n'auraient pas dû voir : des êtres de l'autre domaine, des génies qu'ils avaient offensés par leurs paroles ou par leurs actes. »

Les Mamelles (conte sénégalais, de BIRAGO DIOP)

Le conte comme miroir ethnographique : très bref inventaire des différences culturelles enseignées par le conte.

La famille africaine traditionnelle :
- polygamie (base économique),
- rôle du mari,
- rôle des épouses (fécondité, travail),
- hiérarchie des épouses.

Les tâches de la vie quotidienne :
- tirer l'eau au puits (calebasse, canari),
- porter le déjeuner au mari,
- biner, sarcler le champ,
- vanner le grain,
- coudre.

La religion animiste : les génies
- l'heure de midi : néfaste,
- les souffles : les morts revenus,
- l'autre domaine,
- la nuit,
- le rôle du tamarinier.

Le conte comme instrument pédagogique

La typographie linéaire ampute le conte de son rythme et de sa gestualité que la typographie mimo-dramatique rétablirait (sur ce point voir Maurice Houis, Anthropologie linguistique de l'Afriquc noire (P. U. F., Paris, 1971, p. 69). La lecture par le professeur conteur est accompagnée d'aides visuelles et d'une participation des élèves (répétition des « sentences », approbation, désapprobation) figurées ici sur trois colonnes simultanées.

Aides visuelles projetées	Lecture rythmo-pédagogique sensible au va-et-vient que masque l'impression typographique successive	Participation des élèves
une case une calebasse un boubou	Lorsqu'il s'agit d'épouses deux n'est point un bon compte	(répétition)
	Pour qui veut s'éviter souvent querelles cris et allusions malveillantes reproches	
	il faut trois femmes ou une seule et non pas deux.	(répétition)
	Deux femmes dans une même maison, ont toujours avec elles une troisième compagne	(répétition)
	qui non seulement mais encore n'est bonne à rien se trouve être la pire des mauvaises conseillères.	
	Cette compagne c'est l'Envie	(répétition)
	à la voix aigre et acide comme du jus de tamarin.	

Dialogue de civilisations

Une fois la moitié du conte étudié ainsi (17), on peut ouvrir un débat sur la polygamie en prenant successivement le point de vue du mari Momar, de Koumba, la deuxième épouse, et d'un des enfants (avantages de la famille étendue sur la famille nucléaire – avoir plusieurs mères, oncles, etc.).

17 C'est-à-dire, lu avec commentaires, dans la situation pédagogique suggérée par sa forme : être raconté.

LES APPROCHES CRITIQUES

Au niveau avancé, les textes clef s'inscrivent dans les programmes d'études littéraires et posent alors la question de leur appliquer ou non les techniques d'analyse et les méthodes d'interprétation habituellement réservées aux textes de la littérature française.

Ne serait-ce que pour juger des connotations, le lecteur a parfois besoin d'interpréter les signes à l'encontre de sa propre culture. Par exemple, dans la civilisation occidentale le mot « fou » connote un déviant dangereux, un inadapté social. *L'Aventure ambiguë* de Cheikh Hamidou Kane range au contraire le fou « parmi ces êtres énigmatiques que la tradition africaine respecte et craint tout à la fois » (18) . Le don de divination et l'exercice d'une critique sociale inspirée sont l'apanage du fou, personnage de base d'une structure tribale encore intacte, mais en train de céder au moment où s'ouvre le récit. Cette structure peut s'inscrire dans un entrelacs de réciprocité entre les deux bords du monde traditionnel : spiritualité et existence matérielle (19) .

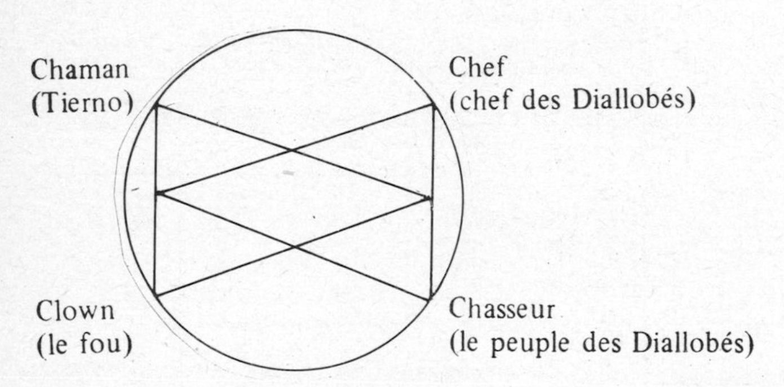

Sous la poussée du monde occidental, cette intégration des fonctions éclate. Par spécialisations successives l'école coranique cède son disciple à l'école matérialiste où l'on apprend « à lier le bois au bois ». La cellule tribale va se scinder en deux (esprit, matière), puis en quatre (éducation,

18 N'Diaye (Papa Gueye), « *Thomas Melone et l'Aventure ambiguë ou les excentricités d'une critique* » dans *Présence africaine* 89, p. 262.

19 Schéma emprunté à William Irwin Thompson, *At the Edge of History*, Harper & Row, New York, 1971.
La catégorie du « chaman » se retrouvera dans la société industrielle sous forme du système d'éducation devenu quadripartite (administrateur, savant, enseignant, étudiant), comme la catégorie du « fou » se retrouvera sous forme des « média » (administrateurs, artistes, vedettes, techniciens).

art, gouvernement, industrie). Mais on peut encore reconnaître une attitude d'artiste ou de poète dans le rôle choisi par C. H. Kane pour son « fou ». Cette fonction de critique culturelle, traditionnellement dévolue au fou, apparaît au chapitre VII du roman. L'auteur décrit ainsi le choc culturel qui a dérangé l'esprit du Diallobé à son débarquement dans un port français :

> « . . . Alentour, le carrelage étendait son miroir brillant où résonnait le claquement des souliers. Au centre de l'immense salle, j'aperçus une agglomération de fauteuils rembourrés. Mais, à peine mon regard s'y était-il posé que je ressentis un regain de crispation, comme une insurrection accentuée de tout mon corps . . . » *L'Aventure ambiguë* (10/18), p. 101.

Une analyse stylistique traditionnelle livrerait une structure sémantique simple : du côté Europe le complexe carré/vide/dur/froid/brillant (en somme la géométrie aseptique de nos villes) augmenté de sons secs (consonnes K dans les mots coque, conque, coquille, claquement, mécanique) s'oppose à l'univers africain absent évoqué comme « la tendre mollesse d'une terre nue ». Ce refus des valeurs européennes a une base tactile qui l'apparente à la sensibilité esthétique d'un Giono par exemple, ou même d'un Camus. C'est une « insurrection » que nous pouvons nous aussi ressentir à certains moments de lucidité poétique. D'où la possibilité d'un exercice pédagogique consistant à repérer dans la description du fou chacun des termes qui engagent l'un des cinq sens.

Vue	Ouïe	Toucher	Effet physico-moral sur l'Africain du récit
miroir brillant glauque et brillant dos carré gabardine grise immense salle pas de limite milliers marées vide	claquement claquement sec claquement coques conques coquille vasque de granit	miroir froid du carrelage glace asphalte dur pierre glace carapace dure coques dures se durcissaient	angoisse mon corps et mon cœur ensemble se crispaient crispation tremblement insurrection désarroi
rose		tendre surgissement d'un pied nu chair rose	

Ainsi les valeurs les plus prisées en Occident (propreté, brillant, espace ouvert) sont celles qui provoquent le « choc culturel » à l'origine de la « folie » du Diallobé. Son système de valeur se dégage par contraste des valeurs européennes ressenties comme cruelles à l'homme : c'est la couleur rose opposée au gris et au noir, la chair opposée à la pierre, la tendresse à la dureté. Je crois que si ce genre de repérage stylistique se pratique régulièrement sur les textes, soit en classe soit dans le jeu normal de la lecture, *L'Aventure ambiguë* livrera son système. Nulle nécessité d'être africain, musulman ou fou pour percevoir correctement les connotations négatives du monde insane livré aux automobiles ; mais il fallait l'écart qui sépare la rivière Fouta des berges de la Seine pour produire ce bijou de style :

« Tu sais, maître la délicate silhouette qui s'appuie sur une jambe, puis sur une autre, pour avancer . . .

– Eh bien ?

– Je lui ai vu, dans sa propre demeure, des étendues mortelles. Les mécaniques y régnaient » (p. 104).

Si les techniques d'analyse stylistique opèrent normalement dans *L'Aventure ambiguë* comme dans tout récit classique, il n'est pas sûr que l'on puisse y appliquer la notion habituelle de personnage. Charles Larson a montré que le roman africain est plutôt « situationnel » que « personnel (20) ». Tous les personnages de *L'Aventure ambiguë*, Roi, Reine, Chevalier, Fou, composent un jeu d'échecs à l'échelle d'une ethnie entière.

Et ainsi plutôt qu'une personne, c'est une personnalité africaine propre, en plusieurs personnages, qui s'équilibre au cours du récit devant une personnalité française, occidentale, elle-même fragmentaire ou divisée. Le conflit entre Pascal et Descartes en fait partie ; mais ce déplacement dans l'histoire de la philosophie d'un problème colonial (foi africaine devant la technique de l'Occident) suggère l'art du contrepoint et une structure fuguée. Par exemple, le pasteur Martial ne correspond que partiellement au maître des Diallobés, Lucienne ne reprend que certains thèmes matérialistes de Demba, la princesse baguée n'est qu'une image dérisoire de la Grande Royale. Samba Diallo lui-même se sait à Paris moins de réalité que dans son pays. Moitié moins ? Le mouvement qui le porte vers Adèle, la métisse née aux bords de la Seine, le fait buter contre l'impossibilité du métissage culturel : « L'exil d'Adèle, à bien des égards, était

20 Larson (Charles), *The Emergent African Novel*, Indiana University Press, Bloomington, 1973.

plus dramatique que le sien. Lui, du moins, n'était métis que par sa culture » (p. 170). De la plénitude originelle jusqu'à la déperdition progressive de son être, c'est une analyse des personnages rencontrés par Samba Diallo qui ferait ressortir la progression de son mal culturel : perte de sa personnalité fondée sur la foi, haine finalement des Occidentaux réduits au pronom *ils* (deuxième partie, chapitre VI). Le titre, en suggérant une sorte d'égalité entre les deux termes de l'ambiguïté, sert à « feutrer » ou à jouer en « moderato » « les risques de l'aventure occidentale » (p. 170). Ce serait également l'effet, si l'on n'y prend garde, d'une certaine symétrie formelle entre les deux parties du récit.

Or la composition « en miroir » – 9 chapitres + 9 chapitres – départ, retour, ombre, lumière, etc. – ne trouve à se résoudre que dans un chapitre X en surnombre, qui fait problème. Expliquer une œuvre, est-ce seulement « la replacer dans son vrai contexte historique et dans les valeurs de civilisation qui l'ont imprégnées » (21) ou bien est-ce aussi en interpréter l'intention politique ? La résolution finale de *L'Aventure ambiguë* peut recevoir une interprétation « ethnographique » pure ; le dernier chapitre c'est alors l'aboutissement réussi d'un pèlerinage initiatique, « au sein de l'infini divin ». Ou bien au contraire une interprétation « dialectique » : ce roman est une solution conservatrice ou plutôt un refus de choisir pour ou contre la révolution en feignant de préférer le ciel empyrée, c'est-à-dire finalement un choix contre la révolution (22), ou contre la guerre sainte (23).

L'Aventure ambiguë est un chef-d'œuvre, même si d'aucuns en critiquent le dernier chapitre. Ce chapitre impossible hors d'un contexte coranique intact nous crie de laisser intact le contexte hors duquel la résolution – aussi bien politique qu'esthétique – de ce récit s'avère impossible. Ces textes clef du Tiers Monde, faut-il les traiter uniquement comme l'expression de « valeurs de civilisation » ? Les tentatives d'enracinement ethnographique produisent des révélations intéressantes sur les cultures non occidentales auxquelles le français sert de moyen de communication. Il faut applaudir les éditions critiques, commentées par des notes culturelles irremplaçables, comme l'édition d'*Éthio-*

21 N'Diaye (Papa Gueye), art. cit., p. 258.

22 Melone (Thomas), *Analyse et Pluralité, Cheikh Hamidou Kane et la folie*, dans *Diogène* 80, 1972.

23 El Nouti (Hassan), *La polysémie de l'Aventure ambiguë, Revue de littérature comparée*, 3 & 4, p. 487, 1974.

piques de Senghor ou celle des contes de Birago Diop (24). Le propre des connotations culturelles c'est, dans un texte littéraire, de former un réseau accessible au travail stylistique ; le propre des procédés de style, c'est d'élaborer une signification profonde, une structure.

CONCLUSIONS PROVISOIRES

La théorie du texte clef comme miroir ethnographique impose l'obligation de faire partager les connotations culturelles grâce à un travail premier sur la signification originale de mots empruntés au français pour exprimer une réalité étrangère. Comme les connotations et les dénotations veulent être saisies *simultanément* dans un acte de communication authentique, cette ethnopoétique demande aussi des stratégies de présentation particulières. Les explications laborieuses en bas de page alourdissent la lecture. Une pédagogie sensibilisante et active de la classe de langues appliquée à ces textes fera le pont entre la culture de l'élève et la culture du texte, soit par des procédés de contraste et de surprise, soit par l'acquisition active des structures nouvelles lestées de leur charge culturelle, *avant* tout contact avec le texte clef, cela afin que le texte soit reçu dans un acte de communication aussi vif et spontané que possible. Mais l'ethnopoétique, respect des traditions où baigne le texte, doit aussi s'assortir d'une sociopoétique (25). Là, il ne s'agit plus seulement de *traduire*, aussi fidèlement que possible, tous les faits culturels et leur contexte africain, québécois, malgache ou libanais, et d'étudier les traditions artistiques locales, mais de *les interpréter comme valeurs* utiles non seulement à la société qu'ils définissent mais également (premièrement ?) à la société qui lit ces textes à travers l'appareil pédagogique.

Michel BENAMOU
Center for Twentieth Century Studies
(The University of Wisconsin-Milwaukee)

24 *Ethiopiques*, Poèmes de Léopold Sédar Senghor, édition critique et commentée par Papa Gueye N'Diaye, professeur de Lettres, Les Nouvelles Éditions africaines, Dakar, 1974.
Mohamadou Kane, *Birago Diop*, Présence africaine, Paris, 1970.

25 cf., Wynter (Sylvia), *Ethno-or Sociopoetics* dans *Ethnopoetics* éd. Michel Benamou and Jerome Rothenberg, Boston University Publications, Boston, 1976.

La Belgique

TERRES ET HOMMES

Petit État (30 500 km^2) bordé au nord par les Pays-Bas, à l'est par l'Allemagne et le grand-duché du Luxembourg, au sud par la France et à l'ouest par la mer du Nord, la Belgique fait partie de ce que l'on a pu nommer la Mégalopolis européenne : située au cœur d'une zone géographique remarquable par la densité de ses populations (elle compte 10 millions d'habitants, soit plus de 300 au kilomètre carré), elle est traversée par le grand sillon industriel qui va de la Manche à la Ruhr, et sillonnée par des voies routières et ferrées névralgiques.

Dense, sa population est relativement vieille : la main-d'œuvre totale n'en représente que 40 pour cent. Et c'est ici le lieu de faire intervenir une division sur laquelle nous devrons plus d'une fois insister : c'est surtout dans la population francophone de cet État bilingue que le vieillissement est sensible : son taux de croissance n'est que de 3,41. Encore est-il dû en partie à une immigration ouvrière provenant essentiellement des pays méditerranéens : sur quelque 800 000 étrangers, 400 000 résident en Wallonie et 200 000 à Bruxelles. La Belgique s'adonne surtout aux industries de transformation : elle importe des produits miniers et textiles et exporte des métaux usinés, du matériel électrique, des produits chimiques, des machines, des étoffes. A cet égard aussi, la Belgique est un pays ouvert sur l'Europe.

Quatre cultes sont officiellement reconnus dans le royaume : catholique, protestant évangélique et anglican, israélite. Mais, quoique la pratique religieuse accuse un net déclin (processus qui a commencé très tôt dans les zones urbanisées de Wallonie), c'est le catholicisme qui prédomine (95 pour cent des pratiquants), au point que l'Église fut, jusqu'il n'y a guère, une des forces politiques les plus puissantes en Belgique. Le parti social chrétien reste d'ailleurs une formation importante, face au parti socialiste belge et au parti pour la liberté et le progrès, d'idéologie libérale (le parti communiste est peu développé). Mais chacun de ces partis est divisé en une aile francophone et une aile flamande qui, aujourd'hui, adoptent des positions parfois très différentes et ont de tout temps connu des succès électoraux distincts de l'un ou de l'autre côté de la frontière linguistique (majorité P. S. C. en Flandre, P. S. B. en Wallonie) : à ces deux partis, correspondent plus ou moins bien les deux puissantes organisations syndicales : Fédération générale des travailleurs de Belgique et Confédération des syndicats chrétiens. A côté de ces partis dits traditionnels, d'autres partis, dits « communautaires », plus récents et ayant obtenu un succès croissant ces dix dernières années : le Rassemblement wallon au Sud, le Front démocratique des francophones (F. D. F.) à Bruxelles, et la *Volksunie* (Union populaire) au Nord.

UNE HISTOIRE EUROPÉENNE

Au contraire de ce que soutient volontiers une histoire nationaliste et finaliste, l'État belge n'est ni l'aboutissement de la volonté profonde de ses populations ni la consécration sur le plan politique d'une cohérence économique, géographique, ou culturelle. Les régions qui le constituent aujourd'hui furent d'abord une poussière de principautés médiévales, unilingues ou bilingues (thioises et romanes), aux obédiences parfois très différentes (France, Empire germanique).

Leur union fut la conséquence d'une politique d'acquisition personnelle menée au XVe siècle par les ducs de Bourgogne, qui les dotèrent de quelques institutions communes. Encore faut-il noter qu'échappe à ce complexe la principauté épiscopale de Liège, qui couvre à elle seule une portion non négligeable de la Belgique actuelle. Sans cohésion interne, cet ensemble ne fera pas davantage son unité vis-à-vis de l'extérieur : il sera possession espagnole – période pendant laquelle se déchaînent des guerres de religion qui le laissent exsangue –, puis province autrichienne. A la fin de l'Ancien Régime, il trouve enfin une homogénéité. Mais c'est encore l'étranger qui la lui fournit : l'Empire français intègre toutes les provinces de la Belgique actuelle, y compris ce pays de Liège qui avait connu sa révolution en même temps que la France.

Après la chute de Napoléon, la diplomatie européenne crée, redoute avancée contre l'impérialisme français, un royaume des Pays-Bas, comprenant les actuelles Hollande et Belgique, et qui voit éclater la révolution industrielle. Mais cet amalgame était artificiel : en 1830, avec l'accord des grandes puissances, la Belgique prend son indépendance.

Monarchie constitutionnelle, cette Belgique bilingue sera un état unitaire, tant au niveau de ses institutions qu'au niveau des groupes sociaux qui la dominent : le ciment de son unité lui vient de la classe bourgeoise qui se trouve alors être francophone de part et d'autre de cette frontière des dialectes sur laquelle nous aurons à revenir. Ce petit État eut à connaître, outre les deux guerres mondiales, tous les problèmes qui se posèrent dans les pays développés du continent : question scolaire, qui anima le débat politique de

1850 à 1950 en opposant, souvent de façon stérile, cléricaux et anticléricaux ; question ouvrière qui ensanglanta le pays en 1886 et fut à l'origine d'une abondante législation sociale. Mais ici, la phase contemporaine de la lutte des classes se doubla, dès le début, d'une question linguistique : la lutte du peuple flamand est tantôt nationaliste, tantôt sociale. Et le suffrage universel, acquis en 1919, fit apparaître la nature profondément dualiste du pays. Ce constat aboutit à la législation linguistique de 1932, qui consacre l'égalité des langues et l'unilinguisme des grandes régions. D'abord sociale, la question linguistique – on préfère aujourd'hui dire « communautaire » – est devenue économique : une Wallonie vieillie dans sa population et son infrastructure doit faire face à une Flandre plus jeune et d'industrialisation plus récente, plus nationaliste de surcroît.

Cette lutte, que l'on se condamne à ne pas comprendre si on n'en perçoit que ses manifestations épidermiques, a récemment abouti à une révision de la Constitution. A la suite de celle-ci, « l'autonomie culturelle » des régions a été instaurée par une loi de 1971. Cette loi règle la compétence et le fonctionnement de Conseils culturels composés des parlementaires de chacune des deux régions linguistiques. Bien que, contrairement à ce que son nom laisse entendre, cette autonomie porte sur des matières qui ne sont pas que strictement culturelles. Cette nouvelle organisation laisse certains Belges sur leur faim. Mais c'est en tout cas un premier pas fait en direction d'une structure de type fédéral, objectif inscrit au programme des partis « communautaires ». Est-ce à dire qu'une dissolution de la Belgique est en vue ? On ne peut le penser si l'on veut bien tenir compte du fait que ce processus est exactement parallèle à celui de l'intégration européenne. Accident historique dans le devenir européen, c'est dans ce cadre que la Belgique nouvelle peut trouver son équilibre.

LA FRANCOPHONIE BELGE

Manquant d'homogénéité dans sa formation territoriale, la Belgique reste marquée par un biculturalisme franco-germanique. Ce fait a toujours eu raison des tendances unitaristes sur lesquelles le finalisme de l'histoire officielle a souvent insisté.

Il n'y a pas de langue nationale en Belgique. Cette dernière ressortit à trois groupes : au néerlandais par la région flamande (provinces de Flandre occidentale, de Flandre orientale, d'Anvers, du Limbourg et la moitié septentrionale du Brabant), au français par la région wallonne (provinces de Liège, du Luxembourg, de Namur, de Hainaut et la moitié méridionale du Brabant ou Brabant wallon), à l'allemand par le saillant d'Arlon et, à l'est de la province de Liège, par les cantons d'Eupen et Saint-Vith, et la partie germanique du canton de Malmédy. Si l'on néglige ce troisième domaine, peu étendu et relié administrativement à des provinces de langue française, on peut dire que la Belgique est composée de deux régions linguistiques sensiblement égales avec, au centre du pays, une capitale de régime bilingue : Bruxelles, ville flamande par ses origines.

D'est en ouest, la Belgique est traversée en son milieu par une frontière linguistique datant du haut Moyen Âge, c'est-à-dire de l'époque où la zone de partage des forces ethniques s'est peu à peu dessinée aux marches septentrionales de l'ancien Empire romain. Cette ligne de démarcation, dont le tracé n'a guère varié au cours des âges, sépare le pays flamand, au nord, du pays wallon au sud. En fait, elle sépare les parlers vernaculaires : dialectes sud-néerlandais (continuateurs du bas allemand) et dialectes belgo-romans (héritiers du latin vulgaire implanté en Gaule). Ce serait une erreur de croire qu'à cette division linguistique d'origine populaire correspond une identique répartition des langues de culture. Séparant le monde roman du monde germanique, la frontière linguistique n'a pas constitué une barrière au-delà de laquelle le français se serait déposé artificiellement, à la manière de « commandos » parachutés. L'influence française qui s'est répandue dès la fin du XIIe siècle dans la partie flamande du comté de Flandre n'est qu'un aspect d'un courant culturel plus général qui s'étend alors vers les pays germaniques limitrophes. Mais tandis que l'influence française se développait au Moyen Âge à partir des milieux aristocratiques du pays flamand, aucune influence germanique venue du nord ou de l'est n'a rayonné à partir d'un centre wallon quel qu'il fût. Malgré les emprunts qui s'échangent par-dessus la frontière linguistique, le pays wallon seul gardera son homogénéité culturelle. Cette différence avec le pays flamand est essentielle pour comprendre l'histoire des langues en Belgique.

Le biculturalisme belge a donc recouvert un état de bilinguisme qui n'a pas été le même de part et d'autre de la frontière linguistique : franco-wallon (le terme wallon étant pris ici dans son sens de belgo-roman) par-deçà, franco-flamand par-delà. Les conséquences les plus nettes sont : 1°) que le français est de longue date la langue de culture unique en Belgique romane (ou Wallonie) au même titre que dans les autres régions du domaine d'oïl, et, par suite de la francisation constante de Bruxelles, il l'est devenu de la majeure partie (80 pour cent environ) des habitants de cette ville dont beaucoup sont Wallons d'origine ; 2°) que le français a été, au moins depuis le XVIIIe siècle, la langue cultivée de toute l'élite sociale de la population flamande, situation qui est en train de se modifier depuis l'entrée en vigueur des lois instaurant l'unilinguisme des régions. C'est ce qui explique que le français comme instrument de vie intellectuelle recule en Flandre au profit de l'*algemeen beschaafd* ou néerlandais officiel qui concurrence, jusque dans la langue parlée, les variétés du flamand autochtone.

UNE AILE MARCHANTE DES LETTRES FRANÇAISES

Il est temps d'en venir au phénomène littéraire qui, en Belgique, est, lui aussi, un phénomène complexe.

De la littérature flamande ou néerlandaise qui s'est développée dans le Nord du Pays, nous ne parlerons pas ici. Nous ne parlerons pas davantage, bien qu'elle appartienne au domaine des parlers d'oïl, de la littérature dialectale qui, en wallon et en picard (l'Ouest du Hainaut ressortit à ce dialecte), fait l'une des originalités culturelles de la Belgique romane. On trouvera cependant ci-après quelques indications bibliographiques sommaires sur cette production qui, en l'espace de trois siècles (la littérature wallonne est née au pays de Liège vers 1600), a connu des époques de réelle importance.

C'est naturellement la littérature française qui constitue la dominante de la vie littéraire belge. Il n'y a pas de littérature *belge* d'expression française, quoi qu'aient prétendu les tenants de certain nationalisme qui a trouvé parfois dans les milieux parisiens l'écho de la complaisance, de la simplification ou de l'ignorance. Il y a, en revanche, une littérature *française de Belgique* qui, à certains moments de son histoire, ne se confond pas avec le mouvement littéraire de la France-Hexagone.

A certains moments de son histoire . . . Cette dernière est de parcours fort inégal. On ne peut parler d'un mouvement des lettres françaises de Belgique qu'après la conquête de l'indépendance politique en 1830. Encore n'est-ce le plus souvent qu'un reflet de ce qui se fait ailleurs, en France principalement. Pâle décoction du romantisme sur lequel viendra trancher le premier chef-d'œuvre « national » : la *Légende d'Ulenspiegel* (1867) de Charles De Coster. La véritable efflorescence date des années qui suivent 1880.

Avant le XIXe siècle, les provinces de la future Belgique n'ont de vie littéraire que par intermittence. Plus tôt encore, au Moyen Âge, elles font partie des marches indivises du vaste domaine d'oïl où règnent le franco-picard et dans lequel il n'est pas toujours possible de localiser avec précision (exception faite pour les chroniqueurs) la production des trouvères.

Après ce qui a été dit plus haut de la position des langues dans le pays, on comprendra que la Belgique littéraire française ne soit pas superposable à la seule Belgique romane ou Wallonie. Il faut compter non seulement avec Bruxelles, troisième ville de langue française du monde et qui est ici le principal foyer littéraire, mais encore avec la Flandre qui – aujourd'hui moins qu'hier et bien plus que demain – a produit nombre d'écrivains et d'œuvres sans lesquelles la littérature française tout court ne serait pas exactement ce qu'elle est. On ne saurait nier, en effet, que c'est par son pignon flamand que la Belgique littéraire est apparue au regard de la France, à la fin du siècle dernier, lorsque les Rodenbach, les Verhaeren, les Maeterlinck et quelques autres apportèrent la révélation poétique de la Flandre et ouvrirent au symbolisme des terres nouvelles. Le climat nordique où baignaient leurs œuvres, l'accent spécial, parfois légèrement « barbare », qui en distinguait certaines, pouvaient créer l'illusion d'une littérature traduisant ce qu'un historien littéraire appela un jour « les traits originaux de l'âme belge ». Mais à observer la diversité des tempéraments et des esthétiques, on ne voit pas quel commun dénominateur national pourrait rassembler les écrivains représentatifs des provinces les plus septentrionales du domaine culturel français. Aussi les écrivains belges s'exprimant en français doivent-ils être normalement situés et appréciés dans le cadre général de la littérature française. La chose est devenue une évidence surtout depuis que, la génération des grands Flamands éteinte, de nouveaux courants sont apparus, qui ont permis à une brillante relève wallonne (ou bruxello-wallonne) de se mêler au mouvement général des lettres en France au point de ne pouvoir toujours s'en distinguer. A la communauté de langue entre la France et la Belgique francophone, la standardisation de la vie européenne d'aujourd'hui vient ajouter l'identité d'une civilisation qui ne cesse de s'uniformiser des deux côtés de la frontière politique, en dépit de quelques variables d'importance secondaire. C'est exactement l'inverse de ce qu'on peut observer au Québec dont la production française prend vis-à-vis de la métropole une distanciation comparable, en somme, à celle qui a fini par dissocier la littérature américaine de la littérature anglaise.

Si l'illusion d'une littérature proprement belge a pu durer, elle le doit, entre autres choses, à l'efflorescence du genre régionaliste entre 1880 et 1920. Pourtant, alors même qu'on peut rattacher cette production, indiscutablement belge par les thèmes, au courant réaliste, il n'est pas malaisé de répartir ces œuvres en deux familles, en tenant compte des réalités qu'elles mettent en scène et de la tonalité qu'elles rendent, autant que de l'origine culturelle des auteurs. En schématisant beaucoup, nous nommerons ces deux courants flamand et wallon. Le premier se caractérise par son esthétique baroque (syntaxe torturée, emploi du néologisme ou de l'archaïsme), ses couleurs vives et contrastées, l'attention qu'il porte aux personnalités déviantes, campées dans une psychologie fruste et behaviouriste. Le second est plus volontiers classique de langue, mais aussi plus terne, et de souffle plus court ; ses auteurs portent plus l'accent sur les détails de la vie quotidienne que sur l'action elle-même et se penchent davantage sur des personnages simples, perçus à travers le prisme d'une sensibilité émotive. Traits qui caractérisent encore certains représentants de la relève wallonne dont on a parlé.

Mais le paradoxe de la littérature française de Belgique ne s'arrête pas à cette double postulation, où l'esprit amateur de système pourra, s'il le désire, voir l'effet d'une opposition irréductible de sensibilités. Il réside aussi, et peut-être davantage, dans la tension continuellement ressentie entre l'enracinement et le cosmopolitisme. Synthèse plutôt que tension, c'est de Paris que tel auteur régionaliste perçoit les originalités de son Ardenne natale ; c'est dans l'œuvre recueillie sur les sentiers du monde qu'un Simenon peut le mieux peindre l'odeur grise du Liège où il est né.

Peut-être « cosmopolitisme » est-il un mot excessivement généreux pour la plupart des écrivains belges. S'ils vivent dans un État assurément centralisé, ils participent aussi à une culture qui ne le cède en rien aux autres sur ce plan. Aussi la recherche de la caution parisienne – Paris est à moins de trois heures de train de Bruxelles – est-elle l'un des plus puissants moteurs de la création littéraire en ce pays. Attraction qui n'a cessé de se renforcer au long de ce siècle, à mesure que s'éteignent les dernières générations de Flamands écrivant en français, et qui aboutit à une assimilation progressive des lettres françaises de Belgique à la littérature française tout court : il n'est pas de mouvement français – de l'unanimisme au telquellisme le plus en pointe – qui n'ait ses répondants en Belgique. Répondants qui ne sont point toujours, soulignons-le, d'une exacte fidélité : le surréalisme belge, par exemple, a parfois revêtu une allure pataphysique avant la lettre, fortement marqué qu'il était par dada et l'esprit de canular ; il fut aussi réticent vis-à-vis de l'écriture automatique, ou de l'adhésion à la IIIe Internationale, et des autres dogmes promulgués par le pape André Breton.

Il n'est cependant pas vain de chercher dans cette littérature bien peu distincte de celle qui se fait à Paris quelques grandes constantes.

La première, on la trouvera dans l'extraordinaire succès de la poésie auprès de nos écrivains, succès qui ne s'est jamais démenti. La Belgique, soutient L. S. Senghor, est le pays qui compte le plus de poètes au kilomètre carré. Assurément, un coup de filet jeté dans un de ces kilomètres ramènerait pas mal de poétereaux du samedi soir et de tronçonneuses de prose en versets sybillins. Mais au moins faut-il noter le phénomène et son caractère rien moins qu'individualiste : des Biennales internationales de la poésie au *Journal des poètes*, des Midis de la poésie aux Jeunesses poétiques, les preuves abondent.

Quant au genre aimé des prosateurs, sans doute est-ce celui du conte fantastique (du conte et non du roman : retenons cette constante d'un goût pour les œuvres de courte haleine). Ce genre ne permet-il pas de cultiver le baroquisme ghelderodien qui représente certes une des meilleures parts de l'héritage qu'auront laissé aux lettres françaises quelques générations d'écrivains flamands ?

Avec le fantastique, nous sommes arrivés aux frontières de ce qu'il est convenu de nommer la paralittérature. Faut-il rappeler ici que la Belgique s'est signalée comme une pépinière de dessinateurs et de scénaristes de bande dessinée ? Il est significatif que les journaux *Tintin* et *Spirou* aient vu le jour en ce pays, et que les spécialistes opposent à l'école américaine non la française, mais bien l'école franco-belge.

« Franco-belge » : c'est donc qu'ici l'osmose vers quoi semble tendre notre histoire culturelle paraît acquise. Il ne faudrait cependant pas conclure à l'extrême porosité, sur ce plan, de la frontière politique, qui relie plus qu'elle ne divise les terres romanes du Nord de l'Europe. Si l'on admet que la création artistique n'est pas un jeu désincarné mais qu'elle s'apparente à la production et à la circulation d'autres biens, force est de constater qu'entre France et Belgique, la circulation des biens est à sens unique : le livre belge, par exemple, n'a pas son marché en France (en dehors des secteurs technique, classique et religieux). Dans les ouvrages que publient les 236 éditeurs professionnels du pays, la littérature ne représente que 9 pour 100 du nombre d'ouvrages et du chiffre d'affaires réalisé (123 millions de francs belges, à comparer aux quelques 6 milliards de nouveaux francs qui représentent à peu près 30 pour 100 du chiffre d'affaires français). Cette donnée n'éclaire-t-elle pas, autant que certain discours mythique, l'attraction de nos écrivains vers Paris ?

Que le livre belge soit mal connu, voilà sans doute la meilleure justification de la bibliographie qui suit. Bibliographie sélective comme il se doit : ce qui signifie qu'étant donné l'ampleur de la matière, elle est fatalement incomplète et quelque peu arbitraire. On espère qu'elle n'en sera pas moins utile.

Jean-Marie KLINKENBERG et Maurice PIRON
(Université de Liège)

DOCUMENTOGRAPHIE

Documentation

Encyclopédie belge, Bruxelles, La Renaissance du livre, 1933, 898 p., épuisé.

La Grande Encyclopédie de la Belgique et du Congo, 2 vol., Bruxelles, Editorial Office, 1952, épuisé.
Ces deux ouvrages ont vieilli sur plus d'un point.

La Belgique, un panorama, Bruxelles, Inbel, 1971, 942 p.
Ouvrage officiel, mais fort complet, voir adresse d'Inbel dans la rubrique « organismes ».

La Belgique au cœur de l'Europe, Bruxelles, Inbel, s.d..
Existe aussi en néerlandais, anglais, allemand, espagnol, italien, portugais, russe, danois, norvégien, suédois, finnois.

Annuaire administratif et judiciaire de la Belgique, Bruxelles, Bruylants.
Rédigé en français et en néerlandais, cet ouvrage annuel donne des renseignements sur les organismes officiels et les principales institutions privées.

Annuaire statistique de la Belgique, Bruxelles, ministère des Affaires économiques, Institut national de statistique (annuel).

BAYENS (R.), *Documentation sur la Belgique*, Bruxelles, Inbel, 1970.
Bibliographie sélective et analytique.

HENROT (Thérèse), *Belgique*, Paris, Le Seuil, Coll. « Petite Planète », nouvelle éd., 1962.
Le regard de cet observateur étranger est souvent attiré par le pittoresque, mais ce regard est aigu.

SION (Georges), *La Belgique*, Paris, Arthaud, 1974, 165 p.
Psychologie des régions et des villes, avec une illustration de qualité.

HISTOIRE

PIRENNE (Henri), *Histoire de Belgique*, nouvelle éd. illustrée en 4 vol., Bruxelles, La Renaissance du livre, 1974.
Le grand classique de l'histoire belge, à tendance finaliste. L'ouvrage a été poursuivi par un collectif sous le titre *Histoire de la Belgique contemporaine 1914-1970*, La Renaissance du livre, 1974, mais ce complément est critiquable sur plus d'un point.

DHONDT (Jean), *Histoire de la Belgique*, Paris, P. U. F., Coll. « Que sais-je ? », 1963, 128 p.
Cet ouvrage prend comme point de départ la première tentative d'unification sous les ducs de Bourgogne, XVe siècle.

ARNOULD (Maurice A.), *Historiographie de la Belgique*, Bruxelles, Office de publicité, 1947, 78 p., épuisé.

VERCAUTEREN (Fernand), *Cent Ans d'histoire nationale en Belgique*, Bruxelles, La Renaissance du livre, 1959, 216 p.
Ouvrage d'historiographie, à joindre au précédent.

Histoire de la Wallonie, sous la direction de Léopold GENICOT, Toulouse, Privat, Coll. « Univers de la France et des pays francophones », 1973, 502 p.
Ouvrage collectif envisageant, de la préhistoire à nos jours, les différents secteurs : civilisation, économie, politique, vie des arts.

La Wallonie, Le Pays et les hommes, Bruxelles, La Renaissance du livre, sous presse (3 vol. parus jusqu'au début de 1977).
Ouvrage collectif envisageant les aspects politiques, socio-économiques et culturels de l'histoire wallonne, sous la direction de Rita LEJEUNE et Jacques STIENNON.

LEJEUNE (Jean), *La Principauté de Liège*, Liège, Le Grand-Liège, s.d., 215 p., épuisé.

STENGERS (Jean), *La Formation de la frontière linguistique en Belgique*, Bruxelles, Latomus, 1959, 56 p., Coll. « Latomus », XLI.

Sur l'épisode africain de l'histoire belge, on pourra consulter « Les Études africaines » du Centre de recherche et d'information socio-politique (C. R. I. S. P.).

SOCIÉTÉ ET INSTITUTIONS

Dans cette rubrique, on a ménagé une place toute particulière aux ouvrages traitant des rapports entre communautés culturelles.

JAVEAU (Claude), *Les 24 Heures du Belge*, Édit. de l'Université de Bruxelles, 1970, 146 p.
Ouvrage de sociologie.

SENELLE (R.), *La Structure politique, économique et sociale de la Belgique*, Bruxelles, ministère des Affaires étrangères et du Commerce extérieur.
Existe aussi en anglais, néerlandais, allemand, italien, espagnol.

LADRIÈRE (J.), MEYNAUD (J.), PÉRIN (F.), *La Décision politique en Belgique*, Bruxelles, C. R. I. S. P.

CAMPÉ (R.), DUMON (M.) et JESPERS (J.J.), *Radioscopie de la presse belge*, Verviers, Gérard, 1975.
Fiches techniques des quotidiens et hebdomadaires, extraits, etc.

JAVEAU (Claude), *Haro sur la culture*, Presses de l'Université libre de Bruxelles, 1974, 208 p.
Déconstruction de la culture bourgeoise.

MOLS (Roger), *Bruxelles et les Bruxellois*, Louvain, Bruxelles, Edit. universelle, 1961, 130 p.
Évolution démographique et sociologique de la capitale belge.

HENRY (Albert), *Offrande wallonne*, Liège, Georges Thone, 1946, 150 p.
Remarquable essai sur l'originalité wallonne.

HENRY (Albert), *Wallon et Wallonie. Esquisse d'une histoire des mots*, Bruxelles, La Renaissance du livre, 1974, 96 p.

PIRON (Maurice), « Wallons », *Revue de psychologie des peuples*, t. XXV, n° 1, Le Havre, 1970, pp. 85-89.
Article de synthèse destiné au Dictionnaire des populations de l'Europe, en préparation chez Hachette.

BOLY (Joseph), *La Wallonie dans le monde français*, Institut Jules Destrée, 1971, 102 p.

VERDOODT (Albert), *Les Problèmes des groupes linguistiques en Belgique*, Louvain, Centre de recherches sociologiques, Institut de linguistique, 1973, 234 p.
Bibliographie systématique et commentée des écrits traitant des relations entre les communautés francophone et néerlandophone.

HERREMANS (M. P.) et COPPIETERS (F.), *Le Problème linguistique en Belgique*, Bruxelles, Inbel, 1967.
Existe aussi en néerlandais, anglais, allemand et espagnol.

DESTRÉE (Jules), *Wallons et Flamands. La querelle linguistique en Belgique*, Paris, Plon, 1923, 186 p., épuisé.

HERREMANS (M. P.), *La Wallonie. Ses griefs, ses aspirations*, Bruxelles, Marie-Julienne, 1952, 362 p.

PÉRIN (Fr.), *La Démocratie enrayée. Essai sur le régime parlementaire belge de 1918 à 1958*, Bruxelles, Institut belge de science politique, 1960, 280 p.

PÉRIN (Fr.), *La Belgique au défi*, Huy, Presses de l'imprimerie coopérative, 1962.
Histoire de la genèse de deux peuples à la recherche d'une révolution constitutionnelle.

DU ROY (Albert), *La Guerre des Belges*, Paris, Le Seuil, 1968, 238 p.
Histoire de la question linguistique par un journaliste français.

OUTERS (Lucien), *Le Divorce belge*, Paris, édit. de Minuit, Coll. « Documents », 1968, 254 p.
Vigoureuse dénonciation d'une Belgique en images d'Épinal.

BOEY (Marcel), FLEERACKERS (Johan), SANDERS (Willy), *Clés pour la Flandre*, Tielt et Utrecht, Lanoo, 1973, 284 p.
Ce guide, qui existe aussi en anglais, retrace succinctement l'histoire de la partie néerlandophone de la Belgique, et offre un panorama de la culture, de l'enseignement, des réalités de la vie politique, sociale et économique de la Flandre. Nombreuses références et adresses.

RUYS (Manu), *Les Flamands*, Tielt et Utrecht, Lanoo, 1972.
Exposé de la « question flamande » et des perspectives politiques et culturelles qu'elle a déterminées, par un journaliste flamand engagé.

WILMARS (Dirk), *Le Problème belge. La Minorité francophone en Flandre*, Anvers, Érasme, 212 p.

PICHOIS (Claude), *L'Image de la Belgique dans les lettres françaises de 1830 à 1870*, Paris, Nizet, 1957, 118 p.

HISTOIRE DE LA LITTÉRATURE

Bibliographie des écrivains français de Belgique 1881-1960, sous la direction de Roger BRUCHER, Bruxelles, Palais des Académies, 4 vol. parus depuis 1958.
Le premier volume, œuvre de Jean-Marie CULOT, s'arrête à 1950, les quatre volumes suivants couvrent les lettres A à N.

Histoire illustrée des lettres françaises de Belgique, sous la direction de Gustave CHARLIER et Joseph HANSE, Bruxelles, La Renaissance du livre, 1958, 656 p.
Ouvrage collectif dû à une trentaine de spécialistes étudiant, dans les différents genres, les périodes de l'histoire littéraire des provinces belges, du Moyen Âge à nos jours. Instrument de travail indispensable par ses vues d'ensemble et son caractère analytique tendant à l'exhaustivité ; bibliographie sélective à la fin des chapitres. Ce *corpus*

dispense de renvoyer aux histoires de la littérature parues antérieurement, les principales étant signées de G. RENCY et H. LIEBRECHT, G. CHARLIER, G. DOUTREPONT. L'ouvrage a été continué par *Lettres vivantes*, sous la direction de Adrien JANS (La Renaissance du livre, 1975) mais, en dépit de ses originalités, ce complément n'offre pas la même rigueur documentaire que le premier.

BURNIAUX (Robert) et FRICKX (Robert), *La Littérature belge d'expression française*, Paris, P. U. F., Coll. « Que sais-je ? », 1973, 128 p.
Petit manuel souvent succinct.

PIRON (Maurice), *Les Lettres françaises de Belgique*, dans *Littérature française*, Paris, Larousse, t. II, 1966, réimpr. 1971.

Lettres belges, lettres mortes ? Numéro spécial des *Cahiers du Groupe*, 1972, 80 p.
Recueil inégal d'enquêtes sur la diffusion des lettres belges dans l'enseignement, la presse, les bibliothèques publiques, etc.

ARTS ET LETTRES

POÉSIE

Les aînés :

Œuvres de Georges Rodenbach, 2 vol., Paris, Mercure de France, 1923-1925.

Œuvres d'Émile Verhaeren, 9 vol., Paris, Mercure de France, 1912-1933, épuisé.

MAETERLINCK (Maurice), *Poésies complètes*, édition définitive par J. Hanse, Bruxelles, La Renaissance du Livre, 1965, 304 p.

ELSKAMP (Max), *Œuvres complètes*, Paris, Seghers, 1967, 1 024 p.

Éditions scolaires :

VERHAEREN (Émile), *Toute la Flandre*, Extraits et notes de M. PIRON, Paris, Larousse, Coll. « Classiques Larousse », 1965, 84 p.

MAETERLINCK (Maurice), *Pages choisies*, notes de Michel DÉCAUDIN, Paris, Hachette, Coll. « Classiques Vaubourdolle », 1955, 94 p., épuisé.

Les contemporains :

Nous ne citons ici que des recueils comportant soit les œuvres complètes, soit un choix de textes.

« Collection blanche », Paris, Edit. Universitaires (115, rue du Cherche-Midi) : Albert Ayguesparse, *Poèmes 1923-1960* (1961, 346 p.), Constant Burniaux, *Poésie 1922-1963* (1965, 338 p.), Lucien Christophe, *Poèmes 1913-1960* (1963, 328 p.), Robert Goffin, *Œuvres poétiques 1918-1954* (1957, 312 p.), Robert Guiette, *Poésie 1922-1967* (1969, 206 p.), Adrien Jans, *Poésie 1924-1967* (1969, 172 p.), Géo Libbrecht, *Poésie 1937-1962* (1963, 338 p.), Mélot du Dy, *Choix de poésies 1919-1956* (1960, 290 p.), Pierre Nothomb, *Ans de grâce. Poèmes 1923-1957* (1958, 288 p.), Charles Plisnier, *Brûler vif.* Poésie 1920-1943 (1957, 204 p.), Marcel Thiry, *Poésie 1924-1957* (1957, 358 p.), Edmond Vandercammen, *Poèmes choisis, 1931-1959* (1961, 362 p.), Robert Vivier, *Poésie 1924-1959* (1964, 312 p.).

Collection « Poètes d'aujourd'hui », Paris, Seghers. Les écrivains belges représentés dans cette collection sont : Henri MICHAUX, Émile VERHAEREN, Max ELSKAMP, NORGE, Maurice MAETERLINCK, Franz HELLENS, Marcel THIRY, Maurice CARÊME, Robert GOFFIN, Géo LIBBRECHT, Roger BODART, Albert AYGUESPARSE, Charles VAN LERBERGHE, Edmond VANDERCAMMEN, Achille CHAVÉE, Marcel LECOMTE, Ernest DELÈVE.

Florilège de la nouvelle poésie française en Belgique, par Géo NORGE, préface de F. HELLENS, Maestricht, Stols, 1934, 204 p., épuisé.

Poésie française de Belgique, ensemble connu sous le nom de *Anthologie de l'audiothèque* (place Jean-Jacobs 17, Bruxelles) : nombreux petits fascicules consacrés aux poètes, à partir de Rodenbach et Verhaeren, avec un choix de quelques pièces et une bio-bibliographie.

GUIETTE (Robert), *Poètes français de Belgique : de Verhaeren au surréalisme*, Bruxelles, édit. Lumière, 1948, 436 p., épuisé.

1945-1970. A Quarter Century of Poetry from Belgium, Bruxelles, Manteau, 1942 p., 1970.
Anthologie bilingue.

WOUTERS (Liliane), *Panorama de la poésie française de Belgique*, Bruxelles, Jacques Antoine, 1976, 456 p.
Large coupe dans la production contemporaine.

BUSSY (Christian), *Anthologie du surréalisme en Belgique*, Paris, Gallimard, 1972, 462 p.

LITTÉRATURE NARRATIVE

DE COSTER (Charles), *La Légende et les aventures d'Ulenspiegel*, Bruxelles, 1867 ; édition définitive par J. Hanse, La Renaissance du livre, 1966, 492 p.

Après l'*Ulenspiegel*, il est impossible de faire ici un choix dans la production romanesque qui s'est développée au lendemain du mouvement de 1880. Pour les aînés (souvent des romanciers et conteurs régionalistes), on pourra se reporter à la Collection « Anthologique belge » (Bruxelles, La Renaissance du livre) qui, sous le titre *Les Meilleures Pages*, a publié des extraits de : Eugène DEMOLDER, Hubert KRAINS, Edmond GLESENER, Henri DAVIGNON, André BAILLON, Constant BURNIAUX, Franz HELLENS, Carlo BRONNE, Maurice MAETERLINCK, Edmond PICARD, Georges VIRRÈS, etc. Voir aussi *Vingt Nouvelles belges*, Verviers, Gérard, 1958, 348 p.

Parmi les romanciers d'aujourd'hui, connus à l'étranger, et dont les ouvrages se trouvent aisément dans le commerce, on citera :

SIMENON (Georges), *Œuvres complètes*, Lausanne, édit. Rencontre, 72 vol., 1967-1973.

PLISNIER (Charles), *Faux-passeports*, Paris, Corrêa, 1937 (Prix Goncourt 1937) ; *Meurtres*, 5 vol., id., 1939-1941 ; *Mariages*, version définitive, 2 vol. id., 1946.

GEVERS (Marie), *Vie et mort d'un étang*, précédé de *Madame Orpha*, Bruxelles, Jacques Antoine, rééd. 1974.

CURVERS (Alexis), *Tempo di Roma*, Paris, Laffont, 1957 (rééd. « Livre de poche »).

THIRY (Marcel), *Nouvelles du grand possible*, Liège, Les Lettres belges, 1958 (rééd. Coll. « Marabout »).

MALLET-JORIS (Françoise), *Le Rempart des béguines*, Paris, Julliard, 1951 ; *Lettre à moi-même*, Paris, Julliard, 1963, (rééd. Coll. « J'ai lu ») ; *La Maison de papier*, Paris, Grasset, 1970.

PARON (Charles), *Les Vagues peuvent mourir*, Paris, Gallimard, 1967.

JUIN (Hubert), *Le Repas chez Marguerite*, Paris, Calmann-Lévy, 1966 ; *Paysage avec rivière*, Paris, Calmann-Lévy, 1974.

MOREAU (Marcel), *Julie ou la dissolution*, Paris, Bourgois, 1971 ; *Vivre libre*, Paris, Bourgois, 1973.

MERTENS (Pierre), *La Fête des anciens*, Paris, Le Seuil, 1971 ; *Les Bons Offices*, Paris, Le Seuil, 1974.

Le français régional du pays de Liège a inspiré à Aimé QUERNOL une série de romans dont les principaux sont *Toussaint de chez Dadite* (1937), *Babette* (1939), *Sabine* (1945).

THÉÂTRE

On s'en tient aux grands « Classiques » :

MAETERLINCK (Maurice), *Théâtre*, Paris, Fasquelle, 3 vol., 1918.

GHELDERODE (Michel de), *Théâtre*, Paris, Gallimard, 5 vol., 1950-1957.

CROMMELYNCK (Fernand), *Théâtre*, Paris, Gallimard, 3 vol., 1967-1968.

PARALITTÉRATURE

La Belgique est une des terres d'élection de la bande dessinée. Pour une vue d'ensemble :

Introduction à la bande dessinée belge, Bruxelles, Bibliothèque Royale, 1968, 80 p.
Existe aussi en néerlandais ; catalogue d'une exposition, fournissant un bref répertoire bio-bibliographique.

Le dessinateur le plus célèbre de l'école belge est HERGÉ (voir Numa Sadoul, *Tintin et moi : Entretiens avec Hergé*, Tournai, Casterman, 1975, 160 p. illustrations et bibliographie).

C'est principalement l'éditeur Gérard (collections « Marabout ») qui publie des ouvrages de littérature fantastique (Jean Ray, Thomas Owen, etc.).

Parmi les récents mémorialistes, on notera les intéressants témoignages de :

BRONNE (Carlo), *Compère, qu'as-tu vu ?* , Bruxelles, Louis Musin, 1975 ; *Le temps des vendanges*, Bruxelles, Louis Musin, 1976.

LILAR (Suzanne), *Une enfance gantoise*, Paris, Grasset, 1976.

YOURCENAR (Marguerite), *Souvenirs pieux*, Paris, Plon, 1974.

LITTÉRATURES DIALECTALES

Poètes wallons d'aujourd'hui, textes présentés et traduits par Maurice PIRON, Paris, Gallimard, 1961, 172 p.

PIRON (Maurice), *Les Littératures dialectales du domaine d'oïl*, dans *Histoire des littératures*, t. III, Encyclopédie de la Pléiade, Paris, Gallimard, 1958, pp. 1414-1459 (nouvelle édition sous presse).

CHANSON

Si l'on devait faire une place à la chanson de variétés, il faudrait en ménager une grande aux nombreux auteurs et interprètes qui ne se distinguent pas de leurs homologues français en ce qu'ils suivent les mêmes circuits commerciaux. Bornons-nous à ceux dont les textes revêtent une qualité poétique certaine.

BREL (Jacques), présentation par Jean Clouzet, Paris, Seghers, coll. « Poètes d'aujourd'hui », 1964.
Choix de textes, discographie.

BEAUCARNE (Julos), *L'enfant qui veut vider la mer*, RCA 740647 ; *Front de libération des arbres fruitiers*, RCA YBPL1 468.

Pour la chanson et la musique folkloriques, on pourra écouter : *Anthologie du folklore wallon*, 2 disques, Liège, Musée de la vie wallonne.
Ces enregistrements originaux suivent, fête par fête, la vie traditionnelle à travers ses manifestations musicales ; commentaires concis.

Parmi les groupes moins préoccupés de rigueur folkloriste que de rendre une nouvelle vie à la musique traditionnelle, on citera :

Les Pêleteûs, Alpha 5015 (Disques Alpha, avenue Notre-Dame-de-Lourdes, 52, 1090–Bruxelles).

CINÉMA

On indique le nom du metteur en scène.

CHOUKENS (Gaston), *1936, c'était le bon temps.*
Drame shakespearien dans une friterie bruxelloise.

STORCK (Henri), *Symphonie paysanne*, 1943.
Les quatre saisons d'un village du Brabant wallon.

STORCK (Henri), *Le Banquet des fraudeurs*, 1951.
Le problème des frontières dans l'immédiat après-guerre.

MEYER (Paul), *Déjà s'envole la fleur maigre*, 1960.
La sauvagerie du pays charbonnier.

BUYENS (Franz), *Combattre pour nos droits*, 1962.
Film bilingue sur les grandes grèves insurrectionnelles qui, en 1960, paralysèrent le pays, et surtout la partie wallonne, laquelle réclamait plus précisément de profondes réformes institutionnelles.

BERNARD (Edmond), *Dimanche*, 1963.
Loisirs et ennui.

DEHEUSCH (Luc), *Jeudi on chantera comme dimanche*, 1966.
Un ouvrier veut devenir indépendant et échoue.

DEROISY (Lucien), *Les Gommes*, 1968.
Robbe-Grillet à Liège.

DELVAUX (Paul), *Un soir un train*, 1968.
Aventure fantastique d'un professeur francophone de Louvain, à un tournant de son existence ; tiré d'un roman néerlandais de Johan DAISNE.

BOIGELOT (Jacques), *Paix sur les champs*, 1970.
Drames sourds du monde rural.

ADRIEN (Jean-Jacques), *La Pierre qui flotte*, 1971.

VERHAVERT (Roland), *Chronique d'une passion*, 1972.
Conflits sociaux et linguistiques dans les années 20.

STORCK (Henri), *Fête de Belgique*, 1972.
Documentaire folklorique.

DELVAUX (Paul), *Belle*, 1973.

LAMY (Benoît), *Home, sweet home*, 1973.
La contestation dans un home du troisième âge.

HANDWERKER (Marian), *La Cage aux ours*, 1974.
Les petits commerçants contre les grands ensembles.

DIVERS

L'Art en Belgique, sous la direction de P. Fierens, Bruxelles, La Renaissance du livre.

D'ARSCHOT (Philippe), *La Peinture belge moderne*, Bruxelles, De Visscher, 1955.

ROBERTS-JONES (Philippe), *Du réalisme au surréalisme*, Bruxelles, Laconti, 1969.

La Musique en Belgique, sous la direction de M. CLOSSON, Bruxelles, La Renaissance du livre.

WANGERMEE (Robert), *La Musique belge contemporaine*, Bruxelles, La Renaissance du livre, 1959.

Music in Belgium. Contemporary Belgian Composers, Bruxelles, Manteau, 1964.

Musique en Wallonie, 17 Mont St-Martin, Liège.
Collection de disques révélant les compositeurs anciens et modernes.

MARINUS (Albert), *Le Folklore belge*, 3 vol., Bruxelles, édit. historiques, Brepols, s.d., épuisé.

Enquêtes du Musée de la vie wallonne, Cour des Mineurs, 4000–Liège.
Recueil périodique d'études d'ethnographie wallonne et comparée.

Liège et l'Occident, sous la direction de J. Lejeune, Liège, le Grand Liège, 1958, 290 p., épuisé.

Étudier en Belgique, Bruxelles, Inbel.
Brochure destinée aux étrangers désireux d'effectuer des études supérieures en Belgique.

PUBLICATIONS COURANTES ET REVUES

Revue générale belge, 21, rue de la Limite, 1030–Bruxelles.

La Revue nouvelle, 305, avenue Van Volxem, 1190–Bruxelles.
Publication mensuelle d'intérêt général.

La Vie wallonne, 13, rue Wiertz, 4000–Liège (trimestriel).
Histoire, folklore, littérature.

Marginales, 118, rue Marconi, 1180–Bruxelles (bimestriel).
La littérature d'aujourd'hui : textes et critique.

Cahiers du groupe, 56 rue Auguste-van-Zande, 1080–Bruxelles.

Bulletin de l'Académie royale de langue et de littérature françaises, 43, avenue des Arts, 1040–Bruxelles (trimestriel).

Le Journal des poètes, 147, chaussée de Haecht, 1030–Bruxelles (mensuel).

Annuaire de l'Association des écrivains belges de langue française, 150, chaussée de Wavre, 1050–Bruxelles.
Cet annuaire de 1972 constitue également un répertoire bibliographique des membres de l'A. E. B.

ORGANISMES

Institut belge d'information et de documentation (Inbel), 3, rue Montoyer, 1040–Bruxelles.

Agence Belga, 6, rue de la Science, 1040–Bruxelles.

Ministère des Affaires étrangères, Service de presse, 2, rue Quatre-Bras, 1000–Bruxelles.

Ministère de la Culture française (Direction des arts et des lettres, 158, avenue de Cortenbergh, 1040–Bruxelles.

Académie royale de langue et de littérature françaises, Palais des Académies, 1, rue Ducale, 1000–Bruxelles.

Association générale de la Presse belge, 2-4, Petite rue au Beurre, 1000–Bruxelles.

Centre de recherches et d'information socio-politiques (C. R. I. S. P.), 35, rue du Congrès, 1000–Bruxelles.
Publie un « courrier hebdomadaire » thématique, ainsi que des dossiers spéciaux.

Maison de la Francité, 18, rue Joseph II, 1040–Bruxelles.

Musée de la Vie wallonne, 2, Cour des Mineurs, Liège.

Musée de la littérature, bibliothèque Albertine, 2, boulevard de l'Empereur, 1000–Bruxelles.

Association des écrivains belges de langue française, 150, chaussée de Wavre, 1050–Bruxelles.

Centre d'action culturelle de la communauté d'expression française (C. A. C. E. F.), 12, rue Saintraint, 5000–Namur.

Fondation Charles-Plisnier, 47, rue des Palais, 1030–Bruxelles.

Radiodiffusion-Télévision belge (R. T. B.), 52, boulevard Reyers, 1040–Bruxelles.

Centre Belge de Documentation Musicale, 31, rue de l'Hôpital, 1000–Bruxelles.

Un répertoire d'adresses, revu annuellement, peut être obtenu sur simple demande à l'Institut Belge d'Information.

PRINCIPALES MAISONS D'ÉDITION

Jacques ANTOINE, 53-57, rue des Éperonniers, 1000–Bruxelles.

Éditions CASTERMAN, rue des Sœurs-Noires, 7500–Tournai.

André DE RACHE, 127, rue du Château-d'Eau, 1180–Bruxelles.

J. DUCULOT, rue de la Posterie, Parc industriel, 5800–Gembloux.

Éditions DE LA FRANCITÉ, 37c, rue Auguste-Levêque, 1400–Nivelles.

Éditions GÉRARD et Cie, 65, rue de Limbourg, 4800–Verviers.

Louis MUSIN, 99, Avenue de la Bralançonne, 1040–Bruxelles.

Renaissance du Livre, 12, place du Petit-Sablon, 1000–Bruxelles.

Editions SOLEDI, 37, rue de la Province, 4020–Liège.

Georges THONE, 15, rue de la Commune, 4020–Liège.

VAILLANT-CARMANNE, 4 Place Saint-Michel, 4000–Liège.

La Suisse romande

LA SUISSE ROMANDE ET SON FRANÇAIS

La partie francophone de notre pays s'appelle la Suisse romande. Nous tenons beaucoup à ce terme ; d'une part, il rappelle notre appartenance à la communauté des peuples dont les langues dérivent du latin ; d'autre part, il supprime l'ambiguïté contenue dans l'expression *Suisse française*, que les étrangers emploient souvent et que nous n'aimons guère ; nous parlons français mais nous ne sommes pas des Français ; la France est une voisine et une amie, mais nous refusons qu'on nous assimile à elle sans autre forme de procès.

D'ailleurs, quel que soit le terme employé, beaucoup d'étrangers ne savent pas encore que le français est vraiment notre langue maternelle. Rien ne hérisse davantage un Romand que cette réflexion de quelque Parisien bienveillant : « Vous parlez très bien le français, pour un Suisse ! » Nos ancêtres helvètes ont commencé à baragouiner le latin en même temps que les ancêtres gaulois des Français – c'est-à-dire dès les conquêtes de César et la colonisation romaine qui s'ensuivit. Nos envahisseurs barbares à nous, qui étaient des Burgondes, ont adopté le parler roman presque aussi rapidement que les Francs. Sur le plan linguistique, notre histoire est à peu près la même que celle de la France.

Dès que la langue française s'unifia et s'universalisa, nos élites urbaines l'adoptèrent, tout comme les élites de Lyon, de Grenoble, de Dijon. Mais dans nos campagnes, exactement comme dans les campagnes françaises, on a parlé les patois locaux jusqu'à la fin du siècle dernier : patois d'oïl dans le nord de la Romandie, patois franco-provençaux dans le sud. Nos paysans apprenaient le « bon » français à l'école, et se trouvaient tous plus ou moins bilingues ; et comme ils étaient gens de nuances et de subtilité, ils parlaient français au cheval qui les accompagnait à la ville ; mais ils parlaient patois au chien qui restait à la maison. On parle encore les patois dans certaines vallées valaisannes et dans quelques régions reculées du canton de Fribourg ; partout ailleurs ils ont disparu. Il nous en reste cependant des tournures syntaxiques, des manières de dire et de nombreux vocables dont nous parfumons notre conversation comme d'une fine et malicieuse épice ; nous disons couramment, par exemple, « dérupiter » pour dévaler ; « une gouille » pour une flaque ; « la chotte » pour l'abri ; « une panosse » pour une serpillière ; « camber » pour enjamber ; « s'encoubler » pour se prendre le pied dans un obstacle . . . Le monumental *Glossaire des patois romands*, actuellement en cours de publication, sera sans doute l'une des plus belles contributions de notre pays à la linguistique romane.

Quant à nos accents, ils diffèrent considérablement d'une région à l'autre. C'est pourquoi nous rions beaucoup lorsque des étrangers prétendent reconnaître « l'accent suisse ». L'accent de Genève, citadin et gouailleur, proche du parler lyonnais, n'a rien de commun avec l'accent vaudois qui a de la grosse terre à blé sur la langue ; et l'accent râpeux du Jura, avec ses « r » gutturaux, ne ressemble en aucune façon à l'inimitable chantonnement des accents fribourgeois ou valaisan. Ces différences sont si nettes que n'importe quel touriste francophone, après dix jours de balade à travers la Suisse romande, peut distinguer nos accents sans hésitation.

LE PLURILINGUISME SUISSE

La Suisse est la plus vieille confédération du monde. Autour du premier noyau des trois cantons dits « primitifs », constitué en 1291, dix-neuf autres cantons sont venus se grouper les uns après les autres, au cours d'une histoire si complexe qu'il serait vain de vouloir la résumer ici. Nous aurons bientôt un vingt-troisième canton, celui du Jura francophone, enfin détaché de Berne après vingt ans de lutte pour l'autonomie.

Cette mosaïque de petites républiques est d'une diversité qui stupéfie les étrangers. Diversité historique : chaque canton a connu son propre destin, qu'on ne peut confondre avec celui du voisin. Diversité géographique : nulle part sur terre on ne peut trouver pareille variété de climats et de paysages dans un territoire aussi exigu. Diversité religieuse : le catholicisme y fait bon ménage avec toutes les formes possibles du protestantisme. Enfin – et surtout – ce plurilinguisme exemplaire qui est un sujet d'ébahissement pour le reste du monde. Tout cela tient ensemble par les forces conjuguées d'une tradition patriotique assez élevée et d'un bon sens plutôt terre à terre ; car on trouve de l'honneur à être Suisse, mais on y trouve aussi son intérêt.

Revenons au plurilinguisme, qui nous intéresse ici au premier chef. Nous avons donc quatre langues nationales : l'allemand (et tous ses dialectes cantonaux) parlé par 70 pour cent de la population ; le français par 19 pour cent ; l'italien par 10 pour cent ; et le romanche (langue latine de quelques vallées grisonnes) par 1 pour cent.

Entre la Suisse romande et la Suisse alémanique, la frontière linguistique est capricieuse : elle coupe en deux les cantons de Fribourg et du Valais ; ainsi, seuls les cantons de Genève, de Vaud et de Neuchâtel sont entièrement francophones. On trouve sur cette frontière des villes et des bourgs qui sont vraiment bilingues ; ce qui donne, sur le plan du mélange des langues, des résultats fort pittoresques.

La Suisse n'a jamais connu de conflit linguistique. Certes, dans le monde des affaires, un Romand doit savoir l'allemand ; mais un Suisse alémanique doit également savoir notre langue. D'ailleurs beaucoup de nos concitoyens germanophones adorent apprendre le français et se font un point d'honneur de le parler correctement. Nos deux communautés sont comme deux sœurs qui s'asticotent et se brocardent souvent, qui se portent parfois mutuellement sur les nerfs – mais qui n'éprouvent aucune difficulté sérieuse à demeurer sous le même toit.

Les Canadiens et les Belges comprennent mal cette coexistence pacifique. Certains même refusent d'y croire . . . Mais notre situation ne ressemble en rien à la leur. D'abord nous n'avons jamais eu, comme la Belgique, une grave différence de niveau de vie entre les deux principales régions linguistiques ; si la Suisse romande est un peu moins riche que la Suisse alémanique, ce décalage est trop léger pour engendrer des sentiments d'infériorité ou de frustration.

D'autre part nous ne sommes pas, comme le Québec, un îlot de francophonie menacé de toutes parts par une autre langue. La Romandie est solidement adossée à la France tout au long du Jura, du lac Léman et des Alpes. De Lausanne à Paris, il n'y a que cinq heures de train. Ce voisinage fait notre force ; il garantit à notre patrimoine linguistique son intégrité et sa pérennité.

LES PROBLÈMES D'UNE MINORITÉ FRANCOPHONE

Oui, la proximité de la France est une force. Mais elle est aussi une faiblesse. Nous abordons ici le problème d'une situation paradoxale que plusieurs de nos intellectuels ont appelée *le malaise romand*.

Nous vivons et nous travaillons selon des normes spécifiquement helvétiques. Nos usages et nos coutumes, le rythme de nos journées, nos habitudes alimentaires, nos systèmes scolaires, l'ambiance qui règne dans nos restaurants et nos bistrots, le goût de nos vins, de nos bières et de notre café, la gloire historique et les valeurs patriotiques qu'on nous inculque, tout cela est suisse. Bien sûr, nous subissons depuis toujours (la Suisse étant pays de cols, donc de *passage*, ouvert aux quatre vents de l'Europe) l'influence de nos grands et prestigieux voisins ; mais bizarrement, même au cœur de la Suisse romande, l'influence de l'Allemagne et celle de l'Italie se font sentir plus nettement, dans nos mœurs quotidiennes, que celle de la France.

Cependant nous étudions à l'école la culture, la littérature, la pensée *françaises*. Ce sont elles qui forment notre esprit et notre goût. Et nous les apprenons souvent dans des manuels édités à Paris, pour des écoliers français. Nous connaissons beaucoup mieux l'histoire de France que l'histoire suisse. Nous lisons tous les grands écrivains français avant de nous apercevoir qu'il existe aussi des écrivains romands – quand nous nous en apercevons, ce qui n'est pas toujours le cas. La Suisse romande possède sa presse, sa radio, sa télévision ; pourtant nous écoutons souvent la radio ou la T.V. françaises, nous achetons régulièrement des journaux parisiens que nous trouvons dans tous les kiosques. La France est notre inspiratrice ; nous avons constamment les yeux tournés vers elle. Un intellectuel romand va plus souvent à Paris qu'à Berne, Bâle ou Zurich.

Nous sommes donc assis entre deux chaises. En déséquilibre entre Berne, qui est notre capitale politique, mais où on parle allemand – et Paris, qui est notre métropole culturelle, mais qui est aussi une ville *étrangère* où l'on se soucie des Suisses comme de colin-tampon.

Sans doute y a-t-il beaucoup de Romands que la culture n'intéresse guère et qui ne sont pas sensibles à cet inconfort. Nous en prenons conscience dans la mesure où nous sommes instruits, où la vie de l'esprit nous intéresse et nous importe. Ce sont nos intellectuels, nos artistes, nos créateurs qui ressentent de la manière la plus aiguë à quel point notre identité culturelle est flouc et peu cohérente, pour ne pas dire contradictoire.

Paris nous fascine. Au point de nous faire négliger, voire mépriser les forces créatrices qui tentent de s'exprimer sur notre propre sol. Aux yeux du lecteur romand moyen, que vaut un écrivain qui n'a pas reçu la consécration de Paris ? Rien – ou pas grand-chose. Même problème pour notre jeune cinéma : quand les critiques parisiens ont dit monts et merveilles des films suisses, *alors* le public de chez nous a bien voulu se déranger pour les voir.

Il n'y a pas si longtemps, un écrivain romand voulant se faire connaître se trouvait devant cette alternative : ou bien jouer désespérément des coudes dans les antichambres des éditeurs parisiens, avec une très petite chance de succès ; ou bien publier en Suisse plus ou moins à compte d'auteur, à quelques centaines d'exemplaires, pour un public confidentiel d'amis et de lettrés. Les choses heureusement sont en train de changer : nous assistons depuis quelques années à une vigoureuse expansion de l'édition romande, à Lausanne en particulier. Nous voyons les signes précurseurs d'une époque où nos écrivains pourront être enfin prophètes en leur pays et y jouir d'une large audience, sans passer d'abord sous les fourches caudines des modes et des caprices parisiens. Mais il faut encore attendre. En matière de changement, les Suisses sont d'une inexprimable lenteur.

LA LITTÉRATURE ROMANDE : ASPECTS FORMELS ET THÉMATIQUES

Nul mieux qu'un écrivain n'est susceptible de méditer sur le paradoxe, le malaise, l'inconfort dont je viens de tracer les grandes lignes. La littérature romande est donc d'abord, sous des formes très diverses, la quête évidente ou secrète d'une *identité*. Une quête sans révolte ni coup de gueule : se révolter contre quoi, contre qui ? Ce n'est pas la faute de la Suisse alémanique si nous ne participons pas de la *gross Kultur* germanique ; ce n'est pas la faute de la France si nous ne sommes pas des Français. Quand le Romand veut crier, il ne peut crier que contre lui-même ; d'où le côté autocritique, souvent masochiste et parfois suicidaire de notre littérature. Ajoutons que dans les cantons où la production littéraire est de loin la plus féconde, c'est-à-dire ceux de Vaud, de Genève et de Neuchâtel, le protestantisme est là – qui n'arrange pas les choses. Un protestantisme calviniste, une religion où Responsabilité et Culpabilité savent s'y prendre pour écraser l'âme comme les deux mâchoires d'une tenaille. Même quand nous sommes agnostiques ou athées, nous ne pouvons jamais nous libérer complètement de ce redoutable héritage.

Cette recherche d'une identité va donc être tout intérieure : psychologique, morale et mystique, beaucoup plus que politique ou sociale. Elle va suivre les chemins de la poésie, de la prose poétique, de l'essai, de l'autobiographie avouée ou romancée. Le « vrai » roman d'imagination est chez nous le genre le moins pratiqué ; et ceux qui le pratiquent le font souvent d'une manière si originale, dans une forme si totalement réinventée qu'ils le projettent hors de toute norme. En fait, beaucoup d'écrivains romands inventent des formes personnelles qui mélangent les genres et ne ressemblent à rien de connu. Les Romands se passionnent pour la musique depuis des siècles, ils en sont imprégnés dès l'enfance : quand un écrivain de chez nous compose un livre, il le fait avec la souplesse, la constante liberté d'invention du musicien.

Ce qui n'empêche pas nos œuvres de tenir le coup. Dans un pays de vignes et d'horlogerie on a le sens inné du travail bien fait. On est même perfectionniste, ce qui est à la fois une qualité et un malheur. Si nos formes littéraires sont libres et souverainement inventives, notre ton est presque toujours retenu ; nous nous gardons de laisser nos mots et nos phrases éclater en ruades désordonnées. Le style, ou plutôt le *phrasé* habituel de notre littérature, est comme un cheval entier dont la puissance et la fougue sont visibles, mais qui se trouve strictement tenu en main par un maître-écuyer, dans une parfaite reprise de dressage. Bien sûr il y a des exceptions. Qu'il soit dit une fois pour toutes qu'on peut trouver des exceptions à toutes les généralités que j'esquisse dans cette brève étude.

Un mélange singulier de liberté et de retenue, un double souci d'originalité et de perfection : voilà pour la *manière* de nos écrivains. Revenons maintenant plus longuement sur leur propos, sur ce dont ils parlent.

Chercher une identité, cela veut dire d'abord parler de soi. C'est pourquoi l'écrivain romand donne sa prédilection à la poésie, à l'autobiographie, au journal intime ou à des formes qui lui sont proches. Son mouvement premier, c'est de rentrer en lui-même, de pratiquer la rêverie et la méditation avant la réflexion. D'où son goût pour la poésie. Presque tous les écrivains romands sont des poètes, même ceux qui n'ont jamais publié que de la prose.

Nous descendons en nous-mêmes pour y chercher ce qui nous fonde, pour trouver nos racines. Et qui dit racines dit sol, dit terre ancestrale ; c'est dans l'interrogation sur notre pays – dans l'interrogation *de* notre pays que notre méditation se fait la plus intense. Non pas le pays de la politique ou des institutions officielles, qui ne nous inspire qu'indifférence ou virulente critique ; mais celui des vallées et des lacs, des champs et des vignes, des villages, des vieux quartiers de nos villes ; un pays qui est d'une beauté telle que nous ne nous lassons pas de la dire, dans toutes nos œuvres. Un pays de si vieille culture, si profondément remodelé depuis deux mille ans par la bêche et la charrue que l'écrivain romand, né de lui et revenant sans cesse à lui, est l'un des êtres les plus civilisés qu'on puisse trouver.

Notre littérature n'est-elle donc que régionaliste, avec tout ce que ce mot comporte de limitation et de relative impuissance ? Écoutez la réponse de Ramuz :

« Être associé, ici, à tout ce qui est d'ici, mais en vue d'une nourriture dépassant ici, comme il arrive quand la nourriture est bonne, c'est-à-dire qu'elle l'est pour tous les hommes, comme l'est le poisson quand il est bon, comme l'est le vin quand il est bon . . . »

Nous voulons donc, comme les autres, atteindre l'universel. Cependant il nous faut vivre ici. Vivre comment ? Vivre pour qui, pour quoi ? Ces questions sont au cœur de nos œuvres, et d'autant plus si nous avons été formés par le plus exigeant des protestantismes. Poète-né, l'écrivain romand est aussi un moraliste-né, avant tout soucieux de vérité et d'authenticité. Quand il passe de la rêverie à la réflexion, c'est pour réfléchir sur une éthique – et c'est là une quête solitaire, angoissée et douloureuse, parfois désespérée. Car à la question de l'écrivain : « Pourquoi et comment vivre ? » répond souvent un sombre écho : « Pourquoi, comment mourir ? » Notre littérature est gorgée de la beauté du monde, animée par les forces vives de l'amour et de la création ; mais elle n'en vit pas moins à l'ombre de la mort. Elle est décidément romantique, et plus proche du romantisme allemand que du romantisme français.

LES ÉCRIVAINS ROMANDS, NAGUÈRE ET MAINTENANT

Les propos qui précèdent pourraient faire croire que l'écrivain romand vit replié sur lui-même, en dehors de tous les grands courants qui traversent le monde. Il n'en est rien, bien au contraire. Les cantons suisses, de par leur situation géographique et leur destinée historique, sont des terres de passage, de rencontre et d'accueil. J'en veux pour exemple le château de Mme de Staël à Coppet, qui fut pendant tout le Premier Empire un des hauts lieux culturels de l'Europe. D'autre part les Suisses, se sentant souvent un peu à l'étroit dans leurs frontières cantonales ou nationales, adorent courir le monde ; parmi les œuvres importantes de la littérature romande dès le XVIe siècle et jusqu'à nos jours, on trouve des récits de voyage, des livres témoignant d'expériences faites à l'étranger.

Il ne faudrait pas croire non plus que l'écrivain romand est un homme de la terre, qui célèbre exclusivement ses lacs d'azur, ses vaches et ses glaciers sublimes. Certes, nous avons connu pendant le XIXe siècle un puissant courant de littérature alpestre ; on découvrait alors que la haute montagne, qui n'avait fait que terrifier les gens depuis toujours, pouvait être conquise et donner à ses explorateurs quelques grandes leçons ; d'où une explosion de lyrisme à sa louange. Mais cette poésie des cimes a fait son temps.

En réalité, l'écrivain romand est un *citadin* – avec ce que ce mot comporte de raffinement, de culture, d'ouverture au monde. Genève, Lausanne, Neuchâtel et Fribourg sont des chefs-lieux cantonaux, c'est-à-dire de vraies petites capitales politiques et administratives ; de plus ces villes possèdent chacune son université depuis trois ou quatre siècles ; tout cela leur donne une vie intellectuelle assez intense, parfois brillante. Ajoutons qu'elles sont toutes cosmopolites à des degrés divers, et cela de longue date ; de nombreux étrangers, souvent illustres, se sont plu et se plaisent toujours à y séjourner, voire à s'y installer définitivement.

Ces divers facteurs créent un climat qui n'est pas du tout celui de Ploucville. Notre tendance à l'internationalisme a même eu sur notre littérature de profondes répercussions : jusqu'à l'aube du XXe siècle, presque tous nos écrivains se sont placés plus ou moins dans le sillage des grands mouvements littéraires étrangers. C'est à notre époque seulement que la littérature romande a trouvé vraiment ses propres voies, sa propre voix.

Au début du siècle, deux grandes revues : *La Voile latine* à Genève (1904-1910), puis *Les Cahiers vaudois* à Lausanne (1914-1919) groupèrent autour d'elles une pléiade d'écrivains de grande valeur, résolus à faire une littérature authentiquement romande dans sa manière comme dans son propos. Ramuz fut l'un des principaux animateurs de cette brillante équipe. Dès lors le branle était donné et ne pouvait que s'amplifier, suscitant par dizaines des vocations littéraires vigoureuses et fertiles. De 1950 à 1953 la revue *Rencontre*, politiquement engagée à gauche, fut le lieu de ralliement des jeunes écrivains d'après-guerre. Des maisons d'édition se fondèrent et se donnèrent pour but de publier les lettres d'ici, pour un public d'ici.

Mais cette concertation des forces n'a jamais été jusqu'à créer un véritable *mouvement* littéraire, c'est-à-dire une unité dans la démarche et dans le ton. Les écrivains romands se réunissent pour publier, mais ils tiennent farouchement à leur liberté et à leur solitude quand il s'agit de créer. Ce sont des individualistes intransigeants, tout à fait incapables de s'inféoder, de sacrifier une parcelle de leur singularité à la volonté d'un groupe. Il n'y a chez nous ni écoles ni chapelles ; seulement des filiations secrètes de maître à disciple ou des affinités entre gens d'une même génération. D'où la fascinante, la déroutante diversité des lettres romandes. Et cependant, en deçà de cette diversité, il y a les traits communs que j'ai tenté d'esquisser dans la présente introduction ; il y a quelque chose comme un *air de famille* qui reste mystérieux et difficilement définissable, mais qui n'en apparaît pas moins comme une évidence au lecteur attentif, sensible et fervent.

Je souhaite que la voix grave et belle de notre poésie se fasse entendre par-delà nos frontières : la littérature romande mérite de rayonner sur d'autres contrées que la nôtre. Non pas comme un phare aveuglant, balayant le ciel de son arrogance ; mais comme un feu de bois tremblant et libre, allumé sur la grève ou à l'orée du bois, signe de vie, signe d'une présence fraternelle pour tous les pèlerins de la nuit.

LE CINÉMA ROMAND : UNE CRITIQUE DU « BONHEUR SUISSE »

Le cinéma romand a une drôle d'histoire. De ses origines jusqu'à la fin des années 50, c'est le désert le plus aride : la production est quasi nulle, en quantité comme en qualité – malgré quelques rares pionniers solitaires qui essayent désespérément de faire quelque chose, sans argent et sans appuis. Les pouvoirs publics croient que le cinéma suisse a pour mission d'exalter les paysages touristiques, les hauts faits historiques et les vertus morales du pays ; tout ce qui ne met pas en scène Guillaume Tell ou le Cervin ne trouve chez eux (et dans une large fraction de notre public) que méfiance et dérision.

Puis, tout soudain, la situation se modifie. Un public jeune, formé dans les ciné-clubs, commence à voir dans le cinéma autre chose que le divertissement du samedi soir. Dans cette pépinière de cinéphiles enthousiastes, des vocations créatrices naissent et s'affirment, de plus en plus nombreuses. De jeunes réalisateurs se groupent pour travailler ensemble, pour trouver des capitaux, collaborer avec la télévision, secouer l'inertie officielle, donner de la Suisse romande une image dont le folklore soit enfin banni. La prise de conscience de 1968 accélère encore le mouvement.

En une quinzaine d'années, des premiers longs métrages à tout petit budget jusqu'à la relative richesse des productions récentes, notre cinéma a comblé une bonne partie de son retard. Sa maturité est évidente, sa qualité a conquis l'estime de la critique internationale. Ce qu'il tente de montrer, avec une lucidité aiguisée par l'ironie ou tempérée par l'humour, c'est avant tout notre réalité quotidienne : cet ennui à peine conscient, ce mal de vivre diffus et larvé qui découle du « bonheur suisse » ; ce confort (moral autant que matériel), qui gomme la tragédie, minimise le drame, étouffe ou récupère la révolte – et finit par priver les destinées humaines de toute véritable signification.

Ainsi, en Suisse romande, la littérature et le cinéma poursuivent des projets différents, mais très heureusement complémentaires. Dans sa méditation poétique, l'écrivain poursuit une analyse de sa propre identité ; dans sa réflexion critique, le cinéaste entreprend une analyse de notre société, une mise en lumière de ses malaises et de ses contradictions. Pour faire le tour du problème romand, il convient de les écouter l'un et l'autre.

UNE PRESSE PLÉTHORIQUE, VAPORISÉE ET AMBIGUË

La Suisse romande, nous l'avons vu, est divisée en une demi-douzaine de régions qui possèdent chacune un particularisme inébranlable. Cet état de choses se reflète dans la presse : à quelques rares exceptions près, nos grands journaux n'ont d'audience réelle que dans le canton où ils sont édités. Cela rend notre presse absolument pléthorique ; Lausanne et Genève, distantes de soixante kilomètres, éditent chacune plusieurs quotidiens ! Ajoutons à cela que la plus petite ville a sa feuille de chou, généralement hebdomadaire ; que les partis politiques, les syndicats, les Églises, le monde rural ont également leurs journaux ; que deux grandes chaînes de magasins éditent des périodiques très complets, distribués dans tous les foyers . . . Les étrangers auront bien de la peine à se retrouver dans cette surabondance et cette « vaporisation ».

Il n'existe pas en Suisse romande de journaux à scandales, ni même de journaux à sensations. Cette dignité de notre presse vient – en partie du moins – de son ultra-politisation. Nos grands quotidiens sont l'émanation du capitalisme bourgeois qui gouverne la Suisse : ils cherchent à donner du pays une image conforme à l'idéologie dominante. L'éventail de leurs tendances va de la droite conservatrice au centre-gauche timidement réformateur. Ceci ne veut pas dire que notre presse soit servile ; elle peut avoir de beaux sursauts d'indépendance vis-à-vis des pouvoirs en place et mobiliser l'opinion publique sur des problèmes que ces pouvoirs cherchent à étouffer. Cependant, si l'on veut avoir une idée juste et complète de la Suisse romande, on fera bien de lire aussi les journaux d'extrême-gauche, qui ont au moins le mérite de ne pas être entachés d'ambiguïté.

Les seuls vrais lieux de rassemblement de tout notre public, ce sont la radio et la télévision. Ces média-là sont vraiment romands et non cantonaux. Ils sont d'ailleurs semi-étatisés et placés sous l'autorité tutélaire d'un conseiller fédéral : ce qui limite leur liberté d'expression et favorise sournoisement l'autocensure . . . La radio romande, très populaire malgré son ton bien sage – un peu trop sage –, possède deux chaînes ; la première donne surtout des informations et des émissions de divertissement ; la seconde, plus « culturelle », consacre beaucoup d'heures à la musique classique. La T. V., quant à elle, souffre de n'avoir qu'une chaîne unique : à force de devoir prendre en considération les goûts de tout le monde, elle ne satisfait vraiment personne – malgré l'indiscutable qualité de certaines émissions. Elle souffre aussi de la redoutable concurrence que lui font les chaînes françaises.

Rappelons que la Suisse romande fait partie de la Communauté radiophonique des programmes de langue française, et qu'elle a dans ce domaine des échanges fructueux avec la France, la Belgique, le Québec. Et signalons pour terminer que des émissions romandes sur ondes courtes, principalement destinées aux Suisses à l'étranger, peuvent être captées dans tous les pays du monde.

Odette RENAUD-VERNET

BIBLIOGRAPHIE DE LA LITTÉRATURE ROMANDE

La littérature romande du XXe siècle a été faite par des centaines d'auteurs et comporte des milliers de titres. En regard de cette abondance, la présente bibliographie ne représente qu'un très mince échantillonnage. Les lecteurs et les utilisateurs de cet ouvrage doivent se rendre compte qu'un choix aussi limité n'échappe pas à l'arbitraire. Cependant, nous croyons pouvoir affirmer qu'on trouvera au moins dans ces pages tous les écrivains qui jouissent d'une notoriété réelle et d'une admiration indiscutable dans le public romand. Certains d'entre eux portent la mention : « à lire absolument » ; ce n'est pas que les autres soient négligeables, loin de là ; cette formule est simplement destinée à ceux qui, ne pouvant tout acheter ou tout lire d'un coup, désirent établir un ordre de priorité.

Faute de place, une rubrique importante fait défaut dans notre liste : celle de la critique littéraire. Il faut signaler cette lacune : car la critique a trouvé en Suisse romande une terre d'élection et y a produit des œuvres de haute valeur, de l'essai « tempéramentiel » à la recherche la plus érudite ; nous en voulons pour seul exemple la pléiade de critiques célèbres qu'on groupe communément sous le nom d'École de Genève.

Quant au cinéma romand, il n'existe réellement que depuis unc dizaine d'années et le recul manque pour faire un tri : il faudrait citer tous les films si l'on ne voulait pas commettre de graves injustices. Nos réalisateurs les mieux connus à l'étranger sont Goretta, Soutter et Tanner ; mais d'autres vont sans doute, et très bientôt, gagner à leur tour une renommée internationale.

LITTÉRATURE

PROSE, ROMANS, RÉCITS

BARILIER (Étienne), *Passion*, Lausanne, L'Âge d'homme.
Une allégorie du roman où le regard qui crée les personnages est aussi celui qui cherche à les détruire.

BILLE (Corinna), *Juliette éternelle*, Lausanne, Guilde du Livre.
Une drôle de voix un peu folle, vigoureuse et libre ; une œuvre tendue entre l'émerveillement et l'horreur, entre la sensualité ingénue et la mort.

BORGEAUD (Georges), *Le Préau*, Lausanne, Le Livre du mois.
Prix des critiques. Le récit d'une étrange enfance ; l'œuvre passionnante d'un authentique romancier, dont la parole est pleine de saveur et de force. A lire absolument.

BOUVIER (Nicolas), *L'Usage du monde*, Genève, Librairie Droz.
L'histoire d'un périple en Orient qui renouvelle complètement le genre du récit de voyage ; tonique, plein d'humour et d'enseignements.

BUDRY (Paul), *Le Hardi chez les Vaudois, Trois Hommes dans une Talbot*, Lausanne, Le Livre du mois.
Humour, finesse et truculence ; un style savoureux, un délicieux conteur plein de malice.

CHAPPAZ (Maurice), *Chant de la Grande-Dixence*, Lausanne, Payot ; *Portrait des Valaisans en légende et en vérité*, Lausanne, Cahiers de la Renaissance vaudoise.
Deux aspects d'un prodigieux talent de poète et de conteur, âpre et dru comme la terre valaisanne. A lire absolument.

CHERPILLOD (Gaston), *Le Chêne brûlé*, Lausanne, L'Aire.
Une autobiographie pas comme les autres ; violence du ton, force et nouveauté du témoignage, présence chaleureuse.

CHESSEX (Jacques), *Reste avec nous*, Lausanne, Cahiers de la Renaissance vaudoise ; *Portrait des Vaudois*, Lausanne, Bertil Galland.
Lc lauréat du Goncourt 73. Deux aspects d'une œuvre passionnante et d'une magistrale vigueur. A lire absolument.

CINGRIA (Charles-Albert), *Œuvres complètes*, 10 vol., Lausanne, L'Âge d'homme ; *Impressions d'un passant à Lausanne*, Lausanne, L'Âge d'homme.
Érudit et vagabond, styliste génial, conteur dont chaque page amène quelque imprévisible enchantement, Cingria est l'un de nos plus grands écrivains. A lire absolument.

CLAVIEN (Germain), *Les Moineaux de l'Arvèche*, Pont-de-la-Morge, La Douraine.
Toute la magie de l'enfance dans une vraie tribu paysanne ; un récit plein d'une authentique poésie.

COLOMB (Catherine), *Œuvres (Châteaux en enfance, Les Esprits de la terre, Le Temps des anges)*, Lausanne, Coop. Rencontre.
Trois romans d'une beauté inouïe et d'une totale étrangeté ; écrits par une grand-mère qui a fait la plus audacieuse des littératures d'avant-garde entre deux tricotages. A lire absolument.

CUNEO (Anne), *Mortelle Maladie*, Lausanne, L'Aire.
Le récit d'une grossesse subie dans la révolte et la souffrance ; un document déchirant sur la condition féminine.

GARZAROLLI (Richard), *Les Brigands du Jorat*, Lausanne, L'Âge d'homme.
Une histoire horrifique et rigoureusement vraie, contée avec une verve pleine de charme.

GILLIARD (Edmond), *Œuvres complètes*, Genève, Trois collines ; *L'École contre la vie*, Lausanne, Bibliothèque romande.
Philosophe, moraliste et pamphlétaire, exprimant sa liberté d'esprit avec une virulence merveilleuse, Gilliard a été un des grands maîtres à penser de la Suisse romande.

GIRARD (Pierre), *Lord Algernon, La Rose de Thuringe*, Lausanne, Bibliothèque romande.
Humour, fantaisie, sensualité légère : une œuvre précieuse et charmante.

GROBÉTY (Anne-Lise), *Pour mourir en février*, Lausanne, Cahiers de la Renaissance vaudoise.
L'œuvre haletante et pathétique d'une écolière de dix-huit ans ; la jeunesse romande s'est reconnue dans ce livre.

HALDAS (Georges), *Chroniques de la rue Saint-Ours*, Paris, Denoël ; *La Maison en Calabre*, Lausanne, L'Aire.
L'écrivain le plus aimé des Genevois ; une écriture discrète et chaleureuse, un témoignage d'une rare qualité.

JUNOD (Roger-Louis), *Une ombre éblouissante*, Lausanne, L'Âge d'homme.
Un jeune intellectuel de gauche aux prises avec l'amour, la maladie et la mort ; un roman riche et sobre.

LANDRY (C.-F.), *Garcia*, Lausanne, Livre du mois.
L'une des œuvres les plus attachantes d'un authentique romancier populaire.

MENTHONNEX (Rudolf), *Bod Boddit*, Lausanne, L'Aire.
Le cheminement intérieur d'un être en proie à une angoisse qui le submerge ; un roman mystérieux et déroutant.

MERCANTON (Jacques), *L'Été des Sept-Dormants*, Lausanne, Bertil Galland.
Un internat de jeunes gens au bord du Danube : le lent approfondissement du mystère des êtres. L'œuvre maîtresse d'un de nos meilleurs romanciers. A lire absolument.

MONNIER (Jean-Pierre), *La Clarté de la nuit*, Lausanne, Livre du mois.
L'agonie d'un pasteur ; un livre strict, austère, efficace, mais tout imprégné d'amour et de foi.

MOUCHET (Charles), *Arabesques I, notes*, Lausanne, L'Aire.
Le premier volet d'une triade ; dans ces notes nerveuses et haletantes, l'auteur entame un long périple de la folie.

PESTELLI (Lorenzo), *Le Long Été*, Lausanne, Cahiers de la Renaissance vaudoise.
Un vagabondage en Orient : poèmes, méditations, notes brèves et aiguës ; un livre riche et divers, d'une grande magie.

PIROUÉ (Georges), *Ces eaux qui ne vont nulle part*, Lausanne, L'Aire.
Dix nouvelles où affleure une sensation aiguë de la fuite du temps, du sortir de l'enfance au pressentiment de la mort.

POURTALÈS (Guy de), *La Pêche miraculeuse*, Lausanne, Livre du mois.
Un roman d'amour romantique et frémissant, un nostalgique voyage au pays de la jeunesse.

RAMUZ (Charles-Ferdinand), *Œuvres complètes*, Lausanne, Rencontre ; *Passage du poète*, Lausanne, Bibliothèque romande.
Ramuz est célèbre dans le monde entier, son œuvre constitue la pierre angulaire de la littérature romande contemporaine. *Passage du poète* est une excellente introduction à cet univers fascinant.

RAYMOND (Marcel), *Le Sel et la cendre*, Lausanne, L'Aire.
L'autobiographie spirituelle d'un des plus grands critiques littéraires de notre temps, qui s'est révélé récemment poète et écrivain.

RÉAL (Grisélidis), *Le Noir est une couleur*, Paris, Balland.
Le récit d'une destinée exceptionnelle et d'un amour hors du commun ; un roman extrêmement attachant.

RENAUD-VERNET (Odette), *Les Temps forts*, Lausanne, L'Aire.
Une quête émerveillée du monde, menée avec passion et rigueur ; une voix juste, un livre tonique.

RENFER (Werner), *Hannebarde et autres récits*, Lausanne, Bibliothèque romande.
L'éclatement de l'ivresse heureuse et de l'émerveillement au cœur d'une province méfiante et mesquine.

REYNOLD (Gonzague de), *Le Génie de Berne et l'âme de Fribourg*, Lausanne, Bibliothèque romande.
Profondément attaché à la vieille Suisse aristocratique, cet historien a su exalter le génie de nos cités avec un authentique et vigoureux talent d'écrivain.

RIVAZ (Alice), *L'Alphabet du matin*, Lausanne, L'Aire.
Des souvenirs d'enfance, mais refondus et transposés par un art émouvant, grave et subtil.

SAINT-HÉLIER (Monique), *Bois-Mort*, Lausanne, Bibliothèque romande.
Un univers romanesque au charme prenant, des personnages complexes et secrets qu'on ne peut oublier.

VELAN (Yves), *Je*, Paris, Le Seuil ; *La Statue de Condillac retouchée*, Paris, Le Seuil.
Après *Je*, accueilli avec enthousiasme par la critique – prix Fénéon et prix de Mai –, Velan fait avec *La Statue* une œuvre d'avant-garde, d'une totale originalité. A lire absolument.

VUILLEUMIER (Jean), *L'Écorchement*, Lausanne, L'Aire.
Dans ce beau roman, les peaux des personnages s'enlèvent une à une jusqu'à ce qu'apparaissent folie et déchéance, ou alors tendresse réelle, vraie nouveauté.

Z'GRAGGEN (Yvette), *Chemins perdus*, Lausanne, L'Aire.
Un grand talent de conteuse qui écrit pour témoigner de la peine des hommes, pour essayer de la comprendre.

ZIMMERMANN (Jean-Pierre), *Progrès de la passion, Le Pays natal*, Lausanne, Bibliothèque romande.
D'abord l'accord profond avec le pays neuchâtelois ; puis la découverte de la discordance déchirante qui est au cœur de toute vie. Un livre grave et émouvant.

POÉSIE

AUBERT (Claude), *L'Unique Belladone*, Lausanne, Payot.
L'œuvre d'un écrivain solitaire, errant, presque maudit, qui trouve dans la poésie son unique raison d'être et l'instrument de son salut.

BERNARD (Richard Édouard), *Ta beauté ma blessure*, Lausanne, Bertil Galland.
Un ton à la fois viril et retenu, fraternel, plein de chaleur humaine.

CRISINEL (Edmond-Henri), *Poésies*, Lausanne, Bibliothèque romande.
Une voix inoubliable, à la fois pure et brisée, qui tente de conjurer les démons de la folie et de la mort. A lire absolument.

CUTTAT (Jean), *Les Couplets de l'oiseleur*, Lausanne, Bertil Galland. Un authentique troubadour ; des chansons simples et savantes, qui trottent dans la tête du lecteur bien après que le livre est refermé.

EIGELDINGER (Marc), *Les Chemins du soleil*, Boudry-Neuchâtel, La Baconnière. Une poésie subtile et rêveuse, d'une indéniable qualité.

GABEREL (Henri), *Le Saisonnier*, Lausanne, Bertil Galland.
Une œuvre dont les secrètes richesses ne laissent aucun lecteur indifférent.

GIAUQUE (Francis), *Terre de dénuement*, Lausanne, L'Aire.
Né d'une vie foudroyée par le malheur, un livre brûlant, bref comme un éclair.

GODEL (Vahé), *Coupes sombres*, Boudry-Neuchâtel, La Baconnière.
Une poésie vivante et diverse, résolument moderne.

HERCOURT (Jean), *Matière friable*, Lausanne, L'Aire.
Le testament poétique d'un de nos écrivains les plus exigeants.

JACCOTTET (Philippe), *L'Ignorant*, Paris, Gallimard ; *Leçons*, Lausanne, Payot.
Une œuvre grave, dépouillée et fervente qui a acquis depuis longtemps une audience internationale. A lire absolument.

LAEDERACH (Monique), *Pénélope*, Lausanne, L'Aire.
Entre le vécu et le mythe, tous les vertiges qu'entrouvre le rêve.

MARTIN (Vio), *Le Chant des coqs*, Boudry-Neuchâtel, La Baconnière.
Une poésie fine et sobre, au charme prenant.

MATTHEY (Pierre-Louis), *Poésies complètes*, Lausanne, Bertil Galland.
La transmutation poétique d'une expérience tourmentée, du remords à l'innocence, de la révolte à l'émerveillement.

NICOLE (Georges), *Poésie*, Lausanne, Bertil Galland.
Un écrivain obsédé par l'échec et la damnation, qui jusqu'à sa mort n'a pas osé publier ses poèmes ; une parole d'outre-tombe qui nous enseigne les secrets de l'amour et de la mémoire.

PACHE (Jean), *Rituel*, Lausanne, L'Aire.
L'expérience d'un vécu qui cherche son sens au-delà de l'écriture. Une poésie à la fois sobre et fastueuse.

PERRIER (Anne), *Lettres perdues*, Lausanne, Payot.
Des poèmes brefs, rigoureux et subtils : un art d'une grande maîtrise.

PY (Albert), *Pieta*, Boudry-Neuchâtel, La Baconnière.
Une belle méditation sur la mort, qui laisse entrevoir une sérénité possible par-delà l'angoisse et le deuil.

ROUD (Gustave), *Écrits I et II*, Lausanne, Mermod ; *Requiem*, Lausanne, Payot.
La démarche poétique la plus haute, la plus exigeante et la plus pure qu'on puisse trouver. Tous les jeunes écrivains romands considèrent Roud comme leur maître. A lire absolument.

SCHLUNEGGER (Jean-Pierre), *Œuvres*, Lausanne, L'Aire.
Une poésie d'une beauté lumineuse, des textes autobiographiques inoubliables. Cette voix a été l'une des plus justes qui aient retenti dans ce pays. A lire absolument.

TACHE (Pierre-Alain), *La Traversée*, Lausanne, Payot.
Une poésie d'herbe et de sève, d'une limpidité sereine.

TROLLIET (Gilbert), *Visite*, Lausanne, L'Âge d'homme.
Visite aux hommes, aux lieux, aux choses, à tout ce qui invite à la relation et au dialogue.

VOISARD (Alexandre), *Liberté à l'aube*, Porrentruy, Malvoisins.
Le beau cri de passion et de révolte d'un Jurassien qui lutte pour l'autonomie de son pays. Tous les peuples opprimés se reconnaîtront dans ces poèmes.

THÉÂTRE

BAUCHAU (Henri), *La Machination*, Lausanne, L'Aire.
Un poème dramatique sur la jeunesse d'Alexandre le Grand ; le procédé du théâtre dans le théâtre y est mis en œuvre d'une manière très originale.

CHAVANNES (Fernand), *Guillaume le Fou, Le Sacrifice d'Abraham, Musique de tambour*, Lausanne, Bibliothèque romande.
Des héros aux vocations extrêmes, qui parlent une langue rude et savoureuse.

DEBLUË (Henri), *Force de loi*, Lausanne, L'Âge d'homme.
Un vigoureux réquisitoire contre les absurdités de la justice.

FROCHAUX (Claude), *Djakarta*, Lausanne, L'Âge d'homme.
Comment partir tout en restant chez soi ? Et vivre l'aventure sans courir de risques ? Une comédie sarcastique.

GAULIS (Louis), *Capitaine Karagheuz*, Lausanne, L'Aire.
La savoureuse mise en scène d'un héros populaire grec, grotesque, sympathique et truculent.

LIEGME (Bernard), *Théâtre complet*, Lausanne, L'Âge d'homme.
Une œuvre séduisante où la satire et l'humour se nuancent de tendresse.

WEIDELI (Walter), *Éclatant Soleil de l'injustice*, Lausanne, L'Aire.
Une pièce originale et forte sur l'affaire Sacco-Vanzetti.

REVUES LITTÉRAIRES

ÉCRITURE, Bertil Galland, Lausanne.

ALMANACH DU GROUPE D'OLTEN, L'Âge d'homme, Lausanne.

BULLETIN DES ÉTUDES DE LETTRES, Faculté des lettres, Université de Lausanne.

REVUE NEUCHÂTELOISE, case postale 906, Neuchâtel.
REVUE DE BELLES-LETTRES, case postale 216, Genève 4.

CAHIER DE L'ALLIANCE CULTURELLE ROMANDE, avenue Bel-Air 39c, Chêne-Bourg.

LE CINÉMA

Étude

BUACHE (F.), *Le cinéma suisse*, Lausanne, L'Âge d'homme, 1974, 310 p.
Le premier ouvrage d'ensemble sur le jeune cinéma suisse, par un spécialiste, directeur de la cinémathèque suisse.

Filmographie

– A partir de 1960, le cinéma romand attire l'attention de la critique internationale avec les œuvres de trois réalisateurs surtout :
– Alain TANNER : *Charles mort ou vif* (1969), (grand prix du festival de Locarno en 1969), *La salamandre* (1971), *Le retour d'Afrique* (1973), *Le milieu du monde* (1974), Jonas, qui aura vingt ans en l'an 2000 (1976).

– Michel SOUTTER : *La lune avec les dents* (1966), Haschich (1968), *La pomme* (1969), *James ou pas* (1970), *Les arpenteurs* (1972), *L'escapade* (1974).

– Claude GORETTA : *Le fou* (1970), *L'invitation* (1973), (prix spécial du jury au festival de Cannes de 1973).

Depuis 1970, montée de nouveaux réalisateurs :
– Simon EDELSTEIN : *Les vilaines manières* (1972)
– Yvon BUTLER : *La fille au violoncelle* (1973)
– Francis REUSSER : *Le grand soir* (1976), (grand prix du festival de Locarno de 1976) déjà remarqué comme réalisateur d'une partie de *Quatre d'entre elles* (1967).

Enfin ne pas oublier deux noms de Suisse romande, mais dont la grande notoriété est venue d'une carrière qui s'est déroulée en France :
– l'acteur Michel SIMON
– le réalisateur Jean-Luc GODARD.

DOCUMENTOGRAPHIE

GÉOGRAPHIE

REBEAUD (Henri), *Géographie de la Suisse*, Lausanne, Payot, 1972, 176 p., 9,60 FS.
Un manuel scolaire donnant une bonne idée d'ensemble.

FABRE (Dominique), *Suisse*, Paris, Le Seuil, Coll. « Petite Planète », 1970, 190 p., 8,60 FS.
Un livre agréable, dans le style habituel de la collection.

HISTOIRE

GILLIARD (Charles), *Histoire de la Suisse*, Paris, P. U. F., Coll. « Que sais-je ? », 6e éd., 1974, 126 p., 4,40 FS.
Une bonne initiation.

DURRENMATT (Peter), *Histoire illustrée de la Suisse*, Lausanne, 1964, 858 p., épuisé.
Un excellent ouvrage de base.

ROHR (Jean), *La Suisse contemporaine*, Paris, Colin, Coll. « U2 », 1972, 336 p., 14,90 FS.
Les problèmes d'aujourd'hui.

CULTURE ET CIVILISATION

BERCHTOLD (Alfred), *Découvrir la Suisse*, Lausanne, Payot, 1970, 63 p., épuisé.
Histoire intellectuelle et artistique.

Collectif, *Encyclopédie vaudoise*, Lausanne, 24 heures, 39 FS.
Économie, institutions, culture, etc., 8 vol., en cours de parution.

BUACHE (Frédy), *Le Cinéma suisse*, Lausanne, L'Âge d'homme, 1974, 310 p., 35 FS.
Le premier ouvrage d'ensemble sur notre jeune cinéma.

HISTOIRE LITTÉRAIRE ET CRITIQUE

BERCHTOLD (Alfred), *La suisse romande au cap du XXe siècle*, Lausanne, Payot, 1966, 2e éd., 380 p., 48 FS.
Un indispensable ouvrage de base.

PIDOUX (Edmond), éditeur, *Anthologie de la littérature alpestre de Saussure à nos jours*, Lausanne, Bibl. romande, 1972, 240 p., 19,50 FS.
Les meilleurs textes inspirés par la haute montagne.

CHESSEX (Jacques), *Les Saintes Écritures*, Lausanne, Galland, 1972, 218 p., 22,80 FS.
Beaux essais critiques sur vingt-trois écrivains romands contemporains.

CENTRES DE DOCUMENTATION

Bibliothèque nationale suisse, Berne.
Renseignements bibliographiques.

Centre de recherche des lettres romandes, Bibliothèque cantonale, Lausanne.
Renseignements bibliographiques, biographiques et critiques.

Fondation Pro Helvetia, Hirschengraben 22, Zurich.
Facilités d'achat pour les livres publiés en Suisse.

Cinémathèque suisse, place de la Cathédrale 12, Lausanne.
Tous les renseignements sur le cinéma suisse.

PRINCIPALES ÉDITIONS

L'Âge d'homme, Métropole 10, Lausanne.

L'Aire-Coopérative Rencontre, Ch. d'Entre-Bois 29, Lausanne.

Éditions Bertil Galland, rue du Lac 29, Vevey.

Bibliothèque romande et livre du mois, Imprimeries réunies, avenue de la Gare 33, Lausanne.

Éditions Payot, rue Centrale 10, Lausanne.

Le Canada

a/ Vers le Québec

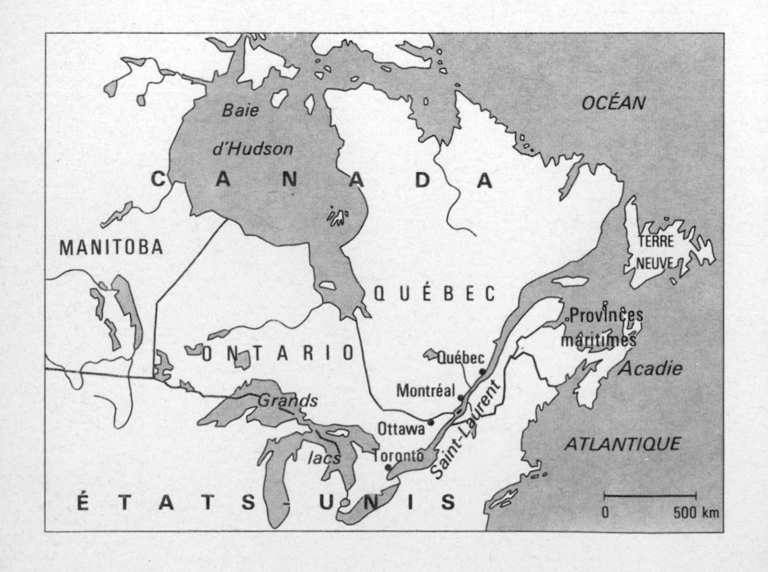

Il n'est sans doute pas de terre dans les annales de l'humanité qui ait été successivement et en si peu de temps désignée sous autant de noms : Nouvelle-France, Bas-Canada, Canada, Canada français, Province de Québec, le Québec . . . A telle enseigne qu'il suffit de suivre à la trace le fil de ces diverses mutations pour reconstituer l'histoire d'une singulière métamorphose d'identité en même temps que le destin somme toute assez tragique d'une communauté humaine en voie de s'assigner une place au sein des peuples modernes.

LA NOUVELLE-FRANCE : 1534-1760

Terre française dès sa prise de possession par Jacques Cartier en 1534, le territoire qui s'étend entre l'Atlantique septentrional et l'indéfini ne deviendra un embryon de nouvelle France qu'avec l'établissement des premiers colons et la fondation de Québec par Champlain en 1608. De colonie essentiellement livrée aux grandes compagnies en vue de la traite des fourrures avec les Amérindiens, la Nouvelle-France définit peu à peu son territoire de colonie de peuplement : la vallée du fleuve Saint-Laurent, cependant que de découverte en découverte s'agrandit l'Empire français d'Amérique qui comprend bientôt la Louisiane (13 des États des U. S. A. d'aujourd'hui), l'Acadie (provinces maritimes de l'actuel Canada) et le vaste territoire qui court de la vallée du Saint-Laurent jusqu'aux montagnes Rocheuses. Son expansion n'est en fait limitée en Amérique du Nord que par l'établissement, entre-temps, de 13 colonies anglaises le long de la côte Atlantique (Nouvelle-Angleterre). La Nouvelle-France se retrouvera toujours au cœur de cet Empire. C'est là que viennent s'établir, entre 1608 et 1759, tout près de 10 000 colons français originaires de toutes les provinces de France, avec une nette prédominance des provinces de l'Ouest (34 pour cent), de Normandie (26 pour cent) et de l'Ile-de-France (25 pour cent). Ils s'établissent autour des trois principaux centres de colonisation sur l'axe du Saint-Laurent : Québec, Trois-Rivières, Montréal. Ils s'adonnent principalement à l'agriculture et aux métiers d'artisanat. Le petit nombre se livre à la traite des fourrures avec les Amérindiens : ce sont les « coureurs des bois », qui donneront naissance au personnage mythique de la psychologie québécoise : l'homme libre des forêts sans fin.

De colonie des grandes compagnies, la Nouvelle-France devient en 1663 colonie royale ; elle est dirigée par un gouverneur assisté d'un Conseil souverain. Une petite civilisation française naît peu à peu sur les rives du Saint-Laurent. Les Jésuites y tiennent un célèbre collège pour l'éducation des fils ; les Ursulines tiennent un couvent (qui existe encore) pour l'éducation des filles.

Une petite noblesse, souvent plus pauvre que la majorité des colons, installe une société de culture. A Québec on joue *Le Cid*, on se querelle, comme à Paris, autour de la représentation de *Tartuffe*. Selon l'intendant Jean Talon, on y trouve de quoi se vêtir des pieds à la tête sans avoir à importer de la Métropole autre chose que la denrée rare, comme le vin ou le rhum des Antilles.

L'établissement de la colonie a souvent gêné l'Angleterre dans son expansion américaine ; à quelques reprises les Anglais ont tenté de la conquérir ou de la détruire par les armes ; s'ils y sont parfois parvenus, un traité signé entre les rois de France et d'Angleterre la rendait aussitôt à sa métropole d'origine. C'est ainsi que l'Acadie passa plus de sept fois d'une couronne à l'autre. Mais un élément allait bientôt jouer contre la colonie française : son trop faible peuplement. Cependant que la Nouvelle-France, en effet, ne recevait en un siècle et demi que 10 000 colons, les colonies anglaises voisines en accueillaient vingt fois plus. Vauban avait pourtant prévu un plan de peuplement qui allait jusqu'en 1976 . . . Mais la métropole, semble-t-il, surtout sous l'influence des Encyclopédistes qui menaient avant la lettre une véritable campagne anticoloniale, se désintéressait peu à peu de sa colonie septentrionale au profit des colonies plus profitables des Indes occidentales où se trouvaient les grandes cultures du coton, du café, du sucre. La Nouvelle-France n'exportait bientôt à peu près plus rien vers la métropole. Après la mort de Louis XIV (1715), la colonie dépérit, même si elle reçoit après cette date les contingents les plus importants de colons (la majorité des 10 000, en fait), pour la plupart apprentis de corporations ayant à subir en France la crise économique de la Régence et venant trouver en Nouvelle-France quelque espoir de subsistance sinon de fortune – laquelle ne vint jamais pour aucun d'eux, faut-il le dire . . . Car bientôt allait éclater sur l'ancien continent, entre la France et l'Angleterre, la guerre de Sept Ans, qui, transplantée au cœur des colonies françaises et anglaises d'Amérique, devait être fatale à la Nouvelle-France. Après une série de franches victoires contre les Anglais, le général Montcalm perdit en quelques heures la bataille des Plaines d'Abraham en septembre 1759. L'année suivante, Montréal capitulait : la colonie était irrémédiablement perdue. L'Angleterre possédait désormais toute l'Amérique septentrionale.

LE BAS-CANADA : 1760-1841

Le Traité de Paris de 1763 cédait pour toujours la Nouvelle-France à l'Angleterre. Pour toujours ? On n'y croyait vraiment pas. L'expérience historique avait démontré que les colonies passaient d'une couronne à l'autre avec une facilité déconcertante, et l'on ne désespérait pas, en Nouvelle-France devenue anglaise par les armes, de rentrer, à la faveur de quelque nouveau traité, l'année prochaine ou la suivante, dans le giron de l'Empire momentanément suspendu. C'est ce qui explique en grande partie la passivité et l'absence de résistance de la part des colons français qui s'étaient multipliés jusqu'à former, au moment de la Conquête, une communauté de 60 000 personnes.

L'Angleterre, néanmoins, en ce lendemain de conquête, installa un régime militaire qui eut pour effet de désorganiser jusqu'à l'effondrement total une économie déjà fortement grevée par les dépenses de guerre. La majorité des colons, désormais installés comme artisans dans les centres urbains de Québec, Trois-Rivières et Montréal, dut se replier dans l'agriculture pour pouvoir survivre. Après l'effondrement du commerce, les marchands anglais qui commençaient à venir d'Angleterre s'emparèrent en peu de temps de tout le réseau commercial. Interdiction fut faite de tisser un seul brin de laine, ainsi qu'on le faisait dans toutes les familles sous le régime français ; les soldats brûlèrent tous les métiers à tisser de la colonie, et la laine anglaise accapara tout le marché. Le régime militaire ne fut pas des plus cléments pour les habitants. Le gouverneur britannique Carleton pouvait encore écrire en 1767 au secrétaire d'État aux Colonies :

« Aucun conquérant n'a eu recours dans le passé à des procédés aussi sévères, même lorsque des populations se sont rendues à discrétion et soumises à volonté du vainqueur sans les garanties d'une capitulation. » Mais la patience des colons était grande. Et plus grande encore leur espérance. Si bien que l'on retrouve encore vivant, deux générations après la conquête, le sentiment que la défaite de 1760 n'est pas définitive et que la Nouvelle-France reviendra prendre sa place dans l'Empire français reconstitué : telle cette pathétique pétition des paysans de Laprairie envoyée à Napoléon en 1804, le suppliant de venir reprendre « l'ancienne Nouvelle-France » et leur redonner « le nom glorieux de Français ». Ces espérances déçues ne vont s'éteindre en fait que vers 1830, au moment où la population, passée en moins d'un siècle à près d'un million d'habitants, verra apparaître en son sein ce qui ressemble déjà à une conscience nationale. Cette conscience allait bientôt se soulever contre le conquérant dans une suite de rébellions paysannes, durement réprimées, en 1837 et 1838. Si cette conscience avait pu émerger du chaos où aurait dû la laisser la conquête, c'est que les anciens colons étaient restés français grâce d'abord à quelque volonté de le rester, mais surtout à des « détails d'erreurs politiques » commises par la couronne britannique. George III, désirant affirmer son autorité sur le parlement anglais, résolut en 1774 de doter la nouvelle colonie d'une sorte de constitution (*L'Acte de Québec*) qui assurait à ses sujets français et catholiques des droits imprescriptibles en matière de langue, de culte et de tradition juridique. C'est ainsi que la langue française, la religion catholique et le code civil français préservèrent ceux qu'on appelait désormais « les Canadiens » d'une assimilation certaine. Car bientôt allait déferler sur leur territoire une vague d'immigration massive de loyalistes venus des 13 colonies anglaises en voie de s'émanciper et qui préféraient à l'indépendance l'exil dans une terre où la couronne anglaise gardait encore toute son autorité. Ces loyalistes, qui s'emparèrent de tous les postes de commande de la colonie et des terres les plus fertiles, refusèrent à la longue de vivre dans un pays régi par le code civil français, où de plus fleurissaient « le papisme » et la langue française. Ils intervinrent donc auprès de leur monarque pour que leur soit concédée une partie du territoire de l'immense colonie où régneraient sans partage le common law, la langue anglaise et le protestantisme. En 1791, *L'Acte constitutionnel* avait séparé la colonie en Bas- et Haut-Canada, dans celui-ci vivant la population anglaise, dans celui-là la population française assortie d'une minorité anglaise. L'une et l'autre des deux nouvelles colonies se trouvait dotée d'une assemblée législative à pouvoirs restreints. C'est dans cette conjoncture qu'éclatent les rébellions de 1837-1838.

Un envoyé spécial, Lord Durham, chargé d'enquêter sur ces événements causés par la présence française en Bas-Canada, commit un rapport (considéré comme un « classique » de la politique coloniale moderne) où il proposait comme solution une politique d'assimilation totale de la population française (« peuple sans histoire et sans littérature ») en favorisant l'union des deux Canada sous un seul régime parlementaire où les « Canadiens français » seraient mis en minorité et bientôt, grâce à l'immigration anglaise, totalement submergés, assimilés. Ce qui fut fait en 1841 par l'*Acte d'Union*. Mais les prévisions de Lord Durham ne se réalisèrent pas ; au lieu de l'assimilation prévue, les Canadiens français, soumis à des frustrations politiques d'envergure, presque sans école et sans économie propre (autre que l'agriculture), grâce à la vigilance du clergé et à un taux de reproduction sans précédent dans l'histoire de la race blanche, survécurent à l'Union avec le sentiment de plus en plus aigu du bien-fondé de leur survivance.

LE CANADA : 1841-1867

L'échec du projet d'assimilation n'est pas sans effet sur la population anglaise du Canada, qui s'aigrit, se fanatise même et porte désormais le combat dans l'arène parlementaire que constitue l'assemblée législative à pouvoirs toujours restreints : l'essentiel de la politique canadienne se fait toujours en Angleterre. Les vingt-cinq années d'histoire du Canada uni sont dominées par les luttes parlementaires entre deux grands partis politiques, tous deux à dominance anglaise, avec la particularité pour l'un qu'il compte quelques hommes politiques de langue française, tenus en conséquence de défendre constamment les intérêts de leur communauté. On vit avec le souvenir des luttes récentes entre les deux ethnies ; on vit aussi avec l'espoir de résoudre le contentieux permanent entre les deux « peuples fondateurs » de ce nouveau Canada.

Les États-Unis, pendant ce temps, exercent une emprise de plus en plus grande sur les esprits, puis bientôt, comme il se doit, sur l'économie. C'est pendant cette période que s'amorce un mouvement d'émigration française vers les industries naissantes de la Nouvelle-Angleterre ; cette vague atteindra son apogée vers 1880. Malgré cette véritable saignée (plus d'un million d'habitants émigrent ainsi aux U. S. A.), la population française progresse en nombre. Elle fonde ses embryons d'institutions scolaires et ses lignes de défense nationale, comme la société Saint-Jean-Baptiste qui eut sur son destin jusqu'à une date récente l'influence d'un véritable État, d'une sorte de gouvernement parallèle chargé de veiller sur les intérêts de ses membres ; et ses membres se confondaient avec toute la société canadienne-française.

C'est pendant cette période de relèvement et de fondation des institutions nationales que l'Église se forma comme puissance jusqu'à revendiquer bientôt et pour longtemps ce privilège de représenter toute la communauté française et catholique. Les luttes à l'intérieur même de la communauté française que mena le clergé contre les « libéraux » (et les libéraux contre le clergé) constituent le fait marquant de cette époque. C'est parmi les « libéraux » que s'ébaucha l'amorce d'une vie intellectuelle canadienne-française autonome marquée, cela va de soi, par le libéralisme et la libre pensée. Le nom même de « Canadien français » naît à cette époque.

Minée de l'intérieur par des luttes intestines à caractère religieux et de l'extérieur par les luttes contre le fanatisme anglais, la société canadienne-française n'en progresse pas moins, comme si, faute d'un État représentatif, ces luttes assuraient désormais la circulation de son essence la plus précieuse.

Pendant ce temps, faut-il le dire, la population française du Canada se trouve totalement coupée de tout lien avec la France, si l'on excepte ces relations entre l'évêque de Montréal et certaines communautés religieuses françaises, si l'on excepte aussi quelques rares relations intellectuelles entre écrivains des deux pays. Cette absence à peu près totale de relations avec la France constitue un fait capital pour comprendre la formation de « l'esprit canadien ». Non pas que les Canadiens français fussent hostiles à la France, au contraire ; mais l'Angleterre avait tout prévu pour que les contacts entre les deux communautés françaises ne donnent pas lieu, chez les sujets canadiens, à certaines velléités de retour à la mère-patrie. Et sur cette question, il faut signaler un événement à charge culturelle autant que politique qui survient sous le régime d'Union : la venue, dans les eaux du Saint-Laurent, du premier vaisseau français depuis un siècle, c'est-à-dire depuis la conquête. Il était, en effet, interdit par la loi de navigation anglaise à tout vaisseau français d'entrer dans le Saint-Laurent. Napoléon III réussit néanmoins en 1855 à faire appareiller la *Capricieuse* en vue d'un simple voyage de reconnaissance dans les eaux canadiennes. Ce fut pour les Canadiens français la grande fête du siècle : les populations s'étaient massées le long des rives du fleuve pour voir passer et saluer par des feux de joie le vaisseau battant le tricolore. Mais ces brèves retrouvailles furent sans lendemain, l'Angleterre se méfiant des sentiments qu'un tel événement avait pu faire naître dans le cœur et l'esprit de ses sujets français du Canada. On s'empressa d'oublier l'événement. La communauté française n'en progressait pas moins dans la confirmation de son identité. Cette progression, qui constitue un démenti formel au projet d'assimilation du régime d'Union, provoque une réaction chez les Anglais soucieux de liquider au plus tôt à la fois le litige et le danger (le « French domination ») que devient pour eux la présence française qui refuse de mourir. Et c'est la *Confédération*, régime politique sous lequel vivent encore aujourd'hui tous les Canadiens, français et anglais.

LA PROVINCE DE QUÉBEC : 1867-1960

La Confédération soudait le Canada uni à deux autres colonies britanniques de l'Amérique du Nord : le Nouveau-Brunswick et la Nouvelle-Écosse. Comme en 1791, le Canada uni se retrouvait scindé en deux provinces : Québec et Ontario. Au total donc quatre provinces unies entre elles par un gouvernement fédéral, chacune ayant sa propre législature. Le résultat est clair : au lieu de mettre en présence les deux ethnies séculairement ennemies, le nouveau régime « minorisait » le Québec en le laissant jouer seul contre trois entités politiques essentiellement anglaises. Le partage des pouvoirs faisait le reste : les grandes affaires (monnaie, armée, affaires étrangères) au fédéral, les petites (culture, éducation, routes), au provincial. De 1867 à 1949, le Nouveau Canada allait s'adjoindre six autres provinces, si bien que dans le Canada actuel, le Québec, après un siècle de régime fédératif, se retrouve à un contre neuf. Certaines provinces, avec vingt fois moins de population, ont des droits égaux et des droits de veto en certaines matières. Les deux vagues d'immigration européenne consécutives aux deux guerres mondiales allaient bientôt contribuer à faire de la population française du Québec (où elle est pourtant majoritaire), une minorité comme les autres au sein du Canada : sa population ne compte plus que pour 27 pour cent de la population totale du Canada confédéré. Le plan d'immersion a réussi, mais non celui de l'assimilation.

Le régime, comme il se doit et comme les précédents, ne va pas sans quelques crises constitutionnelles. Marqués par la conscription obligatoire (qu'ils rejetaient unanimement) lors des deux guerres mondiales, les Québécois se donnent bientôt un régime résolument nationaliste : celui de l'Union nationale dominée par la figure de Maurice Duplessis, homme autoritaire et traditionaliste, mais qui mena avec acharnement ses luttes contre l'empiétement du gouvernement fédéral dans les juridictions provinciales. Son mot d'ordre était « l'autonomie provinciale ». Ce fut le règne de ce que les Québécois eux-mêmes ont appelé depuis leur « Moyen Âge », le régime ayant misé davantage sur l'obscurantisme que sur une véritable autonomie. C'est ainsi que, pendant cette époque de revendication, la mainmise des U. S. A. sur l'économie québécoise s'accentue jusqu'à faire du Québec une colonie américaine. De quasi totalement rurale, la population du Québec va, entre les deux guerres, immigrer vers les villes pour devenir anormalement urbaine ; c'est alors qu'on assiste à la prolétarisation massive de la population québécoise : son taux de population rurale est aujourd'hui l'un des plus faibles en Occident (moins de 10 pour cent). Et parmi les quatorze ethnies que compte le Québec (certaines étant infimes mais riches), celle des Québécois francophones vient au treizième rang pour le revenu *per capita* . . . Le régime de l'Union nationale, qui ne répondait qu'inadéquatement aux problèmes réels que posait le Québec en voie d'industrialisation, a contribué pour une bonne part à ce retard économique. Aussi lorsque, après la mort de Duplessis, le régime sombrera en 1959, l'événement aura toutes les allures d'une véritable révolution. Car des forces souterraines longtemps contenues sont à l'œuvre dans le pays. La fin des années 50 voit ainsi naître le premier mouvement organisé prônant l'indépendance totale de ce qu'on appelle alors « la Laurentie », c'est-à-dire le Québec dont l'axe de peuplement et de développement est constitué par la vallée du Saint-Laurent. Ce mouvement coïncide avec la fin du régime de l'Union nationale dont les luttes incessantes, surtout depuis la fin de la guerre, prouvent à l'évidence la faillite du régime confédératif : de l'Alliance laurentienne naît, au début des années 60, le Rassemblement pour l'Indépendance nationale dont l'action sera déterminante pour la décennie qui vient . . .

Des 60 000 colons de Nouvelle-France au moment de la conquête, les Québécois sont maintenant passés à plus de 5 millions, sans compter le million de francophones vivant dans le reste du Canada, dont le tiers cependant est déjà assimilé : la majorité des « survivants » vit aux frontières du Québec dans les deux provinces voisines, l'Ontario et le Nouveau-Brunswick. Les autres, émiettés dans les autres provinces, semblent d'ores et déjà voués à l'assimilation. C'est de leur sort que le Québec nouveau tira la leçon et ses conséquences.

LE QUÉBEC : 1960-197?

Avec la prise du pouvoir par le parti libéral en 1960, une nouvelle ère s'amorce pour le Québec qui vit désormais de ses contradictions. Soucieux d'affirmer sur un mode nouveau la présence québécoise au sein de la Confédération canadienne, le nouveau régime transforme les institutions jusqu'à faire de la « Province » « l'État du Québec ». L'assemblée législative devient « l'assemblée nationale ». Mais l'affirmation du « maître chez nous » que le nouveau régime met de l'avant vient déjà trop tard : le mouvement pour l'indépendance nationale a réussi à mettre son projet au cœur de tous les débats et prend le devant de la scène politique active. Ce ne sont plus des droits à la survivance que l'on réclame désormais, mais le droit au libre développement de toutes les activités dans la souveraineté nationale. On ne revendique plus un statut particulier du Québec au sein de la Confédération, mais l'établissement d'une nation libre.

Parallèlement à la révolution tranquille du parti libéral, qui donne au Québec son premier ministère de l'Éducation nationale, nationalise toutes les compagnies privées d'électricité et fonde les premières industries d'État, une véritable révolution culturelle va bientôt fleurir sur tout le territoire. Un économiste a pu dire que l'ensemble de la révolution tranquille a été l'affaire d'une demi-douzaine d'hommes politiques (pour la plupart acquis depuis à l'indépendance), d'une douzaine de hauts fonctionnaires (*idem*) et d'une centaine de poètes et de chansonniers (qui l'étaient déjà). C'est dire le caractère éminemment culturel de cette révolution : tout craque, surtout dans les esprits. Partout, tout devient possible. Le monde de l'éducation, celui des arts, des affaires, de la fonction publique, de la religion, des syndicats, tout éclate en même temps et autorise tous les espoirs. Le vieux Québec est bel et bien mort. Un monde nouveau fait son apparition. Le Québec ne sera, en tout cas, jamais plus une « province ».

L'effort a été si intense, a exigé tant d'énergie que vers 1967, le Québec s'essouffle. L'été de cette année-là, au milieu de l'Exposition universelle de Montréal, le général De Gaulle vient sanctionner devant le monde entier la volonté du Québec de prendre sa place dans le concert des nations. A l'automne, autour de René Lévesque, ancien ministre libéral et principal maître d'œuvre de la nationalisation de l'électricité, le Parti Québécois prend forme : c'est le second souffle. L'idée de souveraineté a désormais son incarnation politique. Le 15 novembre dernier le Parti Québécois a fait élire 71 députés sur les 110 que compte l'Assemblée Nationale : il forme donc le premier gouvernement d'un nouveau régime. L'indépendance du Québec n'est sans doute plus très loin. Elle ne saurait, en tout cas, être différée. Car des forces de sape sont à l'œuvre. Le gouvernement fédéral met à profit la moindre faiblesse politique du gouvernement québécois pour s'immiscer dans des domaines dont le partage entre les juridictions fédérale et provinciale se trouve mal défini dans la constitution par rapport aux réalités nouvelles de la modernité, tel, par exemple, le domaine des communications ou celui des richesses naturelles.

Le champ culturel s'élargit. Et, longtemps tenu dans l'isolement autant par son étrange destin historique que par sa situation géographique, le Québec rejoint enfin le monde autant par sa part de coopération importante avec les pays francophones que par sa littérature et sa chanson.

Les problèmes internes ne sont pas pour autant résolus. Le Québec compte, en effet, sur son territoire, principalement à Montréal, une importante minorité anglophone (800 000 habitants) dont une majorité d'Italiens, de Grecs, de Portugais anglicisés. Cette minorité accepte mal la volonté d'affirmation des francophones et va, par exemple, jusqu'à contester la constitutionnalité de la récente loi qui fait du français la langue officielle du Québec. Certains vont même jusqu'à quitter le Québec, dans l'appréhension d'une flambée de violence toujours possible. Car le Québec a connu aussi sa violence politique, surtout entre 1963 et 1970, alors que l'organisation clandestine du Front de libération du Québec (F. L. Q.) faisait éclater ses bombes à Montréal ; cette violence culminait en 1970 lors de ce qu'on appelle les « Événements d'octobre » : l'assassinat d'un ministre provincial et l'enlèvement d'un diplomate britannique. Le Québec vécut alors pendant six semaines sous le régime de la loi des mesures de guerre, imposée par le gouvernement fédéral, l'armée occupant la quasi-totalité du territoire du Québec. Mais cette violence s'est tue après 70 devant l'assurance que la solution au problème national devenait désormais possible par la voie d'un règlement politique. Les prochaines élections, prévues pour 1978, devraient apporter du nouveau, car le *statu quo* est d'ores et déjà devenu impossible. Le Québec se dirige peu à peu vers la rencontre de son destin . . .

LA QUESTION LINGUISTIQUE : 1760-1976

La question linguistique domine toute l'histoire des Québécois depuis la conquête jusqu'à ce jour. S'ils ne présentaient pas cette particularité de parler français, leur présence au sein d'un continent entièrement anglophone serait sans aucun doute tout autre, moins « problématique » en tout cas. La langue française est donc à la fois le signe (le marqueur) le plus évident de leur identité et la cause de leur pénible cheminement historique. Toutes les luttes qu'ils ont menées par le passé et mènent encore dans le présent touchent par un aspect ou l'autre à leur identité linguistique. Longtemps ostracisés dans l'ordre du politique à cause de cette *différence*, menacés par des plans d'assimilation auxquels ils ont tout de même réussi à survivre, souvent même persécutés, notamment par leurs coreligionnaires irlandais, ils en sont tout normalement venus à faire de leur langue la bannière de leur spécificité. Depuis quelques années, cependant, le centre de leur lutte linguistique s'est sensiblement déplacé : autrefois porté vers le conquérant parlant une autre langue et à qui il s'agissait d'arracher des droits à l'existence linguistique, ce centre s'est aujourd'hui transporté au cœur de leur propre communauté sous la forme d'un débat d'envergure sur ce que l'on pourrait provisoirement appeler l'*identification* de leur propre langue. Est-ce du français ? du franco-québécois ? du néo-français ? du québécois ? ou du *joual* (nom donné à certaine parlure et venant d'une prononciation du mot *cheval*) ? En fait, avant d'aborder cette question qui soulève les passions les plus vives, il convient de brosser un tableau de l'histoire de cette langue et de ses particularités.

Malgré la diversité d'origine des colons qui ont immigré en Nouvelle-France, l'unité linguistique de la nouvelle communauté s'est réalisée très rapidement, et cela s'explique facilement par le nombre relativement peu élevé de colons (environ 10 000) et leur forte concentration sur le territoire de la Nouvelle-France. C'est donc à peu près toutes les provinces linguistiques de France qui se trouvent représentées dans le français de la colonie, avec une nette prédominance normande en matière de prononciation et une forte marque poitevine dans le lexique. Contrairement aux croyances qui ont eu cours pendant longtemps aussi bien au Québec qu'en France même, il ne semble pas que les colons aient parlé à leur arrivée en Nouvelle-France les patois qui prédominaient encore à l'époque dans les provinces de France ; les colons provenant dans leur très grande majorité de milieux urbains ou semi-urbains déjà entièrement francisés. Aucun texte d'archives ne fait état d'une quelconque particularité patoisante des nouveaux arrivants, et ce silence est significatif. Leur rapide unification linguistique est donc un fait normal ; il n'y a pas lieu en tout cas de les en louer.

Si l'on tient compte cependant de leur longue séparation de la mère-patrie, leur langue a eu droit à quelques réaménagements rendant aussi bien compte des origines hexagonales des Québécois que de leur adaptation aux circonstances historiques qui ont présidé à leur transplantation dans un nouveau monde, puis à leur long asservissement par un conquérant qui parlait une autre langue.

C'est donc principalement sur ces réaménagements que portent les questions les plus actuelles de l'état linguistique des Québécois. Certains tiennent à faire de tout ce qui distingue le français parlé au Québec du français hexagonal un drapeau d'identité culturelle ; d'autres préfèrent miser sur les ressemblances (qui forment le front commun le plus important) pour mieux insister sur leur identité française. En fait, de quoi s'agit-il essentiellement lorsque l'on parle de « réaménagements » ? Avant tout, de particularités linguistiques que l'on peut identifier comme suit :

1) D'abord *l'accent*, qui frappe le plus une oreille étrangère et qui est sans aucun doute ce qui distingue le plus le français du Québec du français hexagonal. Maintes particularités de cet accent se retrouvent cependant dans les parlers régionaux de France et ne constituent donc pas, pris un à un, des créations originales. C'est l'ensemble du débit, la coloration des voyelles en fortes diphtongaisons et la nasalisation marquée qui font au total du français parlé au Québec une langue particulièrement identifiable.

2) Le *lexique*, marqué différentiellement par la maintenance *d'archaïsmes* hérités de l'ancien français, de *canadianismes* créés pour répondre au besoin de nommer certaines réalités particulières au nouveau continent, notamment la flore et la faune ; enfin d'*anglicismes* introduits surtout par la société marchande, puis industrielle dominée par l'anglais. (Notons qu'un très faible pourcentage des Québécois francophones sont bilingues, la plupart ne connaissant que le français.)

Outre ces caractéristiques portant essentiellement sur la phonétique et le lexique, on ne relève aucun fait important de syntaxe ni de morphologie qui différencierait notablement la langue des Québécois de celle des Français. Il y a d'ailleurs tout lieu de croire qu'avec la multiplication des échanges entre la France et le Québec et l'intensification des relations par voie de *mass media*, les différences iront s'amenuisant, comme il en va pour l'anglo-américain et l'anglo-britannique, sans que le Québécois ait à renoncer à son identité dont il est fort jaloux. Cette identité, on le voit, réside bien davantage et plus lourdement dans son destin historique que dans les particularités et originalités de sa langue. La proclamation récente du français comme seule langue officielle du Québec est un de ces progrès que les Québécois marquent à chaque étape de leur histoire. Mais il reste encore tant à faire pour que le Québec redevienne une nouvelle France . . .

LA CULTURE QUÉBÉCOISE

Roman, poésie, théâtre, chanson, cinéma, dans chaque genre les œuvres reprennent l'élucidation du réel québécois. Toutes, ou à peu près, ont partie liée avec l'histoire ; si elles ne traduisent pas directement les faits, événements et idéologies, elles s'enracinent dans les grands moments qu'on vient de décrire. Avant la conquête anglaise de 1760, à l'époque dite de la Nouvelle-France, nous avons trois groupes d'écrits qui servent autant, sinon plus, à l'histoire qu'à la littérature : les narrations de la découverte du Canada de Jacques Cartier, de la colonisation de Québec de Champlain, *Le Grand Voyage au pays des Hurons* du récollet Sagard ; puis les *Relations des jésuites* et autres écrits qui concernent à la fois l'évangélisation des « sauvages » et l'établissement des Français dans la colonie ; enfin les récits de voyage et d'exploration, dont les plus célèbres sont ceux de Lahontan et du père Marquette. La première œuvre historique de cette période est à la fois un journal de voyage et une histoire : l'*Histoire et description générale de la Nouvelle-France avec le journal historique d'un voyage fait par ordre du roi dans l'Amérique septentrionale*, du père François-Xavier de Charlevoix (Paris, Pierre-François Giffart, 1744).

Après la conquête, le journalisme politique, combattant, éclairé, trop sans doute, puisqu'il sera condamné pour libelles et pamphlets, sera l'expression d'une première prise de conscience des dangers de la domination anglaise en même temps qu'une première forme de résistance à l'assimilation qui guette le groupe français. Les historiens, et surtout le plus grand d'entre eux au XIXe siècle, François-Xavier Garneau (*Histoire du Canada*, 1845-1848), vont reprendre le mouvement de revendication des journalistes, bâillonnés par le pouvoir anglais à la suite des rébellions de 1837 et 1838. Chose curieuse, le mouvement littéraire qu'on a surnommé l'École patriotique de Québec (à partir de 1860) est né de ce « discours historique » ; mais il n'en a pas retenu la dynamique. Au lieu de pousser en avant, les poètes, notables cultivés et clercs lettrés, vont se retourner vers le passé. Les œuvres oscillent alors entre l'imaginaire et le réel ; quand elles prennent référence dans des événements historiques et légendaires : *Le Vieux Soldat canadien* du poète Octave Crémazie, *Les Anciens Canadiens* de Philippe Aubert de Gaspé, *La Légende d'un peuple* de Louis Fréchette, c'est pour calmer les âmes troublées par les incertitudes du moment ; le conservatisme s'installe en littérature comme il avait triomphé des contestations politiques, les rébellions de 1837-1838, et intellectuelles, le libéralisme de l'Institut canadien de Montréal dont le pouvoir clérical aura raison. Les romans d'aventures et à thèses qui fleuriront jusqu'à la fin du XIXe siècle, à quoi l'École littéraire de Montréal (Émile Nelligan), au tournant du siècle, ne fait qu'un intermède, vont envahir le XXe sous la forme de romans du terroir ou du retour à la terre. Ils sont l'expression de l'ère de l'agriculturisme, de la revanche des berceaux, de la fidélité aux dogmes et directives du clergé ; comme les poèmes qui mythifient la nature « canadienne », une nature stylisée, peinte en couleurs nobles mais empruntées, les récits de la terre sont une forme de patriotisme à rebours, d'un mouvement « immobile ».

LE ROMAN AU XXe SIÈCLE

Avant 1940, comme immédiatement après, le roman, pour commencer par lui, illustre la vision ancienne du Québec et les problèmes qui sont les siens. *Trente Arpents* (1937) marque la fin de l'agriculturisme, du terroir comme thème romanesque ; c'est un roman de fin de cycle. Au même moment, *Menaud maître-draveur*, de Félix-Antoine Savard, reprend en charge le passé pour l'ouvrir au présent et à l'avenir qui sera assuré par la revendication passionnée du territoire national. Nous avons là le premier roman de la contestation, mais d'une contestation vouée à l'échec, illustrée par la folie du personnage de Menaud. En 1945, *Bonheur d'occasion* de Gabrielle Roy déplace le lieu romanesque de la campagne à la ville. Encore là, c'est l'échec ; les progrès matériels ou les possibilités d'émancipation qu'apporte la guerre ne sont qu'une illusion s'ajoutant à toutes les autres. Les romans des années 50 feront la chronique de cette défaite personnelle (ou collective) qui se matérialise par la sortie du réel, le rêve éveillé, des accès de violence incontrôlée, les jouissances de l'amour pur, sans lien avec la vie.

1960 marque une coupure, un changement profond dans le ton, les sujets, la nature et les personnages du roman québécois. La révolution tranquille, ou comme l'a dit un humoriste, l'« évolution tapageuse », s'y retrouve sous diverses formes. Les romans ne sont pas tous révolutionnaires, mais quand ils mettent en scène des personnages désespérés, du type de ceux qu'on voyait dans les œuvres précédentes, c'est pour les montrer prêts à lutter, décidés à ne pas mourir et à vaincre. Et à vaincre sur tous les plans : politique, social, moral, économique. A mesure qu'on avance dans les années soixante, l'ouverture se fait plus grande sur le monde et l'approfondissement des réalités québécoises plus sensible. 1966 est l'année par excellence du roman québécois ; cinq ou six œuvres paraissent en même temps à Paris, dont l'une décroche le prix Médicis (*Une saison dans la vie d'Emmanuel* de Marie-Claire Blais) et une autre vient près de remporter le prix Goncourt (*L'Avalée des avalés* de

Réjean Ducharme, dont le personnage, Bérénice, est appelé par les Français la « Zazie » du Québec). Les autres ne sont pas de moindre valeur : *Prochain Épisode* de Hubert Aquin, roman de la révolution manquée qui touche aux actions du F. L. Q. (Front de Libération du Québec) en 1963 ; *La Jument des Mongols* de Jean Basile. A ce feu d'artifice annuel, il faut joindre les pièces d'un autre illuminant toute la décennie et au-delà : *Salut Galarneau* de Jacques Godbout, qui met en scène un personnage typiquement québécois ; *La Guerre, Yes Sir !* de Roch Carrier ; *Les Grands-Pères* de Victor-Lévy Beaulieu ; *L'Amélancier* de Jacques Ferron, le meilleur conte et le meilleur conteur du Québec. En 1970, Anne Hébert remporte le Prix des libraires associés pour *Kamouraska* dont Claude Jutra a tiré un film auquel les images de Michel Brault donnent la riche valeur d'une reconstitution historique (milieu du XIXe siècle) (1) .

LA POÉSIE

Beaucoup de commentateurs de la poésie québécoise affirment sans ambages qu'avant *Regards et jeux dans l'espace* de Saint-Denys Garneau publié en 1937 et les *Iles de la nuit* d'Alain Grandbois, en 1944, toute la poésie québécoise est vieillotte, moralisante, régionale, une poésie d'imitation toujours en retard d'un demi-siècle sur le courant international, c'est-à-dire français. Certes, on n'oublie pas de mentionner Émile Nelligan et l'École littéraire de Montréal qui, au début du siècle, ont tenté un effort pour sortir la poésie du patriotisme et la faire déboucher sur des formes « modernes » et des thèmes universels. Mais c'est la guerre de 1939-1945 qui marque encore une fois une rupture : désormais les poètes prennent conscience de leur existence individuelle et collective, cherchent à s'enraciner dans leur pays qu'ils retrouvent et célèbrent en termes éblouissants. En devenant un des moyens de prendre conscience des difficultés de vivre et de survivre, la poésie s'engage dans le réel afin d'élucider la situation politique, sociale et culturelle du groupe québécois comme tel et de son aliénation. Le quasi-échec de cette forme d'engagement entraîne la prolifération actuelle d'expériences sur le langage et la recherche de sources nouvelles d'inspiration.

Ceux qu'on appelle « les grands aînés », Saint-Denys Garneau, Grandbois, Anne Hébert et Rina Lasnier, ont amorcé le mouvement moderne de la poésie québécoise. Ils

1 Le film a remporté un prix hors concours au Festival de Cannes en 1973.

représentent une première prise de conscience psychologique du monde et de l'univers. Ils sont à l'origine de cet « âge de la parole » qui caractérise le Québec actuel. C'est le titre d'un recueil de Roland Giguère, L'*Âge de la parole*, qui rassemble des poèmes écrits durant les années cinquante, cette période de « Grande Noirceur », comme la nomme le poète (2) . A partir de cette date les poètes prennent corps, en particulier autour de l'Hexagone, une maison d'édition de poésie dont le principal animateur, jusqu'à maintenant, est Gaston Miron (L'*Homme rapaillé*). Il rassemble autour de lui une pléiade de jeunes poètes, Jean-Guy Pilon, Fernand Ouellette, Paul-Marie Lapointe (qui avait auparavant publié *Le Vierge incendié* en 1948) et d'autres. Parlant de l'extraordinaire unité du groupe, le critique et écrivain français Alain Bosquet (en introduction à une *Anthologie de la poésie québécoise* chez Seghers) conclut : « Depuis la poésie de la Résistance on n'avait vu telle ampleur révolutionnaire, tel but âprement défendu, telle nécessité de définir une patrie future. » Le rapprochement explicite avec la poésie de la Résistance française durant la dernière guerre est à bien des égards significatif. Il s'agit en effet d'une poésie de la résistance, contre les envahissements de l'extérieur. Cette poésie recourt à un thème privilégié : *le pays*, que les poètes associent à la femme, à la mémoire, qu'ils modulent et varient jusqu'à l'épuisement (*Recours au pays*, de Pilon, *Pays sans parole*, de Yves Préfontaine, *Ode au Saint-Laurent* de Gatien Lapointe, *Mémoire* de Jacques Brault, etc.).

On n'en reste pas à ce lyrisme chaleureux ; les poètes s'engagent dans l'action idéologique et révolutionnaire, en particulier autour de Parti Pris (1963 : maison d'édition, revue et club) qui embrasse le problème québécois d'un point de vue politique, et l'exprime par la théorisation et l'art littéraire (roman surtout, mais aussi poésie). Le poète Paul Chamberland domine le groupe. Son premier recueil, *Terre Québec* (1964), marque une date. C'est lui et son groupe qui sont responsables du vocable « québécois » en remplacement du mot « canadien-français », désormais piégé, synonyme de situation coloniale. Québec dans les derniers recueils de Chamberland, de Raoul Duguay et des jeunes poètes qu'on rassemble sous l'étiquette « Nouvelle culture », est un pays en devenir. La poésie de la « résistance », comme la nommait Alain Bosquet, est devenue une poésie de la *libération*, tournée vers l'avenir, cet avenir que le poète Miron définissait comme un avenir dégagé, un avenir engagé.

2 Il s'agit du gouvernement du premier ministre Maurice Duplessis qui a régné de 1944 à 1960.

AU THÉÂTRE

Le théâtre a lui aussi évolué rapidement, passant de sa forme populaire et radiophonique (*Tit-Coq* de Gratien Gélinas et *Un simple soldat* de Marcel Dubé) à une forme d'absurde (*Les Grands Départs* de Jacques Languirand), pour enfin trouver une veine québécoise, à la fois plus enracinée et plus universelle, utilisant le *joual* (qu'on dit inexportable) et proposant des sujets d'une indéniable originalité. Une pièce comme *Les Belles-sœurs* (écrite en 1965) est au point de départ du nouveau théâtre québécois, un théâtre-vérité, comme on dit cinéma-vérité. Il en est de même des pièces de jeunes dramaturges, Jean Barbeau (*Joualez-moi d'amour, Le Chemin de Lacroix*), de Jean-Claude Germain (*Le Roi des mises à bas prix*), de Sauvageau (*Wouf Wouf*). Ce théâtre en joual, quoi qu'on en ait dit, s'exporte et il peut même intéresser un public étranger, ainsi qu'on le constate au succès remporté par Les *Belles-sœurs* de Michel Tremblay (3).

LA CHANSON ET LE CINÉMA

La chanson québécoise a pris le relais de la poésie et a poussé plus loin et rendu plus urgent le mouvement de libération. Trois noms reviennent sans cesse et incarnent trois aspects du Québec contemporain : Félix Leclerc, le « père » de la chanson québécoise, lui donne ses lettres de noblesse, mais aussi l'engage dans la reconnaissance des réalités québécoises. Gilles Vigneault l'enracine dans le pays, celui de Natashquan, mais également celui du Québec aliéné, dominé par les étrangers dont le compositeur-interprète a souvent parlé dans ses interviews. Enfin Robert Charlebois, dépassant le contexte strictement québécois, embrasse l'Amérique et lui donne en français une nouvelle figure. Nous avons là l'évolution des différents genres littéraires qui passent du traditionalisme à l'enracinement, pour aboutir à une recherche d'une nouvelle culture, faite de l'alliage de ce qu'il y a de plus original chez soi et hors de soi.

Le cinéma, comme la chanson, est fait par des auteurs liés étroitement aux milieux littéraires ; Gilles Vigneault est poète comme Leclerc est écrivain ; Pierre Perrault, Gilles Groulx ont publié aussi des recueils de poésie ; Jacques

3 La pièce a été présentée à Paris en novembre et décembre 1973. Voir les critiques de Jean-Jacques Gautier (*Le Figaro*, 1er et 2 décembre 1973, 29), de Louis Marcorelles (*Le Monde*, 8 décembre 1973, 25), de Guy Dumur (*Le Nouvel Observateur*, 3-9 décembre 1973, 63), de Patrick de Rosbo (*Combat*, 27 novembre 1973, 12), etc.

Godbout est cinéaste ; Gilles Carle et Louis Portuguais ont fait partie, avec Gaston Miron, de la première équipe de l'Hexagone. De là vient que la même vision du Québec se répète de genre en genre, qui impose et renforce l'image de ce pays en voie de profonde mutation. Deux commentateurs français résument ainsi les deux axes d'orientation du cinéma québécois avant 1970 : « L'un, vers le constat, l'accumulation des signes et des témoins, de preuves d'existence (axe qui se signale par l'extraordinaire développement des techniques tant par l'image que le son du cinéma-direct, la virtuosité des cameramen et preneurs de son canadiens, le recours systématique aux non-acteurs, l'importance accordée à la parole comme manifestation privilégiée d'insertion sociale ou culturelle) (4) . L'autre, vers la contestation et l'agitation socio-politique : en débattant au centre même des films – directement (*Le Chat dans le sac* de Gilles Groulx) ou par le biais de la fable (*Le Révolutionnaire* de Jean-Pierre Lefebvre) (5) – les problèmes dans lesquels précisément le film a dû se débattre (d'où pour cet axe polémique le recours aux semi-fictions égarant le spectateur, l'importance du montage, le ton grinçant, la valeur globale d'agencement des éléments formels) » (6) . Les deux orientations sont nécessaires pour révéler aux Québécois à la fois leur situation et les contradictions dans lesquelles ils vivent. Ce cinéma marque une insertion dans la société et par son engagement indique les liens étroits qu'il a avec le milieu, sa réalité présente et son devenir.

LES ARTS ET LES LETTRES DEPUIS 1960

Si l'on voulait fixer une date importante dans la littérature du Québec contemporain, on devrait prendre aussi celle qui marque le début de la « révolution tranquille » : 1960. Plus que 1940 ou 1945, qui fut le moment du « refus global », 1960, en unissant les réalités artistiques et politiques dans une seule et même mutation, a été le moment privilégié d'une véritable explosion littéraire. Le « pays sans parole » est passé à « l'âge de la parole », pour reprendre des titres de recueils poétiques ; il est devenu *Terre Québec* qu'on écrit maintenant avec des K, KEBEK, comme pour

4 Exemple : *Pour la suite du monde* de Pierre Perrault.

5 On pourrait ajouter à ces deux titres *L'Acadie, l'Acadie* de Pierre Perrault et surtout *Les Ordres* de Michel Brault, grand prix de la mise en scène au Festival de Cannes 1975.

6 Jean-Louis Comolli et André S. Labarthe, « Le Cinéma québécois (...) Une leçon d'engagement », *Les Lettres françaises*, 3 janvier 1968, pp. 1 et 18.

l'enraciner dans les plus lointains souvenirs ou dans l'histoire amérindienne. Ce pays « sans bon sens » (Pierre Perrault), qui « n'est pas un pays mais l'hiver », comme le chante Gilles Vigneault, a aussi ses moments « brûlants », ainsi qu'on le constate dans les films de Gilles Carle (*Les Mâles, La Vraie Nature de Bernadette*). Comme partout ailleurs, la sexualité a gagné tous les domaines (voir les films de Denis Héroux) mais sans anéantir le besoin de se tenir au cœur du problème québécois : celui de la survie. Ce thème d'ailleurs prend un visage de plus en plus universel, ainsi qu'on l'a remarqué dans le film de Michel Brault, *Les Ordres*, grand prix de la mise en scène du Festival de Cannes 1975 : tout homme, québécois ou non, est aujourd'hui menacé par le système d'État, dont les appareils idéologiques et juridiques peuvent tôt ou tard abolir sa liberté. Qu'il soit écrivain, cinéaste, compositeur-interprète, poète, le Québécois est un homme engagé malgré lui dans l'aventure du monde présent. Là d'ailleurs se réconcilient enfin les deux pôles de l'attraction des intellectuels du Québec qu'un critique appelle leur « côté pied-noir » (la part française) et leur « côté peau-rouge » (la part américaine). Si, dans l'ensemble, les œuvres ne touchent pas directement à la problématique québécoise, elles sont toutes plus ou moins marquées par une réflexion sous-jacente, anxieuse et tendue, sur le destin d'un peuple menacé, dont les diverses facettes apparaissent plus nettement grâce au processus de distanciation littéraire. De plus en plus les auteurs s'éloignent de leurs textes, s'affranchissent de leur statut d'écrivain, laissant voir par là qu'ils ne sont plus obnubilés par la fonction jusqu'ici accordée à la littérature, qui serait d'être la conscience d'un groupe ou l'expression artistique d'un débat intérieur. On le sent dans les œuvres récentes, comme *D'Amour P. Q.* (Jacques Godbout), où l'écrivain « professionnel », qui a la tête en Europe et le corps en Amérique, travaille « avec et contre sa secrétaire » bilingue à sortir du monde artificiel construit par le langage de cette œuvre (fiction) désincarnée pour retrouver le monde réel du Québec. Dans les romans de Réjean Ducharme également, la vie pousse l'écriture dans tous les sens, jusqu'au dévergondage, de sorte qu'à la fin, l'auteur, ou son sosie dans l'œuvre, se dit en blaguant : « Je ne ferais pas un bon écrivain, mais je ferais une bonne écrevisse. » Ces revirements sont signes d'une profonde mutation, d'une sorte de rejet du déguisement national qui longtemps fut le signe des contradictions de l'homme québécois, habitant de cette terre française d'Amérique. La vieille tapette de *La Duchesse de Langeais* de Michel Tremblay le dit explicitement : « On est un peuple qui s'est *déguisé* pendant des années pour ressembler à un autre peuple ... On a été *travesti* pendant trois cents ans. » Au théâtre, les mots *déguisé* et *travesti* prennent leur sens plein et cachent l'impuissance politique, sociale, autant que sexuelle (dans ce drame de l'homosexualité) et littéraire ; le joual des personnages souligne ici la pseudo-virilité de ceux qui s'en servent avec exhibitionnisme. A la fois dans la littérature et la vie, le Québécois en est arrivé au moment de vérité ; vivre dans le présent, c'est accepter maintenant que l'espoir né au moment de la révolution tranquille se soit évanoui, que la déception, le désespoir lucide, même cynique, né des événements d'octobre 1970, qui n'en sont d'ailleurs pas la cause, deviennent le signe avant-coureur d'un nouveau départ. Peut-être fallait-il ces années de piétinement sur place pour voir renaître l'espérance, pour reprendre le fil de ce « rêve québécois » qui dans le roman de Victor-Lévy Beaulieu est le récit d'un meurtre rituel. On en a lu un autre dans *Kamouraska* d'Anne Hébert ; partout c'est la même aspiration à la liberté de l'individu opprimé par les institutions et les tabous sociaux et religieux, aspiration qui se solde par et dans le sang. Le Québec sort à peine d'un univers de magie, ainsi que le laisse entendre le dernier roman d'Anne Hébert, *Les Enfants du sabbat* ; la cabane de Julie n'est pas cette « cabane au Canada », comme on le chantait, mais une maison de sorciers, où le rire n'est pas proscrit, mais contamine même le couvent qui est le second lieu de cette farce religieuse. Comme dans *Une saison dans la vie d'Emmanuel* de Marie-Claire Blais où Héloïse ne voit plus les différences entre le couvent et le bordel, ici la sorcellerie et la religion sont un seul et même champ d'activités.

Les œuvres récentes dans tous les domaines, cinéma, arts visuels, chanson, littérature, indiquent un retour des auteurs vers le particulier, les problèmes individuels. Après un certain enthousiasme pour l'aventure collective de l'indépendance politique, que les poètes des années cinquante et soixante rêvaient d'exprimer par la *parole*, on semble désormais se retourner vers les individus pour les *chanter* (dans la chanson québécoise des dernières années), les traduire par l'*image* (dans les films) et l'*audio-visuel* (les spectacles poétiques de Raoul Duguay et Claude Péloquin). On n'a jamais autant créé de types de Québécois que dans les œuvres récentes : les « gens de mon pays » de Gilles Vigneault qui s'appellent Jos Montferrand, Jos Hébert, Caillou-la-Pierre, Tit-Paul ; ces personnages frondeurs mais inquiets de Jacques Godbout, le Galarneau de *Salut, Galarneau !* ; de Marie-Claire Blais, Jean-le-Maigre, Pomme et le Septième ; de Réjean Ducharme, les adolescents aux noms qui sont des jeux de mots : Inès

Pérée et Inat Tendu, Mille Milles, Etin Celan, comme les titres mêmes de ses romans : *L'Océan-tume* (l'amertume), *Le Nez qui voque* (l'équivoque), *L'Hiver de force* (la camisole de), *Les Enfantômes*.

Mais cette exubérance, ce débordement de vie et de fantaisie, vont devoir aussi « modérer leurs transports », comme on dit au Québec. Un des signes de ces changements est bien le « silence » de Gaston Miron, le meilleur des poètes du pays, celui qui a incarné cet espoir dans un avenir meilleur, « un avenir dégagé/un avenir engagé ». Depuis 1970, il a conseillé à ses amis de dire « en prose » ce qu'il a tenté d'exprimer dans ses très beaux poèmes. La « nouvelle culture » qui fait suite à ce retour au pays, à cette réappropriation du territoire national, à cette fondation d'une nouvelle patrie, a orienté dans un tout autre sens la recherche poétique. Mais en se dispersant dans toutes les autres directions : la marginalité, les expériences des communes, des drogues, la « nouvelle culture », influencée par le hippisme et rassemblant en grande partie les *drop-out* de la société de consommation, nous ramène au cœur des problèmes en mettant à nouveau l'accent sur la recherche d'une nouvelle identité québécoise, qui se situerait encore et toujours entre la France et l'Amérique. *La Complainte de Presqu'Amérique* de Robert Charlebois, le dernier des compositeurs-interprètes de réputation internationale, pose une nouvelle interrogation sur la culture québécoise ; le poème de Rimbaud (« Sensation ») qu'il a enfermé dans un rythme de « blues » américain montre clairement cet entre-deux, Presqu'Amérique, Presque France, où revient constamment la conscience du Québécois. Il en fut toujours ainsi ; « Nous ne fûmes jamais du jour », disait le poète Paul Chamberland ; et bien avant lui, Albert Lozeau s'écriait : « Je sens en moi grandir une âme d'étranger. » Pourtant cet exil chez soi qui caractérise la majorité des productions littéraires et artistiques du Québec devient de moins en moins un sentiment éprouvé et vécu. Pour paraphraser les mots d'un auteur du XIXe siècle, nous ressemblons à un vieux peuple exilé dans un pays nouveau qui se met à rajeunir peu à peu en y prenant racine. Les Québécois ont mis du temps à se sentir chez eux au Québec, mais ils sont maintenant bel et bien dans leur pays et bien décidés aussi d'y vivre leur vie comme ils l'entendent, c'est-à-dire pleinement.

Clément MOISAN   Jean-Marcel PAQUETTE

BIBLIOGRAPHIE QUÉBÉCOISE

L'édition québécoise, qui a pris son essor pendant la dernière guerre mondiale alors que la France vivait sous le régime de l'occupation allemande, s'est développée de manière très importante depuis les années 1960. Si, pendant la dernière guerre, on rééditait au Québec des ouvrages français, la production est aujourd'hui presque totalement québécoise, et assurée par près de quatre-vingts maisons d'édition.

On comprendra que la présente bibliographie ne soit qu'une sélection très succincte de cette production, caractérisée par une vitalité tout à fait surprenante pour une population d'à peine plus de cinq millions de francophones. N'ont été retenus que les ouvrages les plus marquants et reconnus chacun dans son genre. On peut sans doute discuter le choix lorsqu'il s'agit d'œuvres littéraires comme de tout œuvre d'art. Les études générales étant nombreuses sur le Québec d'aujourd'hui, qui comportent presque toutes des bibliographies spécialisées, on pourra aisément s'y reporter pour compléter l'information essentielle donnée ici.

BIBLIOGRAPHIE

Catalogue de l'édition au Canada français publié par le Conseil Supérieur du livre, Montréal 1969-1970, 504 p.

Catalogue des livres canadiens en librairie, Toronto University Press/Québec, Presses de l'Université Laval, 1971, 914 p.

NAAMAN (Antoine) : Guide bibliographique des thèses littéraires canadiennes de 1921 à 1969, Sherbrooke, éd. Cosmos, 1970, 340 p.

BARBEAU (Victor), FORTIER (André) : Dictionnaire bibliographique du Canada français, Montréal, Académie, 1974, 246 p.

Vient de paraître, une bibliographie québécoise (4 numéros par an), Edi-Québec, 436 est, rue Sherbrooke est, Montréal H2L IJ6.

Bibliographie du Québec. Mensuel des publications québécoises ou relatives au Québec, établi par la Bibliothèque Nationale du Québec. (Distribution gratuite sur demande écrite aux institutions et associations), Bibl. Nat. du Québec, Service des publications, 1700 rue Saint-Denis, H2X 3K6.

GÉOGRAPHIE

BLANCHARD (Raoul) : *Le Canada français*, Paris, Fayard, 1960, 316 p.
Actuellement épuisé.

BLANCHARD (Raoul) : *Le Canada français*, Paris, P. U. F., Coll. « Que sais-je ? », 1966, 128 p.

GRENIER (Fernand) et HAMELIN (Jean) : *Le Québec* (Atlas), Montréal, éd. du Renouveau pédagogique, 1971, 80 p.

GRENIER (Fernand) et collaborateurs : *Le Québec*, Montréal, E. R. P. I., (Coll. géographie contemporaine).

HISTOIRE

AUDET (Louis-Philippe) : *Histoire de l'enseignement au Québec*, Montréal, Holt. Rinehart et Winston, 1971, Tome I, 432 p. et Tome II, 496 p.

BERGERON (Léandre) : *Petit manuel d'histoire du Québec*, Montréal, éd. québécoises, 1970, 249 p.
L'histoire revue et corrigée par un indépendantiste québécois. Humoristique.

GIRAUD (Marcel) : *Histoire du Canada*, Paris, P. U. F., Coll. « Que sais-je ? », 1966, 128 p.

GROULX (Lionel) : *Les Canadiens français et la Confédération*, Montréal, l'Action française, 1927, 142 p., épuisé.
Une page importante de l'histoire du Canada vue par le grand historien nationaliste.

GROULX (Lionel) : *L'appel de la race*, Montréal, Fides rééd. 1970, Coll. « Nénuphar ».
Le symbole de plusieurs générations.

GROULX (Lionel) : *Histoire du Canada français depuis la découverte*, Tome I, le régime français, Tome II, le régime britannique, Montréal, Fides, 1969, Coll. « Fleur de Lys ».

GROULX (Lionel) : *Mes mémoires*, Montréal, Fides, 1970-1971-1973-1975, 4 tomes.

HAMELIN (Jean) : *Histoire du Québec*, Toulouse, Privat, 1976, 600 p.
L'étude la plus récente, ouvrage fondamental pour l'histoire du Québec.

LANCTOT (Gustave) : *Histoire du Canada*, 3 tomes, Montréal, Beauchemin, 1960, rééd. 1967, Tome I, 460 p., Tome 2, 370 p., Tome 3, 400 p.
Histoire de la Nouvelle-France jusqu'en 1763.

ROBERT (Jean-Claude) : *Du Canada français au Québec libre*, Paris, Flammarion, 1975, 328 p.

RUMILLY (Robert) : *Histoire de la province du Québec*, Montréal, Fides, 41 t.
Une histoire monumentale, très détaillée.

RUMILLY (Robert) : *Histoire de Montréal*, Montréal, Fides, 1970-1972, Tome I : 1636-1760, 474 p. Tome 2 : 1760-1867, 418 p. Tome 3 : 1867-1918, 524 p.

WADE (Mason) : *Les Canadiens français de 1760 à nos jours*, 2 tomes, Montréal, Cercle du Livre de France, 1966, 685 p. et 596 p.
Ouvrage très bien documenté, faisant autorité.

Dictionnaire biographique du Canada, Québec, Presses de l'Université Laval, 4 tomes déjà parus. Tome I : De l'an 1000 à 1700, 1966, 800 p. Tome 2 : De 1701 à 1740, 1969, 800 p. Tome 3 : De 1741 à 1770, 1974, 842 p. Tome 10 : De 1871 à 1880, 1972, 916 p.

SOCIOLOGIE ET POLITIQUE

Les insolences du frère untel, Préface d'André Laurendeau, Montréal, les éd. de l'homme, 1960, 154 p.
Le premier livre québécois à dépasser le tirage de 100 000 exemplaires. Pamphlet alerte, spirituel et vif qui explique la « Révolution tranquille » de 1960.

BERGERON (G.) : *Le Canada français après deux siècles de patience*, Paris, éd. du Seuil, 1967.

BERQUE (Jacques), éditeur : *Les Québécois*, Paris, Maspero, 1968, Montréal, Parti pris, 1971.
Études parues dans la revue *Parti pris* ; analyses de la situation et des structures de la vie quotidienne du colonisé québécois.

DION (Léon) : *La Prochaine Révolution*, Montréal, Leméac, 1973, 358 p.

DUMONT (Fernand) et FALARDEAU (Jean-Charles) : *Littérature et Société canadienne-française*, Québec, Presses de l'Université Laval, 1964.
Communications d'un colloque organisé à l'Université Laval, Québec.

DUMONT (Fernand) : *La Vigile du Québec, Octobre 70, l'impasse ?*, Montréal, H. M. H., 1971.
Réflexions d'un humaniste engagé après l'assassinat du ministre Pierre Laporte et la réaction des gouvernements, fédéral et provincial.

LEVESQUE (René) : *Option Québec*, Montréal, éd. de l'Homme, 1968, 175 p.
L'option politique du chef du parti indépendantiste.

RIOUX (Marcel) et MARTIN (Yves) : *La Société canadienne-française*, Montréal, éd. Hurtubise H. M. H., 1971.

RIOUX (Marcel) : *La Question du Québec*, Paris, Seghers, 1969, 184 p.

RIOUX (Marcel) : *Les Québécois*, Paris, éd. du Seuil, 1974, 188 p.

VADEBONCŒUR (Pierre) : *Un génocide en douce*, Montréal, Hexagone/Parti Pris, 190 p.

CIVILISATION

LAPIERRE (Laurier) : *Québec : hier et aujourd'hui*, Toronto, Mc Millan, 1967, 306 p.
Civilisation par les textes, avec bibliographie ; manuel préparé pour des anglophones.

COTNAM (J.), BLAIS (J.), DIKSON (R.) : *Vivre au Québec*, Toronto, éd. Mc Clelland et Stewart, 1972, tome I, 111 p.
Même type d'ouvrage, plus simple.

LANGUE

LA SOCIÉTÉ DU PARLER FRANÇAIS AU CANADA : *Glossaire du parler français au Canada*, Québec, l'Action sociale, 1930, 705 p., rééd. 1967.

DULONG (Gaston) : *Bibliographie linguistique du Canada français*, Paris, Québec, Klincksieck, Presses de l'Université Laval, 1966.

GENDRON (Jean-Denis), STRAKA (Georges) : *Études de linguistique franco-canadienne*, Paris, Québec, Klincksieck, Presses de l'Université Laval, 1967, 176 p.
Communications présentées au 34e Congrès de l'Association canadienne-française pour l'avancement des sciences, 1966.

MARCEL (Jean) : *Le Joual de Troie*, Montréal, éd. du Jour, 1973, 234 p.
Un remarquable pamphlet pour la défense de la langue française.

Commission royale d'enquête sur le bilinguisme et le biculturalisme. *Rapport de la commission*, Ottawa, Imprimeur de la Reine, 1967.

Commission d'enquête sur la situation de la langue française et sur les droits linguistiques au Québec : *La situation de la langue française au Québec. Rapport de la commission*, Québec, Éditeur officiel, 1972-1973, 4 tomes.

HISTOIRE DE LA LITTÉRATURE

BESSETTE (Gérard), GESLIN (L.), PARENT (C.) : *Histoire de la littérature canadienne-française par les textes*, Montréal, Centre éducatif et culturel, 1968, 704 p.
Ouvrage scolaire destiné principalement à l'enseignement secondaire.

GRANDPRE (Pierre de) : *Histoire de la littérature française du Québec*, 4 tomes, Montréal, Beauchemin, 1969-1970.
Ouvrage en collaboration, très détaillé, abondamment illustré.

MAILHOT (Laurent) : *La littérature québécoise*, Paris, P. U. F., 1974.
Le « Que sais-je ? » sur le sujet.

TOUGAS (Gérard) : *Histoire de la littérature canadienne-française*, Paris, P. U. F., 1964, 312 p.
Une très bonne étude des origines au renouveau littéraire des années 1960.

VIATTE (Auguste) : *Histoire de la littérature française en Amérique*, Paris, Québec, P. U. F., Presses de l'Université Laval, 1954, 560 p.

En préparation : *Dictionnaire des œuvres littéraires du Québec* (sous la direction de Maurice Lemire).

ÉTUDES SUR LA LITTÉRATURE QUÉBÉCOISE

BESSETTE (Gérard) : *Une littérature en ébullition*, Montréal, édit. du Jour, 1968, 315 p.
Étude perspicace de quelques auteurs importants.

BLAIS (Jacques) : *De l'Ordre et de l'Aventure. La Poésie au Québec de 1934 à 1944*, Québec, Presses de l'Université Laval, 1975, 410 p.

FALARDEAU (Jean-Charles) : *Notre société et son roman*, Montréal, H. M. H., 1967, 234 p.
Étude sociologique de romans de la fin du XIXe siècle et du milieu du XXe siècle.

GODIN (Jean-Cléo), MAILHOT (Laurent) : *Le Théâtre québécois contemporain*, Montréal, P. U. M., 1973, 276 p.

LAROCHE (Maximilien) : *Le Miracle et la Métamorphose*, Montréal, éd. du Jour, 1970, 240 p.
Essai sur les littératures du Québec et d'Haïti.

MARCOTTE (Gilles) : *Une littérature qui se fait*, Montréal, H. M. H., 1962, rééd. 1968, 307 p.
Études de romanciers et de poètes ; un bilan fait dans les débuts de la révolution tranquille.

MARCOTTE (Gilles) : *Le Temps des Poètes*, Montréal, H. M. H., 1969.
Description critique de la poésie depuis l'Hexagone (1953) jusqu'à la fin des années soixante.

MARCOTTE (Gilles) : *Le Roman à l'imparfait*, Montréal, éd. de la Presse, 1976.
Étude des romanciers récents.

ROBIDOUX (R.) et RENAUD (A.) : *Le Roman canadien-français du vingtième siècle*, Ottawa, éd. de l'Université d'Ottawa, 1966, 224 p.
Perspective littéraire.

Archives des lettres canadiennes-françaises, éd. de l'Université d'Ottawa ; n° 3 : *Le Roman canadien-français*, 1964, 458 p. ; n° 4 : *La Poésie canadienne-française*, 1969, 700 p. ; n° 5 : *Le Théâtre canadien-français*, 1976, 800 p.

ROMAN

SAVARD (Félix-Antoine) : *Menaud, maître-draveur*, Montréal, Fides, coll. « Alouette bleue », 1937, rééd. 1971, 215 p.
Roman de la revendication nationale. Le grand roman régionaliste québécois.

RINGUET : *Trente arpents*, Montréal, Fides, Livre de poche, 1938, rééd. 1957, 306 p.
Le dernier roman de la terre ou la fin de l'époque agriculturiste.

ROY (Gabrielle) : *Bonheur d'occasion*, Montréal, Beauchemin, 1945, rééd. 1970, 345 p. (Prix Femina 1947).
Le premier roman de la ville et un très grand roman réaliste.

LANGEVIN (André) : *Poussière sur la ville*, Montréal, Cercle du livre de France, 1953, rééd. 1972, 213 p.

THERIAULT (Yves) : *Agaguk*, Roman esquimau, Montréal, éd. de l'Homme, 1958, rééd. 1971, 318 p.
Le roman le plus connu d'Yves Thériault qui s'est surtout attaché aux minorités (juifs, esquimaux, indiens).

AQUIN (Hubert) : *Prochain épisode*, Montréal, Cercle du livre de France, 1965, 174 p.
Le nouveau roman québécois.

BLAIS (Marie-Claire) : *Une saison dans la vie d'Emmanuel*, Montréal, éd. du Jour, 1965, 11e éd., coll. « Les romanciers du jour », 127 p. (Prix Médicis 1966).
Un nouveau réalisme et une nouvelle compréhension du Québec.

DUCHARME (Réjean) : *L'Avalée des avalés*, Paris, Gallimard, 1966, 288 p.
Contestation du monde des adultes. Abondamment commenté en France et au Québec.

DUCHARME (Réjean) : *L'Hiver de force*, Paris, Gallimard, 1973.
Un autre grand roman centré sur la principale saison du Québec.

RENAUD (Jacques) : *Le cassé*, Montréal, éd. Parti Pris, 1968, 124 p.
Roman en « joual ».

FERRON (Jacques) : *L'Amélanchier*, Montréal, éd. du Jour, coll. « Les romanciers du jour », 1970, 163 p.
Conte poétique présenté avec humour.

GODBOUT (Jacques) : *Salut, Galarneau*, Paris, éd. du Seuil, 1967, 156 p.
Un héros québécois au langage savoureux. Roman très intéressant pour comprendre le phénomène linguistique québécois.

HEBERT (Anne) : *Kamouraska*, Paris, éd. du Seuil, Livre de Poche, 1970, 256 p.
Une tragédie de l'amour au XIXe siècle sur le ton du mythe poétique. (Claude Jutra en a fait un film, avec Geneviève Bujold).

POÉSIE

Les grands « aînés » : points de repère importants pour la poésie contemporaine.

GRANDBOIS (Alain) : *Iles de la nuit*, Montréal, éd. Parizeau, 1944, 134 p.

HEBERT (Anne) : *Poèmes*, Préface de Pierre Emmanuel, Paris, Le Seuil, 1960, 110 p.

LASNIER (Rina) : *Poèmes*. (Tome I : Images et Proses ; Madones canadiennes ; Le Chant de la montée ; Escales ; Présence de l'absence. Tome II : Mémoires sans jours ; Les gisants ; l'Arbre blanc ; Poèmes anglais). Montréal, Fides, 1972, coll. « Nénuphar ».

SAINT-DENYS GARNEAU (Hector de) : *Poésies complètes. Regards et jeux dans l'espace. Les solitudes*, Montréal, éd. Fides, Coll. « Nénuphar », 1937, rééd. 1970, 226 p.

Sur les quatre poètes : consulter le « Poètes d'aujourd'hui » (Paris, Seghers) qui leur est consacré.

L'âge de la parole

GIGUERE (Roland) : *L'Âge de la parole*, Montréal, l'Hexagone, 1964, 170 p.

LAPOINTE (Paul-Marie) : *Le vierge incendié* in *Le réel absolu*, (*Poèmes 1948-1965*), Montréal, l'Hexagone, 1971, 270 p.

LAPOINTE (Paul-Marie) : *Tableaux de l'amoureuse*, Montréal, l'Hexagone, 1974, 101 p.

OUELLETTE (Fernand) : *Poésies. (Poèmes 1953-1971)*, Montréal, l'Hexagone, 1972.

La thématique du pays

BRAULT (Jacques) : *Mémoires*, Montréal, Déom, 1965, Paris, Grasset, 1968.

CHAMBERLAND (Paul) : *Terre Québec*, Montréal, Déom, 1964, Coll. « Littérature canadienne », 77 p.

LAPOINTE (Gatien) : *Ode au Saint-Laurent*, Montréal, éd. du Jour, Coll. « Les poètes du jour », 1963, rééd. 1969, 94 p.

MIRON (Gaston) : *L'Homme rapaillé*, Montréal, Presses de l'Université de Montréal, 1970, 171 p.

PILON (Jean-Guy) : *Comme eau retenue*, Montréal, l'Hexagone, 1969, 195 p.

THÉÂTRE

Théâtre populaire et traditionnel

DUBE (Marcel) : *Le Temps des lilas*, Montréal, éd. Leméac, 1969, 187 p.

DUBE (Marcel) : *Au retour des oies blanches*, Montréal, éd. Leméac, 1966.

GELINAS (Gratien) : *Ti-coq*, Montréal, éd. de l'Homme, rééd. 1968, 200 p.

GELINAS (Gratien) : *Bousille et les justes*, Montréal, éd. de l'Homme, rééd. 1967, 104 p.

Théâtre moderne

BARBEAU (Jean) : *Joualez-moi d'amour*, Montréal, éd. Leméac, 1972, 97 p.

BARBEAU (Jean) : *Goglu*, Montréal, éd. Leméac, 1971, 70 p.

TREMBLAY (Michel) : *Les Belles-sœurs*, Montréal, éd. Leméac, 1971, 71 p.
La pièce la plus jouée au Québec et en dehors du Québec.

TREMBLAY (Michel) : *A toi pour toujours, ta Marie-Lou*, Montréal, éd. Leméac, 1971, 94 p.

CHANSONS

LECLERC (Félix) : *Moi, mes souliers*, Philips 6332 163.
Le premier grand chanteur canadien.

LECLERC (Félix) : *Pieds nus dans l'aube*, Montréal, Fides, 1969.
Un recueil de contes et fables.

VIGNEAULT (Gilles) : *Les grands succès de Vigneault*, Columbia GFS 90003, 2 disques.
De l'inspiration folklorique à la chanson québécoise engagée d'aujourd'hui.

CHARLEBOIS (Robert) : *Les grands succès de Charlebois*, Gamma 921003, 2 disques.
Du folk-pop en québécois.

Ainsi que : Georges Dor, Jean-Pierre Ferland, Claude Léveillée, Louise Forestier, Pauline Julien, Monique Leyrac, Diane Dufresne, Beau Dommage, etc.

CINÉMA

BRAULT (Michel) : *Les Ordres*, (1974).
Prix du festival de Cannes 1975.
Les troubles d'octobre 1970 vus par l'inventeur du « cinéma-vérité ».

CARLE (Gilles) : *Les Mâles*, (1970-1971).
Une gauloiserie québécoise dans son langage savoureux.

GROULX (Gilles) : *Le Chat dans le sac*, (1964).
La contestation du milieu exprimée directement.

JUTRA (Claude) : *Mon oncle Antoine*, (1971).
Chef-d'œuvre du cinéma québécois. Prix du festival international des films francophones. Dinard 1972.

LEDUC (Jacques) : *On est loin du soleil*, (1970).
Le cinéma expérimental.

LEFEBVRE (Jean-Pierre) : *Le Révolutionnaire*.
L'agitation socio-politique par le biais de la fable.

PERRAULT (Pierre) : *Pour la suite du monde*, (1964).
Cinéma-vérité : la chasse aux marsouins de l'Ile-aux-Coudres.

N. B. La plupart des films québécois sont diffusés par l'Office national du film et par l'Office du film québécois.

PUBLICATIONS COURANTES ET REVUES

Le Devoir. 211 rue Saint-Sacrement, Montréal, Canada H2Y 1X1.

La Presse. 7 ouest, rue Saint-Jacques, Montréal, Canada H2Y 1K9.

Le Soleil. 390 est, rue Saint-Vallier, Québec, Canada G7K 7J6.

Le Droit. 375 rue Rideau, Ottawa, Canada K1N 5Y7.
(Ces quatre journaux ont un supplément littéraire le samedi).
Voix et Images du pays (2 numéros par an), Les Presses de l'Université du Québec, C/P. 250, Succursale N, Montréal 129, Québec.
Études françaises (4 numéros par an), Presses de l'Université de Montréal, C. P. 6128, Canada H3C 3J7.
Études littéraires (3 numéros par an), Presses de l'Université Laval, C. P. 2447, Québec, Canada.
Présence francophone (2 numéros par an), C. E. L. E. F., Université de Sherbrooke, Canada.
Livres et auteurs québécois (revue critique annuelle), Presses de l'Université Laval, C. P. 2447, Québec, Canada.
Revue d'histoire de l'Amérique française (fondée par Lionel Groulx), 4 numéros par an. Institut d'Histoire de l'Amérique française, 261 avenue Bloomfield, Outremont, Montréal H2V 3R6.

Le Jour, 1435, rue de Bleury, Montréal. Nouvel hebdomadaire qui a pris la relève du quotidien indépendantiste.

Numéros spéciaux de revues françaises

Esprit, articles consacrés au Québec, numéros 7-8 juillet-août 1969.
Europe, « Littérature du Québec », février-mars 1969.
Les Lettres nouvelles, « Écrivains du Canada », décembre 1966-janvier 1967.
Revue d'histoire littéraire de la France, « Le Québec et sa littérature », septembre-octobre 1969.
Langue française, « Le français au Québec », n° 31, septembre 1976.
Cahiers de l'Herne (en préparation).

Divers

BORDUAS (Paul-Émile) : *Le Refus global*, Montréal, 1948, rééd. Parti Paris, 1974.
Le manifeste des « automatismes » québécois. La célèbre école de peinture (Borduas, Riopelle, Pelan . . .) influença les arts québécois ; en particulier la poésie et la musique.
PALARDY (Jean) : *Les meubles anciens du Canada français*, Montréal, Cercle du livre de France.
LESSARD (Michel) et MARQUIS (Huguette) : *Encyclopédie de la maison québécoise*, éd. de l'Homme, Montréal.
Collection « Arts, Vie et Sciences au Canada français », ministère des Affaires culturelles, 9 volumes parus (théâtre, musique, peinture . . .).
Collection « Civilisation du Québec », ministère des Affaires culturelles, (poteries, églises et maisons du Québec . . .).

ORGANISMES

CENTRES DE RECHERCHE

Atlas linguistique de l'Est du Canada, Université Laval, Directeur : Gaston Dulong.
Banque de terminologie, Université de Montréal, Directeur : Marcel Paré.
Centre de recherche en civilisation canadienne-française, Université d'Ottawa, Directeur : Pierre Savard.
Centre d'études des littératures d'expression française, Université de Sherbrooke, Directeur : Léo Brodeur.
Centre international de recherche sur le bilinguisme (C. I. R. B.), Université Laval, Directeur : Jean-Guy Savard.

Centre d'études sur la langue, les arts et les traditions populaires (C. E. L. A. T.) ; Université Laval, Directeur : Jean-Claude Dupont.

Dictionnaire des œuvres littéraires du Québec, Université Laval, Directeur : Maurice Lemire.

PRINCIPALES MAISONS D'ÉDITION

Cercle du livre de France, 8955 boulevard Saint-Laurent, Montréal.

Éditeur officiel du Québec, Hôtel du Gouvernement, Québec.

Éditions Beauchemin, 450 avenue Beaumont, Montréal.

Éditions de l'Hexagone, 1773 rue Saint-Denis, Montréal.

Éditions de l'Homme, 1130 est, rue Lagauchetière, Montréal.

Éditions de l'Université d'Ottawa, Université d'Ottawa, Ontario.

Éditions du Jour, 1651 rue Saint-Denis, Montréal 129.

Éditions Fides, 245 est, Boulevard Dorchester, Montréal.

Éditions Garneau, rue Buade, Québec.

Éditions Hurtubise H. M. H., 380 ouest, rue Craig, Montréal.

Éditions Leméac, 371 ouest, avenue Laurier, Montréal.

Éditions Parti Pris, C. P. 149, Station N, Montréal 129.

Les Presses de l'Université Laval, C. P. 2447, Québec 2.

Les Presses de l'Université de Montréal, C. P. 6128, Montréal H3C 3J7.

Les Presses de l'Université du Québec, 3465, rue Durocher, Montréal 130.

AUTRES ORGANISMES IMPORTANTS

Bibliothèque nationale du Québec, 1700 rue Saint-Denis, Montréal 129.

Conseil supérieur du livre, 436 est, rue Sherbrooke, Montréal.

Ministère des Affaires culturelles du Québec, Gouvernement du Québec, 955 chemin Saint-Louis, Québec-Sillery.

O. F. Q. (Office du film du Québec), 1601 bld Hamel, Québec-Duberger.

O. N. F. (Office national du film), 550 ouest, rue Sherbrooke, Montréal.

Office du tourisme du Québec, Ministère du Tourisme, Chasse et Pêche, Gouvernement du Québec, 12 rue Sainte-Anne, Québec.

Régie de la langue française, 700 est boulevard Saint-Cyrille, Place Hauteville, Québec G1A 1J5 et B. P. 316, Tour de la Bourse, 800 Place Victoria, Montréal.

Le Canada

b/ L'Acadie

INTRODUCTION

Pour ceux qui connaissent la côte est du Canada, le terme Acadie évoque un petit peuple fier, parlant français, qui a une culture, des traditions, une histoire et, depuis bientôt cent ans, son drapeau, son hymne et sa fête nationale. C'est de toute évidence bien insuffisant pour en faire un pays autonome, mais plus qu'il n'en faut pour que les Acadiens se sentent profondément distincts de l'ensemble des Canadiens (et même de leurs cousins, les Québécois) et bien enracinés dans ces trois provinces maritimes qui constituaient jadis leur pays à eux.

Mais que désigne-t-on exactement aujourd'hui sous le terme d'Acadie, car, dans les faits, il ne correspond à aucun territoire juridique, ce qui fait que, bien souvent, on a tendance à l'assimiler à la Louisiane ou au Québec ?

GÉOGRAPHIE

On ignore souvent à l'étranger que les quelque six millions de Canadiens de langue française sont issus de deux peuplements venus de France qui ont connu depuis toujours un essor et un cheminement historique fort différents. La grande majorité d'entre eux vivent au Québec et forment aujourd'hui un peuple dont la vigueur et l'indépendance culturelle sont bien connues. Les Acadiens pour leur part, dont le nombre se situe aux environs de 350 000, se trouvent disséminés le long du littoral atlantique dans les trois provinces dites maritimes, soit le Nouveau-Brunswick, la Nouvelle-Écosse et l'île du Prince-Édouard. La population de ces trois provinces est aujourd'hui très largement constituée d'anglophones, pour qui l'Acadie n'existe plus. Néanmoins, dans la province du Nouveau-Brunswick en particulier, où les Acadiens forment environ 38 pour cent de la population globale, ils ont réussi à gagner beaucoup de terrain ces dernières années, notamment sur le plan des droits linguistiques, culturels et politiques.

ORIGINE DES ACADIENS

Il semble que ce soit assez difficile de connaître de façon certaine la provenance des premiers Français qui arrivèrent en Acadie à partir de 1604. Geneviève Massignon, dans une savante étude linguistique sur les parlers français d'Acadie (1), a dépouillé de nombreux registres qui l'ont menée à préciser l'origine des quelque cent familles qui constituent la souche de l'actuelle population acadienne et

1 G. Massignon, *Les Parlers français d'Acadie*, enquête linguistique, Paris, Klincksieck, 1962.

dont les plus nombreux portent les noms de Leblanc, Arsenault, Gallant, Cormier, Boudreau, Doucet, Landry, Léger.

En 1650, l'Acadie comptait 400 habitants ; en 1686, ils n'étaient encore que 900. Au moment de la Déportation, en 1755, leur nombre s'élevait à environ 18 000. De ces colons arrivés en Acadie, entre 1630 et 1713 surtout, plus de 50 pour cent étaient originaires du Centre-Ouest de la France (Touraine, Anjou, Poitou, Aunis). Les autres venaient de Bretagne, de Normandie, d'Ile-de-France et du Pays basque.

HISTOIRE

La fondation de l'Acadie remonte à 1604 et précède de trois ans celle de Québec. En 1605, Champlain et de Monts y fondaient Port-Royal, aujourd'hui Annapolis en Nouvelle-Écosse. Durant le siècle qui suivit cet établissement au Canada, l'Acadie changea d'allégeance neuf fois, passant successivement aux mains de la France et de l'Angleterre. Ce n'est qu'au traité d'Utrecht en 1713 que la France cédait définitivement l'Acadie à l'Angleterre.

Juridiquement coupé de la France et de Québec (colonie qui restera française jusqu'en 1760), le peuple acadien vécut la plus complète solitude politique et morale. Quant à son nouveau maître, l'Anglais, il le considérait comme un étranger, pour ne pas dire un ennemi, dont il apprit vite à se méfier. Néanmoins, malgré la réticence de l'Angleterre, les Acadiens parvinrent à obtenir un statut particulier de neutralité les dispensant de combattre contre la France aux côtés des Anglais.

Durant quarante ans de tranquillité relative, la politique anglaise ne fit que sommeiller. Elle se réveilla en étonnant le monde par la cruauté de ce décret qui fut exécuté avec la plus grande rigueur en 1755 : l'ordre avait été donné de s'emparer des Acadiens et de les déporter par mer dans les diverses colonies anglaises, surtout à l'Est des États-Unis actuels.

La déportation, que les Acadiens ont appelée le « Grand Dérangement », a fait se cristalliser toute leur histoire autour de cet événement qui toucha 15 000 d'entre eux.

L'EXIL ET LE RETOUR

Un nombre très restreint de « dispersés » demeurèrent dans les États anglais où on les avait éparpillés. De là s'esquissèrent quatre grands mouvements de retour : les uns se réfugièrent en Louisiane, qui était alors une colonie française (600 000 de leurs descendants y vivent toujours) ;

d'autres furent envoyés en Angleterre où on les retint prisonniers pendant plusieurs années. De ce groupe, certains regagnèrent plus tard l'Amérique alors que d'autres s'établirent à Belle-Ile-en-Mer, au large de la Bretagne. Un bon nombre d'Acadiens quittèrent la Nouvelle-Angleterre pour aller s'établir au Québec où l'on trouve 400 000 de leurs descendants. Et enfin, il y a ceux qui regagnèrent clandestinement leur ancienne patrie et qui s'établirent le long des côtes du Nouveau-Brunswick. Sans ressources, sans instruction, traqués, ils survécurent dans l'isolement et le dénuement les plus complets. En 1803, on en dénombrait 8 500 dans les trois provinces maritimes ; ce sont les ancêtres des 350 000 Acadiens d'aujourd'hui.

Peut-être le plus touchant épisode de l'odyssée acadienne se situe dans l'isolement quasi absolu que connurent les « rapatriés » pendant le siècle et demi qui suivit la déportation. Il fallut attendre la seconde moitié du XIXe siècle pour assister aux premiers mouvements de la renaissance acadienne. En 1881, au premier congrès qu'ils organisaient à Memramcook, les Acadiens osaient affirmer leur identité comme peuple et ils décidaient de prendre en main leur destinée. A partir de 1900, une nouvelle étape était franchie dans l'histoire de l'Acadie : l'ère de la lutte se transformait lentement en une ère de réalisations. Dans les régions acadiennes éparses, entourées d'anglophones, on a continué de parler français ; coutumes, mentalité et traditions ont fait leur chemin, et les Acadiens sont restés eux-mêmes avec une ténacité et une fidélité exemplaires. S'ils sont parvenus à encaisser la malveillance par trop fréquente de leurs voisins anglais, c'est qu'ils avaient encore confiance en l'avenir et qu'ils croyaient en la nécessité de garder leur langue et leur religion qui, pour eux, allaient de pair.

LA LANGUE FRANCO-ACADIENNE

La langue acadienne se distingue du français parlé en France et même de celui parlé au Québec. Certains linguistes considèrent cette langue comme l'une des plus originales de la francophonie. Le français d'Acadie doit son originalité à plusieurs facteurs, mais surtout au manque de rapports avec la mère patrie. En effet, isolé de la France et séparé de l'évolution linguistique de ce pays, le parler acadien a évolué plus lentement et a pu conserver des formes qui sont devenues archaïques dans la mère patrie ainsi que des termes qui étaient particuliers à certaines régions de France.

Par exemple, on dit toujours en Acadie : abrier (pour couvrir), déconforté (découragé), hucher (crier), bailler (donner), espérer (attendre), mouiller (pleuvoir), bouchure (clôture), frette (froid). De même, plusieurs mots couramment utilisés proviennent de termes nautiques qui ont été appliqués à une autre réalité. Ainsi dit-on amarrer ses souliers ou son cheval (pour attacher), embarquer dans une voiture (au lieu de monter), haler un traîneau ou un poids quelconque (pour tirer), se gréer (pour s'habiller). Un glossaire de tous les termes acadiens avec leur origine et leur utilisation avait été préparé par l'écrivain Pascal Poirier, mais, faute d'éditeur, il n'a jamais été publié. Le manuscrit comprend environ deux mille pages.

Geneviève Massignon, qui a longuement étudié cette question dans une volumineuse thèse d'État, caractérise ainsi cette langue demeurée très près du vieux français. « Il est remarquable, dit-elle, en dépit de l'isolement, que le langage des Acadiens ne soit pas devenu un français dialectal, mais ait conservé un large fond commun avec le français de France. [. . .] La différence entre langue populaire (langue maternelle) et langue enseignée (langue classique) est moins grande – anglicismes mis à part – en Acadie que dans la plupart des régions de France. Cela tient à la phonétique, à la morphologie et à la syntaxe acadiennes, plus encore qu'au vocabulaire » (2) .

Il faut dire cependant que le parler acadien a beaucoup évolué ces dernières années, tout comme la plupart des parlers locaux d'ailleurs. Ce phénomène est dû en grande partie, d'une part à l'extension du réseau canadien-français de radio et de télévision, et d'autre part au fait que les jeunes Acadiens d'aujourd'hui peuvent enfin recevoir une éducation entièrement dans leur langue maternelle.

En effet, au XIXe siècle, les gouvernements des trois provinces maritimes avaient fait passer des lois interdisant l'usage du français dans les écoles. Ce n'est qu'au début du XXe siècle, sous la pression des associations acadiennes nouvellement formées, que les gouvernements commencèrent à tolérer le français à l'école. Aujourd'hui, après plus d'un siècle de lutte, la plupart des Acadiens peuvent fréquenter des écoles françaises dans des districts scolaires souvent gérés par des francophones. Depuis 1963, l'Acadie a son université française subventionnée par le gouvernement (l'université de Moncton), de même que son École normale (faculté d'éducation). Du point de vue politique, la province du Nouveau-Brunswick a été déclarée officiellement bilingue dans les années 60, sous le gouvernement de Louis Robichaud, le premier Acadien à devenir Premier ministre de sa province. Depuis, le parlement fonctionne dans les deux langues officielles, l'anglais et le français, avec traduction

2 *Idem*, p. 753.

simultanée, tout comme à Ottawa. En 1974, même le ministère de l'Éducation du Nouveau-Brunswick a été scindé en deux sections, l'une pour anglophones et l'autre pour francophones. Cependant, malgré tous ces progrès et ces victoires, il existe encore de nombreuses frictions entre anglophones et francophones et tous les problèmes sont loin d'être résolus. Les Acadiens doivent être partout très vigilants s'ils ne veulent pas perdre tout ce qu'ils ont gagné au prix de luttes souvent longues et pénibles.

LA VIE CULTURELLE

C'est dans le domaine des arts, des lettres et de la musique que les Acadiens ont peut-être remporté le plus de succès au cours des dernières années. En effet, à côté des progrès enregistrés sur le plan économique, politique et social, il existe en Acadie une vie culturelle en plein essor.

Dans le domaine des lettres, les Acadiens avaient eu quelques écrivains de marque mais qui étaient pour la plupart des essayistes. De ce groupe, Pascal Poirier a été non seulement le premier auteur acadien, mais également le plus important. Il a écrit une douzaine de volumes, presque tous sur des sujets acadiens. Il faut mentionner en particulier *Le parler franco-acadien et ses origines* qui demeure une des études les plus importantes sur la langue et les coutumes des Acadiens. Le père Philias Bourgeois a laissé plusieurs volumes qui se rapportent presque tous à l'histoire soit de l'Acadie, soit du Canada. Placide Gaudet a été l'un des historiens les plus brillants de l'Acadie. Antoine Léger a écrit deux romans historiques, l'un publié en 1940 et l'autre en 1946. A ce titre, il passe pour le premier romancier acadien. Cependant, Hector Carbonneau avait écrit avant lui un roman de la mer intitulé *Gabriel et Geneviève*, mais qui ne fut publié qu'en 1975. Vers la fin des années 40, deux autres jeunes Acadiens, les frères Boudreau, écrivirent trois ouvrages littéraires. Eddy Boudreau publia en 1948 *La Vie en croix* et en 1950 *Vers le triomphe*, deux ouvrages à caractère religieux ; puis son frère Donat, qui avait été adopté par une famille française et prit le nom de Coste, publia un roman de mœurs, *L'Enfant noir*, et de nombreux textes courts. Orphelins et de santé fragile, ils moururent tous deux assez jeunes. Plusieurs autres encore, dont les plus importants sont : Antoine Bernard, Henri Blanchard, Marguerite Michaud, Anselme Chiasson, André Bourque et Emery Leblanc, ont écrit des livres se rapportant tous d'une façon ou d'une autre à l'histoire de l'Acadie et à ses traditions. Les premiers écrivains acadiens ont donc surtout été des militants qui sentaient avant tout le besoin de communiquer à leur peuple un sentiment national à travers cette odyssée assez particulière qu'il avait vécue depuis son arrivée au Canada.

Les écrivains de la période actuelle sont tous plus orientés vers la littérature proprement dite que vers la littérature à caractère historique. Néanmoins, ils demeurent, pour la plupart, des militants. Si la toute jeune génération est composée essentiellement de poètes, ce ne sont pas des poètes qui chantent leurs amours et leurs peines comme dans presque tous les pays, mais des écrivains tourmentés par la question acadienne. Les problèmes de langue et d'identité sont au cœur même de la poésie acadienne. Comme témoin de la vitalité de cette jeune génération, il faut noter qu'un concours de poésie organisé en Acadie en 1971 attira la participation de 230 jeunes, et qu'une nuit de poésie mise sur pied l'année suivante dura plus de dix heures et attira une telle foule qu'elle fut considérée comme la plus grande manifestation culturelle jamais vue en Acadie. C'est encore en 1972 que fut fondée la première maison d'édition acadienne (Les Éditions d'Acadie) qui a publié jusqu'à ce jour une vingtaine de volumes.

Le premier poète de cette génération, et celui qui a eu le plus de retentissement au niveau national, c'est Ronald Desprès. Dans le roman et les quatre recueils de poèmes qu'il a publiés, on peut découvrir, sous les apparences d'une recherche purement formelle, une préoccupation du destin de son peuple qu'il envisage d'une façon plutôt pessimiste. Tout comme l'œuvre de Ronald Desprès, celle de Léonard Forest, exilé comme lui au Québec, chante, en termes moins voilés, le malheur de l'homme arraché de sa terre natale par nécessité plutôt que par choix et condamné aux rêveries de son pays d'antan. Mais la vraie révolte du poète acadien commence avec Raymond Leblanc. Son premier recueil, *Cri de terre*, est un appel virulent à la résistance contre l'anglicisation et la tentation de l'exil. C'est le cri d'un peuple qui aspire à prendre possession de lui-même et à s'affirmer. « Poésie résolument engagée, elle dénonce tout à la fois le règne de la peur, l'exploitation de l'homme par l'homme, et elle projette la création d'un pays où Nature, Amour et Fraternité auraient leur place, où l'Acadie prendrait enfin racine », écrivirent P.A. Arcand, G. Leblanc et P. Roy dans un article de la revue de l'université de Moncton consacré à Leblanc (3). Les poèmes et chansons de Calixte Duguay rejoignent souvent les préoccupations de Raymond Leblanc. Dans son livre, *Stigmates du silence*, Duguay se révolte

3 *La Revue*, Université de Moncton, janvier 1972, p. 118.

contre cet asservissement qu'ont dû subir ses ancêtres et nous exhorte à imiter tous ceux qui ont mené héroïquement la lutte pour que survive le peuple acadien. Le beau livre d'Herménégilde Chiasson, *Mourir à Scoudouc*, est lui aussi un cri émanant du cœur même de l'Acadie. Un bon nombre de ses poèmes ont pour objet la situation de l'Acadien en cette terre qui n'est plus la sienne et sur laquelle il est néanmoins condamné à vivre. Les poèmes de Guy Arsenault, publiés dans un curieux recueil intitulé *Acadie Rock*, surgissent aussi de la même veine. Cependant, écrit dans une langue fortement teintée d'anglicismes qu'on appelle « chiac », le recueil prend un sens tragique en regard de l'avenir francophone de l'Acadie.

Il faut noter aussi le dynamisme de plusieurs autres écrivains qui ont publié soit aux Éditions d'Acadie soit au Québec, et dont les mieux connus sont Regis Brun, Louis Haché, Huguette Legaré, Jean Peronnet, Ulysse Landry et surtout Laval Goupil, dont l'une des pièces, *Le Djibou*, a été jouée dans plusieurs provinces canadiennes.

Mais l'écrivain de la période actuelle qui domine sans conteste tous les autres, c'est Antonine Maillet. Née à Bouctouche, en pleine terre acadienne, elle a dû finalement s'exiler à Montréal pour trouver la fortune littéraire. Depuis lors, elle a acquis une renommée qui dépasse de loin le cadre de son pays puisqu'elle figurait parmi les vingt-cinq auteurs sélectionnés pour le prix Goncourt 1975, et sa pièce la plus connue, *La Sagouine*, a été jouée à travers le Canada et l'Europe. A mi-chemin entre le conte, le roman et le théâtre, tous ses livres sont imprégnés de cette vie des petits villages de pêche acadiens qu'elle sait décrire avec tant de vitalité et d'humour.

Depuis une dizaine d'années, l'Acadie a aussi produit plusieurs chansonniers dont certains ont atteint une réputation internationale. Les plus connus sont Édith Butler, Angèle Arsenault, Georges Langford, Raymond Breau, Calixte Duguay, Donat Lacroix. Tous puisent leur inspiration soit dans le folklore musical acadien (qui est extrêmement riche ; les chansons et les complaintes se comptent par centaines), soit dans la vie quotidienne de l'Acadien d'aujourd'hui.

Si l'Acadie ne compte pas encore de cinéastes indépendants, plusieurs jeunes par contre ont eu l'occasion de faire du cinéma dans le cadre de l'Office National du Film et ont produit des films à la fois réalistes et poétiques, évoquant avec bonheur un milieu qui leur est cher. Le plus grand des réalisateurs acadiens est incontestablement Léonard Forest. A l'emploi de l'O. N. F. depuis plusieurs années, il a dirigé la production de nombreux films pour le cinéma et la télévision, dont plusieurs portent sur les Acadiens.

Il ne faudrait pas oublier le rôle qu'a joué la presse orale et écrite dans cette nouvelle renaissance acadienne. Le journal le plus ancien et le plus important à l'heure actuelle est *L'Évangeline*. Fondé en 1887, il devint quotidien en 1949. En plus de ce journal, qui polarise en quelque sorte tous les problèmes de la vie acadienne, il existe cinq hebdomadaires à caractère essentiellement régional : *Le Madawaska* publié à Edmundston, *L'Aviron* à Campbellton, *Le Voilier* à Caraquet, *Le Petit Courrier* à Pubnico et *La Voix Acadienne* à Summerside.

Dans le domaine de la radio, les Acadiens ont été peu favorisés. Alors que se multipliaient tout autour d'eux les postes anglais, ils ont dû attendre jusqu'en 1954 pour que Radio-Canada installe un poste français à Moncton, et ce poste est encore aujourd'hui de si faible puissance qu'il est loin d'être capté par tous les Acadiens. En 1958, Radio-Canada a aussi implanté une chaîne de télévision française à Moncton ; mais quelques émissions seulement sont produites localement. Depuis quelques années, on tente de créer à Caraquet un poste proprement acadien qui diffuserait sous le nom de Radio-Acadie. Caraquet constitue, à côté de Moncton, l'un des pôles d'attraction les plus importants de la francophonie en Acadie.

CONCLUSION

Si l'on peut dire aujourd'hui que l'Acadie a son histoire, sa langue, ses traditions, sa littérature, ses institutions et une conscience collective très forte, il faut bien admettre que l'Acadien n'a pas de patrie. Cela constitue en effet une situation gênante pour ne pas dire absurde, mais quand on connaît la patience et la logique bien particulière des Acadiens, rien ne doit surprendre. « La logique des passions renverse l'ordre traditionnel du raisonnement », disait Camus. Les Acadiens n'ont pas oublié qu'ils avaient jadis un pays, celui précisément qu'ils partagent aujourd'hui avec les Anglais, et dont ils ont été chassés il y a un peu plus de deux siècles. Cela du moins aide à comprendre le degré de leur enracinement et ce sentiment qu'ils ont d'être chez eux aussi bien à Caraquet ou Richibouctou au Nouveau-Brunswick, qu'à Chéticamp ou à Pointe-de-l'Église en Nouvelle-Écosse, ou même à Abram Village dans l'île du Prince-Édouard. Cela explique aussi sans doute pourquoi l'Acadie refuse toujours aujourd'hui de se voir condamnée à une mort prématurée par amour d'une certaine logique statistique.

Pour le moment, semble-t-il, une priorité domine toutes les autres en raison de son urgence : la consolidation de la position des Acadiens face au danger que constitue l'assimilation au milieu anglophone ambiant et, par conséquent, la désintégration culturelle définitive dans une civilisation nord-américaine. Le pari est de taille. Mais à ceux qui les taxeraient d'irréalistes, les Acadiens répondraient probablement sans sourciller qu'ils en ont vu d'autres.

Melvin GALLANT, Marielle BOUDREAU
(Université de Moncton-Canada).

BIBLIOGRAPHIE SÉLECTIVE

établie par Marguerite MAILLET

HISTOIRE, SOCIOLOGIE, GÉOGRAPHIE, ÉCONOMIE, ÉDUCATION

ARSENAULT (Bona), *Histoire et généalogie des Acadiens*, Québec, Le Conseil de la Vie française en Amérique, 1965, 2 vol.

ARSENAULT (S.), DAIGLE (J.), SCHROEDER (J.), VERNEX (J.-C.), *Atlas de l'Acadie*, Petit Atlas des francophones des Maritimes (32 planches), Moncton, édit. d'Acadie, 1976.

BEAUDRY (René), c.s.c. et autres, *Les Acadiens d'aujourd'hui*, rapport de recherche préparé pour la Commission royale d'enquête sur le bilinguisme et le biculturalisme, division VI, rapport n° 4, 2 vol., Ottawa, 1966.

BERNARD (Antoine), *Le Drame acadien depuis 1604*, Montréal, Clercs de Saint-Viateur, 1936, 459 p.

BERNARD (Antoine), *Histoire de la survivance acadienne, 1755-1935*, Montréal, Clercs de Saint-Viateur, 1935, 465 p.

BIAYS (Pierre), *Les Marges de l'œkoumène dans l'Est du Canada*, Travaux et documents n° 2, Centre d'études nordiques, Presses de l'Université Laval, 1964, 760 p.

BLANCHARD (J.-Henri), *Acadiens de l'île du Prince-Édouard*, Moncton, Imprimerie acadienne, 1956, 143 p.

BOURGEOIS (Philias), *Vie de l'abbé François-Xavier Lafrance*, Montréal, Beauchemin, 1913, 235 p.

CARON (Michel), « L'économie de l'Acadie en 2055 », dans *La Revue de l'Université de Moncton*, vol. 6, n° 2, mai 1973, pp. 247-258.

DEVEAU (J.-Alphonse), *La Ville française*, Québec, édit. Ferland, 1968, 286 p.

DRAGON (Antonio), s.j., *L'Acadie et ses 40 robes noires*, Montréal, Bellarmin, 1973, 244 p.

EVEN (Alain), *Le Territoire pilote du Nouveau-Brunswick ou les blocages culturels au développement économique*, thèse pour le doctorat en économie du développement présentée et soutenue dans la faculté de droit et des sciences économiques de Rennes, le 12 juin 1970.

GAUDET (Placide), *Le Grand Dérangement ; sur qui retombe la responsabilité de l'expulsion des Acadiens*, Ottawa, Ottawa Printing Co. Ldt., 1922, 84 p.

HAUTECŒUR (Jean-Paul), *L'Acadie du discours. Pour une sociologie de la culture acadienne*, Québec, Presses de l'Université Laval, 1975, 351 p.

LEBLANC (Emery), *Les Acadiens, la tentative de génocide d'un peuple*, Montréal, édit. de l'Homme, 1963, 127 p.

LEBLANC (Robert A.), « The Acadian Migrations », dans *Cahiers de géographie de Québec*, n° 24, Québec.

LÉGER (Antoine J.), *Les Grandes Lignes de la Société l'Assomption*, Québec, Imprimerie franciscaine missionnaire, 1933, 260 p.

LEGRESLEY (Omer),c.j.m., *L'Enseignement du français en Acadie, 1604-1926*, Paris, 1926, 259 p.

MAILHOT (Raymond), *Prise de conscience collective acadienne au Nouveau-Brunswick (1860-1891) et comportement de la majorité anglophone*, thèse Ph. D., Université de Montréal, 1973, 486 p.

POIRIER (Pascal), *Le Père Lefebvre et l'Acadie*, Montréal, Beauchemin et fils, 1898, 311 p.

RAICHE (Victor), *La Population du Nord et de l'Est du Nouveau-Brunswick et son milieu géographique*, Thèse de maîtrise en géographie, Université d'Ottawa, 1962, 244 p.

RAMEAU DE SAINT-PÈRE (E.), *La France aux colonies ; études sur le développement de la race française hors de l'Europe, Acadiens et Canadiens*, Paris, A. Jouby, 1859.

RICHARD (Camille-Antoine), *L'Idéologie de la première convention nationale acadienne*, Thèse de maîtrise, Québec, Université Laval, 1960, 124 p., exemplaire dactylographié.

RICHARD (Camille-Antoine), « L'Acadie, une société à la recherche de son identité », dans *La Revue de l'Université de Moncton*, vol. 2, n° 2, mai 1969, pp. 52-59.

RICHARD (Camille-Antoine), « La Récupération d'un passé ambigu », dans *Liberté* (numéro spécial sur l'Acadie), août-sept.-oct. 1969, pp. 27-48.

ROBIDOUX (Ferdinand), *Conventions nationales des Acadiens*, Shédiac, Moniteur Acadien, 1907, 281 p.

THÉRIAULT (Léon), « Pour une nouvelle orientation de l'histoire acadienne », dans *La Revue de l'Université de Moncton*, vol. 6, mai 1973, pp. 115-124.

TREMBLAY (Marc-Adélard), *Communauté et culture. Éléments pour une ethnologie du Canada français*, Montréal, H. R. W. ltée, 1973.

TREMBLAY (Marc-Adélard), « L'État des recherches sur la culture acadienne », dans *Situation de la recherche au Canada français*, 1962, pp. 145-167.

TREMBLAY (Marcel), c.j.m., *50 ans d'éducation catholique et française en Acadie, Caraquet 1899 – Bathurst 1949*, Bathurst, 1949.

VERNEX (Jean-Claude), « Le Littoral septentrional et oriental du Nouveau-Brunswick, une société en crise démographique », dans *La Revue de l'Université de Moncton*, vol. 2, n° 1, janvier 1969, pp. 16-22.

VERNEX (Jean-Claude), « Densité ethnique et assimilation ; les francophones à Moncton », dans *La Revue de l'Université de Moncton*, vol. 2, n° 3, sept., pp. 158-167.

Les Cahiers de la Société historique des Acadiens, Moncton, N.-B., 1961 à nos jours.

Revue d'histoire de la Société historique Nicolas-Denys, Bertrand, N.-B., 1972 à nos jours.

LITTÉRATURE, LANGUE, FOLKLORE

ARSENAULT (Guy), *Acadie Rock*, poèmes, Moncton, édit. d'Acadie, 1973, 73 p.

BOURQUE (André-T.), *Chez les anciens Acadiens. Causeries du grand-père Antoine*, Moncton, Presses de l'Évangéline, 1911, 153 p.

BRANCH (James), *Vivent nos écoles catholiques ! ou la Résistance de Caraquet*, drame historique, Moncton, L'Évangéline ltée, 1932, 42 p.

BRUN (Régis), *La Mariecomo*, roman, Montréal, édit. du Jour, 1974, 129 p.

CARBONNEAU (Hector), *Gabriel et Geneviève*, Moncton, édit. d'Acadie, 1974, 242 p. (Roman posthume).

CHIASSON (Herménégilde), *Chéticamp, histoire et traditions acadiennes*, Moncton, édit. des Aboiteaux, 1961, 317 p.

CHIASSON (Anselme), *Les Légendes des îles de la Madeleine*, Moncton, édit. des Aboiteaux, 1969, 123 p.

CHIASSON (Anselme), *Mourir à Scoudouc*, poèmes, Moncton, édit. d'Acadie, 1974, 63 p.

CLERMONT (Ghislain), « L'Art dans les provinces de l'Atlantique », dans *La Revue de l'Université de Moncton*, vol. 6, n° 2, mai 1973, pp. 72-85.

DESPRÈS (Ronald), *Le Scalpel ininterrompu*, journal du docteur Jan von Fries, Montréal, édit. A la Page, 1962, 137 p.

DESPRÈS (Ronald), *Le Balcon des dieux inachevés*, poèmes, Québec, Garneau, 1968, 59 p.

DESPRÈS (Ronald), *Paysages en contrebande*, choix de poèmes, Moncton, édit. d'Acadie, 1975, 139 p.

DEVEAU (J.-Alphonse), *Le Journal de Cécile Murat*, Montréal, Centre de psychologie, 1963, 62 p.

DULONG (Gaston), « Chéticamp, îlot linguistique du Cap-Breton », dans *Contributions to Anthropology 1959*, Bulletin 175, Ottawa, National Museum of Canada, 1960, pp. 12-41.

FOREST (Léonard), *Saisons antérieures*, poèmes, Moncton, édit. d'Acadie, 1973, 103 p.

GALLANT (Melvin), *Ti-Jean*, contes acadiens, Moncton, édit. d'Acadie, 1973, 165 p.

GOUPIL (Laval), *Tête d'eau*, pièce en 3 tableaux et 3 finales, Moncton, édit. d'Acadie, 1974, 64 p.

GOUPIL (Laval), *Le Djibou*, pièce en deux actes, édit. d'Acadie, 1974, 95 p.

HACHE (Louis), *Charmante Miscou*, Moncton, édit. d'Acadie, 1974, 175 p.

JECO (Jean-Baptiste), c.j.m., *Le Drame du peuple acadien*, reconstitution historique en 9 tableaux, d'après *La Tragédie d'un peuple* d'Émile Lauvrière, Imprimerie Oberthur, 1932, 118 p.

LANDRY (Frédéric), *Capitaines des hauts-fonds*, Québec, Garneau, 1973, 124 p.

LANDRY (Napoléon), *Poèmes de mon pays*, Montréal, École des sourds-muets, 1949, 163 p.

LEBLANC (Emery), *Les Entretiens du village*, Moncton, imprimerie Acadienne, 1957, 148 p.

LEBLANC (Raymond), *Cri de terre*, poèmes, Moncton, édit. d'Acadie, 1973, 58 p.

LEGARE (Huguette), *La Conversation entre hommes*, roman, Montréal, Le Cercle du livre de France, 1973, 201 p.

LÉGER (Antoine-J.), *Elle et lui, tragique idylle du peuple acadien*, Moncton, L'Évangéline ltée, 1940, 203 p.

LUCCI (Vincent), *Phonologie de l'acadien* (Parler de la région de Moncton, N.-B., Canada), Montréal, Didier, 146 p.

MAILHOT (Raymond), « La Chanson folklorique acadienne. Analyse quantitative de thèmes », dans la *Revue d'histoire de la Société historique Nicolas-Denys*, vol. 2, n° 2, mars-mai 1974, pp. 18-26.

MAILLET (Antonine), *Pointe-aux-Coques*, roman acadien, Montréal, Fides, 1958, 127 p.

MAILLET (Antonine), *Les Crasseux*, Théâtre vivant, n° 5, Montréal, 1968, 68 p.

MAILLET (Antonine), *La Sagouine*, pièce pour une femme seule, Montréal, Leméac, 1971, 108 p.

MAILLET (Antonine), *Rabelais et les traditions populaires en Acadie*, Québec, Presses de l'Université Laval, coll. « Les Archives de Folklore », 1971, 201 p.

MAILLET (Antonine), *Par-derrière chez mon père*, recueil de contes, ill. de Rita Scalabrini, Montréal, Leméac, 1972, 91 p.

MAILLET (Antonine), *Mariaagélas*, roman acadien, Montréal, Leméac, 1973, 236 p.

MAILLET (Antonine), *Évangéline deusse*, Coll. « Théâtre », Montréal, Leméac, 1975, 109 p.

MASSIGNON (Geneviève), *Les Parlers français d'Acadie. Enquête linguistique*, Paris, Librairie C. Klincksieck, 1962, 2 tomes.

MASSON (Alain), « Sur la production poétique au Nouveau-Brunswick », dans *La Revue de l'Université de Moncton*, vol. 5, n° 1, janvier 1972, pp. 68-79.

POIRIER (Pascal), *Le Parler franco-acadien et ses origines*, Québec, Imprimerie franciscaine missionnaire, 1928, 339 p.

SAVOIE (Francis), *L'île de Shippagan ; anecdotes, tours et légendes*, Moncton, édit. des Aboiteaux, 1967, 93 p.

La Revue de l'Université de Moncton, numéros suivants :
Poésie acadienne, mai 1972, *Spécial Acadie*, mai 1973, *Si Que I*, mai 1974, *Si Que II*, mai 1975.

Le Centre d'études acadiennes de l'université de Moncton a publié, aux Éditions d'Acadie, un *Inventaire général des sources documentaires sur les Acadiens* (1975). Toute personne intéressée à la culture acadienne aurait grand avantage à consulter cet outil de recherche.

DISCOGRAPHIE

a) Chansonniers

ARSENAULT (Angèle), *Première*, disque SPPS PS-19901, Montréal, 1974.

BREAU (Raymond), *Raymond Breau*, vol. 1, disque Select S-398-211, Montréal, 1973.

BREAU (Raymond), *Tabusintac*, vol. 2, disque Select S-398-277, Montréal, 1974.

BUTLER (Edith), *Avant d'être dépaysée*, disque Columbia FS-90156, Montréal, 1974.

BUTLER (Edith), *L'Acadie S'Marie*, disque Columbia FS-90274, Montréal, 1974.

BUTLER (Edith), *Edith Butler*, disque SPPS PS-19909, Montréal, 1976.

DIOTTE (Lorraine), *On s'en vient vite*, disque Bonanza B-29559, Montréal, 1974.

DUGUAY (Calixte), *Les Aboiteaux*, disque Alta LT-704, Montréal, 1976.

LACROIX (Donat), *Viens voir l'Acadie*, disque Acadisco A-101, Montréal, 1974.

LANGFORD (Georges), *Arrangez-vous pour qu'il fasse beau*, disque Gamma GS-172, Montréal, 1974.

LANGFORD (Georges), *Acadiana*, disque Gamma, GS-216, Montréal, 1975.

LANGFORD (Georges), *Album Souvenir*, disque Alta LT-S12, Montréal, 1976.

LANGFORD (Georges), *Bluenose*, disque Presqu'île PE-7504, Montréal, 1976.

b) Textes

La Sagouine d'Antonine Maillet, interprété par Viola Léger, 2 disques, Deram, London, SDES-1090, enregistré au Théâtre du Rideau Vert, le 31 août 1974, Productions Mercedes Palomine.

c) Folklore

Acadie et Québec, documents d'enquête repris par Roger Matton, Archives de Folklore, Université Laval, disque RCA Victor CGP-139, Montréal.

Écoutez tous petits et grands !, chansons recueillies et présentées par Charlotte Cormier, disque Son Excellence Sound SES-105A, SES-106B, Moncton, 1976. (Deux disques encartés, livre à paraître aux Éditions d'Acadie, 1977).

Trois contes populaires, recueillis et présentés par Luc Lacourcière, ruban (et livret), Sono ADS 103-75, Montréal, 1975. Deuxième conte : « Richard Crassé », conté par Benoît Benoît, 75 ans, le 10 juillet 1955, à Tracadie, Nouveau-Brunswick.

On consulterait aussi avec profit les enregistrements de quelque 2 000 chansons, 375 contes, 400 légendes, 250 pièces musicales, traditions, qui sont conservés à la section de folklore du Centre d'études acadiennes de l'université de Moncton.

FILMOGRAPHIE

Aboiteaux (Les), film, réalisé par Léonard Forest, 22 min., n. & b., 35 mm. et 16 mm., Montréal, Office national du film, 1955.

Acadie (L'), l'Acadie, film, réalisé par Michel Brault et Pierre Perrault, 117 min. 51 sec., n. & b., 35 mn et 16 mm., Montréal, Office national du film, 1971.

Acadie libre, film, réalisé par Léonard Forest, 21 min. 56 sec., n. & b., 16 mm., Montréal, Office national du film, 1969.

Acadiens (Les) de la Dispersion, film, réalisé par Léonard Forest, 188 min. 8 sec., n. & b., 16 mm., Montréal, Office national du film, 1967.

Éloge du chiac, film, réalisé par Michel Brault, 27 min. 15 sec., n. & b., 16 mm., Montréal, Office national du film, 1969.

La Bringue, vidéo, pièce de Jules Boudreau, tourné à Maisonnette en 1975, 90 min., Moncton, Office national du film (Régionalisation Acadie).

Noce (La) est pas finie, film, réalisé par Léonard Forest, 84 min., n. & b., 35 mm. et 16 mm., Montréal, Office national du film, 1971.

Pêcheurs de Pomcoup, film, réalisé par Léonard Forest, 25 min. 20 sec., n. & b., 35 mm. et 16 mm., Montréal, Office national du film, 1956.

Reel (Le) du pendu, film, réalisé par André Gladu, 56 min. 47 sec., couleur, 16 mm., Montréal, Office national du film, 1972.

Simple histoire d'amours, vidéo, réalisé par Fernand Dansereau, tourné à Bathurst en 1973, 90 min., couleur, 35 mm. et 16 mm., Télé-Public et Office national du film.

Son (Le) des Français d'Amérique, film, réalisé par Michel Brault et André Gladu, 112 min., couleur, 16 mm., Montréal, Le Nouveau Réseau, 1976. Séquence 3 : « Il' allont-y disparaître ? », à Chéticamp, Nouvelle-Écosse. Séquence 4 : « Johnny à Dennis à Alfred », à la Baie Sainte-Marie, Nouvelle-Écosse.

Truck, film, réalisé par Robert Awad, 7 min. 50 sec., couleur, 35 mm. et 16 mm., Halifax, Office national du film, 1975.

Un soleil pas comme ailleurs, film, réalisé par Léonard Forest, 47 min., couleur, 16 mm., Montréal, Office national du film, 1972.

Le Canada

c/ L'Ontario

et l'Ouest canadien

La partie du territoire canadien comprise entre la rivière Outaouais et l'océan Pacifique s'étend sur une longueur de quelque 2 500 milles. En 1971, 442 200 personnes sur une population totale de 13 430 000 emploient le français comme « langue d'usage ». La grande majorité d'entre eux, soit 352 465, habitaient l'Ontario, la province la plus populeuse et la plus méridionale du Canada. On en dénombre 39 600 au Manitoba, 22 700 en Alberta, 15 930 en Saskatchewan et 11 505 en Colombie Britannique (1).

Dispersés un peu partout sur cette moitié de continent, ils sont davantage présents dans les régions minières et forestières du Centre-Est ontarien, les zones agricoles de la haute vallée du Saint-Laurent et du Sud du Manitoba. Nées et ayant évolué dans des conditions géographiques et socio-économiques différentes, ces communautés francophones ont développé de l'une à l'autre des traits particuliers et distincts. A telle enseigne que de la frontière occidentale du Québec à celle de Vancouver, les aires culturelles et linguistiques francophones sont nombreuses et variées.

C'est précisément cette diversité que traduit le guide bibliographique qui suit. Il est à l'image-même de cet éparpillement et de ces isolements. Il reflète les efforts remarquables et soutenus d'une poignée d'universitaires, d'essayistes et de poètes pour dire ce que ces hommes de culture française ressentent dans leurs milieux respectifs, ce qu'ils sont et où ils vont (2).

Pierre SAVARD
et Jacques GRIMARD

1 Il est très difficile d'avoir des statistiques exactes au sujet des francophones du Canada, car la distinction n'est pas toujours claire entre les Canadiens « d'origine française » portant des noms français mais assimilés aux anglophones, les « Canadiens français » qui se perçoivent comme tels mais qui ne pratiquent plus guère la langue française parce qu'installés dans des milieux presque entièrement anglophones, et les véritables « francophones » qui utilisent le français et sont les plus facilement recensés bien qu'avec une marge d'erreur encore relativement grande.

2 Les personnes intéressées par les problèmes d'histoire de langue, de civilisation ou de littérature en Ontario et dans l'Ouest canadien peuvent s'adresser aux organismes mentionnés ci-après, et particulièrement au Centre de Recherche en civilisation canadienne-française dont M. Pierre Savard est le directeur, et M. Jacques Grimard l'archiviste.

DOCUMENTOGRAPHIE

GUIDES BIBLIOGRAPHIQUES

DORGE (Lionel), *Introduction à l'étude des Franco-Manitobains*, Saint-Boniface, Société historique de Saint-Boniface, 1973, V-296 p.

DUROCHER (George E.), *Réalisations littéraires franco-albertaines*, dans « Le Franco-Albertain », Edmonton, mercredi le 28 mai 1975, vol. 8, n° 26, p. 5.

FORTIN (Benjamin) et GABOURY (Jean-Pierre), *Bibliographie analytique de l'Ontario français*, Ottawa, Éditions de l'Université d'Ottawa, 1975, XII-236 p., « *Cahiers du Centre de recherche en civilisation canadienne-française* », n° 9.

MCLAREN (Duncan), *Ontario Ethno-Cultural Newspapers, 1835-1972. An Annotated checklist*, Toronto, University of Toronto Press, 1973, XVIII-234 p.

PEEL (Bruce B.), *Bibliography of the Prairie Provinces to 1953 with Biographical Index*, 2e édition, Toronto, University of Toronto Press, 1973, XXVIII-780 p.

SECRÉTARIAT D'ÉTAT, Direction de la recherche et de la planification/Programme d'expansion du bilinguisme, *Bibliographie choisie sur les minorités francophones*, Ottawa, Secrétariat d'État, 1972, non paginé.

TOUGAS (Gérard), *Liste de référence d'imprimés relatifs à la littérature canadienne-française/A Checklist of printed materials relating to French-Canadian literature, 1768-1968*, 2e édition, Vancouver, University of British Columbia Press, 1973, 174 p.

VALK (A. de), c.s.b., *History Collection/Collection d'Histoire. Canadian Catholic Church/L'Église catholique canadienne*, Saskatoon, St Thomas More College, 1971-1975, 4 vol.

HISTOIRE

BILODEAU (Rosario), COMEAU (Robert), GOSSELIN (André), JULIEN (Denise), *Histoire des Canadas*, Montréal, Éditions Hurtubise H. M. H. Ltée, 1971, 676 p.

CADIEUX (Lorenzo), éd., *Lettres des nouvelles missions du Canada, 1843-1852*, Montréal, Les Éditions Bellarmin, Paris, Maisonneuve et Larose, 1973, 950 p.

CHOQUETTE (Robert), *Language and Religion – A History of English – French Conflict in Ontario*, Ottawa, University of Ottawa Press, 1975, XII-264 p. « *Cahiers d'histoire de l'Université d'Ottawa* », n° 5.

CORNELL (Paul G.), HAMELIN (Jean), OUELLET (Fernand), TRUDEL (Marcel), *Canada : Unité et diversité*, Montréal et Toronto, Holt, Rinehart et Winston Ltée, 1968, XII-578 p.

CROUSE (Nellis M.), *La Verendrye, Fur Trader and Explorer*, Toronto, Ryerson, 1956, IX-248 p.

DORGE (Lionel et Claude), *Le Manitoba : Reflets d'un passé*, Saint-Boniface, Les Éditions du Blé, 1976.

FREMONT (Donatien), *Les Français dans l'Ouest canadien*, Winnipeg, Les Éditions de La Liberté, 1959.

Monseigneur Provencher et son temps, Winnipeg, Les Éditions de La Liberté, 1935, 296 p.

GODBOUT (Arthur), *L'origine des écoles françaises dans l'Ontario*, Ottawa, Les Éditions de l'Université d'Ottawa, 1972, 184 p.

GOSSELIN (P.-E.), *L'Empire français d'Amérique*, Québec, Les Éditions Ferland, 1963, 144 p.

LABELLE (Lucile), *Aux avant-postes du Canada. Sous le signe du bison*, Montréal, Éditions Beauchemin, 1962, 248 p.

LAJEUNESSE (Ernest J.), c.s.b., *The Windsor Border Region. Canada's Southernmost Frontier. A Collection of Documents*, Toronto, The Champlain Society for the Government of Ontario, University of Toronto Press, 1960, CXXLX-374 p.

LEBLANC (Paul-Émile), *L'enseignement en français au Manitoba, 1916-1968*, Saint-Boniface, Les Éditions du Blé, (à paraître), 100 p.

STANLEY (George F. C.), *The Birth of Western Canada. A History of the Riel Rebellions*, Toronto, Longmans, 1936, Toronto, University of Toronto Press, 1959, 458 p.

WADE (Mason), *Les Canadiens français de 1760 à nos jours*, Montréal, Le Cercle du livre de France, 1966, 2 vol. « *L'Encyclopédie du Canada français* », n° 4.

SOCIÉTÉ

Actes du colloque sur la situation de la recherche sur la vie française en Ontario, tenu à l'Université d'Ottawa les 28 et 29 novembre 1974. Ottawa, Centre de recherche en civilisation canadienne-française, Association canadienne-française pour l'avancement des sciences, 1975, 278 p.

Le Cercle Molière, cinquantième anniversaire, Saint-Boniface, Les Éditions du Blé, 1975, 160 p.

Transactions of the Royal Society of Canada/Mémoires de la Société royale du Canada, 1975/Fourth Serie/Volume XIII/1975/Quatrième série/Tome XIII. Ottawa, Royal Society of Canada/Société royale du Canada, 1976.
Voir les textes de six exposés présentés dans le cadre du Colloque sur les Canadiens de langue française et les mouvements migratoires, tenu au Collège Saint-Jean, à Edmonton.

BOILEAU (Gilles), *Les Canadiens de Rivière-la-Paix*, Montréal, Société canadienne d'établissement rural, 1960, 94 p.

Les Canadiens français de l'Est de l'Ontario, Montréal, Société canadienne d'établissement rural, 1964, 78 p.

CARD (B. Y.), *The Canadian Prairie Provinces from 1870 to 1950 : a Sociological Introduction*, Toronto, Dent, 1960, 46 p.

DENIS (Wilfrid), *La jeunesse francophone de la Saskatchewan*, Ottawa, Secrétariat d'État, 1971, 108 p.

LIEBERSON (Stanley), *Language and Ethnic Relations in Canada*, Toronto, J. Wiley, 1970, 264 p.

SOCIÉTÉ CANADIENNE D'ÉTABLISSEMENT RURAL, *Quelques aspects de la situation démographique des Canadiens français en Saskatchewan*, Montréal, SCER, 1958.

LITTÉRATURE

Études littéraires

GENUIST (Monique), *La création romanesque chez Gabrielle Roy*, Montréal, Le Cercle du livre de France, 1966, 174 p.
Étude préparée par un professeur du Département des langues romanes de l'Université de Saskatoon.

SAINT-PIERRE (Annette), *Gabrielle Roy sous le signe du Rêve*, Saint-Boniface, Les Éditions du Blé, 1975, 138 p.
Évaluation de l'œuvre de Gabrielle Roy par un professeur de collège Saint-Boniface (Manitoba).

TOUGAS (Gérard), *La littérature canadienne-française*, 5e édition, Paris, Presses universitaires de France, 1974, 270 p.
L'auteur de ce manuel enseigne à l'Université de Colombie Britannique.

WARWICK (Jack), *L'appel du nord dans la littérature canadienne-française. Essai*, Montréal, Hurtubise/H. M. H., 1972, 248 p. « *Constantes* », n° 30.

Contes, romans

BENOIST (Marius), *Louison Sansregret, métis*, Saint-Boniface, Les Éditions du Blé, 1975, 104 p.

GROULX (Lionel), *L'appel de la race*, 2e édition, Montréal, Fides, 1956, 256 p. « *Nénuphar* ».

LEMIEUX (Germain), *Les vieux m'ont conté*, Montréal, les Éditions Bellarmin, Paris, Maisonneuve et Larose, 1973, 6 volumes parus.

LEVEILLE (Roger), *Tombeau*, Saint-Boniface, Chez l'auteur, 1969.

PRIMEAU (Marguerite), *Dans le Muskeg*, Montréal et Paris, Fides, 1960, 222 p. « *La gerbe d'or* ».

ROY (Gabrielle), *La montagne secrète*, Montréal, Beauchemin, 1961, 222 p.

La petite poule d'eau, Paris, Flammarion, 1951, 236 p.

La rivière sans repos, Montréal, Beauchemin, 1970, 316 p.

La route d'Altamont, Montréal, Hurtubise/H. M. H., 1966, 256 p. « *L'Arbre* », n° 10.

Rue Deschambault, Montréal, Beauchemin, 1955, 260 p.

N. B. Nous ne retenons ici que les premières éditions des romans d'inspiration manitobaine ou ouest-canadienne.

ROY (Marie-Anne A.), *Valcourt ou la dernière étape. Roman du Grand Nord canadien*, Montréal, Édition du Lévrier, 1958, 414 p.

VILLENEUVE (Jocelyne), *Des gestes seront posés*, Sudbury, Prise de parole, 1976.

Poésies

APANASKEWSKI (E. et al.), *Au nord du silence*, Sudbury, Prise de parole, 1975, 10 p.

LAFLEUR (Tristan), *Hermaphrodismes*, Sudbury, Prise de parole, 1975, 84 p.

LE SANN (J.), FAFARD (J.), *L'échelle invisible*, Saskatoon, Carolyn Heath, 1976.

LEVEILLE (Roger), *Œuvre de la première mort*, Saint-Boniface, Les Éditions du Blé, 1976, 100 p.

MATHIEU (Pierre), *Interlune*, Montréal, Le Préau, 1970, 58 p.

Midi de nuit, Montréal, Éditions Le Préau, 1966, 58 p.

Partance, Montréal, Éditions La Québécoise, 1964, 60 p.

Poèmes, Saint-Constant, Éditions Passe-Partout, 1970, 15 p.

Ressac, Ottawa, Incidences, 1969, 58 p.

PELLETIER (Pierre), TISSOT (Georges) et FUERTES (Serge), *En Passant*, Hull, s.é., 1975, non paginé.

SAVOIE (Paul), *Nohanni*, Saint-Boniface, Les Éditions du Blé, 1976, 108 p.

Salamandre, Saint-Boniface, Les Éditions du Blé, 1975, 168 p.

TREMBLAY (Gaston), ST-JULES (Denis), GABOURY (Placide) et LALONDE (Jean), *Lignes-Signes*, Sudbury, Prise de parole, 1973, 62 p.

Théâtre

PAIEMENT (André), *Lavalléville*, Sudbury, Prise de parole, 1975, 82 p., « Collection théâtre ».

AUGER (Roger), *Je m'en vais à Régina*, Montréal, Éditions Leméac, 1976.

REVUES

BOREAL (Hearst), Collège universitaire de Hearst.

BULLETIN DU CENTRE DE RECHERCHE EN CIVILISATION CANADIENNE-FRANÇAISE, Ottawa, Université d'Ottawa.
Dresse le bilan des recherches menées au Centre ou ailleurs, au Québec ou au Canada français.

CO-INCIDENCES, Ottawa, Faculté des Arts de l'Université d'Ottawa.
Revue de création publiée par étudiants et professeurs du Département des lettres françaises.

DOCUMENTS HISTORIQUES. LA SOCIÉTÉ HISTORIQUE DU NOUVEL-ONTARIO, Sudbury, Université de Sudbury.
Une cinquantaine de brochures parues.

ÉBAUCHES, 260, rue Dalhousie, pièce 204, Ottawa, Ontario.
Revue culturelle franco-ontarienne.

GRAFITI, c.p. 80, Succursale « A », Ottawa, Ontario.
Bandes dessinées.

LAURENTIAN UNIVERSITY REVIEW/REVUE DE L'UNIVERSITÉ LAURENTIENNE, Sudbury, Université Laurentienne de Sudbury.

OVUL, c.p. 127, Succursale « A », Ottawa, Ontario.
Revue de critique littéraire et sociale.

REVUE DE L'UNIVERSITÉ D'OTTAWA, Ottawa, Université d'Ottawa.

VIE FRANÇAISE, Québec, Conseil de la vie française en Amérique.
Organe des groupes francophones de l'Amérique du Nord.

CHOIX DE JOURNAUX

LE CARILLON, Hebdomadaire. 176, avenue Canada-Atlantique, casier postal 69, Hawkesbury, Ontario.

COURRIER-SUD, Hebdomadaire. 64, rue Charles, Toronto, Ontario.

LE DROIT, Quotidien. 375, rue Rideau, Ottawa, Ontario.

L'ÉTOILE DE GRAVELBOURG, Bimensuel. Gravelbourg, Saskatchewan.

LE FRANCO-ALBERTAIN, 10020-109e rue, Edmonton, Alberta.

LA LIBERTÉ, Hebdomadaire. c.p. 96, Saint-Boniface, Manitoba.

LE REMPART, Hebdomadaire. 2418, avenue Centrale, Windsor, Ontario.

LE SOLEIL, Hebdomadaire. 3213, rue Cambie, Vancouver, Colombie-Britannique.

LE VOYAGEUR, Hebdomadaire. 86, rue Ignatus, c.p. 1180, Sudbury, Ontario.

MAISONS D'ÉDITION

LES ÉDITIONS PRISE DE PAROLE, c.p. 622, Sudbury, Ontario.

LES ÉDITIONS DU BLÉ, Saint-Boniface, Manitoba.
S'adresser pour plus d'information à la Librairie Landry, 180, boulevard Provencher, Saint-Boniface, Manitoba.

LES ÉDITIONS DE L'UNIVERSITÉ D'OTTAWA/THE UNIVERSITY OF OTTAWA PRESS, 65, rue Hastey, Ottawa, Ontario.

ORGANISMES

CENTRE DE RECHERCHE EN CIVILISATION CANADIENNE-FRANÇAISE, Faculté des Arts, Université d'Ottawa, Ottawa, Ontario.

CENTRE FRANCO-ONTARIEN DE FOLKLORE, Université de Sudbury, Ontario.

L'ASSOCIATION CANADIENNE-FRANÇAISE D'ALBERTA, 1008, 109e rue, Edmonton, Alberta.

L'ASSOCIATION CANADIENNE-FRANÇAISE DE L'ONTARIO, 260, rue Dalhousie, Ottawa.

L'ASSOCIATION CULTURELLE FRANCO-CANADIENNE DE LA SASKATCHEWAN, 2604, rue Centrale, Régina, Saskatchewan.

LA FÉDÉRATION DES FRANCO-COLOMBIENS, 3170, rue Willow, Vancouver, Colombie-Britannique.

LA SOCIÉTÉ FRANCO-MANITOBAINE, 340, boulevard Provencher, case postale 145, Saint-Boniface, Manitoba.

LA SOCIÉTÉ HISTORIQUE DE SAINT-BONIFACE, c.p. 125, Saint-Boniface, Manitoba.

LA SOCIÉTÉ HISTORIQUE DU NOUVEL-ONTARIO, Université de Sudbury, Sudbury, Ontario.

Antilles et Guyane

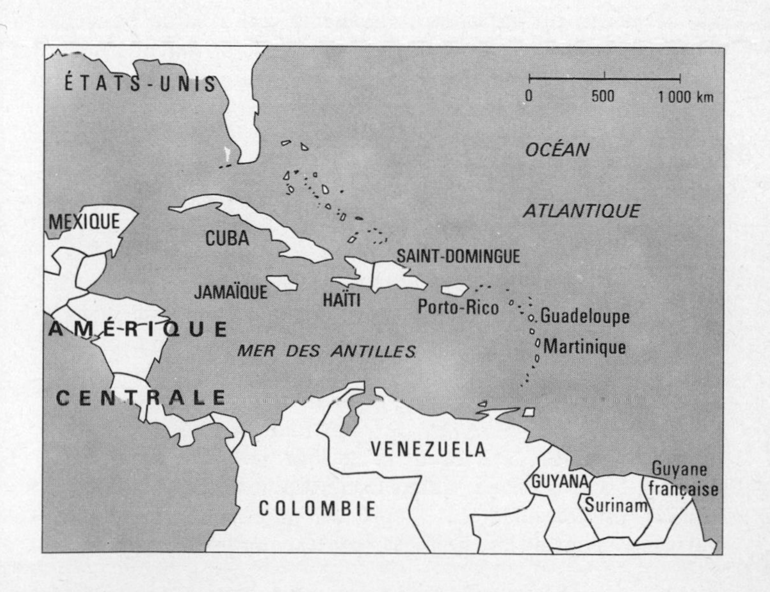

Comme si nous ne parlions pas aussi du bon français
nous autres les damnés
René DEPESTRE (*Face à la nuit*)

Serait-ce la fin des mythes, ou tout au moins des clichés ? L'exotisme de pacotille, la légendaire indolence créole, les Isles heureuses, – « Là-bas où les Antilles bleues se pâment sous l'ardeur de l'astre occidental », écrivait le Cubain José Maria de Heredia –, tout ce merveilleux *ailleurs-nulle part* de l'imaginaire européen a presque disparu de nos invitations au voyage. Lorsqu'il s'aventure dans la mer des Caraïbes, le *Guide bleu* lui-même, naguère cible facile pour les flèches d'un Barthes, se fait attentif aux êtres comme aux choses, aux échanges plutôt qu'aux produits, à la parole quotidienne autant qu'aux paysages.

Un bien long chemin parcouru, semble-t-il, depuis le temps où la République française célébrait le tricentenaire de ses possessions américaines : Guadeloupe, Martinique et Guyane. Qu'on se rappelle : c'était alors 1935, et autant que de fierté nationale, cette époque empoisonnée avait besoin d'air et de rêve. A Paris, à Pointe-à-Pitre, à Fort-de-France et à Cayenne, les cérémonies commémoratives se succédaient. L'Opéra offrit en novembre une grande nuit antillaise. Fin décembre, la délégation française aux Antilles se rendit à Port-au-Prince sur l'invitation du gouvernement haïtien : « comme pour témoigner », devait dire le docteur Jean Price-Mars, « qu'en dehors de toute obédience politique la France pouvait être encore fière du rayonnement de sa culture sur une terre qui fut autrefois française et qui a gardé par-delà cent trente et un ans de séparation et d'affranchissement politique l'ineffaçable empreinte du génie français ».

Face à ces manifestations officielles réconfortantes, peu de chose alors : les remous, passés inaperçus, d'un mouvement culturel qu'on devait beaucoup plus tard sacrer « la négritude ». Aimé Césaire (22 ans), Léon Damas (23 ans) et Léopold Sedar Senghor (29 ans) ont bien découvert avec Frobénius et Delafosse la grandeur passée des civilisations africaines ; avec les écrivains de la Négro-Renaissance américaine – Claude MacKay, Langston Hugues, Countee Cullen – une réponse possible au racisme blanc : la preuve par l'intelligence. Ils ont su entendre le cri de *Légitime Défense* poussé dès 1932 par leurs camarades Étienne Léro, Jules Monnerot et René Mesnil. Mais ni le Martiniquais Césaire ni le Guyanais Damas ne songent à définir la place du monde caraïbe – noir et blanc – dans la mutation de la littérature à laquelle ils travaillent. Il s'agit de parer au plus pressé, d'affirmer contre les préjugés et les pratiques du temps l'éminente dignité de la différence. Défi salvateur et signe de ralliement sans équivoque, il faut se proclamer nègre avant que de pouvoir se dire Antillais. Césaire, qui prépare son *Retour au pays natal*, aura plus que personne le droit de s'écrier avec le Rebelle de sa tragédie *Et les chiens se taisaient* : « J'avais amené ce pays à la connaissance de lui-même. » Mais ne devait-il pas à son tour se laisser séduire par un autre mirage qu'il souhaiterait un jour exorciser : la départementalisation ?

On aimerait croire qu'Haïti était parvenue à une connaissance de soi plus équilibrée. Plus tôt et mieux partie que les Petites Antilles en ce domaine, la République noire, indépendante depuis 1804, fondait sa quête de l'identité culturelle non seulement sur une fidélité certaine aux valeurs de la civilisation française – « conçue dans sa pureté », dira généreusement Dantès Bellegarde en 1941 –, mais aussi sur un véritable messianisme historique : selon le mot célèbre d'Hannibal Price dans sa *Réhabilitation de la race noire par la République d'Haïti* (1900), « c'est là (sur le sol d'Haïti) que le nègre s'est fait homme : c'est là qu'en brisant ses fers il a condamné irrévocablement l'esclavage dans tout le Nouveau Monde ». L'occupation américaine (1915-1934), brutale comme le début d'un roman de Jacques Stephen Alexis (*L'Espace d'un cillement*), avait fortifié le sentiment national, et provoqué un regain d'intérêt passionné pour l'héritage africain. Grâce aux vœux et aux travaux de l'école indigéniste, grâce à l'action du docteur Price-Mars, – dont l'ouvrage *Ainsi parla l'oncle* (1928), défense et illustration des traditions populaires haïtiennes, allait devenir la bible de toute une génération –, semblait devoir se dessiner alors une personnalité haïtienne originale, conforme à ce que Lorimer Denis appelait en 1932 avec des accents maurrassiens « le génie de la race ».

Image tremblante, pourtant, et que d'autres forces, notamment celle de l'universalisme marxiste, commençaient à brouiller à nouveau. En fait, pendant ces années d'avant-guerre, Haïti donnait l'impression de tourner sur elle-même, comme entraînée dans une valse-hésitation qui ne trouverait pas sa coda. Assimilation totale et illusoire à la culture française, retour mythique au passé africain aboli, tentation du modernisme américain . . ., de ce rythme ternaire ne jaillissait pas une mélodie qui chantât vraiment le pays.

Quarante ans plus tard, sommes-nous mieux lotis pour présenter un tableau, même sommaire, de la culture antillaise ? Certes, partir aux îles en 1975 n'est plus forcément un moyen coûteux d'alimenter ses propres fantasmes. Les sciences humaines sont devenues curieuses d'autrui, et ont affiné leurs outils. Une littérature a grandi, qui a son mot à dire. Pourtant, les Antilles ne cessent de se dérober au regard. Et l'acteur n'est pas en l'occurrence plus favorisé que l'observateur : vivre « là-bas » ne garantit pas la prise. L'une des angoisses majeures des écrivains antillais est précisément cette impuissance ressentie à faire le point, comme devant une terre où l'on n'aborde jamais.

Simple question de perspective ? On aurait beau jeu de contraster ici les images. Parlent-ils de la même réalité – leur pays, Guadeloupe et Martinique –, cet Albert Béville qui dénonce dans la départementalisation « la dernière forme du colonialisme », et ce Victor Sablé qui y voit « une expérience de décolonisation », « l'aboutissement supérieur de la civilisation française » ? Les Antilles appartiendraient-elles donc à un univers pirandellien, où chacun vit tant bien que mal sa propre vérité ? Quand il ne s'agirait pas plutôt d'un univers kafkaïen, où l'on se débat dans ce qu'Ève Dessarre a appelé *Le Cauchemar antillais*...

Il est sûr que les Antilles – et les Guyanes – offrent une remarquable bigarrure d'ethnies, de langues, de régimes politiques, et de paysages mêmes. Ainsi : Cuba parle espagnol et a une population métisse à dominante blanche, tandis que la Trinité parle anglais et a une population noire. En Haïti, également de population noire, c'est le français qui est langue officielle : ce que l'on nomme Haïti n'est au reste que la partie occidentale d'une grande île – à laquelle, pour éviter toute confusion, il faut restaurer son nom d'Hispaniola – dont l'autre partie est la République Dominicaine, univers espagnol presque entièrement blanc. « C'est un langage fort que celui des frontières » (René Philoctète).

Les classifications politiques ou administratives n'éclairent pas davantage. Sans doute peut-on rappeler que les Grandes Antilles, dont Haïti, sont indépendantes, et que les Petites Antilles, dont la Martinique et la Guadeloupe, ont gardé avec leurs métropoles des liens plus étroits. Mais à l'intérieur de chaque groupe, que de nuances encore, entre le Cuba de Fidel Castro et l'Haïti des Duvalier (« Notre-Dame et Duvalier, protégez-nous des communistes », implorait il n'y a pas si longtemps telle banderole), entre la Jamaïque, membre d'un Commonwealth bien peu rigide, et Porto-Rico, que son statut d'État libre associé aux États-Unis paralyse. La mosaïque guyanaise montre pareille variété, avec la Guyana et le Surinam indépendants, la Guyane française département d'outre-mer, et l'Amapa et la Guyane vénézuélienne, territoires respectifs du Brésil et du Venezuela.

Se limite-t-on aux pays de langue française, on cherchera quels traits communs peuvent présenter le minuscule îlot de

Saint-Barthélemy, entièrement peuplé de blancs qui se disent descendants de Normands, et Haïti, la grande République noire des Caraïbes (4 768 000 habitants en 1969). Au sein même des trois D. O. M. (départements d'outre-mer), on ne manquera pas de relever de vraies bizarreries : par exemple, Saint-Martin faisant partie de la Guadeloupe, parlant surtout anglais, et se trouvant, comme Saint-Barthélemy, autre dépendance de la Guadeloupe, à plus de 200 km au nord de son chef-lieu. Contrastes plus gros de conséquences encore, la Guyane, vaste territoire aux ressources peu exploitées (1), est sous-peuplée ; tandis qu'à la Martinique et à la Guadeloupe, îles à sucre où la population double à chaque génération et où l'équilibre économique, fortement dépendant de la générosité – réelle – de la métropole, est toujours menacé, le vrai problème est celui des rapports entre la main-d'œuvre et l'emploi : on y comptait en 1974 40 pour cent de chômeurs, contre 10 pour cent au début des années cinquante. Un caractère commun à presque tous les pays de la région, cependant : plus de 50 pour cent de la population est constitué de jeunes de moins de vingt ans.

Faut-il donc se résigner à considérer les Antilles – comme aussi cet îlot formé par les Guyanes au bord du continent sud-américain – uniquement dans leurs différences spécifiques ? La notion d'insularité, familière aux géographes, est certes une donnée d'importance ici. Faune et flore varient d'une île à l'autre, à la fois en fonction de l'habitat naturel et par suite des modifications que le milieu ne cesse de subir : introduction de la mangouste en 1893 pour combattre le serpent venimeux, défrichement, urbanisation, tourisme. Le cas est bien connu, du serpent dit « triganocéphale » ou « fer de lance », que la Martinique et Sainte-Lucie sont seules à posséder de tout l'archipel. Comme il a survécu à la voracité de la mangouste, celui qu'on appelle simplement « le Serpent » a pris dans la littérature martiniquaise valeur de symbole : tantôt obstacle à la possession de la terre, tantôt résistance à l'intrusion coloniale, et même résurgence indomptable du passé africain, – l'équivalent terrifiant du dieu-couleuvre haïtien Damballah-wèdo.

Les phénomènes d'insularité et les accidents du relief ont introduit également aux Antilles une grande diversité de paysages. On se rappelle le geste de ce général britannique en

1 A noter que, selon *Le Monde* du 5 août 1975, « le [nouveau] plan global de mise en valeur de la Guyane est bien accueilli même par les autonomistes ».

campagne à la Martinique et qui avait voulu rendre compte à son supérieur des difficultés qu'il éprouvait à maîtriser le terrain : il froissa simplement une feuille de papier. Pour les personnages des romans d'Édouard Glissant, c'est là source continuelle d'émerveillement, « qu'une si grande quantité de paysages différents se concentrent dans un si petit espace ».

Pourtant, même à cet humble niveau de la lecture des cartes, surgit une indéniable unité. Les Antilles, qui se déroulent en arc-de-cercle sur près de 4 700 km, de la presqu'île du Yucatan au delta de l'Orénoque, appartiennent bien à cet ensemble géographique dont Guy Lasserre a si justement mis en lumière l'homogénéité : les Amériques du Centre. Par exemple, si le volcanisme est surtout sensible dans les Petites Antilles, culminant dans des éruptions comme celle de la Montagne Pelée en 1902, qui détruisit Saint-Pierre, il n'en a pas moins touché et modelé l'archipel tout entier. Pareillement, il pleut un peu moins à Port-au-Prince qu'à Pointe-à-Pitre, mais le climat demeure foncièrement identique à travers toute la Caraïbe : tropical maritime, avec une température moyenne se situant aux alentours de 25° C. Les oppositions, qui existent, se relèvent aussi bien à l'intérieur d'un même pays qu'entre les îles, – en Haïti, par exemple, où l'extrême cloisonnement du relief fait alterner régions humides et régions de grande sécheresse : on songe au village de Manuel dans le roman de Jacques Roumain, *Gouverneurs de la rosée*, avec toute cette « poussière que le vent rabat d'une haleine sèche sur le champ dévasté de petit-mil, sur la haute barrière de cactus rongés de vert-de-gris, sur les arbres, ces bayahondes rouillés ».

Peut-être est-ce de l'empire d'un tel cadre naturel que la littérature antillaise tire une première cohérence. Chez Césaire, chez Perse, et même chez le poète romantique haïtien Oswald Durand, dont on a cru à tort – contre l'interprétation du docteur Price-Mars – qu'il se contentait d'imiter Hugo, la nature antillaise est non seulement représentée, c'est-à-dire rendue présente, elle est véritablement le lieu et le signe de l'écriture. Sans tomber ici dans l'illusion réaliste, ni dans l'explication mécaniste de l'œuvre d'art, il ne serait pas exagéré de dire que l'écrivain antillais plus spontanément que d'autres pense en termes d'éléments (terre, pluie, vent, feu), tant il est vrai que la syntaxe poétique, tout comme la syntaxe mythique, n'obéit jamais au seul jeu de ses propres règles : « elle subit aussi les contraintes de l'infrastructure géographique » (Lévi-Strauss). Par là s'élabore en tout cas, sinon un texte commun, du moins une série de références collectives possibles, où en dépit des divergences d'époque, d'appartenance et de ton, le roman dit lyrique d'Édouard Glissant fait écho au roman dit paysan de Jacques Roumain et au roman dit satirico-poétique de Jacques Alexis.

Le morcellement antillais ne résulte certes pas de quelque déterminisme géographique. Aux Antilles comme en d'autres lieux, c'est avant tout l'histoire qui a brouillé les cartes, et enfanté un puzzle. Les Amériques du Centre, convoitées depuis Christophe Colomb, ont connu tous les envahisseurs et subi toutes les influences. Il n'est guère de nation ou de peuple au monde qui n'ait fourni là sa main-d'œuvre, ses maîtres, ses techniques, sa langue. Si l'or des Indes a fondu, si la canne à sucre ne nourrit plus aujourd'hui son *nèg* (un homme, en créole), ni même son planteur, la région demeure l'enjeu d'âpres rivalités idéologiques. Les *marines* ont quitté Port-au-Prince depuis 1934, la baie des Cochons (1961) est déjà un accident oublié, et la mythologie révolutionnaire cubaine a cessé d'effrayer : on notera que même Haïti vient de se montrer « favorable à une normalisation des relations avec Cuba » (*Le Monde* du 18 juillet 1975). *Ces îles qui marchent* (René Philoctète) n'en continuent pas moins d'attirer dans leur sillage des visiteurs aux manières plus douces – en général – que leurs premiers conquérants, mais aux appétits tout aussi insatiables. Aussi faut-il prophétiser avec le poète de *Pluies* : « Nous n'en finirons pas de voir traîner sur l'étendue des mers la fumée des hauts faits où charbonne l'histoire. »

Héritage d'un passé colonial mouvementé, le découpage politique et économique a donné à l'insularité naturelle antillaise une dimension proprement mythique. C'est ainsi que les poètes, étymologistes par vocation, ont lu dans le lieu même de leur naissance une forme et une signification tout ensemble : *insula, isola*, l'île, en vérité, est séparation et isolement. « Peut-être la notion d'espace », écrivait à sa mère en 1917 le Guadeloupéen Alexis Saint-Léger Léger, « se confond-elle un jour avec celle d'insularité, où pour un Antillais né, s'abîme toute solitude. » En ce sens, les grandes idées qui se sont levées aux Antilles, assimilation (à diverses métropoles lointaines), africanisation, négritude, antillanité, sont d'abord une réponse à la peur – et au danger – d'être seul. Les projets d'unité caraïbe esquissés par l'Haïtien Anténor Firmin – auteur d'un recueil sur l'*Égalité des races humaines* (1885) – témoignaient de pareilles inquiétudes. Comme faisaient aussi les appels d'Oswald Durand à ses « frères cubains », comme font encore les textes théoriques d'Albert Béville (« la réalité antillo-guyanaise est une réalité nationale [. . .] très évidemment fondée sur la géographie et sur l'histoire ») ou les exhortations à la fraternité révolutionnaire d'un René Depestre.

Ce n'est pas coïncidence que Frantz Fanon, psychiatre, théoricien de l'aliénation culturelle, et apôtre de tous les *Damnés de la terre* (titre de son livre sorti en 1961) soit un Noir martiniquais. Il parle d'expérience. Pour lui, au reste, les névroses antillaises ont moins leur origine dans l'isolement, dans l'internement forcé, que dans son effet immédiat : le désir d'être ailleurs. Son premier ouvrage, *Peau noire, masques blancs* (1952), décrit les symptômes de cette maladie classique : confronté à une image de soi qu'il ne peut que répudier, forcé de prendre dès l'enfance le parti de la « civilisation » blanche contre la « sauvagerie » nègre, le Noir s'efforce, malgré l'évidence – sa propre couleur, qu'on ne lui laissera jamais oublier –, de s'identifier à la culture européenne blanche. Ainsi la bourgeoisie antillaise refuse de parler créole, sauf aux domestiques, et méprise les Noirs venus du Sénégal ou du Dahomey. Ainsi les soldats antillais se réjouissent d'appartenir à des unités européennes alors que les Africains servent dans des régiments distincts. Ainsi la jeune Martiniquaise, dédaignant les éphèbes noirs au profit d'un fiancé à la peau claire, fût-il sans qualités, passe son temps à essayer de se défriser les cheveux, et ne rêve, selon le mot dur de Fanon, que de « lactification ». Ainsi la mère se réjouit de ce que lui est né un enfant un peu moins crêpelé, un peu moins foncé qu'elle.

Cas extrêmes, sans doute, et qu'il faudrait étudier à la lumière de témoignages contradictoires, et non moins respectables : *Un homme pareil aux autres*, de René Maran, ou les *Mémoires* de l'ancien président du Sénat français, Gaston Monnerville (né à Cayenne). Et Fanon se réfère à une époque passablement révolue de l'histoire de la sensibilité antillaise. La situation et les attitudes ont changé depuis la seconde guerre mondiale : avec le succès relatif des divers mouvements inspirés de la négro-renaissance et de la négritude, avec, surtout, l'accession à l'indépendance des nations africaines, les Noirs des Amériques ont pu retrouver dignité et fierté. Par ailleurs, une certaine conception pluraliste de la société semble s'instaurer dans le monde occidental. Elle permettra aux Amériques du Centre, qui voient se côtoyer tant de groupes culturels, de se considérer, non pas comme une monstrueuse exception, mais comme le modèle d'une communauté heureuse. Utopie ? On n'en finit certes jamais de chasser les vieux démons. C'est tout récemment, en 1972, que des ethnologues notaient qu'à la Martinique les domestiques noirs préfèrent travailler chez des patrons blancs, et que les Békés (Blancs créoles, c'est-à-dire nés dans les îles) refusent d'exercer des métiers manuels comme ceux de coiffeur ou de chauffeur de taxi, parce que « ces professions impliquent un contact intime avec les Noirs ».

La persistance de ces hantises confirmerait, s'il en était besoin, les Antillais de toute appartenance dans leur quête d'une communauté de *dessein*, seul remède au déséquilibre individuel et collectif. Mais ce but ultime ne signifie pas que l'on soit prêt pour autant à partager le *destin* d'autrui. Dans sa préface à l'ouvrage de Daniel Guérin sur *Les Antilles décolonisées* (1956), Aimé Césaire rejetait par exemple l'idée d'une union antillaise modelée sur la Fédération des Antilles britanniques, et ne voyait que pure « abstraction » dans la notion d'une « patrie antillaise » qui aurait été « commune à tous les peuples antillais » (2) . Mais la prudence politique, et surtout la fidélité à ses propres particularismes – telle que l'a manifestée avec noblesse un Gilbert Gratiant dans son *Credo des sang-mêlé* (1948) – n'excluent pas l'entreprise de mise à jour d'un même *passé*, la découverte d'une solidarité fondée sur une même et séculaire expérience.

C'est dans cette perspective qu'il faut lire tous ces poètes et romanciers qui, en Haïti depuis le XIXe siècle, et dans les Antilles et la Guyane française surtout depuis la seconde guerre, travaillent à la re-création de leur histoire nationale. Convaincus que la conquête et la colonisation des « Indes occidentales », telles que l'Europe les a contées à ses enfants, ont masqué l'histoire antillaise profonde, ils s'attachent à évoquer des moments privilégiés de cette histoire, quand l'unité caraïbe surgissait pour ainsi dire d'elle-même. Par exemple, l'épopée de Toussaint Louverture, cet esclave noir révolté, rallié à la France révolutionnaire, qui avait rêvé d'une République de Saint-Domingue indépendante et sans esclaves, et qui fut emprisonné par Bonaparte ; ou celle de son lieutenant Dessalines (il bouta les Français hors de Saint-Domingue et devint le premier des maîtres tyranniques d'Haïti). Ou bien ils s'efforcent de mieux enraciner leur réflexion poétique et romanesque dans le sol de leur pays, dynamisant en somme les données de la géographie pour en changer l'orientation : ici l'œuvre entière d'Édouard Glissant, et en particulier son très beau roman *Le Quatrième Siècle* (1964), serait exemplaire, dans sa volonté expresse de « récupérer » tout le passé martiniquais et d'« élucider la sensibilité antillaise ».

2 Dans une interview donnée au *Nouvel Observateur* (23 décembre 1974) Césaire, tout en maintenant sa revendication en faveur de *l'autonomie* martiniquaise, évoque plus nettement qu'il ne l'a jamais fait la possibilité de *l'indépendance*.

Il n'est plus possible en tout cas de nier aujourd'hui l'unité structurelle profonde du monde antillo-guyanais. Les îles sont bien filles de cette civilisation des plantations qui atteignit son apogée au XVIIIe siècle, et dont les éléments constituants tiennent en quelques mots, chargés d'histoire : monoculture, traite, esclavage, grandes propriétés (les *habitations* des îles à sucre françaises), dépendance. C'est ce système qui s'est perpétué dans ses grandes lignes, même après l'abolition de l'esclavage (en 1848, dans les territoires français), et jusqu'à nos jours, – Haïti faisant à peine exception puisque si l'indépendance a bien mis en pièces les grands domaines et fait fuir les Blancs, elle n'a guère modifié la structure sociale proprement dite. C'est de là que les Antilles tirent leur variété même : les îles où la canne à sucre n'a pas été implantée sont restées blanches, les îles venues tard à la monoculture, comme les îles espagnoles, sont plus claires que les Petites Antilles, où Anglais et Français ont très tôt installé leurs plantations. C'est par là que s'explique, pour l'essentiel, le jeu des relations inter-ethniques dans la Caraïbe, par exemple l'étroit rapport observé par Michel Leiris à la Martinique entre stratification raciale et organisation sociale.

On pourrait énumérer de nombreux éléments culturels immanents à la civilisation des plantations. Retenons-en deux, particulièrement significatifs par l'incidence qu'ils ont eue sur la littérature elle-même : il s'agit d'une langue (le créole) et d'une religion (le vaudou).

Malgré tous les travaux intelligents qui lui ont été consacrés, depuis que les encouragements du docteur Price-Mars en ont rendu l'étude respectable, le vaudou haïtien – le mieux connu et le plus vivant, dans les îles de langue française – continue à susciter des images puérilement effrayantes. On ne répètera donc jamais assez que le vaudou est une religion à part entière, où n'entre ni plus ni moins de superstition qu'ailleurs. Et que, surtout, cet ensemble de croyances et de pratiques représente une véritable parole, par laquelle tout un peuple en grand désarroi a pu s'exprimer, et surmonter les contradictions de sa vie quotidienne.

Venu d'Afrique comme le prouvent son vocabulaire, son panthéon et ses rites, le vaudou s'est également assimilé avec allégresse tout l'appareil religieux du catholicisme. La persécution que le clergé d'Haïti – breton, et mal préparé à ce genre de mission – a lancée contre le vaudou en 1940 avec l'appui du gouvernement, et qui est connue sous le nom de « campagne antisuperstitieuse », fut d'autant plus ardente qu'elle s'efforçait de combattre à la fois un paganisme jugé barbare et l'odieux du sacrilège. D'autant plus vaine aussi : la phrase célèbre, « il faut être catholique pour servir les *loas* » (dieux, esprits), signifie exactement, et sans malice, qu'un vaudouisant qui se convertit non seulement ne change pas de religion mais donne à ses propres croyances de nouvelles occasions de s'épanouir. Plus on distribuait d'images pieuses colorées, plus se multipliaient les *loas*.

De fait, le vaudou est apparu à toute époque comme une forme de résistance culturelle à l'oppression. Son lien historique avec les diverses rebellions noires dans les îles et dans les Guyanes est bien attesté. Il est indéniable, par exemple, que le serment du Bois Caïman qui marqua en août 1791 le début de l'insurrection générale à Saint-Domingue, a revêtu un caractère nettement religieux. Il semblerait même que le fameux Makandal, le nègre marron originaire de Guinée qui prit la tête du soulèvement de 1757 et qui voulait peut-être établir un royaume noir indépendant à Saint-Domingue, ait été une sorte de thaumaturge et de prophète, – rôle messianique fréquemment assumé en Afrique, mais dont Roger Bastide dit n'avoir au reste guère rencontré d'exemples dans les Amériques noires. En revanche, nombreux sont les cas où le vaudou agit soit comme ferment de révolte, soit comme adjuvant indispensable à l'ardeur combattante des insurgés : les chefs Jean-François, Biassou, Lamour Derance, Hyacinthe.

Certes le vaudou ne présente pas seulement des traits positifs. On n'a pas manqué de lui reprocher en particulier son caractère de « fatalisme tragique ». Contrairement aux religions de l'Afrique occidentale qui lui ont donné naissance, la théologie vaudoue baigne en effet dans le pessimisme. Et pour cause : comment le Noir africain, brutalement ravi à son milieu naturel pour être projeté, par-delà l'Océan, dans un univers d'atrocités quotidiennes, aurait-il pu demeurer un être d'espérance ? C'est toute la distance qui sépare, dans le roman sobrement émouvant d'André Schwarz-Bart, l'enfance heureuse de la petite négresse Bayangumay au milieu de son peuple, de la maternité égarée de *La Mulâtresse Solitude* à la Guadeloupe.

Ainsi s'explique l'attitude apparemment équivoque des écrivains antillais contemporains à l'égard du vaudou, et plus généralement à l'égard de la culture populaire tout entière, créole comprise. Dans la mesure où cette culture demeure en effet, selon un mot heureux de Laënnec Hurbon – ce prêtre haïtien qui a si intelligemment et si courageusement réfléchi à la signification du vaudou –, « un lieu de recherche d'une libération jamais effectuée, mais toujours déviée », ils y voient un risque constant d'utilisation à des fins mystificatrices, le prétexte au maintien des déshérités dans le contentement – relatif – de leur condition. Tel a bien été le rôle de l'indigénisme forcené pratiqué par François Duvalier. Tels sont même, Jacques Stephen Alexis et René Depestre l'ont souligné, les dangers d'une conception de la négritude qui ne tiendrait pas compte de la réalité des problèmes économiques et sociaux aux Antilles. Dans le même sens Édouard Glissant a exprimé sa méfiance vis-à-vis des « complaisances folklorisées, dont la plus caricaturale serait, sous des dehors populistes, une sorte de « doudouisme » de gauche » (*Acoma*, juillet 1971).

Ces mises en garde faites, les écrivains ont pu d'autant mieux témoigner leur sympathie. Jacques Roumain, lecteur de Marx, est sensible au caractère aliénant de toute religion : son héros Manuel sait par expérience qu'en Haïti l'eau tombe rarement du Ciel, et que seule une action collective dotera le village du système d'irrigation dont l'absence condamne les habitants à la mort ou à l'exil. Pourtant, Roumain a fait largement place au vaudou dans son œuvre. C'est qu'il y a vu lui aussi, comme Jacques Alexis dans ses *Arbres musiciens*, l'expression vivante de la condition paysanne. Et l'on n'a pas suffisamment noté combien le remède qu'il propose dans *Gouverneurs de la rosée*, l'effort collectif, rejoint un autre lieu de reconstruction de l'héritage africain aux Antilles : le *coumbite*, cette association temporaire de paysans au profit de l'un des leurs – travail d'un champ, par exemple, rythmé par le tambour et les chants, avec danses et repas également partagés –, selon ce principe de l'échange et du don si justement cher à Marcel Mauss.

Les préjugés à l'endroit du créole sont également tenaces. Même chez un bon journaliste comme Jean Raspail, dont le reportage *Secouons le cocotier* a contribué à . . . secouer bien des idées reçues que l'on avait en France sur la Caraïbe, il est parlé du créole comme d'un patois « grossier » et sans avenir. Nous préférons suivre les linguistes modernes, qui s'accordent pour donner au créole le statut de langue vernaculaire (c'est-à-dire propre au pays) « de plein exercice » (3) .

Les conditions de naissance du créole sont assez bien connues : rencontre de deux cultures, l'une dominante, l'autre dominée, nécessité pour les esclaves de pouvoir comprendre non seulement leurs maîtres mais leurs pairs. On a pu croire qu'en ses débuts le créole était une sorte de français simplifié, et il est vraisemblable en effet que la

3 Pierre Perego, « Les Créoles », dans *Le Langage*, sous la direction d'André Martinet, Paris, Gallimard, Encyclopédie de la Pléiade, 1968, p. 609. Voir aussi les travaux de Suzanne Sylvain-Comhaire, d'Élodie Jourdain, de Jules Faine, de Charles-Fernand Pressoir, et plus récemment, les études socio-linguistiques d'Albert Valdman, de Gilles Lefebvre, de Madeleine Saint-Pierre.

tendance naturelle du colon à s'adresser à ses « inférieurs » par l'intermédiaire de ce que l'on nomme « le petit nègre » a exercé une influence déterminante. Mais le contact avec les diverses langues de l'Afrique occidentale parlées par les esclaves, et dont le fond syntaxique commun serait d'une grande simplicité, a dû accentuer ce processus, et faciliter la formation d'une langue suffisamment autonome.

Aujourd'hui les chercheurs se querellent, peut-être un peu vainement, sur la parenté exacte du créole, les uns – Suzanne Sylvain-Comhaire dès 1936, plus tard Charles-Fernand Pressoir, et la majorité des linguistes américains – demeurant frappés par les caractéristiques africaines que manifestent les différents créoles (essentiellement, faits de syntaxe), les autres – Jules Faine ; plus récemment et de manière plus nuancée, l'Américain Robert Hall – voyant dans le créole de l'aire française avant tout une langue *romane*. Sembleraient donner raison à ces derniers, outre le caractère indéniablement français du lexique en créole (vocabulaires des soldats et marins, apports picards, normands, angevins), la cohérence interne des créoles français (on se comprend non seulement d'Haïti à la Martinique, mais de la Martinique à l'île Maurice), et la ressemblance des créoles français avec certains parlers populaires d'autres pays colonisés par la France, notamment l'Algérie. Mais les identités structurelles existant entre tous les créoles – français, anglais, portugais – et certaines langues africaines, le groupe des langues soudanaises par exemple, n'en paraissent pas moins assurées. Faudra-t-il donc avec Ghislain Gouraige, parmi d'autres, avancer prudemment le terme de « langue mixte » ? Sans doute, à condition de préciser que la double appartenance n'interdit pas la constitution d'une langue originale, irréductible à toute somme arbitraire de ses éléments.

D'abord et longtemps langue orale, réservée hier presque exclusivement aux esclaves et de nos jours aux masses pauvres et incultes, langue donc ressentie comme « inférieure » à la langue dominante ou officielle – en l'occurrence, le français –, le créole n'en a pas moins fait très tôt aux Antilles l'objet d'efforts de valorisation. On l'interdisait à l'école et l'on fouettait les enfants qui « s'oubliaient » à parler créole dans leurs jeux, mais on commençait aussi à lui donner le statut, jugé prestigieux, de langue littéraire : ambivalence qui allait consacrer non seulement le divorce entre créole et français, mais entre créole parlé et créole écrit. Il existe en effet une littérature de langue créole, peu connue, peu étudiée, non diffusée, introuvable en dehors de quelques anthologies, et dont il faudrait dire la richesse : des œuvres satiriques de Paul Baudot (né à la Guadeloupe en 1801 de parents nivernais) au théâtre populaire de Frank Fouché, des *Fables* du Martiniquais Marbot à celles de l'Haïtien Georges Sylvain – ni l'un ni l'autre ne démarquant La Fontaine plus que La Fontaine ne se contentait de traduire Ésope –, des poèmes mélodiques d'Oswald Durand, le créateur de la célèbre *Choucoune*, à la poésie quasi quotidienne de Gilbert Gratiant et aux litanies de Félix Morisseau-Leroy. Mais qui donc cette littérature atteint-elle ? Ce n'est certes pas l'affranchi de fraîche date qui allait applaudir *Fondoc et Thérèse*, l'opéra de Baudot joué à Basse-Terre en 1856, et il serait surprenant que les poèmes de Morisseau-Leroy lus à la radio d'État haïtienne au jour anniversaire de la mort de Dessalines fussent entendus au-delà des foyers bourgeois de Port-au-Prince.

Ici se situe un débat plus critique, par son enjeu, que celui de la genèse du créole. Les autorités haïtiennes ont en effet compris que tout effort d'alphabétisation resterait vain tant que le créole, langue maternelle de la très grande majorité du pays, ne s'écrirait pas et ne s'enseignerait pas, au moins aux adultes. On pensait également faciliter ainsi le passage à la connaissance et à la pratique du français, langue officielle d'Haïti depuis la proclamation de l'indépendance. Mais quelle orthographe adopter pour le créole quotidien ? A la suite de l'occupation américaine, qui eut des répercussions pédagogiques, on décida de s'inspirer de la graphie phonétique qu'avait développée un jeune linguiste nommé Laubach, aidé du pasteur méthodiste Ormonde Mc Connell (4) . Saine et rationnelle mesure, sans doute, mais qui offre l'inconvénient de masquer l'allure indiscutablement française du lexique créole. Par exemple, les sons *an* et *on* sont remplacés par *â* et *ô*, les lettres *c* et *q* disparaissent au profit de l'unique *k*, la cédille et les consonnes doubles – *nn, rr, ss*, dont jouent les poètes – sont supprimées. Comme les textes littéraires demeurent écrits « à l'ancienne », il en résulte que le paysan haïtien éduqué selon une telle méthode lit seulement ce qu'on veut bien fabriquer exprès pour lui : exploit modeste, et qui ne s'accompagne guère, en Haïti, de promotion culturelle ou sociale.

Pourtant les intentions étaient bonnes. Il devient de plus en plus urgent, semble-t-il, de donner au créole la place de droit qui lui revient dans les Antilles. En faire la seule langue – parce que majoritaire et maternelle – de la République haïtienne aboutirait certes à sanctifier l'isolement que l'on

4 Aujourd'hui, l'O. N. A. A. C. (Organisation nationale d'alphabétisation et d'action communautaire) utilise les règles proposées par C.-F. Pressoir en 1947, qui vont dans le même sens.

sait. Et il n'est pas sûr que Paris, Montréal ou Dakar accueilleraient aussi volontiers une diaspora haïtienne qui n'aurait pas le français comme langue de travail. Mais prétendre lui substituer le français dans toutes les circonstances de la vie officielle ne peut qu'encourager, au pire, la déchéance accrue de la plus grande partie de la population ; au mieux – est-ce vraiment un mieux ? – la multiplication de ces personnages à la Justin Lhérisson (*La Famille des Pitite-Caille*, 1905), suffisamment « instruits » pour mépriser le créole, mais incapables d'employer autre chose qu'un jargon prétentieux, biscornu, et somme toute inefficace.

Pour la langue française, il s'agit donc d'une remise en place, non d'une remise en question. On n'a jamais songé sérieusement à contester – sauf, et il faut en croire Dantès Bellegarde qui fut alors ministre de l'Instruction publique, aux premiers temps de l'occupation américaine en Haïti – le droit à l'existence du français aux Antilles. Personne, par exemple, parmi les autonomistes ou les indépendantistes des départements d'outre-mer, ne soutiendrait que l'avenir politique des D.O.M. dût être lié à l'abandon de la langue française. On ne saurait en effet confondre langue et nationalité, selon cette équation simpliste qui a pu servir aux impérialismes en lutte à justifier au XIXe siècle le cloisonnement antillais. Édouard Glissant, l'un des écrivains qui contribue le plus activement à l'édification de l'antillanité culturelle, s'est fort bien expliqué là-dessus. Alors que certains croyaient le mettre en contradiction avec lui-même sous prétexte qu'il écrit en français, il précise :

« Et on me dit : Que faites-vous d'autre que parler la langue d'Occident ? et de quoi parlez-vous, sinon de cela que vous récusez ? – Mais je ne récuse pas, j'établis corrélation. [...] *Ma différence est en l'usage que je fais du concept, non dans le refus (ou l'impossibilité) de l'abstraire. Dans ma manière de fréquenter passionnément cette langue, non dans sa méconnaissance. »*

Mais quelle variété de français, au juste ? En Haïti, au contact de l'espagnol voisin et de l'anglais un temps visiteur, et surtout du créole toujours présent, le français a subi une dialectisation partielle, qui se voit par exemple, au niveau de la syntaxe, dans l'absence de concordance verbale, la tendance à supprimer les prépositions après les transitifs directs, etc. A la Guadeloupe et à la Martinique, terres françaises sans interruption depuis 1635, « avant Lille, avant Besançon » (Auguste Viatte) – et avant la Corse –, la langue a pu maintenir avec le français métropolitain, lui-même fluctuant et varié, des liens plus étroits. Mais la distance et l'esprit d'autonomie des colons jouant, au moins jusqu'à la départementalisation (1946), le français des Petites Antilles a suivi lui aussi son propre chemin, en compagnie du créole.

Une des caractéristiques phonologiques du français antillais, la plus connue sans doute, et qui dit-on fait « le charme du parler des isles », est le relâchement articulatoire des consonnes, affectant surtout le *r*. Mais gardons-nous ici encore de trop simplifier : il ne suffit pas de s'évertuer à ne jamais prononcer les *r* pour ressembler à un personnage du *Diab'là* de Joseph Zobel. Ce n'est en réalité qu'en position finale que le *r* tend à disparaître, dans le mot *tambou(r)* par exemple. En position intervocalique, il peut s'amuir en yod, si l'on a un débit rapide : la petite ville de Mirogoâne, du roman satirique de Fernand Hibbert, *Romulus* (1908), devient alors [Mijagwan]. Suivi d'une voyelle arrondie comme [u] ou [o], et en début de syllabe, il se transforme aisément en wau, – le *roi* est *oua* [wa], *rôder, ouoder* [wode]. Et il s'articule à l'occasion, c'est-à-dire en début de syllabe ou après une occlusive et devant une voyelle non arrondie : *il a ri, le bruit, il fait froid*. En ce cas, il est vrai, le *r* se manifeste plutôt comme une fricative sonore vélaire, alors que le *r* du français standard est une vibrante.

Qui parle le français, aux Antilles ? En Haïti, on l'a vu, le français n'est langue première que pour une partie infime de la population : dans la capitale, surtout, et parmi les classes les plus aisées. Les évaluations en pareil domaine sont toujours délicates, mais il semble qu'on ne se trompe pas de beaucoup en estimant à 75-80 pour cent la proportion d'Haïtiens qui parlent seulement le créole, le reste du pays, soit 20-25 pour cent, employant l'une ou l'autre langue, suivant les circonstances et le statut social : en famille, entre soi, à l'église, aux champs, dans les bals de campagne, c'est le créole qui domine ; à l'école, chez le notaire, au tribunal, dans les cérémonies officielles et les soirées mondaines, ce sera plutôt le français.

Sur le plan national, la pratique du français en Haïti est donc limitée. Mais on doit se garder d'oublier que là-même où le français n'est guère entendu, il conserve son prestige, et peut-être ses chances de survie ou de renaissance, de par la situation privilégiée qu'il occupe dans la société haïtienne, et l'efficace qu'on lui prête. En ce sens, les résultats de l'enquête conduite en 1963 dans le Nord du pays par le docteur Jean-Baptiste Romain, et au cours de laquelle les paysans ont marqué leur désir d'apprendre le français plutôt que le créole, ne sont pas surprenants. Sur le plan international, il faut rappeler – reconnaissance oblige – que l'entrée d'Haïti à l'Union panaméricaine, l'actuelle O. E. A.

(Organisation des États américains), a permis au français de devenir l'une des langues officielles des délibérations de cet organisme ; et que lors de la fameuse conférence de Bretton Woods, où l'utilisation du français comme langue de travail à l'Organisation des Nations unies naissante ne fut décidée que par une voix de majorité, Haïti avait voté en faveur de cette décision.

La situation linguistique des trois départements d'outre-mer de la région est sensiblement différente. Dans les deux plus peuplés, la Martinique et la Guadeloupe, on ne trouve pas plus de 5-10 pour cent d'unilingues créole, ce qui signifie, non pas que le français y soit parlé en toutes circonstances – son emploi variant avec les catégories socio-professionnelles –, mais qu'il est compris à peu près par tous et partout. Cette profonde empreinte, que d'aucuns qualifient d'emprise, de la langue et de la culture françaises dans les Petites Antilles reflète l'excellence du système scolaire mis en place sous la Troisième République et dont l'épanouissement a été favorisé par la départementalisation, intervenue, on s'en souvient, en 1946.

Il est incontestable, en effet, que dans le domaine de l'enseignement – comme d'ailleurs dans celui de la santé – la Martinique et la Guadeloupe sont parmi les mieux équipées de toutes les îles antillaises. Quelques chiffres, particulièrement révélateurs. A la Martinique, on compte 90 000 élèves dans les écoles en 1974 (contre 38 000 en 1944), ce qui représente un taux de scolarisation de 98 pour cent, le plus élevé de l'archipel. En Haïti, ce même taux, qui n'était que de 25 pour cent en 1960, est descendu à 16 pour cent en 1966, les écoles rurales étant les plus touchées : on estime qu'à la campagne un enfant sur sept fréquentait l'école en 1957, et seulement un sur onze en 1967 ; et nul doute que la situation n'aille se dégradant, puisque le recensement de 1969 donne pour l'analphabétisme, cette plaie des pays pauvres, la proportion globale de 86 pour cent, contre 80 pour cent en 1957. Autre indice : alors que le nombre d'écoles secondaires à la Martinique – dont la population actuelle s'élève à 342 000 habitants – est passé de quinze à cinquante en 25 ans, Haïti, avec ses 4 768 000 habitants recensés en 1969, n'en possédait à la même époque que soixante-quinze, soit seulement deux de plus qu'en 1960.

Pour l'enseignement supérieur et la formation des maîtres, Haïti est dotée de structures de qualité, et qui ont fait leurs preuves, notamment dans les lettres et l'anthropologie culturelle et sociale, comme en témoignent, entre cent autres exemples, le travail d'un Jacques Roumain (mort en 1945) à la tête du Bureau d'Ethnologie qu'il avait fondé, les activités d'un Pradel Pompilus en linguistique, d'un Jean-Baptiste Romain à la faculté d'ethnologie, qui ont donné à l'Université d'État à Port-au-Prince une renommée internationale. Mais la diminution du nombre d'étudiants – l'Université, qui en accueillait 2 094 en 1964, n'en comptait plus que 1 542 quatre ans plus tard – et le départ en exil d'une grande partie de l'intelligentsia haïtienne, ne laissent pas d'inquiéter.

Il semble que là aussi les Petites Antilles de langue française doivent bientôt rivaliser avec la grande République noire : longtemps dépendants de la métropole pour l'enseignement supérieur – la Sorbonne, les grandes écoles, mais aussi Bordeaux, où se trouve le siège du rectorat –, les départements d'outre-mer ont vu s'établir ces dernières années les bases d'un enseignement universitaire en droit, en lettres, et en sciences, réparti entre la Martinique et la Guadeloupe. En 1974, on dénombrait par exemple déjà 1 750 étudiants dans les deux Unités d'enseignement et de recherche – droit et lettres – de la Guadeloupe. En même temps, se multiplient les centres de recherches gouvernementaux – tels les laboratoires d'agronomie, de biologie et de parasitologie de l'I. N. R. A. à la Guadeloupe, qui emploient 350 personnes –, et les organismes privés, aux moyens plus modestes mais à l'énergie jamais lassée, comme l'Institut martiniquais d'études d'Édouard Glissant à Fort-de-France (c'est aussi un établissement d'enseignement primaire et secondaire et un centre d'animation culturelle), ou l'Institut caraïbe de recherches historiques du docteur Oruno Denis Lara à Pointre-à-Pitre.

De fait, les départements d'outre-mer sont fiers, et à bon droit, de leurs intellectuels, écrivains, professeurs licenciés, agrégés, et normaliens : l'un d'eux, célèbre aussi par sa carrière politique, Aimé Césaire, fit ses premières armes – miraculeuses – d'enseignant au vieux lycée Schoelcher de Fort-de-France, ce même lycée où Édouard Glissant, parmi d'autres, a été élève, et où l'un des fins connaisseurs actuels de Saint-John Perse, Émile Yoyo, est revenu enseigner la philosophie. Cette élite, on le sait, ne trouve pas toujours sur place de débouchés à ses aspirations, et n'eut longtemps d'autre issue que l'exil plus ou moins volontaire. L'époque n'est pas si éloignée, où le Guyanais René Maran – vrai précurseur de la négritude, auteur de *Batouala* (1921) – faisait carrière dans l'administration coloniale en Afrique équatoriale française ; où le poète et essayiste guadeloupéen Albert Béville (disparu dans un accident d'avion en 1962) servait au Sénégal à titre de Directeur général de l'Office de commercialisation agricole ; où le Martiniquais Frantz Fanon exerçait la psychiatrie à l'hôpital de Blida en Algérie. Il semble pourtant que depuis quelques années les retours au pays natal se fassent plus fréquents. On verrait peut-être un signe de cette assiduité retrouvée dans la multiplication des expériences, souvent heureuses, de théâtre populaire à la Martinique et à la Guadeloupe, et dont l'objet ultime est bien de formuler entre les auteurs antillais et leur public un pacte jusqu'à présent inexistant.

La grande presse haïtienne de langue française est assez morcelée – plusieurs titres : *Haïti Journal, Le Jour, Le Matin, Le Nouveau Monde, Le Nouvelliste*, etc., mais des tirages ne dépassant que rarement les 6 000 exemplaires –, et manque un peu de dynamisme, sinon de *conviction*, puisque ces publications sont en général d'obédience gouvernementale. Comme il arrive en des pays où l'infrastructure économique est déficiente, la forme ne vaut pas mieux ici que le fond, la plupart de ces journaux étant « desservis malheureusement par une typographie dont la médiocrité atteste celle de leur équipement et de leur budget » (Auguste Viatte). Dans les D. O. M., il existe une situation de quasi monopole, avec les 46 000 exemplaires quotidiens (1972) de *France-Antilles*. Appartenant au groupe Hersant, c'est aussi le seul journal des D. O. M. caraïbes qui soit imprimé en offset, et qui, à ce titre, intéresse les annonceurs internationaux. Auprès de ce géant, les organes des divers partis politiques d'opposition – le parti progressiste martiniquais de Césaire, par exemple – font figure de parents pauvres, d'autant plus qu'ils doivent parfois se contenter de paraître sous forme de brochures ronéotypées. Signalons aussi pour mémoire la presse s'adressant aux Antillais travaillant en France, comme l'humble et virulent *Libération Antilles-Guyane*, mensuel de la section émigration du groupe révolution socialiste (section antillaise de la IVe Internationale).

La qualité est plutôt à rechercher du côté des revues culturelles, littéraires ou scientifiques, qui malgré un tirage souvent modeste (500 exemplaires), ont joué à toute époque un grand rôle dans l'histoire intellectuelle des Antilles. Il faudrait les citer toutes, parce qu'elles ont contribué, chacune en leur temps et à leur manière, et quelle qu'ait été leur orientation politique, à l'éveil de ce qu'on pourrait appeler la conscience antillaise : *La Ronde* du début du siècle, façonnant toute une génération de poètes et de romanciers haïtiens à l'amour de l'écriture, les *Lucioles* (1926) définissant un régionalisme martiniquais sans petitesse, la *Revue indigène* et *Les Griots* prêchant dans les années trente un retour aux racines profondes du pays, *Tropiques*, que Césaire lança en pleine guerre, à la barbe de Vichy, et où s'élabora le langage de la négritude, la *Revue guadeloupéenne* qui fut la première, peut-être, à parler d'antillanité ... Elles ont aussi en commun de disparaître souvent trop tôt, soit faute de subsides, comme l'*Acoma* d'Édouard Glissant qui n'a connu que cinq numéros, soit parce qu'elles ne survivent pas à la mort de leur fondateur, comme *Parallèles*, la revue martiniquaise qu'animait Anca Bertrand. Mais on les peut croire immortelles, quand on voit l'excellente *Nouvelle Optique* renaître (à Montréal) des cendres de l'exil.

La radio est très loquace, aux Antilles. Haïti possède plusieurs stations : mais, sauf à Radio Nouveau Monde qui n'émet qu'en français, les programmes en langue créole sont, comme il est naturel, les plus nombreux. Dans les Petites Antilles, naguère un peu assoupies, la multiplication récente de postes périphériques a créé, selon le mot d'un des responsables français des émissions à destination des départements et territoires d'outre-mer, Charles Finaltéri, « une saine émulation ». Les habitants de la région ont donc maintenant le choix entre la radio d'État, représentée par FR 3 (en collaboration avec Radio-France : 16 heures de programmes quotidiens, dont une au plus de publicité, et avec une importance accrue donnée au dialogue local), et les stations privées comme Radio-Antilles, installée dans l'île de Montserrat, ou comme la toute nouvelle Radio-Jumbo, que son implantation dans l'île de la Dominique, à égale distance de la Martinique et de la Guadeloupe, rend particulièrement « compétitive ». A quoi s'ajoutent aussi depuis l'automne 1975 des émissions de Radio-Caraïbes, la plus ancienne des stations privées françaises des Antilles (1961), qui avait passé sous contrôle anglais en 1965, et qui a été rachetée par un groupe d'intérêts exclusivement français.

La télévision, plus coûteuse d'installation et d'utilisation, se répand néanmoins dans les Petites Antilles. Fort-de-France dispose d'un équipement complet d'émission. La mise en place en 1972 d'une station de télécommunications spatiales aux Trois-Ilets (Martinique), reliée à celle de Pleumeur-Baudou (Bretagne) par satellite, a été bénéfique : c'est ainsi que les téléspectateurs martiniquais (13 000 téléviseurs déclarés en 1974) et guadeloupéens ont pu suivre les Jeux olympiques de Munich en direct. Les programmes, fidèles reflets des métamorphoses parisiennes de la télévision française, s'adaptent encore avec timidité aux réalités du lieu : en 1970, la station ne possédait par exemple aucune archive sur Aimé Césaire, député et maire de la ville. Souhaitons qu'au moins les Antillais aient eu le bonheur de voir les deux émissions diffusées en métropole sur Antenne 2 le 1er mai 1975 : l'adaptation que Maurice Failevic a donnée du roman de Roumain, *Gouverneurs de la rosée*, ou le très beau « journal de voyage » rapporté par Jean-Marie Drot de ses rencontres avec les « peintres de la fête et du vaudou » en Haïti.

En Haïti, la télévision connaît aussi un certain essor quantitatif, mais ne s'élève guère au-dessus du médiocre dans l'établissement des programmes. Et pourtant, au lieu de se repaître de westerns point nécessairement choisis parmi les meilleurs, il devrait lui être facile d'utiliser plus volontiers qu'elle ne le fait le talent des acteurs et des dramaturges du cru, toujours à la recherche, comme l'a rappelé avec esprit Mona Guérin – l'auteur du drame bourgeois *La Pieuvre* (1970) – d'un commanditaire, d'un public et même, à Port-au-Prince, d'une salle.

La situation du cinéma aux Antilles est encore moins encourageante. L'équipement de base lui-même fait défaut : studios et laboratoires pratiquement inexistants, salles de projection vétustes, exiguës et trop peu nombreuses. Le public haïtien est de loin le plus défavorisé en la circonstance, puisqu'on ne comptait en 1967 que 26 salles de cinéma fixes, soit seulement 0,2 fauteuil pour 100 habitants, l'un des taux les plus bas de toutes les Amériques du Centre et du Sud. Les deux Antilles françaises sont mieux dotées : à la même époque, 2,7 fauteuils pour 100 Guadeloupéens, 4 fauteuils pour 100 Martiniquais ; et le VIe plan prévoit le financement d'un théâtre de 1 600 places à Fort-de-France, qui accueillera films, tournées théâtrales, concerts et conférences.

Fait plus grave, la production locale de longs métrages est nulle, et tous les films doivent être importés, soit de France, soit, surtout, des États-Unis. On estime par exemple que 75 pour cent des films projetés sur les écrans haïtiens sont américains. Une exception, pourtant : le film – parlant français et créole – que viennent de réaliser des Haïtiens en exil et intitulé *Haïti : le chemin de la liberté*. Salué par les critiques qui ont pu le voir lors de son bref passage à Rome et à Paris au printemps 1975 comme « un événement » et « une révélation », ce document de combat laisse bien augurer de l'avenir d'un cinéma antillais qui se situerait dans la lignée des meilleures réalisations de l'Amérique latine. Mais, là comme ailleurs, le véritable problème n'est pas de création : assurerait-on les conditions d'existence d'un cinéma autochtone aux Antilles que se poserait encore la question de la dépendance des circuits de distribution. Il est bien rare en effet, ainsi que Tahar Cheriaa l'a mis en évidence pour l'Afrique du Nord, que les jeunes cinémas nationaux puissent s'opposer avec succès au monopole de fait exercé en ce domaine par les compagnies américaines (5).

La manifestation la plus visible, et aujourd'hui encore la plus prestigieuse, de la culture de langue française aux Antilles, est assurément la littérature (théâtre inclus, dans la mesure où une pièce se transmet par le livre). Nous en avons noté chemin faisant l'enracinement profond : à ce titre, elle constitue une bonne exégèse de la civilisation antillaise dans son ensemble. Comme toute littérature minoritaire, en effet, elle est d'abord éprise du lieu de sa naissance, avec d'autant plus d'ardeur que ce lieu se dérobe sous elle. Mais nul cri n'a jamais été aussi éloigné de son écho. Le Québec, depuis 1960 au moins, parle de soi à soi, – et tant pis si ce dialogue n'est pas compris d'autrui (il l'est : chez Gallimard et au Seuil). Aux Antilles, le gros du public est ailleurs, les Haïtiens dans leur majorité ne sachant pas lire, les Martiniquais et les Guadeloupéens ne lisant guère autre chose que *France-Antilles*. Situation qui a son équivalent dans des pays économiquement forts, en France, par exemple, où les lecteurs de *France-Soir* sont plus nombreux que ceux de Foucault ou que les abonnés aux bibliothèques. Mais la loi du petit nombre jouant, l'auditoire immédiat de l'écrivain antillais est encore plus réduit. Si l'on songe que la population totale des trois départements d'outre-mer de la région n'atteint pas le tiers de celle de l'agglomération de Montréal, on verra même un certain optimisme dans le mot résigné que Glissant a mis en postface à son dernier roman, *Malemort* : « Les lecteurs d'*ici* sont futurs. »

Une autre gêne majeure est l'état précaire de l'édition. En Haïti, les cinq imprimeries les plus importantes « travaillent convenablement » (Robert Cornevin), mais manquent de moyens pour assurer un programme cohérent de prospection et de lecture de manuscrits, et surtout de diffusion des ouvrages qu'elles publient. Les Éditions Henri Deschamps et les Éditions Caraïbes, qui ont fait récemment des efforts en ce sens – il est possible de trouver à Montréal et même à Toronto les travaux de Jean Fouchard et de Pradel Pompilus – demeurent bien pauvrement représentées au C. L. U. F. (Centre de diffusion de livres universitaires de langue française), à Paris, lui-même sans grandes ressources au reste. Bien souvent, les auteurs se voient contraints de

5 Un film – d'ailleurs distribué par United Artists – qu'il faut voir si l'on s'intéresse à l'histoire coloniale des Antilles est le très beau *Queimada* (1970), de l'Italien Gillo Pontecorvo, et dont le personnage central tient à la fois de « Toussaint Louverture, Zapata, Lumumba, Guevara » (Philippe Haudiquet, *La Revue du cinéma, Image et son*, mai 1971).

monter leur propre maison d'édition, entreprise modeste qui meurt en donnant le jour à son unique produit : un mince recueil, éventuellement ronéotypé, tiré à 200 exemplaires qui se distribuent presque de main à main, et que finissent par se disputer les bibliothèques nord-américaines. L'un des bons poèmes de René Philoctète, *Ces îles qui marchent*, a été simplement tapé à la machine (une I. B. M., qui permet au moins de jouer avec la typographie), tiré en offset, broché et doté d'une reliure peu robuste. Depuis quelques années, des presses canadiennes contribuent activement à l'édition d'œuvres haïtiennes : la maison Leméac, notamment, qui réédite des classiques (Price-Mars, Placide David) et offre l'hospitalité à des exilés (Depestre). Mais elles pâtissent elles aussi de l'absence d'une politique générale régissant le livre de langue française, telle que cherchent à la promouvoir des organismes multinationaux – sans réel empire hélas – comme l'Agence de coopération culturelle et technique.

Les écrivains des départements d'outre-mer ont pu tirer avantage de leur appartenance administrative au territoire français. Si leurs noms nous sont plus familiers, parfois, que ceux de leurs confrères haïtiens, c'est qu'ils ont été publiés par des maisons parisiennes aux assises plus solides et aux réseaux publicitaires plus expérimentés. Il existe des exceptions : Roumain réédité en livre de poche, Alexis auteur de Gallimard, Davertige « découvert » par Seghers. Mais qu'est cela, auprès du nombre d'auteurs auxquels Le Seuil, Présence africaine, Stock, Albin Michel, Maspéro, Denoël, Gallimard, entre autres, ont assuré une audience nationale et internationale : Aimé Césaire, Édouard Glissant, Simone (et André) Schwarz-Bart, Joseph Zobel, Léon-Gontran Damas, René Maran, Frantz Fanon, Michèle Lacrosil, Saint-John Perse ? Même si la situation de l'édition française dans son ensemble est aujourd'hui fragile, nécessitant l'intervention des pouvoirs publics, on voit mal comment une maison antillaise pourrait – ou devrait – rivaliser avec de tels géants. D'autant plus que les structures les plus élémentaires font souvent défaut : imprimeries, par exemple, avec un personnel – linotypistes, correcteurs d'épreuves – suffisamment qualifié et rémunéré. La naissance à Fort-de-France il y a quelques années des Éditions Désormeaux a suscité des espoirs légitimes, en partie satisfaits quand a paru l'*Encyclopédie antillaise*. Mais le fait que ces six volumes – en tout, 1 400 pages – superbement reliés, bien illustrés, et rassemblant sur les Petites Antilles et la Guyane françaises une documentation de qualité, atteignent un prix presque trois fois plus élevé que le *Dictionnaire universel des noms propres* de Robert

(3 180 grandes pages) en dit long sur la viabilité d'une pareille entreprise.

Il est donc heureux qu'aux Antilles la production littéraire n'ait jamais été directement proportionnelle aux ressources matérielles et humaines des pays concernés. Son ampleur même étonne : Robert Cornevin a par exemple répertorié deux cent vingt-trois pièces et quatre-vingts auteurs pour le seul théâtre haïtien, et les écrivains martiniquais, guadeloupéens et guyanais ne sont pas moins féconds. Elle offre aussi une grande variété, puisqu'il n'est aucun genre où la littérature des Antilles et de la Guyane ne témoigne de quelque réussite : poésie, roman, théâtre, critique littéraire, essai historique, sociologique, économique, politique. On l'a longtemps confinée, croyant sans doute en faire l'éloge, dans la seule excellence poétique. Mais c'était simplement dire là que son langage ne relevait pas d'une tradition littéraire connue. Ce qu'on appelle *lyrisme*, mot qu'affectionne la critique quand elle rend compte, à chaud, d'une œuvre antillaise (6), ne recouvre peut-être qu'une écriture en parfait accord avec son lieu d'émergence. Et n'est-ce pas une forme d'ethnocentrisme culturel que de qualifier de « lyrique » la nature antillaise ou la joie de danser et de chanter du peuple haïtien ?

Il semble assez futile, en tout cas, de chercher à réduire les écrivains antillais à des catégories échafaudées ailleurs. Par exemple, on a longtemps compris, ou plutôt expliqué, la poétique de Saint-John Perse par référence à une certaine conception de l'exotisme (cosmique, au besoin), ou en élaborant des généalogies imaginaires : Rimbaud, Ronsard, Montaigne (pourquoi pas). Mais c'est le critique martiniquais Émile Yoyo qui a raison lorsqu'il relève tout ce que l'auteur de *Pour fêter une enfance* doit à la parole du conteur de son pays natal, et même, plus particulièrement, « au créole, à son lexique, à sa syntaxe », – spécificité antillaise qui ne nuit pas, est-il besoin de le rappeler, à la portée universelle de l'œuvre.

Juger de la qualité de cette littérature est un acte que le lecteur aura sans doute plus de plaisir à accomplir seul. Mais si l'on s'en tient aux critères extérieurs qui permettent de déterminer la place tenue par une œuvre dans le corpus littéraire d'une société donnée, on ne manquera pas là non plus de sujets d'émerveillement. L'accumulation de prix, par

6 Sur ce genre de clichés, on peut lire notre « Anatomie d'un corpus : le cas Glissant », dans les *Actes* du 42e Congrès de l'A. C. F. A. S. (Association canadienne-française pour l'avancement des sciences), vol. 42, 1974.

exemple, depuis le Goncourt (René Maran) et le Renaudot (Glissant) jusqu'au Nobel (Saint-John Perse), en passant par toute une kyrielle de consécrations officielles ou semi-officielles comme le Prix France-Haïti (Marie-Thérèse Colimon), le Prix du roman panaméricain (les frères Marcelin), le Prix des Caraïbes de l'Association des écrivains de langue française (Jean Fouchard, Antonio Louis-Jean), le Prix du concours international des Éditions de l'an 2000 (René Philoctète), et bien d'autres encore. La diffusion d'œuvres tel le roman de Jacques Roumain, *Gouverneurs de la rosée*, traduit en 17 langues et adapté pour la télévision française, n'est pas moins éloquente. Et de même, l'audience d'un Fanon auprès des mouvements révolutionnaires de tout le tiers-monde, dans les Amériques comme en Afrique ; ou la ferveur avec laquelle le *Cahier d'un retour au pays natal* de Césaire a été lu, selon le témoignage d'Alioune Diop :

> « *Sait-on que ce chant dont la facture et le vocabulaire découragent tant de bonnes volontés françaises, ce chant d'avant-garde, une jeunesse à peine scolarisée parfois, mais ardente et affamée, en récite des passages entiers en Afrique française . . . ?* »

Signe moins spectaculaire, mais d'égale valeur, les auteurs antillais et guyanais entrent dans les programmes scolaires et universitaires de plusieurs pays, francophones ou non. On leur consacre des thèses audacieuses, malgré l'absence, dans certains cas, des outils les plus fondamentaux (bibliographies, histoire littéraire) ou l'incompétence éventuelle de maîtres formés à d'autres études. Les travaux critiques se multiplient, parfois incertains de leurs méthodes, mais le plus souvent justes dans leurs intuitions. Bref, si la littérature antillaise de langue française ne possède pas encore ses lectures, elle n'en a déjà pas moins ses lecteurs. N'est-ce pas la garantie d'une pérennité possible ?

On ne saurait réduire la culture antillaise à son unique expression littéraire, surtout en des pays où il existe tant d'autres façons pour la femme et pour l'homme d'affirmer leur droit à l'existence, et leur joie de vivre. Mais, microcosme – littéralement, en l'occurrence – au sein d'un macrocosme, la littérature, autant que les sciences humaines auxquelles il a été fait brièvement appel, permet d'apporter un début de réponse à la question que nous posions : comment cerner la « réalité » caraïbe.

Début de réponse seulement : l'écriture, quand elle est réussie, vit le dynamisme de ses contradictions, et ne prend pas parti, sinon pour l'avenir. Il faut le redire en effet avec l'Haïtien Laënnec Hurbon, l'identité culturelle ne se situe pas dans la seule fidélité aux formes du passé. Tout juste pouvons-nous donc émettre le vœu que cette indispensable quête s'efforce de concilier l'originalité d'un peuple avec sa nécessaire promotion économique et sociale, et le maintien de relations multiples. Pour le reste, il appartient bien sûr aux Antillais et aux Guyanais de faire leur histoire, – une histoire qui pourrait commencer sur ce ton, empruntant la voix de la romancière guadeloupéenne Simone Schwarz-Bart :

« Le pays dépend bien souvent du cœur de l'homme : il est minuscule si le cœur est petit, et immense si le cœur est grand. Je n'ai jamais souffert de l'exiguïté de mon pays, sans pour autant prétendre que j'aie un grand cœur. Si on m'en donnait le pouvoir, c'est ici même, en Guadeloupe, que je choisirais de renaître, souffrir et mourir . . . »

décembre 1975

Alain BAUDOT
Université York
(Collège Glendon, Toronto, Ontario-Canada).

BIBLIOGRAPHIE ANTILLES – GUYANE

OUTILS

Parmi les plus utiles et les plus accessibles :

Encyclopaedia Universalis. Paris, 1968 et sq. De bons articles sur « Antilles (Archipel des) » (J.-C. GIACOTTINO) ; « Antilles (Littérature des) » (F. CHEVALIER) ; « Antilles françaises » (J. POUQUET) ; « Guadeloupe » (D. MARAGNÈS) ; « Guyanes » (M. DEVÈZE) ; « Haïti » (R. DEPESTRE et D. ARTY) ; « Martinique » (D. MARAGNÈS).

Pays et continents – Géographie, économie, politique. Paris, édit. Lidis, 1973. Très bonne présentation générale des « Antilles » par Roland COURTOT (pp. 70-115) et des « Guyanes » par Robert FERRAS (pp. 392-403), avec illustrations, tableaux, statistiques.

Pour les départements d'Outre-Mer (Martinique, Guadeloupe, Guyane et Réunion), voir aussi :

La France d'Outre-Mer. Paris, Larousse, collection « La France », 7e volume, 1re partie, 1974, pp. 1-160. Ouvrage rédigé par Guy LASSERRE, Marc BOYÉ, Pierre BARRÈRE, Alain HUETZ DE LEMPS, Jean DEFOS, Alain METTON et Roger BRUNET.
Remarquable. Synthèse très claire, solide, sans complaisance aucune malgré le caractère « spectaculaire » de la collection. Illustrations de grande qualité, nombreux tableaux et cartes.

Dictionnaire universel des noms propres, alphabétique et analogique, illustré en couleurs, sous la direction de Paul ROBERT, rédaction générale : Alain REY et Josette REY DEBOVE. Paris, Le Robert, 1974, 4 volumes.

Dans le genre, le mieux documenté, le plus attentif à l'histoire contemporaine de la région caraïbe.

COMITAS (L.), *Carribbeana 1900-1965*. Seattle, Washington University Press, 1968.
La bibliographie la plus complète pour la recherche en sciences sociales consacrée à la Caraïbe (sauf Haïti et les îles de langue espagnole).

BISSAINTHE (M.), *Dictionnaire de bibliographie haïtienne*. The Scarecrow Press, 1951, 1052 p.
Couvre les ouvrages en sciences sociales portant exclusivement sur Haïti. Indispensable : on y trouvera par exemple la liste de journaux et revues de Saint-Domingue puis d'Haïti, de 1764 à 1949. Un *Premier Supplément*, regroupant les ouvrages publiés entre 1950 et 1970, a paru en 1973 chez le même éditeur.

ABONNENC (E.), HURAULT (J.) et SABAN (R.), *Bibliographie de la Guyane française*, Tome I. *Ouvrages et articles de langue française concernant la Guyane et les territoires avoisinants*. Paris, édit. Larose, 1957, 278 p.
Non remplacé, et malheureusement non complété. On attend un second tome « groupant les publications de langues étrangères sur le même sujet ».

OUVRAGES GÉNÉRAUX

Ensemble de la région

MONMARCHÉ (François) et al., *Antilles françaises, Guyane, Haïti*. Paris, « Les Guides bleus », Hachette, 1973, 378 p.
Excellente initiation, sans complaisance malgré les lois du genre, offrant plusieurs synthèses de grande qualité (géographie, histoire, flore et faune, folklore, créole) et des renseignements précis sur l'ensemble de la région caraïbe, y compris les Antilles de langue anglaise, espagnole et hollandaise.

LASSERRE (Guy), *Les Amériques du Centre. Mexique, Amérique centrale, Antilles, Guyanes*. Paris, P. U. F., 1974, 380 p., Coll. « Magellan » n° 29. Bibliographie.
Ouvrage de géographie physique, économique, sociale et humaine écrit par l'un des meilleurs spécialistes de la question, remarquable par la clarté des développements (par exemple sur le peuplement des Amériques du Centre), et l'abondance de la documentation (cartes, tableaux). Indispensable également pour situer les Antilles et la Guyane dans leur contexte américain.

ANGLADE (Georges), *L'Espace haïtien*, Montréal, Les Presses de l'Université du Québec, 1975, 221 p.
Le manuel de géographie le plus clair et le plus complet jamais consacré à Haïti.

Antilles et Guyane françaises

Encyclopédie antillaise, Fort-de-France et Pointe-à-Pitre, édit. Désormeaux, 6 volumes :

CORZANI (Jack), *Littérature antillaise* (poésie). 1971, 318 p.

CORZANI (Jack), *Littérature antillaise* (prose). 1971, 312 p.

NÈGRE (André), *Gastronomie*. 1972, 316 p.

ACHÉEN (René), BUFFON (Alain), CRUSOL (Jean), LE SAUSSE (Alex), RIFAUX (François), et SUIVANT (Louis), *Économie et Perspectives*. 1973, 416 p.

CHAULEAU (Liliane), *Histoire antillaise*, 1973, 318 p.

PINCHON (R.P. Robert), *Nature antillaise*, 1973, 288 p.

Ouvrages de très belle présentation, bien illustrés et mettant à la disposition des lecteurs fortunés une documentation précieuse, rassemblée ici pour la première fois, sur les Antilles françaises et la Guyane (seul le volume collectif consacré à l'*Économie*, comporte un appendice sur La Barbade, Trinidad, Tobago et Porto Rico). Quelques faiblesses, dues sans doute au manque de ressources monographiques pour certains sujets ; mais plusieurs des études présentées dans cette *Encyclopédie*, notamment sur l'économie, la nature, en partie l'histoire, peuvent servir de base à une connaissance approfondie de la culture antillaise. Le volume *Gastronomie* nous a semblé supérieur au livre, pourtant bien fait, de Linda WOLFE et al. intitulé *La Cuisine antillaise*, New York, Time Inc., Coll. « Time-Life », 1972, 208 p. Défaut majeur de la collection, le prix, ce qui en dit peut-être long sur la situation de l'édition antillaise.

POUQUET (Jean), *Les Antilles françaises*, Paris, P. U. F., 1971, Coll. « Que Sais-je ? » n° 516.

DEVÈZE (Michel), *Les Guyanes*, Paris, P. U. F., 1968, 128 p., Coll. « Que Sais-je » n° 1315.

Deux petits livres commodes, présentant surtout, le premier les événements historiques, le second les faits géographiques relatifs aux régions retenues.

Des Caraïbes au Pacifique. Les « Petites France » d'Outre-Mer, supplément aux « Dossiers et Documents du *Monde* ». Paris, Le Monde, janvier 1975, 52 p., 6 F.
Collection d'articles originellement parus dans le quotidien *Le Monde*, et mettant bien en lumière les trois types de problèmes auxquels ont à faire face notamment les départements d'Outre-Mer (Martinique, Guadeloupe, Guyane et Réunion) : démographique, économique et politique. Intéressent directement notre sujet : de Pierre-Marie DOUTRELANT, « Les Antilles sous morphine », et de Jean-Claude GUILLEBAUD, « La Guyane en faillite ? ».

Pour les Antilles françaises, utiliser aussi les dossiers réunis par *La Documentation française* (31, quai Voltaire, 75340–Paris, Cedex 07, télex DOCFRAN Paris 24826) :
LAGROSILLIÈRE (Augusta), *La Martinique*, Paris, La Documentation française, 1974, 32 p., Coll. « Notes et Études Documentaires », 5 février 1974, n° 4060, 3 F.

Un peu léger, surtout par rapport au suivant, très complet et bien à jour :
LASSERRE (Guy), et une équipe de chercheurs, *La Guadeloupe*, Paris, La Documentation française, 1974, 82 p., Coll. « Notes et Études documentaires », 22 novembre 1974, numéros 4135, 4136, 4137.

Haïti

BITTER (Maurice), *Haïti*, Paris, Le Seuil, 1970, 190 p., Coll. « Petite Planète ».
Très bon petit livre, de lecture aisée, grâce à l'alacrité de son style (et à la variété de ses illustrations), mais fouillé, et ne manquant jamais l'essentiel.

PLUCHON (Pierre), *Haïti. République caraïbe*, Paris, édit. de l'École, 1974, 120 p. Bibliographie.
Album abondamment et joliment illustré, avec quelques aperçus historiques et socio-culturels.

HISTOIRE

Outre les chapitres pertinents dans les ouvrages cités précédemment :
WILLIAMS (Éric), *Histoire des Caraïbes*, Paris, Présence africaine, 1975.
Cette traduction de l'ouvrage classique du premier ministre de la Trinité (*From Columbus to Castro. The History of the Carribbean 1492-1969*, London, André Deutsch Ltd., 1970, 576 p.) fait date, car

elle représente la première histoire globale de la Caraïbe. Un peu rapide, en particulier pour ce qui concerne les îles de langue française, et assez traditionnel dans sa méthode, mais essentiel de par sa nature même.

DEBIEN (Gabriel), *Études antillaises. XVIIe siècle*, Paris, Armand Colin, 1956, 186 p., Coll. « Cahiers des Annales ».
Par le grand historien des Antilles, dont il faudrait citer tous les travaux, deux études minutieuses et passionnantes reconstituant dans son décor journalier la vie de deux plantations : « Dans un quartier neuf de Saint-Domingue, un colon, une caféière (1743-1799) », et « Les débuts de la Révolution à Saint-Domingue, vus des plantations Bréda ».

GIROD (François), *De la société créole (Saint-Domingue au XVIIIe siècle)*, Paris, Hachette, 1972, 238 p., Coll. « La Vie quotidienne ».
Bon instrument, de lecture facile, pour la connaissance de Saint-Domingue à l'époque de sa « splendeur coloniale » : vie sur les plantations ; les esclaves ; la vie urbaine. Le ton agréable, conforme à l'esprit de la collection, ne nuit pas au sérieux de la documentation.

FROSTIN (Charles), *Les Révoltes blanches à Saint-Domingue aux XVIIe et XVIIIe siècles (Haïti avant 1789)*, Paris, édit. L'École, 1975, 408 p. Collection « Histoire et littératures haïtiennes. »
Synthèse lumineuse et bien documentée sur un aspect méconnu de l'histoire coloniale.

– *Sur l'esclavage, lire en particulier* :

GISLER (Antoine), *L'Esclavage aux Antilles françaises (XVIIe-XIXe siècles). Contribution au problème de l'esclavage*, Fribourg, édit. universitaires Fribourg Suisse, 1965, 212 p., Coll. « Studia Friburgensia », travaux publiés sous la direction des Dominicains professeurs à l'Université de Fribourg, nouvelle série n° 42. Bibliographie (pp. VI-XIV).
Extrêmement précieux pour l'étude des rapports entre la théorie et la pratique de l'esclavage (*Code noir*, condition matérielle et morale des esclaves), le rôle du pouvoir civil et l'attitude de l'Église devant l'esclavage. Confirme, textes à l'appui, et par des analyses aussi fines que précises, l'intuition de Victor Schoelcher (le principal artisan de l'abolition de l'esclavage dans les possessions françaises en 1848) sur l'impossibilité de ce qu'on appelait la « moralisation », c'est-à-dire « l'humanisation » de l'esclavage.

– *Sur le marronnage* :

DEBBASCH (Yvan), « Le Marronnage. Essai sur la désertion de l'esclave antillais », dans *L'Année sociologique*, Paris, P. U. F., 1962, troisième série (1961), pp. 1-112 ; et « Le Marronnage. II. La Société coloniale contre le marronnage », dans *L'Année sociologique*, Paris, P. U. F., 1963, troisième série (1962), pp. 117-195.
Ces deux importantes études, fort riches en renseignements précis et très méthodiquement présentées, ont été non sans quelque raison critiquées par des historiens et des écrivains antillais (Jean FOUCHARD et Édouard GLISSANT), parce qu'elles insistent surtout sur les causes dites « classiques » du marronnage : dépaysement, dures conditions d'existence, mauvais traitements, etc., et font de la « désertion de l'esclave » un phénomène de caractère « pathologique » (*sic*) et individuel plutôt qu'idéologique et collectif. A noter que M. DEBBASCH accorde lui aussi une place à la « soif de liberté » chez les esclaves (I, p. 48) ; mais il situe la naissance de ce sentiment vers les années 1840 – et non avant la Révolution à Saint-Domingue –, sous l'effet de la « contagion » des îles anglaises.

FOUCHARD (Jean), *Les Marrons de la liberté*, Paris, édit. de l'École, 1972, 576 p., Coll. « Histoire et Littérature ».

Par l'auteur d'un ouvrage qui eut quelque retentissement, *Les Marrons du Syllabaire* (Port-au-Prince, édit. Henri Deschamps, 1953), l'un des représentants de l'école historique haïtienne dans ce qu'elle a de meilleur, et sans doute pour certains, de plus irritant. Livre touffu, mais moins désordonné qu'il n'y paraît, et qui donne de la traite, de l'esclavage et des révoltes serviles à Saint-Domingue une image inoubliable, convaincante. La thèse principale, que viennent illustrer de multiples documents de tous ordres (malheureusement pas toujours clairement identifiés : une simple bibliographie eût été si utile !), est qu'il faut voir dans le marronnage une lutte consciente contre l'esclavage : question à laquelle il est peut-être encore trop tôt, faute d'études spécifiques plus nombreuses, pour répondre de façon aussi tranchée, mais que des historiens minutieux et pondérés comme Gabriel Debien n'ont pas craint de poser en des termes à peu près semblables.

N. B. Il serait bon de prendre directement connaissance des textes les plus anciens dans toute leur saveur : c'est aussi qu'ils appartiennent à la littérature antillaise, comme l'affirme justement Jack CORZANI. Deux sont heureusement accessibles, le premier un des plus grands classiques des écrits de voyage, le second une « découverte » récente :

DU TERTRE (R. P.), *Histoire générale des Antilles*, réédition exécutée par la Société d'histoire de la Martinique d'après l'édition de 1667-1671. Fort-de-France, édit. C. E. P., 1958.

Histoire de l'Isle de Grenade en Amérique, manuscrit anonyme de 1659 présenté et annoté par Jacques PETITJEAN ROGET, texte établi par Élisabeth CROSNIER,, Montréal, Les Presses de l'Université de Montréal, 1975, 230 p.

ÉCONOMIE, SOCIÉTÉ, CIVILISATION

Ethnologie-Sociologie

BASTIDE (Roger), *Les Amériques noires*, Paris, Payot, 2e éd., 1973, 236 p., Coll. « Petite Bibliothèque Payot », n° 227.
Livre de base pour la compréhension de la culture afro-américaine. Couvre l'aire des plantations dans son ensemble : Antilles, Guyanes, Brésil.

BENOIST (Jean), et al., *L'Archipel inachevé, Culture et société aux Antilles françaises*, Montréal, Les Presses de l'Université de Montréal, 1972, 351 p. (travaux du Centre de recherches caraïbes de l'Université de Montréal effectués et publiés sous la direction de Jean Benoist).
Le seul ouvrage collectif de cette qualité portant sur les Antilles françaises (Martinique, Guadeloupe et dépendances). Bien des études incluses dans ce livre ont valeur de modèles : « Organisation sociale, évolution biologique et diversité linguistique à Saint-Barthélemy », « Les Blancs créoles de la Martinique », « Créole ou français ? Les cheminements d'un choix linguistique », etc. Même des non-spécialistes se feront un plaisir et un devoir de lire l'introduction générale, écrite par Jean Benoist, qui replace les Antilles françaises dans leur contexte caraïbe socio-historique et présente un état de la question particulièrement lumineux et nuancé.

LEIRIS (Michel), *Contacts de civilisation en Martinique et Guadeloupe*, Paris, U. N. E. S. C. O., 1955, réimpression Gallimard, 1971, 192 p., Coll. « Race et Société ».
Un classique de l'écriture ethnologique.

HURAULT (Jean-Marcel), *Africains de Guyane. La Vie matérielle et l'art des Noirs réfugiés de Guyane*, Paris, La Haye, Mouton, 1970, 224 p.
Le seul ouvrage de cette envergure et de cette qualité sur les Noirs Bonis. Avec d'excellentes illustrations : un livre d'art et de science qui, sans tomber jamais dans la facilité, demeure accessible au grand public.

HURAULT (Jean-Marcel), *Français et Indiens en Guyane. 1604-1972*, Paris, Union générale d'Éditions, 1972, 438 p., Coll. 10/18, Série « 7 ». Bibliographie.

Complète le précédent sous une forme moins coûteuse. L'ouvrage le plus complet sur la question, apportant des renseignements d'ordre sociologique et historique – et *humain* – normalement difficiles d'accès. Savant, mais de lecture aisée, à la fois par la simplicité du style, et par l'intelligence et la chaleur du regard. Met en lumière, entre autres, la complexité des facteurs responsables de l'extinction progressive des Amérindiens en Guyane : géographiques, culturels et historiques, certes, mais aussi biologiques.

– *Pour le vaudou* :

MÉTRAUX (Alfred), *Le Vaudou haïtien*, Paris, Gallimard, 1958, réimpression 1968, 358 p. Préface de Michel LEIRIS. Bibliographie.

Reste le meilleur ouvrage ethnographique sur le vaudou (histoire, cadres sociaux, panthéon, rituel, rapports avec le christianisme). Le sérieux de l'enquête, la richesse de l'appareil critique vont de pair avec l'humour discret de la narration et l'intensité de l'expérience vécue.

HURBON (Laënnec), *Dieu dans le vaudou haïtien*, Paris, Payot, 1972, 268 p., Coll. « Bibliothèque scientifique ». Préface de Geneviève CALAME-GRIAULE. Bibliographie.

Par un prêtre catholique haïtien, un livre passionnant : tout autant qu'une étude en profondeur sur la signification historique, sociale, politique, et théologique du vaudou, un modèle méthodologique (utilisant trois approches : phénoménologie, structuralisme et herméneutique), et une leçon d'ouverture à une culture *autre*, sans relativisme ni éclectisme. Difficile, peut-être, mais d'écriture et de pensée toujours lumineuses.

LOUIS-JEAN (Antonio), *La Crise de possession et la possession dramatique*, Montréal, édit. Leméac, 1970, 173 p., Coll. « Caraïbes ». Prix des Caraïbes 1971 de l'A. D. E. L. F.

Bonne analyse d'un aspect important de la culture haïtienne : la rencontre entre deux formes d'expression collective.

Politique-Économie

GUÉRIN (Daniel), *Les Antilles décolonisées*, Paris, Présence africaine, 1956, ré-impression, 1969, 188 p. Avec une introduction par Aimé CÉSAIRE.

Ce pamphlet de ton modéré et qui fit date a peut-être vieilli dans ses statistiques, mais guère dans ses conclusions : l'immense misère économique et morale des Antilles ne saurait être combattue que par l'accélération du recentrement économique et peut-être politique de la Caraïbe.

SABLÉ (Victor), *Les Antilles sans complexes. Une expérience de décolonisation*, Paris, G.-P. Maisonneuve et Larose, 1972, 308 p. Prix 1973 « Réalités antillaises et guyanaises ».

Par un député de la Martinique – républicain indépendant – partisan convaincu de la départementalisation, fidèle, mais sans indulgence, à une « certaine idée de la France », et qui représente une opinion encore majoritaire dans les Petites Antilles de langue française. Recueil de discours, d'écrits et d'études portant sur 25 années d'activités sénatoriales et parlementaires, et dont le caractère parfois naïf est relevé par une certaine vivacité de langage.

MONNERVILLE (Gaston), *Témoignage*, Paris, Plon, 1975.

Première partie des mémoires de l'ancien président du Sénat (poste qu'il occupa de 1958 à 1968), né à Cayenne en 1897, l'une des personnalités politiques les plus respectées de son temps. Ouvrage de très haute tenue morale, écrit sur le ton de la conversation, et qui redonne au mot « patriotisme » une indéniable fraîcheur.

DESSARRE (Ève), *Cauchemar antillais*, Paris, Maspero, 1965, 162 p., Coll. « Cahiers libres » n° 67.
La description que donne ce mince mais probant volume de la situation économique aux Antilles justifie le titre, presque un euphémisme dans un pareil contexte.

PIERRE-CHARLES (Gérard), *l'Économie haïtienne et sa voie de développement*, Paris, G.-P. Maisonneuve et Larose, 1967, 270 p. Bibliographie.
Analyse bien documentée d'une situation économique et sociale catastrophique. Du même auteur, il faut lire aussi : *Radiographie d'une dictature. Haïti et Duvalier*, édition refondue et augmentée (avec une préface de Juan Bosch), Montréal, édit. Nouvelle Optique, 1973, 206 p. Bibliographie.

Art

DROT (Jean-Marie), *Journal de voyage chez les peintres de la Fête et du Vaudou en Haïti*, Genève, Albert Skira, 1974, 92 p.
La peinture populaire haïtienne, avec de très belles reproductions (Philomé Obin, Jasmin Joseph, Saint Brice, Philippe Auguste, André Pierre). Ce « livre-poème » complète le film que Jean-Pierre DROT a réalisé pour la télévision française (programmé sur Antenne 2 le 1er mai 1975).

Sur l'art afro-américain des Bonis de Guyane, voir le livre de J. HURAULT cité ci-dessus.

– *Pour la musique*, qu'il faut entendre, deux ensembles de textes de qualité :

FOUCHARD (Jean), *La Méringue, danse nationale d'Haïti*, Ottawa, édit. Leméac, 1973, 198 p.

« La Musique aux Antilles françaises », dans *Parallèles* (Martinique), 3e trimestre 1968, n° 28.

– *Disques* :

Moune de Rivel chante Îles et Rivages, Chant du monde, LDX 7400 (chansons des quatre départements d'outre-mer : Guadeloupe, Martinique, Guyane et Réunion).

Guadeloupe musique d'autrefois, L'Album d'or de la Biguine, Celini.

Les Antilles, Philips 84454 B4. Coll. « Voyages autour du monde ».

Ethnic Folkways, Records and Service Corporation, New York : *Drums of Haïti* (FE. 44503) ; *Folk Music of Haïti* (FE. 4407) ; *Songs and Dances of Haïti* (FE. 4432).

– *Cinéma*

Ayiti, Min Chimin Libètè. Haïti, le chemin de la liberté, 16 mm, noir et blanc, 102 minutes, Haïti 1975. Production : le Département de propagande de l'O. R. 18 mai, Démocratie nouvelle, avec la collaboration du Centre de documentation « Cinéma et lutte de classe ». Réalisation : Arnold ANTONIN.
Le premier long métrage antillais (parlant français et créole), produit par des Haïtiens en exil, et qui retrace à partir d'un montage de documents et d'interviews l'histoire tragique d'Haïti depuis la découverte : « Un document raisonné et positif sur la réalité hallucinante et effrayante de ce qu'on a trop tendance à juger comme une dictature d'opérette mais que les Haïtiens, eux, appellent et savent être la dictature la plus sanglante des temps modernes » (Jacques Grant, de la revue *Cinéma 75*).

Pour tous renseignements : écrire à S. Daney, *Les Cahiers du cinéma*, 9, Passage de la Boule-Blanche, 75012–Paris. Le film est aussi disponible au Canada à l'adresse suivante : H. I. S. D., Case postale 613, Station N, Montréal, Québec.

Gouverneurs de la rosée, film réalisé par Maurice Failevic pour la télévision française (en 16 mm sur double bande) à partir du roman de Jacques ROUMAIN. Cette adaptation, diffusée sur Antenne 2 le 1er mai 1975, a reçu le grand prix de la Confrérie des arts (10 000 francs, fondation baron OTARD), destiné à encourager un auteur de télévision.

LANGUE

POMPILUS (Pradel), *La Langue française en Haïti*, thèse pour le doctorat ès-lettres présentée à la Faculté des lettres et sciences humaines de l'Université de Paris. Ouvrage publié avec le concours du C. N. R. S., Mâcon, Imprimerie Protat frères, 1961, 278 p. Bibliographie.
Pour spécialistes, mais clairement présenté, et le seul ouvrage qui étudie de près la spécificité du français écrit et parlé en Haïti. Devrait être disponible dans toute bonne bibliothèque.

POMPILUS (Pradel), *Contribution à l'étude comparée du créole et du français à partir du créole haïtien, Phonologie et lexicologie*, Port-au-Prince, édit. Caraïbes, 1973, 132 p.
Excellent petit manuel, indispensable à qui veut enseigner le français aux Antilles.

JOURDAIN (Élodie), *Du français aux parlers créoles* (vol. I), et *Le Vocabulaire du parler créole à la Martinique* (vol. II), Paris, Klincksieck, 1956. Bibliographie.
Ouvrage qui demeure un bon instrument d'initiation (technique) au créole, surtout dans son premier volume, même si certains des jugements qui y sont portés sur la valeur du créole sont sujets à caution.

Français et créole dans la Caraïbe, Centre d'études régionales Antilles-Guyane, Fort-de-France, Martinique, les documents du C. E. R. A. G., n° 4, 1971 (Bulletin n° 15 du Groupe French 8, Modern Language Association of America, numéro spécial), 72 p.

Une partie des communications présentées au VIe Symposium interaméricain de linguistique (Porto Rico, juin 1971) : Albert VALDMAN, Gilles LEFEBVRE, Marie-Marcelle RACINE, Robert LAPIERRE, Pradel POMPILUS, Pierre DABY et Jean-Pierre JARDEL. Pour spécialistes, mais riche en données fondamentales et en indications bibliographiques d'habitude dispersées.

FAINE (Jules), *Dictionnaire français-créole* (édition revue et préparée par Gilles Lefebvre et al.), Montréal, édit. Leméac, 1975, 500 p.
Le seul du genre ; contient 17 000 mots et leur(s) équivalent(s) en créole. Les spécialistes lui reprochent, un peu sévèrement semble-t-il étant donné l'ampleur de la tâche, 1° de ne pas tenir compte de l'acquis de la lexicologie moderne – et de fait, c'est plutôt un Petit Larousse qu'un Petit Robert – ; et 2° de ne pas relever les variations géographiques et sociologiques des différents dialectes créoles.

VIATTE (Auguste), *La Francophonie*, Paris, Larousse, 1969, 205 p., Coll. « La Langue vivante » (Chapitre IV : « Le monde antillais ».)
Ce petit volume alerte, qui n'est pas toujours exempt d'européocentrisme, donne l'essentiel des faits de langue et culture.

VALDMAN (Albert), *Le Créole : structure, statut et formation*, Paris, Klincksieck, 1976. Coll. « Initiation à la linguistique ».
Le texte le plus complet sur la question.

LITTÉRATURE

Les spécialistes devront se référer à l'excellent « État présent des études littéraires haïtiennes », de Léon-François Hoffmann, paru dans *The French Review*, XLIX, 5, avril 1976.

Histoire et critique

VIATTE (Auguste), *Histoire littéraire de l'Amérique française, des origines à 1950*, Laval et Paris, Presses universitaires Laval et P. U. F., 1954, 546 p. Bibliographie dans les notes en bas de page. (Troisième partie : « Antilles », pp. 329-506.)

Ouvrage de base, irremplacé, qui se fait rare chez les libraires, – et qu'il faudrait prolonger pour toute l'époque contemporaine –, écrit avec élégance et allégresse par le doyen des études francophones, sans conteste le meilleur connaisseur des lettres d'expression française hors de France, tout au moins pour la période envisagée. Certaines prises de position agaceront, à juste titre, par leur anticommunisme ingénu, et leur allégeance, estimable mais parfois trop inconditionnelle, à la culture française. Pourtant, un tel parti pris, qui suscite à l'occasion des jugements un peu sommaires – sur Alexis, sur Roumain, sur Césaire –, n'a pas nui à la rigueur et à la précision de la recherche. Quel autre historien de la littérature a eu par exemple la patience de dépouiller autant de collections complètes de journaux haïtiens du siècle dernier ?

GOURAIGE (Ghislain), *Histoire de la littérature haïtienne de l'indépendance à nos jours*, Port-au-Prince, Imprimerie N.A. Théodore, 1960, 507 p. Rééditée par Kraus Reprints.

Bon ouvrage de base, qu'on saurait gré à l'auteur de compléter pour les années 60 et 70, – et de diffuser plus largement.

GOURAIGE (Ghislain), *La Diaspora d'Haïti et l'Afrique*, Sherbrooke (Québec), édit. Naaman, 1974, 196 p. Coll. « Études » n° 5. Bibliographie.

« Culturel » autant que « littéraire » : série d'études fort bien venues et extrêmement nuancées sur le comportement social, psychologique, religieux, et linguistique du peuple haïtien aux prises avec les ambiguïtés de ses différents héritages. Une des meilleures contributions récentes au portrait de l'Haïtien.

CORNEVIN (Robert), *Le Théâtre haïtien des origines à nos jours*, Montréal, édit. Leméac, 1973, 301 p., Coll. « Caraïbes ». Bibliographie.

Par un historien chevronné – également directeur du C. E. D. A. O. M. (Centre d'études et de documentation pour l'Afrique et l'outre-mer) à Paris, et président de l'Association des écrivains de langue française –, le seul travail aussi complet dans le domaine. Une mine de renseignements divers et de longues citations sur toutes les formes du théâtre haïtien (y compris celui de la diaspora : Dakar, Montréal, New York et Paris), les auteurs, les acteurs, les représentations.

(Présenté par Yves DUBÉ.) *L'Haïtien*, Montréal, édit. de Sainte-Marie, 1968, 374 p., Coll. « Cahiers de Sainte-Marie » n° 10.

Avec chaleur, mais sans prétention, une heureuse défense et illustration de la littérature haïtienne : *Portrait de l'Haïtien* par Maximilien LAROCHE (en appendice : *Panorama de la littérature créole* et bibliographie) ; *Bouqui au paradis*, pièce folklorique de Franck FOUCHÉ, et *Sang de bêtes, Ventre d'hommes*, suite poétique de Charles TARDIEU-DEHOUX.

KESTELOOT (Lilyan), *Les Écrivains noirs de langue française : naissance d'une littérature*, Bruxelles, édit. de l'Institut de sociologie, Université libre de Bruxelles, 1963 (thèse présentée pour l'obtention du doctorat en philologie romane), 5e éd., 1975, 342 p., Coll. « Études africaines », Bibliographie.

Devenue un classique – et une manière de best-seller – des études de littérature négro-africaine, qu'elle a d'ailleurs pour beaucoup contribué à développer, cette thèse de lecture aisée devrait faire l'objet d'un sérieux remaniement. Essentielle en effet par la documentation qu'elle apporte sur la naissance du mouvement de la négritude parmi les Antillais (Césaire, Damas) et les Africains (Senghor) de Paris, et en particulier sur le contenu des revues *Légitime Défense, L'Étudiant noir* et *Tropiques*, généreuse avec raison dans son évaluation de la thématique césairienne, utile par l'analyse qu'elle propose en fin de volume d'un questionnaire distribué à une vingtaine d'écrivains noirs contemporains (dont de nombreux Antillais et Guyanais), elle n'en présente pas moins deux défauts majeurs pour un travail de pareille envergure : timidité méthodologique d'ensemble, méconnaissance inquiétante de la littérature haïtienne (et même de la littérature des Petites Antilles antérieure aux années 30).

Anthologies

SAINT-LOUIS (Carlos) et LUBIN (Maurice A.), *Panorama de la poésie haïtienne*, Port-au-Prince, édit. Henri Deschamps, 1950 (réimp. Kraus Rerrints).
L'une des meilleures anthologies de poésie haïtienne.

SENGHOR (Léopold Sedar), *Anthologie de la nouvelle poésie nègre et malgache de langue française*, précédée de *Orphée noir* par Jean-Paul SARTRE, Paris, P. U. F., 1948, 3e éd. 1972, 226 p. (Guyane, Martinique, Guadeloupe, Haïti : pp. 5-134). Avant-propos de Ch.-André JULIEN.
A fait date, par la qualité des textes retenus, le moment de la première publication (1948), et la préface de SARTRE (analyse « phénoménologique » passionnée de la négritude, controversée depuis à l'occasion, mais encore inégalée).

KESTELOOT (Lilyan), *Anthologie négro-africaine. Panorama critique des prosateurs, poètes et dramaturges noirs du XXe siècle*, Verviers (Belgique), Gérard et Cie, 1967, 430 p., Coll. « Marabout-Université » n° 129.
Touffu, mais utile. Les auteurs antillais et guyanais y sont assez bien représentés.

SAINVILLE (Léonard), *Anthologie de la littérature négro-africaine. Romanciers et conteurs*, Paris, Présence africaine, tome I, 1963, 446 p., et tome II, 1968, 642 p.
Moins détaillé que le précédent, mais commode : d'assez longs extraits, succinctement présentés.

VIATTE (Auguste), *Anthologie littéraire de l'Amérique francophone. Littératures canadienne, louisianaise, haïtienne, de la Martinique, de la Guadeloupe et de la Guyane*, Sherbrooke, édit. du C. E. L. E. F. (Centre d'étude des littératures d'expression française, faculté des arts, Université de Sherbrooke, Québec), 1971, 518 p. (Zone caraïbe : pp. 317-490.)
Utile surtout pour le grand nombre d'extraits (textes normalement introuvables, et peu représentés dans les autres anthologies) et les notices (brèves) bio-bibliographiques. Mais un peu vite fait, semble-t-il : quelques erreurs matérielles, absence, parfois, de précision dans les références.

BERROU (F. Raphaël) et POMPILUS (Pradel), *Histoire de la littérature haïtienne illustrée par les textes*, Tome I et Tome II, Port-au-Prince, édit. Caraïbes, 1975, 734 p. et 754 p.
Manuel commode pour l'enseignement secondaire.

N. B. Pour la littérature des Antilles et de la Guyane françaises en particulier, se reporter aux deux premiers volumes de *l'Encyclopédie antillaise* (ci-dessus, p. 193), « Poésie » et « Prose », assemblés par Jack CORZANI et qui offrent la sélection la plus complète, et l'une des plus intelligemment présentées, d'auteurs martiniquais, guadeloupéens et guyanais de langue française.

Auteurs

HAÏTI

Les « anciens » – XIXe siècle et première moitié du XXe siècle – restent à découvrir, ou bien n'ont été publiés qu'à tirage restreint et ont disparu depuis longtemps des rayons des librairies.* Grâce à certaines maisons d'édition, notamment canadiennes, dont il faut suivre attentivement les publications, quelques classiques redeviennent heureusement disponibles. On retiendra, dans le genre « essai » :

PRICE-MARS (Jean), *Ainsi parla l'oncle*, Montréal, édit. Leméac, nouvelle édit. 1973, avec une présentation de Robert Cornevin, 316 p., Coll. « Caraïbes ». Bibliographie.
Réédition attendue de l'ouvrage qui lança en 1928 les études autochtones (culture populaire, héritage africain, vaudou) et marqua toute une génération d'intellectuels haïtiens. L'introduction de Robert CORNEVIN apporte des précisions utiles sur la vie et l'œuvre du docteur PRICE-MARS.

DAVID (Placide), *Sur les rives du passé. Choses de Saint-Domingue*, seconde éd. augmentée d'une étude inédite et posthume de l'auteur sur Pierre Pinchinat. Montréal, édit. Leméac, 1972, 195 p., Coll. « Caraïbes ». Grand prix de littérature des Antilles en 1947.
Série d'études, dont l'écriture est restée très jeune, sur la société, les personnages, les incidents, les fêtes et les drames de l'époque coloniale.

Deux recueils du docteur PRICE-MARS publiés plus tardivement (alors qu'il était ambassadeur d'Haïti en France et président de la Société africaine de culture) réunissent des textes significatifs :
PRICE-MARS (Jean), *de Saint-Domingue à Haïti. Essai sur la culture, les arts et la littérature*, Paris, Présence africaine, 1959, 170 p.
Plusieurs textes rédigés – et conférences prononcées – « en des époques et selon des sollicitations diverses », notamment un long « Essai sur la littérature et les arts haïtiens de 1900 à 1957 ».

PRICE-MARS (Jean), *Silhouettes de nègres et de négrophiles*, Paris, Présence africaine, 1960, 210 p.
Biographies consacrées à trois « héros » haïtiens : Toussaint Louverture, Dessalines, Christophe et à divers « prophètes », par exemple, le missionnaire africain Harris, le savant noir américain George Washington Carver, le conventionnel français Grégoire.

* Nous avons trouvé en 1975 sur les quais de Paris, pourtant bien déchus, la bonne *Anthologie d'un siècle de poésie haïtienne 1817-1925*, de Louis Morpeau, – parue il est vrai (en 1925) aux éditions Bossard, boulevard Saint-Germain. (Kraus Reprints en a assuré une réimpression).

ROMAN

ROUMAIN (Jacques), *Gouverneurs de la rosée*, Paris, Les Éditeurs français réunis, réimpression 1973, 218 p.
Le chef-d'œuvre du roman « paysan » ou « naturaliste » haïtien. Œuvre posthume – ayant d'abord paru à Port-au-Prince en 1944, l'année même de la mort de Roumain –, qui a été traduite en 17 langues. Cette histoire simple, à trois personnages – un couple, un village et de l'eau – se situe par son écriture à la croisée de deux langages : la culture populaire haïtienne, avec ses dieux, ses jours de fête et de deuil, et le messianisme – discret – révolutionnaire, plaidoyer chaleureux, mais sans didactisme, en faveur de l'union de tous les pauvres de bonne volonté.

ROUMAIN (Jacques), *La Montagne ensorcelée*, Paris, Les Éditeurs français réunis, 1972, 286 p. Préface de Jacques-Stephen ALEXIS (« Jacques Roumain vivant », texte écrit en 1957 pour la presse haïtienne).
Premier roman (1931) de ROUMAIN, première œuvre de fiction haïtienne à évoquer l'univers paysan dans toute sa détresse. – Ce volume comprend aussi un recueil de jeunesse en trois récits évoquant les contradictions de la petite bourgeoisie haïtienne : *La Proie et l'ombre* (1930) ; un essai sur le racisme : *Griefs de l'homme noir* (1939) ; et vingt *Poèmes*.

ALEXIS (Jacques-Stephen), *Compère Général-Soleil*, Paris, Gallimard, 1955, 352 p.

Le premier roman du continuateur de la pensée politique et de l'œuvre de Jacques ROUMAIN, fils du romancier et historien Stephen ALEXIS (*Le Nègre masqué*, Port-au-Prince, 1933), et descendant par sa mère de Dessalines. Fresque lyrique sur la misère et les espérances du paysan haïtien.

ALEXIS (Jacques-Stephen), *Les Arbres musiciens*, Paris, Gallimard, 1957, 392 p.

Peinture des échecs économiques et sociaux du peuple haïtien, à travers la dénonciation de la campagne dite « antisuperstitieuse » lancée contre le vaudou par les autorités gouvernementales et religieuses d'Haïti.

ALEXIS (Jacques-Stephen), *L'Espace d'un cillement*, Paris, Gallimard, 1959, 346 p.

Prostitution et amour dans la capitale haïtienne.

PHELPS (Anthony), *Moins l'infini*, Paris, Les éditeurs français réunis, 1972, 217 p.

Amour et désespoir dans l'Haïti de 1965.

COLIMON (Marie-Thérèse), *Fils de misère*, Port-au-Prince, édit. Caraïbes, 1974, 200 p. Prix France-Haïti 1974.

La vie du petit peuple haïtien à Port-au-Prince, de nos jours.

CONTE

THOBY-MARCELIN (Philippe) et MARCELIN (Pierre), *Contes et légendes d'Haïti*, Paris, Fernand Nathan 1967, 248 p.

Traditions populaires rassemblées par les frères Marcelin, plus connus pour leur roman publié à New York en 1944, *Canapé vert* (prix du roman panaméricain).

COMHAIRE-SYLVAIN (Suzanne), *Le Roman de Bouqui*, Montréal, édit. Leméac, 1973, 216 p., Coll. « Francophonie vivante ». Avec glossaire.

La tradition orale haïtienne (contes, proverbes, coutumes, personnages : Bouqui et son compère Malice), recueillie par l'une des meilleures folkloristes du pays.

POÉSIE

DEPESTRE (René), *Un Arc-en-ciel pour l'Occident chrétien*, poème – mystère – vaudou. Paris, Présence africaine, 1967, 142 p.

Sans doute le recueil le mieux venu de ce poète d'inspiration révolutionnaire, qui est aussi un bon essayiste : voir son *Pour la révolution, pour la poésie*, Montréal, édit. Leméac, 1974, 225 p., Coll. « Francophonie vivante » (textes écrits pendant le séjour de Dépestre à La Havane et portant sur divers sujets politiques et culturels : PRICE-MARS, HO CHI MINH, « L'Écrivain du tiers-monde américain et ses responsabilités », CÉSAIRE, ALEXIS, BRETON, ÉLUARD).

PHILOCTÈTE (René), *Ces Iles qui marchent*, Port-au-Prince, 2e éd., édit. Fardin, 1974, 81 p., Coll. « Spirale ». Illustrations de l'auteur.

Volume de présentation modeste (tapé à la machine, tiré en offset, avec des dessins qui ressortent mal), mais offrant l'un des textes les plus attachants de ce poète : sorte de douloureux et triomphal retour au pays natal d'un enfant prodigue qui aurait fait un beau voyage, dans une écriture sensuelle, à mi-chemin entre la narration et la liturgie. Philoctète s'est aussi illustré dans le roman (*Le Huitième Jour*) et le théâtre (*Rose-Morte, Boukman*).

DAVERTIGE, *Idem*, et autres poèmes, Paris, Seghers, 1964, 94 p.

Le poète – né en 1940 – qui s'est situé d'emblée parmi les grands de sa génération.

CASTERA fils (Georges) et Bernard WAH pour le « texte graphique », *Le Retour à l'arbre*, New-York, édi. Calfou Nouvelle Orientation, 72 p. (disponible auprès des Éditions Nouvelle Optique, B. P. 1824, Succursale B, Montréal, Québec).
Bel exemple de collaboration réussie entre deux jeunes artistes haïtiens.

THÉÂTRE

PHELPS (Anthony), *Le Conditionnel*, Montréal, Holt, Rinehart et Winston, 1970, 40 p., Coll. « Théâtre vivant » n° 4.
Par un Haïtien maintenant à Montréal, qui est aussi très connu pour sa poésie (*Mon pays que voici. Les Dits du fou aux cailloux*, Honfleur, P.-J. OSWALD, 1968), fondateur avec Philoctète, Morisseau et Davertige – parmi d'autres – du Groupe Haïti-Littéraire.

FOUCHÉ (Frank), *Général Baron-La Croix*, ou *Le Silence masqué*, tragédie moderne en 2 calvaires, 28 stations et une messe noire et rouge, Montréal, édit. Leméac, 1974, 124 p.
Comme le précédent, un des bons exemples de l'art dramatique haïtien contemporain : par-delà (ou grâce à) la violence de la critique sociale et politique, un retour aux sources religieuses – croyances et rites du vaudou – du théâtre. FOUCHÉ a donné également plusieurs pièces en créole, dont une adaptation d'*Œdipe-Roi* : c'est sans doute chez lui que la mythologie populaire haïtienne, retrouvant la fonction de la mythologie grecque, s'acclimate le plus naturellement à la scène.

Il faudrait citer d'autres dramaturges d'égale réputation, Henock TROUILLOT, Mona GUÉRIN en Haïti, plus encore peut-être, les exilés : Félix MORISSEAU-LEROY, Gérard CHENET, Jean F. BRIERRE à Dakar ; mais leurs œuvres sont difficilement accessibles sous forme imprimée (pour les détails, voir l'ouvrage de Robert CORNEVIN cité plus haut, *Le Théâtre haïtien*). On suivra donc les activités des divers organismes ou compagnies de théâtre : à Port-au-Prince, le Conservatoire national d'art dramatique, le Théâtre national d'Haïti, l'Institut national de formation artistique (I. N. F. A.) de Gérard RÉSIL, la troupe Languichatte (du nom du personnage humoristique de Théodore BEAUBRUN), la troupe Alcibiade (théâtre ouvrier, qui a une bonne audience à la radio), etc. ; à New York, la troupe Kouidor ; à Paris, Toto BISSAINTHE et ce qu'il reste de la célèbre compagnie des « Griots », etc.

ANTILLES ET GUYANE FRANÇAISES

G = Guadeloupe ; M = Martinique ; GN = Guyane.

ESSAI

CÉSAIRE (Aimé), *Toussaint Louverture, la Révolution française et le problème colonial*, Paris, Présence africaine, éd. revue, 1961, 312 p. (M)
Bonne synthèse sur l'un des personnages les plus importants de l'histoire antillaise.

CÉSAIRE (Aimé), *Discours sur le colonialisme*, Paris, Présence africaine, 1955, rééd. 1970, 64 p. (M)
Un pamphlet qui fait date.

FANON (Frantz), *Peau noire, masques blancs*, Paris, Le Seuil, rééd. 1971, 188 p. Coll. « Points », n° 26. (M)
Document essentiel pour l'analyse psychanalytique et phénoménologique des rapports entre Blancs et Noirs à la Martinique.

FANON (Frantz), *Les Damnés de la terre*, Paris, Maspero, 1961, rééd. 1974, 233 p., « Petite Collection Maspero », n° 20. (M)
Le classique de la littérature de décolonisation.

FANON (Frantz), *Pour la révolution africaine. Écrits politiques*, Paris, Maspero, 1964, rééd. 1969, 198 p., « Petite Collection Maspero », n° 41. (M)

Collection de textes politiques parmi les plus importants de FANON : « Antillais et Africains », « Les Antilles, naissance d'une nation », etc.

Sur FANON, on peut lire un bon travail de vulgarisation : CAUTE (David), *Frantz Fanon*, Paris, Seghers, 1970, 176 p., Coll. « Les Maîtres modernes ». Traduit de l'anglais par Guy DURAND.

GLISSANT (Édouard), *L'Intention poétique*, Paris, Le Seuil, 253 p., 1969. (M)
Recueil de textes critiques (sur Mallarmé, Claudel, Perse, Césaire, Leiris, Segalen, Faulkner, etc.) qui constitue aussi une très belle réflexion sur le rôle du poète aujourd'hui : chanter *l'ici* pour que se joignent tous les ailleurs.

ROMAN

MARAN (René), *Batouala*, Paris, Albin Michel, 1921, rééd. 1938 et 1969. Prix Goncourt 1921. (GN)
Un classique. Le premier livre à mettre en scène sans exotisme des héros africains et leur propre monde. L'un des premiers aussi à dénoncer le racisme et les crimes du colonialisme. L'attribution du Goncourt fit scandale dans certains milieux, moins à cause de ces accusations dont le bien-fondé était évident, que parce que cet écrivain noir – né à Fort-de-France, mais de vieille famille guyanaise –, fonctionnaire de l'administration coloniale, donnait droit de cité à l'Afrique parmi les civilisations capables d'apporter bonheur et dignité.

MARAN (René), *Un Homme pareil aux autres*, Paris, Albin Michel, 1947, rééd. 1962, 252 p. (GN)
Roman en grande partie autobiographique, où sont soulevés les problèmes que posent le racisme et l'administration coloniale, et où René MARAN prend ses distances vis-à-vis de la négritude.

LACROSIL (Michèle), *Sapotille et le serin d'argile*, Paris, Gallimard, 1960. (G)
Le racisme discret de la bourgeoisie guadeloupéenne, ou : comment une jeune fille de couleur peut-elle oublier qu'elle descend de l'esclave ?

JUMINER (Bertène), *Les Bâtards*, Paris, Présence africaine, 1961. Préface d'Aimé Césaire. (GN)
Roman autobiographique : un docteur guyanais retourne dans son pays natal.

GLISSANT (Édouard), *Le Quatrième siècle*, Paris, Le Seuil, 1964, 290 p. Prix Charles Veillon 1965. (M)
Par l'auteur de *La Lézarde* (prix Renaudot 1958), l'un des grands romans antillais actuels : à travers l'histoire de deux familles noires – les esclaves des plantations et les révoltés marrons –, et de leurs antagonistes blancs, une patiente exploration de la terre martiniquaise dans tous ses replis et ses strates, une reconquête d'un temps, non pas perdu, mais « éperdu », comme aime à dire Glissant.

ZOBEL (Joseph), *Le Soleil partagé*, Paris, Présence africaine, 1964, 207 p., Coll. « Écrits ». (M)
Recueil de nouvelles. Par l'un des écrivains martiniquais qui a le mieux peint le petit monde paysan de son pays, et dont deux ouvrages sont aussi à retenir : *La Rue Cases-Nègres* (Paris, Présence africaine, 1950, rééd. 1974, 240 p., Coll. « Écrits ») et *Diab'là* (Paris, Nouvelles édit. latines, 1947).

SCHWARZ-BART (Simone), *Pluie et vent sur Télumée Miracle*, Paris, Le Seuil, 1972, 248 p. (G)
La très simple et très belle histoire d'une Guadeloupéenne noire et des siens ; la voix sans doute la plus juste de la littérature antillaise contemporaine. Il faut lire aussi les deux ouvrages qui entrent en résonance avec celui-ci : *Un plat de porc aux bananes vertes* (en collaboration avec André SCHWARZ-BART, Paris, Le Seuil, 219 p.), et *La Mulâtresse Solitude* (par André SCHWARZ-BART, Paris, Le Seuil, 1972, 141 p.).

GLISSANT (Édouard), *Malemort*, Paris, Le Seuil, 1975, 232 p. (M)
Le sommet de la thématique et de l'esthétique de Glissant. Une saisie de l'espace-temps martiniquais, dans un langage qui est peut-être le plus authentiquement antillais de la littérature actuelle : complexe, d'un grand raffinement d'écriture, mais proche du conte (humour compris), frère de la parole populaire (créole) quotidienne, et plus durable, plus vrai qu'elle.

POÉSIE

CÉSAIRE (Aimé), *Cahier d'un retour au pays natal*, Paris, Présence africaine, 1956, rééd. bilingue (français-anglais) 1971, 155 p. (M)
Un très grand classique, qui a marqué sa génération, et dont l'exégèse est loin d'être achevée. Les autres recueils poétiques de Césaire, moins connus – peut-être à cause de leur plus grande fidélité à l'écriture surréaliste – mériteraient une même attention :

CÉSAIRE (Aimé), *Ferrements*, Paris, Le Seuil, 1960, 92 p. (M)

CÉSAIRE (Aimé), *Cadastre*, Paris, Le Seuil, 1961, 92 p. (rééd. de deux grands poèmes qui étaient devenus introuvables : *Soleil cou coupé* (1948) et *Corps perdu* (1950).) (M)

CÉSAIRE (Aimé), *Les Armes miraculeuses*, Paris, Gallimard, 1970, 158 p. (rééd. de divers poèmes parus dans les années 40 dans la revue *Tropiques*, et de la tragédie *Et les chiens se taisaient*). (M)

SAINT-JOHN PERSE (pseudonyme de Alexis Saint-Léger Léger), *Œuvres complètes*, Paris, Gallimard, 1972, Coll. « Bibliothèque de la Pléiade », 1415 p. Biographie. Bibliographie. (G)
Excellente édition, qui comprend non seulement l'œuvre poétique, mais de larges extraits de la correspondance, et de longues citations de textes critiques consacrés à PERSE.

Sur PERSE, outre le livre que lui-même a aimé : Roger CAILLOIS, *Poétique de St-John Perse*, Paris, Gallimard, 1954, 212 p., voir la très pertinente étude d'Émile YOYO, *Saint-John Perse et le conteur*, Paris, Bordas, 1971, 112 p.

DAMAS (Léon-Gontran), *Pigments. Névralgies*, Paris, Présence africaine, 1972, 160 p. (GN)
Réédition de poèmes publiés en 1937, premiers cris de révolte et de revendication de la personnalité nègre, par l'un des maîtres du mouvement de la négritude. De Damas aussi, un recueil de contes guyanais vient d'être heureusement réédité : *Veillées noires* (d'abord paru chez Stock en 1943), Montréal, édit. Leméac, 1971, 181 p., Coll. « Francophonie vivante ».

GRATIANT (Gilbert), *Credo des Sang-Mêlé. Martinique à vol d'abeille*, Paris, édit. Soulanges, 1961, 46 p. (M)
Réédition d'un texte – *Credo des Sang-Mêlé* – écrit en 1948 et qui, publié avec le sous-titre « Je veux chanter la France », fut l'objet d'une âpre controverse parmi les compatriotes de GRATIANT. Dans cette nouvelle présentation, une « préface d'indispensable lecture » marque quelque recul par rapport à l'enthousiasme initial, mais revendique avec la même générosité inflexible le droit à la double appartenance « raciale » et culturelle. GRATIANT est aussi un bon poète créole (*Fab' Compè Zicaque*, 1958), et fut l'un des premiers intellectuels martiniquais à manifester sa fierté d'être noir (*Poèmes en vers faux*, 1931), et à protester contre les autorités coloniales de son île natale (*Cris d'un jeune*, 1923).

GLISSANT (Édouard), *Poèmes. Un Champ d'îles. La Terre inquiète. Les Indes*, Paris, Le Seuil, 1965, 174 p. (M)
Textes de jeunesse, dont le troisième (*Les Indes*, paru en 1955 : découverte et conquête des Amériques) plaça d'emblée GLISSANT au rang des bons écrivains de sa génération.

NIGER (Paul) (pseudonyme de Albert BÉVILLE), *Initiation*, Paris, Seghers, 1954. (G)

Contre le colonialisme, pour l'Afrique. Par l'un des écrivains – essayiste (« L'Assimilation, forme suprême du colonialisme », dans *Esprit*, vol. 30, n° 4 (1962), pp. 518-532 ; « Perspectives d'avenir des Antilles et de la Guyane », dans *Partisans*, vol. 10, mai-juin 1963, pp. 72-86, etc.), romancier (*Les Puissants*, 1958, *Les Grenouilles du mont Kimbo*, 1964), fonctionnaire en Afrique –, dont les idées ont le plus compté pour la génération antillaise d'après-guerre.

THÉÂTRE

CÉSAIRE (Aimé), *La Tragédie du roi Christophe*, Paris, Présence africaine, 1963, réimpression 1970, 153 p. (M)
Un chapitre de l'histoire d'Haïti. Du bon théâtre.

CÉSAIRE (Aimé), *Une Saison au Congo*, Paris, Le Seuil, 1965, réimpression 1974, 117 p., Coll. « Points », n° 59. (M)
Le Congo en 1960 : indépendance, assassinat de Lumumba. Dans une langue particulièrement drue et directe, qui passe la rampe.

CÉSAIRE (Aimé), *Une Tempête*, Paris, Le Seuil, 1969, réimpression 1974, 92 p., Coll. « Points » n° 60. (M)
D'après Shakespeare. Une réussite du théâtre nègre.

GLISSANT (Édouard), *Monsieur Toussaint*, Paris, Le Seuil, 1961, 237 p. (M)
Toussaint Louverture dans sa cellule du Jura, et aux prises avec les fantômes de son passé. Pièce peut-être mieux faite pour la radio que pour la scène (France-Culture en a donné une lecture – deux émissions de deux heures chacune – en 1971, avec Toto Bissainthe, Douta Seck, etc.).

PRESSE-REVUES

Haïti

Haïti journal, quotidien ; Port-au-Prince, rue Hammerton Killik ; tirage : 4 000 ; gouvernemental, publie des informations françaises et celles de la Vox America.

Le Jour, quotidien ; Port-au-Prince, Cité de l'Exposition ; tirage : 5 000 ; pro-gouvernemental.

Le Matin, quotidien ; Port-au-Prince, rue Américaine ; tirage : 6 000.

Le Nouveau monde, quotidien ; Port-au-Prince, Cité de l'Exposition ; tirage : 6 000.

Le Nouvelliste, quotidien ; Port-au-Prince, rue du Centre n° 212, B. P. 1316 ; tirage : 6 000 ; indépendant, abonné à l'A. F. P.

Le Petit Samedi soir, hebdomadaire, directeur : Dieudonné Fardin, 7, Fontamara, B. P. 2035, Port-au-Prince.

Revue de la Société haïtienne d'histoire, de géographie et de géologie, Archives nationales, Port-au-Prince ; tirage : 500 ; directeur : Louis Jarno (de 1973 à 1976) ; rédacteur en chef : Michèle Monta ; directeur : Henock Trouillot.

Revue de la faculté d'ethnologie, tirage : 500 ; secrétaire rédacteur : docteur J.-B. Romain, ruelle Hérard 78 bis, Bourbon, Port-au-Prince.

Conjonction (revue publiée par l'Institut français d'Haïti), Cité de l'Exposition, Port-au-Prince ; tirage : 500. A publié d'excellentes études, notamment sur la littérature haïtienne.

Nouvelle Optique, Recherches haïtiennes et caraïbéennes. B. P. 1824, succursale B, Montréal, Québec, Canada. La meilleure revue de la diaspora haïtienne. (1971-1974). Demeure active, sous le même nom comme maison d'édition.

N. B. Les éditions Kraus Reprints ont reproduit la collection complète de deux revues qui ont joué un grand rôle dans le développement intellectuel haïtien : *La Relève* (1932-1939), *La Revue indigène* (1927-1928).

Antilles-Guyane

France-Antilles, quotidien, place Stalingrad, Fort-de-France, Martinique, 2 éditions : Martinique et Guadeloupe ; tirage total : 46 715 ; diffusion O. J. D. avril 1971 : 39 751. Fait partie du groupe Hersant.

Parallèles, Guadeloupe, Martinique, revue littéraire que dirigeait Anca Bertrand, et qui a cessé de paraître (1er numéro : novembre 1964), mais qui devrait être dépouillée pour ses nombreux articles de valeur sur la culture antillaise.

Acoma, revue de littérature, de sciences humaines et politiques, trimestrielle, directeur ,: Édouard Glissant, Institut martiniquais d'études, 0,800 km route de Bois-Thibault, Didier, Fort-de-France. Cinq numéros – dont un double – parus. Publication suspendue (temporairement ?) depuis 1973.

MAISONS D'ÉDITION

Haïti

ÉDITIONS HENRI DESCHAMPS, boulevard J.-J. Dessalines, B. P. 164, Port-au-Prince.

PRESSE NATIONALE, rue du Centre, Port-au-Prince.

IMPRIMERIE DES ANTILLES, Port-au-Prince.

IMPRIMERIE THÉODORE-BEAUBRUN, Port-au-Prince.

IMPRIMERIE CENTRALE, boulevard J.-J. Dessalines, B. P. 337, Port-au-Prince.

ÉDITIONS CARAÏBES, Port-au-Prince.

LA PHALANGE, rue Dantes-Destouches, Port-au-Prince.

IMPRIMERIE SERGE BISSAINTHE, 49, rue Dantes-Destouches, Port-au-Prince.

IMPRIMERIE THÉODORE NOROY, 46, rue Dantes-Destouches, Port-au-Prince.

ÉDITIONS FARDIN, 17, Fontamara, B. P. 2035, Port-au-Prince.

Antilles-Guyane

ÉDITIONS DÉSORMEAUX (« Horizons Caraïbes »), 3, rue du Général-Galliéni, Fort-de-France, Martinique. Également : 32, avenue de l'Observatoire, 75014, Paris.

Autres maisons qui accordent une grande place aux Antilles et à la Guyane dans leurs publications :

PRÉSENCE AFRICAINE, 18, rue des Écoles, 75005, Paris. Également : 64, rue Carnot, Dakar, Sénégal.

ÉDITIONS LEMÉAC, 371, boulevard Laurier-Est, Montréal, Canada.

ÉDITIONS NOUVELLE OPTIQUE, B. P. 1824, succursale B, Montréal, Québec.

ÉDITIONS DU SEUIL, 27, rue Jacob, 75007–Paris.

ÉDITIONS G.-P. MAISONNEUVE ET LAROSE, 11, rue Victor-Cousin, 75005, Paris.

PRESSES DE L'UNIVERSITÉ DE MONTRÉAL, C. P. 6128, Montréal, Canada.

ÉDITIONS KRAUS REPRINTS, Nedeln, Lichtenstein. Les Éditeurs Français réunis, 21, rue de Richelieu, 75001, Paris.

ÉDITIONS NAAMAN, C. P. 733, Sherbrooke, Québec, Canada.

RAPPEL : la plupart des ouvrages mentionnés dans notre bibliographie sont diffusés en Europe par :

le Centre de diffusion de livres universitaires de langue française (C. L. U. F.), L'ÉCOLE, 11, rue de Sèvres, 75006, Paris ; adresse postale : 75278, Paris-Cedex 06.

Et en Amérique du nord par :
French & European Publications, Inc., 610 Fifth Avenue, Rockfeller Centre Promenade, New York, N.Y. 10020, États-Unis.

ORGANISMES

CENTRE D'ÉTUDES RÉGIONALES ANTILLES-GUYANE (C. E. R. A. G.), rue Martin-Luther-King, Fort-de-France, Martinique.

CENTRE HAÏTIEN D'INVESTIGATION SOCIALE, Port-au-Prince, Haïti. Directeur : Hubert DE RONCERAY.

INSTITUT FRANÇAIS D'HAÏTI, Port-au-Prince. Directeur : Louis Jarno (de 1973 à 1976).

CENTRE DE RECHERCHES CARAÏBES, Université de Montréal, C. P. 6128, Montréal, Québec, Canada. Également : Fonds Saint-Jacques Sainte-Marie, Martinique. Directeur : Jean BENOIST.

INSTITUT MARTINIQUAIS D'ÉTUDES, 0,800 km route de Bois-Thibault, Didier, Fort-de-France, Martinique. Directeur : Édouard GLISSANT.

INSTITUT CARAÏBE DE RECHERCHES HISTORIQUES, B. P. 804, 97158–Pointe-à-Pitre. Directeur : Oruno Denis LARA.

C. L. A. P.), (Centre de linguistique appliquée de Port-au-Prince). Directeur intérimaire : Pierre VERNET.

Situation du français et de l'expression culturelle de langue française au Maghreb

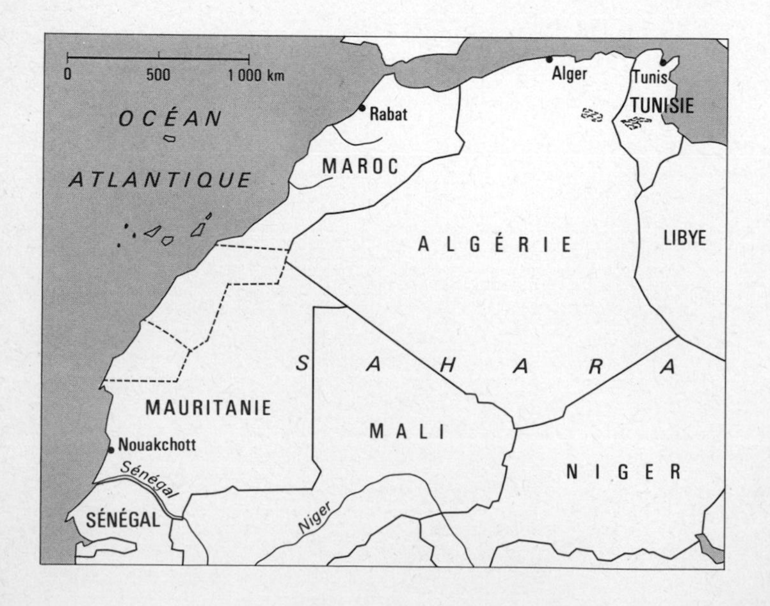

Dans les trois pays du Maghreb (Algérie, Maroc, Tunisie), le français prend une dimension toute particulière et contradictoire : nous sommes, d'une part, dans une aire géographique où il est extrêmement pratiqué, dans la vie quotidienne des citadins comme dans l'expression culturelle, même s'il est considéré comme langue étrangère ; mais d'autre part, le français est, historiquement, la langue de la colonisation, et de la dépersonnalisation culturelle. Depuis les indépendances il représente, grâce à un effort de scolarisation sans précédent, le moyen le plus accessible d'ouverture sur le monde extérieur, mais il est également symbole, pour beaucoup, d'une aliénation toujours vivante à la culture, et par là même à l'économie de l'Autre. Il est signe à la fois de liberté, par les idées révolutionnaires qu'il véhicule, et de dépendance : c'est pourquoi la « francophonie » est le plus souvent honnie, à tort ou à raison, comme un néo-impérialisme culturel et – pourquoi pas – économique (1) : un écrivain algérien n'a-t-il pas affirmé que la véritable colonisation, ce fut Molière et non Bugeaud ? Pourtant la littérature la plus connue des pays du Maghreb, et principalement en Algérie, est la littérature de langue française. Bien plus, l'un des principaux débouchés du cinéma maghrébin, même de langue arabe (les films sont souvent sous-titrés en français) n'est-il pas dans les salles parisiennes du Quartier latin ?

1 Citons à titre d'exemple ce qu'en disait M. Ahmed Taleb Ibrahimi, actuel ministre algérien de l'Information et de la Culture, et ancien ministre de l'Éducation nationale, dans une conférence de presse en mars 1972 : « L'Algérie a toujours refusé de s'associer à ce mouvement (la francophonie) parce que l'arabe qui est notre langue nationale et notre langue officielle a lui aussi une vocation mondiale ; parce que ce groupement, face aux problèmes majeurs de notre temps, ne présente aucune unité politique ou économique ou encore géographique ; et aussi parce qu'objectivement il comporte des tendances néo-colonialistes. » Cette attitude proclamée sert parfois d'alibi aux exécutants, mûs souvent par d'autres griefs : faut-il rappeler qu'au printemps 1974 l'université de Constantine a vu successivement l'interruption d'un séminaire sur « Le Droit et la famille au Maghreb », et l'annulation, à quatre jours de son ouverture, d'un colloque sur « Littératures et expression populaire au Maghreb actuel », et que quelques jours seulement avant la visite officielle de M. V. Giscard d'Estaing, en avril 1975, l'Algérie était le seul pays arabe non représenté au séminaire de l'A. U. P. E. L. F. à Damas ? Les lecteurs que l'apparente contradiction de ces attitudes laisserait perplexes se reporteront avec profit aux analyses, entre autres, de J. Leca, pour qui l'Algérie actuelle est un lieu de « rencontres d'idéologies » où dominent deux discours essentiels : le discours moderniste, technophile, marxisant ou libéral, est celui de la construction économique, le discours islamique traditionaliste est celui d'un conservatisme moral, particulièrement dans le domaine de la famille et des mœurs. Si les deux discours, selon Leca, coexistent sans trop de heurts, c'est que chacun a son domaine propre, plus ou moins tacitement reconnu par l'autre. Les conflits surgissent chaque fois que le premier voudra empiéter sur les domaines « réservés » au second, particulièrement celui de la condition féminine ou celui de la définition d'une culture nationale, de l'arabisation ou de la littérature.

ASPECTS DU BILINGUISME

Positions officielles

Que ce soit en Algérie, ou à un degré moindre au Maroc ou en Tunisie, l'arabisation est un thème essentiel de la décolonisation au Maghreb. Ne s'agit-il pas d'abord de recouvrer son identité spoliée par le colon, dont l'impérialisme économique s'appuyait de toute évidence sur un impérialisme culturel ? Mais les responsables des trois pays, s'ils proclament la nécessité fondamentale et sacrée de cette arabisation, veulent également conserver la « fenêtre ouverte sur le monde » (2) que représente pour eux le français, véhicule d'une grande part de l'édification industrielle et technologique. S'il affirme que « l'arabisation n'est pas une option, mais l'un des fondements mêmes de notre personnalité » (2), le ministre algérien de la Culture déclare par ailleurs : « Pendant une longue phase, nous aurons besoin de la langue française comme une fenêtre ouverte sur la civilisation technicienne, en attendant que la langue arabe s'adapte au monde moderne et l'adopte, et que l'Algérie forme ses propres cadres arabisants. Dans nos programmes scolaires, la langue française aura le statut d'une langue étrangère privilégiée » (3) . Cependant on aurait tort de sous-estimer la portée de l'arabisation en Algérie : elle se propage très rapidement, surtout depuis son introduction dans les administrations, bastions traditionnels du français ; depuis 1971, une pratique minimale de l'arabe, sanctionnée par divers examens, est nécessaire pour postuler un emploi dans la fonction publique ; depuis 1975, les standardistes du téléphone aux P. T. T. répondent d'abord en arabe. Le *Journal officiel* est arabisé, ainsi qu'un nombre de plus en plus grand de formulaires et d'actes administratifs. 1976 a vu se développer une campagne d'« arabisation de l'environnement » (enseignes de magasins, noms des vues, panneaux routiers) qui a parfois dépassé ses objectifs. Or, l'Algérie était, des trois pays du Maghreb, le plus touché par la déculturation coloniale.

2 Ahmed Taleb, 1er octobre 1968.

3 Ahmed Taleb, conférence de presse de mars 1972. En fait, la langue arabe se révèle, en Syrie par exemple, tout à fait propre à véhiculer des concepts scientifiques, puisque l'enseignement des sciences à l'université de Damas se fait dans cette langue. Le ministre algérien complète donc son opinion sur l'adaptation de cette langue au monde moderne en soulignant le peu de cadres arabisants actuellement utilisables. Plus que d'une question linguistique, il s'agit donc d'un problème d'hommes. L'afflux actuel de techniciens coopérants francophones contribue encore à retarder cette arabisation problématique de la recherche scientifique et de l'enseignement des sciences, tout comme de la pratique technologique dans les entreprises.

Moins atteints qu'elle sur ce plan, ses deux voisins ont des positions moins radicales, mais peut-être plus ambiguës. Si le ministre marocain de l'Enseignement primaire déclarait en 1969 : « La langue arabe [...] contribue à la formation de (notre) personnalité », le secrétaire général de l'Institut d'arabisation lui-même, M. Lakhdar, n'en délimitait pas moins le champ d'application des deux langues en présence : « Si la langue arabe permet d'exprimer des notions littéraires ou abstraites avec aisance, elle ne permet pas d'exprimer à l'heure actuelle les notions techniques ou scientifiques avec autant de facilité ou de richesse que la langue française » (4). Le roi du Maroc n'invitait-il pas les membres d'un colloque sur l'enseignement, du 13 au 30 avril 1964, à « ne pas pleurer sur les ruines et les vestiges du passé et à orienter la politique de l'enseignement vers un avenir plus réaliste et plus compatible avec les exigences de la vie moderne » (5) ? Si l'on met cette déclaration en rapport avec la précédente, on mesure ce qu'elle contient d'orientation implicite. Et de fait le Maroc semble réserver l'arabe à l'enseignement primaire, et à des matières « abstraites » comme la philosophie, l'histoire ou l'enseignement religieux, l'enseignement « moderne » à partir du secondaire se faisant le plus souvent en français, lequel reste la langue de l'administration et de l'économie.

En Tunisie, dans un numéro spécial sur l'enseignement réalisé par le quotidien *L'Action* à la veille du congrès du P. S. D. (12-9-1974), M. Driss Guiga, ministre de l'Éducation nationale, tout en ne négligeant pas l'importance de l'arabisation, justifie le maintien d'un rôle prépondérant du français dans l'enseignement par l'héritage francophone dans le système éducatif, par la présence inévitable d'un nombreux personnel enseignant étranger, par le fait que l'usage de plusieurs langues est un impératif du développement et aussi qu'« aujourd'hui les meilleures sources du savoir se trouvent dans le monde occidental ». Quant à M. Messadi, ministre de la Culture et l'un des plus grands écrivains tunisiens de langue arabe (on verra plus loin qu'il n'y a que fort peu de littérature de langue française en Tunisie), il affirme dans le

4 Ces deux déclarations sont extraites du numéro spécial sur l'enseignement au Maghreb de la revue *Maghreb*, n° 37, janvier-février 1970.

5 Cité par Bruno Étienne, « Langues et élites au Maghreb », Actes du colloque d'Aix-en-Provence sur *Les Influences occidentales dans les villes maghrébines à l'époque contemporaine*, édit. de l'Université de Provence, 1974.

même journal : « La permanence de notre contact avec les cultures étrangères rend malaisé de parler déjà d'un dépassement du stade d'emprunt culturel », et il ajoute : « aucun dépassement de ce genre ne saurait être préféré à une situation d'interférences, d'échanges réciproques entre cultures » (6).

Ces déclarations, choisies parmi les plus récentes, donneront une idée de la diversité des politiques en présence. Il est évident par ailleurs qu'il faudrait les analyser dans le cadre d'une étude plus approfondie de l'ensemble des orientations politiques et des choix économiques de chacun des pays intéressés. Les choix linguistiques sont toujours des choix politiques. On verra plus loin qu'ils mènent à des pratiques diverses du bilinguisme, et aussi à des prises de position dont nous donnerons un aperçu. Examinons cependant d'abord la situation du français dans l'enseignement des trois pays considérés, puisqu'aussi bien c'est de là que dépendent l'avenir et même, déjà, le présent.

Le français et l'arabisation dans l'enseignement

Les trois pays du Maghreb se signalent d'abord par le colossal effort d'enseignement qu'ils ont entrepris depuis les indépendances. Les exemples algérien et tunisien sont particulièrement significatifs à ce point de vue. Selon Noureddine Sraïeb, l'enseignement secondaire algérien comptait 32 000 élèves à l'indépendance, et l'enseignement supérieur 2 809 étudiants. Ils sont passés, respectivement, en 1968-1969, à 166 000 élèves et 10 681 étudiants, soit cinq fois plus de lycéens, et trois fois plus d'étudiants. En 1972-1973 les chiffres sont encore plus frappants : 445 000 élèves dans le secondaire, soit près de quatorze fois plus qu'à l'indépendance, et 28 048 étudiants, soit dix fois plus. Les effectifs du primaire sont passés de 700 000 élèves en 1962, à 2 622 000 en 1973 (7). On prévoit pour 1977 l'accueil de la totalité des enfants de six ans à l'école, et leurs groupes nombreux sur le chemin de celle-ci sont l'un des premiers spectacles qui frappent le visiteur étranger, même, et surtout, dans les campagnes. En Tunisie, de 1962 à 1970, les effectifs scolaires ont doublé, passant de 547 345 élèves du primaire à 935 725, de 65 190 élèves du

6 Déclarations citées par Mohsen Toumi, « La Scolarisation et le tissu social en Tunisie », *Revue française d'études politiques africaines*, n° 109, janvier 1975, pp. 32-61.

7 Noureddine Sraïeb, « La Politique scolaire de l'Algérie indépendante », *Revue française d'études politiques méditerranéennes*, n° 1, janvier 1975.

secondaire à 195 296 (soit le triple de ce secteur), et de 5 614 étudiants à 13 159 (8). La progression de la scolarisation au Maroc est également encourageante, même si elle est à mettre en rapport, ici comme dans tout le Maghreb, avec une très forte augmentation démographique. Cette généralisation plus ou moins grande du phénomène scolaire est donc un fait marquant dans tout le Maghreb, et même si dans les trois pays les deux premières années de l'enseignement primaire sont totalement arabisées, elle ne peut que profiter, dans la période transitoire actuelle, à une diffusion – entre autres matières – du français, enseigné partout à partir de la troisième année.

Cependant à partir de ce stade les politiques scolaires divergent, surtout, sur l'arabisation. Celle-ci est en progrès constant en Algérie, où les I.T.E. (ex-« Écoles normales d'instituteurs »), qui conditionnent, par le biais des maîtres qu'ils forment, l'enseignement primaire des années à venir, sont presque tous arabisés totalement en 1974. Un tiers au minimum des matières est actuellement enseigné en arabe à partir de la troisième année de l'enseignement primaire et dans les collèges d'enseignement moyen, tout comme dans l'enseignement secondaire où même les matières « scientifiques » commencent à l'être. La philosophie et l'histoire sont totalement arabisées, tant dans l'enseignement secondaire que dans l'enseignement supérieur (9). Dans deux articles sur le baccalauréat de 1974, *La République*, quotidien oranais (12 et 13 juin 1974) constate que sur les 27 657 candidats, 9 469 le sont dans l'option arabe, en nette progression. Il annonce par ailleurs « l'arabisation totale à partir de l'année prochaine de la série lettres. Le baccalauréat série lettres bilingue s'est déroulé pour la dernière fois cette année ... ». *El Moudjahid culturel* quant à lui annonce qu'en 1975, 65 pour cent des lycéens passeront le baccalauréat entièrement en arabe (9). Pour certains enseignements on assiste souvent à des fonctionnements parallèles : à côté des lycées bilingues (même les établissements dépendant de la mission culturelle française dispensent obligatoirement des cours d'arabe aux élèves algériens), il existe des lycées totalement arabisés, ainsi que des instituts

8 Mohsen Toumi, article cité.

9 *El Moudjahid culturel*, n° 147, janvier 1975.

islamiques, dépendant il est vrai d'un autre ministère (« L'enseignement originel », ou ministère des Affaires religieuses), au nombre de 17 en 1970. Ces instituts délivrent le diplôme de l'« ahlia », équivalent du B. E. G. (ex-B. E. P. C.), et un grand nombre de leurs anciens élèves enseignent déjà dans les écoles primaires. Même dans l'enseignement supérieur, à côté des sections « francisées » traditionnelles, se multiplient les sections arabisées. Ce qui permet de saluer en 1974 l'arrivée des premiers licenciés ès sciences arabisées. Dans ces conditions l'arabisation avance très vite en Algérie, du moins sur le plan quantitatif. Il ne nous appartient pas de juger la qualité de cet enseignement, ni de la pratique véritable de l'arabe littéral, sensiblement différent des dialectes parlés, qui en découle. Notons simplement que plusieurs collègues moyen-orientaux se plaignent d'une acquisition très imparfaite de la langue chez leurs étudiants, et qu'un « arabisant » algérien sincère comme Abdallah Mazouni affirme avec courage dans *El Moudjahid culturel* (28 juin 1974) que la langue française « me permet d'être lu à la limite extrême (compte tenu de l'analphabétisme) par environ 35 pour cent de mes compatriotes actuellement, et dans une décennie par 50 pour cent ou plus, soit, dans tous les cas, la majorité, car il est à peu près sûr, pour moi, que le nombre des alphabétisés en arabe n'aura pas rattrapé d'ici là celui des alphabétisés en français. »

L'arabisation de l'enseignement primaire est sensiblement le même dans les deux pays voisins : arabisation totale des deux premières années, puis introduction progressive des disciplines enseignées en français, qui occupent de 50 à 70 pour cent des horaires. Mais dès les premières classes du secondaire le français, considéré comme la langue *véhiculaire* par laquelle s'acquièrent les connaissances *utiles*, prend une place grandissante, l'arabe occupant moins du tiers des horaires dans le secondaire tunisien et le premier cycle secondaire marocain, et disparaissant presque (sauf pour l'histoire, la géographie et la philosophie, arabisées en 1973) dans le second cycle marocain, où existe une section « lettres originelles » entièrement arabisée (10). En Tunisie, Habib Ounali relève en 1972-1973 que dans l'enseignement supérieur 71,87 pour cent des cours se font en français. Quels cours ? Il est significatif de constater que ce sont 100 pour cent des cours de droit et de sciences, 75 pour cent des cours de lettres et de l'École normale supérieure, 0 pour cent

10 Dossier *Maghreb* cité.

des cours de théologie, cette dernière étant totalement arabisée. Est-il besoin de préciser la fonction dévolue à chacune des langues en présence ?

A la dynamique volontariste de l'arabisation en Algérie s'oppose donc un certain laisser-faire chez ses voisins, où le français est privilégié du fait des débouchés qu'offre sa pratique. « Deux langues sont en présence », dit Abdeljlil Lahjomri du Maroc, « l'une est la langue de la promotion sociale, de la réussite, l'autre reste de ce fait dévaluée » (11). Laissons A. Lahjomri nous décrire sur le vif comment est vécue pour l'écolier marocain sa scolarité éclatée entre toutes ses langues. Cette situation pourra se retrouver en Tunisie, où cependant le berbère n'existe pratiquement pas, et à un degré beaucoup moindre en Algérie, où le berbère est très minoritaire (12) et où, surtout, l'arabisation en cours des administrations et même des matières « scientifiques » confère à la langue arabe de tout autres valorisations :

> « L'enfant qui a la chance d'accéder au monde de la scolarité est soumis à un apprentissage linguistique souvent déficient. Bilingue dans la plupart des cas (arabe parlé + berbère), il est initié dans ses premières années de scolarité à l'« arabe classique », un arabe scolaire qui n'épouse pas les transformations subies par cette langue, mais reste statique, souvent incompréhensible aux jeunes esprits. Vient se greffer ensuite sur cet apprentissage celui de la langue française, plus dynamique malgré les lacunes des méthodes utilisées. L'enfant scolarisé est rapidement prisonnier d'un tourbillon linguistique, écrivant et parlant deux langues méconnaissables pour ses maîtres, savoureuses dans leurs imperfections. Le français va inévitablement constituer un pôle d'attraction dans l'état présent de la société marocaine, envahissant toute la personnalité de l'enfant, de l'adolescent, de l'adulte, cédant à l'arabe classique un domaine culturel sclérosé, fragmentaire, sans aucune prise sur le monde contemporain. Ce qui provoque chez l'étudiant accédant à l'université pour parfaire ses études littéraires une attitude ambivalente : un refus de la langue nationale, parce qu'elle est inopérante, une réaction nostalgique qui le pousse à une idéalisation excessive du passé » (11).

11 Abdeljlil Lahjomri, « Langue et société dans le Maroc contemporain », *Pro-C* n° 3-4, 1974, pp. 57-65.

12 Voici les chiffres officiels du recensement de 1966 : « Langue maternelle sur un total de 12 106 000 habitants : arabe 9 734 000, berbère 2 267 000, français 77 600, autre ou non décl. 23 000.

Quelques opinions

De nombreux intellectuels, chercheurs, pédagogues et écrivains maghrébins condamnent donc ce « tourbillon linguistique » dans lequel sont obligés de vivre leurs compatriotes, et réclament une politique scolaire plus cohérente, reposant sur une connaissance objective de la réalité linguistique. En Algérie, Abdallah Mazouni, dans son étude fondamentale, sur *Culture et enseignement en Algérie et au Maghreb* (13), relevait en 1968 que le bilinguisme « sera une cause de tensions nombreuses et graves, si l'on n'y prend garde. En effet, une masse de francophones y disposera d'un certain schéma culturel ; une autre masse, arabophone celle-là, vivra sous un schéma culturel assez différent, quoi qu'on fasse. Enfin entre elles se situera une masse variable de bilingues dont il sera difficile de décrire le schéma culturel global » (p. 51). C'est pourquoi il subordonne « toute réflexion sur le bilinguisme comme option libre et délibérée [...] à la restauration d'une culture nationale, c'est-à-dire d'une culture répondant à la nature et aux besoins d'un peuple qui sera redevenu lui-même » (p. 38). Car le vrai problème, en fin de compte, est politique. Reprenant un terme cher à Abdallah Laroui, le Tunisien Mohsen Toumi s'en prend à la « technophilie » des dirigeants maghrébins, que Laroui définit comme la mentalité de celui qui « croit à l'existence d'une évolution générale de l'humanité, dont il ne met en cause ni les buts ni les antécédents, qui se mesure quantitativement et impose les moyens de sa mise en œuvre » (14), et pense qu'« à la limite, cette technophilie contredit toute revendication d'une identité nationale, tout appel, toute constitution d'une culture nationale. Elle suppose un devenir de seconde main, une histoire d'occasion » (15). A. Lahjomri au Maroc, affirme pour sa part que « tant que les responsables de l'économie gèrent la Société à travers les prismes d'une langue étrangère, la culture qui se créera restera étrangère. L'économie continuant à être assujettie, la culture, qu'elle soit en langue arabe ou en langue française, sera une culture ou marginale ou anachronique, et l'horizon sera toujours un horizon clos » (16). La francophonie est donc ressentie, au Maroc

13 Abdallah Mazouni, *Culture et enseignement en Algérie et au Maghreb*, Paris, Maspéro, 1969.

14 Abdallah Laroui, *L'Idéologie arabe contemporaine*, Paris, Maspéro, 1967, p. 47.

15 Article cité, p. 60.

16 Article cité, p. 65.

comme en Tunisie, comme le relais d'une dépendance économique latente vis-à-vis du capital étranger, et contestée en tant que telle, entre autres par l'équipe de la revue *Souffles*, dont nous aurons à reparler, et dont plusieurs membres sont actuellement dans les prisons marocaines. Dans le dossier que cette revue réunissait en 1970 sous le titre « Nous et la francophonie », ne voit-on pas Hassen Benaddi affirmer que « préconiser la francophonie dans le cadre d'un enseignement de classe destiné à former une élite de technocrates, c'est vouloir tout simplement perpétuer le système de relais de domination entre l'ancienne métropole et les peuples exploités », alors qu'Abraham Serfaty s'élève contre le mythe cartésien de la « clarté » française pour réclamer le droit à l'obscurité, dans sa propre langue, d'une pensée en gestation, seul moyen pour lui de permettre « l'émergence des potentiels créateurs de l'ensemble de la Société » (17). En Algérie, où un pas de plus a été franchi sur le plan économique et même culturel, Mostefa Lacheraf, dont le prestige est grand auprès de la jeunesse, s'il préconise la reconstruction d'une culture nationale délabrée par le colonialisme, s'élève contre la « vénération du passé » implicite dans tout repli sur les seules langue et culture arabes alors que, selon lui, « la seule valeur active de la pensée arabe, son seul pouvoir d'accueil et sa seule force de transmission lui venaient, en plus d'un nécessaire esprit critique aujourd'hui disparu, de son « outillage mental » acquis ou créé au contact des grandes cultures étrangères et d'une ouverture éclairée sur les besoins de l'époque » (18).

C'est là poser le problème même de l'inefficacité plus ou moins grande dans l'enseignement d'une langue arabe souvent sclérosée, carence dont bénéficie bien sûr la diffusion du français dans les trois pays du Maghreb. En Algérie même, la nécessité d'une scientificité de l'arabisation, de son adaptation au contexte de déculturation et aux niveaux divers des récepteurs ne va pas de soi, même si c'est l'une des conclusions majeures du deuxième congrès de l'arabisation, tenu à Alger en décembre 1973. L'on ne sera pas étonné en voyant que ce colloque fut dominé par les interventions des linguistes du C.E.R.E.S. de Tunis, seul centre de

17 *Souffles*, n° 18, 1970, pp. 21-38.

18 Mostefa Lacheraf, *La Culture algérienne contemporaine*, communication au premier colloque national algérien de la culture, 1968, édit. des services culturels du parti FLN, 30 p., sans date de publication.

recherches fonctionnant de façon efficace dans ce sens au Maghreb, et qui divise son programme de travail en deux temps : « 1) Décrire aussi scientifiquement et aussi objectivement que possible la réalité linguistique tunisienne », et dans ce processus, décrire « aussi bien l'arabe classique moderne que l'arabe dialectal, que le berbère, que les langues mélangées qu'on appelle le sabir » [. . .] 2) « Une fois cette étape franchie, nous passons à une deuxième étape, celle de l'application [. . .] : nous essayons de mettre les résultats des enquêtes opérées lors de la première étape au service du développement de la réalité linguistique selon les options nationales, en particulier donc au service de l'arabisation » (19) . Cette démarche peut sembler évidente au lecteur non averti. Elle est loin de l'être pour bien des enseignants de lettres arabes, pour qui évoquer seulement l'existence d'une langue parlée apparaît déjà comme un scandale. La polémique d'un autre âge qui opposa récemment le docteur Abdallah Cheriet, professeur de philosophie à la Faculté des lettres d'Alger, à l'équipe d'*El Moudjahid culturel* en est une des nombreuses illustrations (20) . Sans nous étendre trop sur ce sujet, citons les dernières lignes de la réponse de Kamel Belkacem, qui donnent le ton du débat : « Nous n'accepterons pas toute conception obsessionnelle et passive de l'arabisation. Le peuple a besoin de docteurs en philosophie et d'hommes d'élite, c'est un fait. Mais à quoi serviraient ces derniers s'il ne les comprenait pas ? L'arabisation est notre cause. Elle n'est le monopole de personne » (21) .

Le français dans la vie quotidienne

Mais au Maghreb plus qu'ailleurs, les intellectuels comme le pouvoir, quelles que soient leurs options politiques ou révolutionnaires, sont une catégorie à part, ne serait-ce que parce qu'ils possèdent l'écrit, symbole de puissance dans des sociétés essentiellement analphabètes. Cependant ils participent, de près ou de loin, au pouvoir, ou du moins à cet espace conceptuel où se meut le pouvoir : la Cité, dont l'écri-

19 Interview de Salah Garmadi, directeur de recherches en linguistique au CERES, *El Moudjahid*, 20 décembre 1973.

20 Le Centre d'études littéraires et sociolinguistiques maghrébines de l'Université de Constantine a dû fermer ses portes après un an et demi de fonctionnement à cause, précisément, des tensions qu'y soulevait le fait de décrire des langues parlées.

21 *El Moudjahid culturel* n° 113, 22-2-1974. Nous conseillons au lecteur non initié et patient de parcourir la traduction de la diatribe du docteur Cheriet dans le même numéro du journal.

ture est bel et bien la clé. Or, dans l'échiquier linguistique que nous essayons de débrouiller quelque peu ici, deux langues s'écrivent, l'arabe « classique » et le français, alors que les langues parlées, ou dialectes (arabe parlé+ berbère), ne s'écrivent que fort peu (22), tout en étant la pratique quotidienne de l'immense majorité de la population. Ceci explique en partie, avec l'analphabétisme et les traditions patriarcales, l'importance de la tradition orale, dans la vie de tous les jours et même dans l'administration, comme s'en plaint Abdallah Mazouni (13). Mais ceci impose aussi à l'analyste de s'interroger sur la manière dont est vécu concrètement cet éclatement linguistique.

Dans une enquête récente du C. E. R. E. S., déjà citée, sur la langue des étudiants, Habib Ounali (23) constate, chez cette catégorie culturellement favorisée de la population tunisienne, que le français et l'arabe littéraire sont nettement plus utilisés dans l'enceinte de l'université qu'à l'extérieur, où le dialecte reprend sa place : « Plus on s'éloigne du cours et de son ambiance, plus le français perd de son importance, mais jamais au bénéfice de l'arabe littéraire, qui n'est pas parlé hors des cours. » Le français, on l'a vu, est la langue véhiculaire, dans laquelle s'acquièrent les connaissances. On découvre ici que 70 pour cent des étudiants tunisiens ont le sentiment qu'elle sera, de fait, la langue de leur vie *professionnelle* future. Langue « utile », alors que l'arabe classique est surtout « beau ». Mais les deux langues écrites cèdent le pas au dialecte, ou plutôt au mélange du dialecte et du français, dans la vie non professionnelle. Or, l'opinion des étudiants sur les langues en présence ne reflète pas leur pratique respective. La « langue préférée » n'est jamais le français, qui n'est par ailleurs souhaité comme langue nationale que par 20 pour cent des personnes interrogées. L'arabe « intermédiaire » (« classique » rendu plus facile, et

22 L'arabe dialectal peut, bien sûr, s'écrire sans difficulté, mais la presse ou les livres se servent le plus souvent d'un arabe « classique » modernisé, dont la lecture n'est guère facile. Certains écrivains tunisiens de langue arabe cherchent, à la suite de Bechir Kraïef dont le roman provoqua en 1937 une levée de boucliers des « puristes », à introduire la langue parlée dans leurs œuvres, principalement dans les dialogues, le reste du livre étant en « classique ». Cette solution « intermédiaire » est loin de faire l'unité, comme on s'en apercevra en lisant la très utile table ronde sur cette question dans *Alif*, n° 1, décembre 1971, pp. 11-52. Quant au berbère, les tentatives de le transcrire restent du domaine de quelques rares spécialistes. On signalera les travaux du C. R. A. P. E., que dirige à Alger l'écrivain Mouloud Mammeri, et la publication régulière du *Fichier périodique*, à Alger toujours, par le dynamique P. Reesinck. On connaît par ailleurs les travaux de l'E. P. H. E. à Paris.

23 Habib Ounali, « La Langue des étudiants », *Lamalif*, n° 58, avril 1973.

modernisé) vient ici en tête (58,44 pour cent), suivi par l'arabe classique (30 pour cent), alors que le dialectal, pourtant le plus utilisé, recueille moins de suffrages que le français (12,3 pour cent). Il y a donc contradiction flagrante entre la pratique et la valorisation des différentes langues, ce qui amène bien sûr une tension. C'est ce que soulignait déjà A. Lahjomri au Maroc.

S'il est également question de la valorisation de telle ou telle langue dans l'étude sur le bilinguisme qu'a menée Abdelmalek Sayad en milieu non intellectuel en Algérie, celle-ci s'attache surtout à décrire comment le bilinguisme est vécu par les masses. Précisons cependant que cette enquête de qualité (24) décrit une situation qui a pu évoluer depuis dix ans. Si là aussi « le français, même quand il est jargonné, est tenu pour une langue désacralisée, laïcisée, réaliste et « positive », une langue profane à laquelle il n'est demandé (et dont on ne peut rien attendre d'autre) qu'une efficience dans le « monde de la matière », alors que « les parlers traditionnels [. . .] se chargent de plus en plus de sacré et de religiosité » (p. 210), on y constate d'abord que « les changements de langue se produisent le plus souvent selon la matière à exprimer, et (qu')inversement le contenu de l'expression change selon la langue utilisée ». L'usage du français s'impose donc pour « les problèmes de la vie urbaine moderne ou les problèmes qui ne peuvent se poser que dans la logique occidentale : calcul économique, statut de la femme, contrôle des naissances, etc. ». Chaque langue a son domaine, et même son espace propre. « On parle français beaucoup moins à la campagne qu'à la ville, moins fréquemment en famille et à la maison que dans la rue, moins facilement en présence de personnes âgées qu'entre jeunes et moins naturellement pour débattre de religion que pour traiter un sujet politique ou relater une expérience relative à la vie moderne. De même, le langage féminin peut paraître comme le dernier rempart opposé à la contagion (cependant les observations faites sur l'évolution de ce langage font apparaître que sitôt qu'il a été quelque peu touché, l'envahissement qu'il subit de la part du français ne peut être contenu ; l'univers féminin témoignerait par là d'une plus grande réceptivité aux modèles de la société occidentale.) » (p. 210). Au facteur bien connu de diffusion du français qu'est l'école, A. Sayad en ajoute un autre, bien plus puissant, et qui d'ailleurs inclut le premier : la ville, qui

24 Abdelmalek Sayad, « Le Bilinguisme en Algérie », *Cahiers du Centre de sociologie européenne*, Paris, n° 4, 1967.

implante le bilinguisme dans la structure même du parler dialectal quotidien. Ce qui l'amène à dégager, selon l'importance de la pénétration de mots (souvent déformés) ou de membres de phrases français dans ce qu'on a appelé improprement le « sabir » nord-africain, divers degrés de bilinguisme, qui sont autant d'indices du degré d'adaptation du sujet à la vie moderne, mais aussi des moyens et des symboles de différenciation sociale. « Le langage peut en effet dévoiler à l'analyse un ensemble de représentations, d'aspirations et de références idéologiques que les différents groupes sociaux manipulent implicitement » (p. 213). Le degré le plus faible du bilinguisme se trouve tout naturellement chez les sous-prolétaires ruraux, dont le langage par ailleurs est le moins organisé en système cohérent. Les travailleurs manuels stables du secteur moderne, enclins à plus de réalisme technologique, manifestent dans leur parler un bilinguisme plus accentué, alors que les travailleurs du secteur traditionnel (artisanat et commerce), pour qui l'économie et la vie domestique sont plus ou moins confondus, ont une certaine prétention à la qualité de lettrés, et séparent assez nettement les deux langues (p. 214). De toutes ces considérations, Sayad conclut entre autres que le parler algérien est fondamentalement bilingue, et invite, comme Salah Garmadi en Tunisie, à partir d'une étude objective de cette situation, sans dramatisation inutile.

Nous avons également interrogé, en ce qui nous concerne, une population de 203 bilingues (les seules personnes pouvant répondre à un questionnaire en français) dans l'Est algérien en 1971, dans le but de voir quel impact pouvait avoir dans son pays la littérature algérienne de langue française (25) . Pour ces bilingues qui *parlent* de préférence l'arabe ou le berbère, le français est encore par excellence la langue de *l'écrit*. Ceci a déjà été montré. Il peut être intéressant cependant de comparer la langue usuelle des sujets avec leur âge ou leur sexe, ce qui permettra d'esquisser la description d'une évolution de la situation linguistique. Mais nos conclusions, à partir d'un si petit échantillon, ne pourront être généralisées. Quoiqu'il en soit, et dans notre échantillon, il semble que le bilinguisme régresse à l'oral : 48,3 pour cent des personnes âgées de 26 à 30 ans le pratiquent, contre seulement 40 pour cent des personnes de 21 à 25 ans et 31,2 pour cent des 16 à 20 ans. Le bilinguisme régresse surtout au profit de la langue arabe, qui

25 Charles Bonn, *La Littérature algérienne de langue française et ses lectures ; Imaginaire et discours d'idées*, édit. Naaman, Sherbrooke, Canada, 1974, pp. 155-211.

passe de 12,9 pour cent chez les 26 à 30 ans, à 17 pour cent chez les 21 à 25 ans et à 32,5 pour cent chez les 16 à 20 ans. La langue française régresse aussi à l'écrit, où elle est pratiquée par 80 pour cent des 21 à 25 ans, et 53,7 pour cent des 16 à 20 ans, dont 12 (15 pour cent) écrivent plutôt en arabe, ce qui n'est le cas d'aucun des 21 à 25 ans, et d'aucun des 26 à 30 ans interrogés. La progression de la double écriture (arabe + français), de 17,1 pour cent chez les 21 à 25 ans à 30 pour cent chez les 16 à 20 ans montre dès 1971 les progrès assez rapides de l'enseignement de l'arabe. Ces résultats seraient plus forts encore aujourd'hui.

Les femmes sont très peu nombreuses dans notre échantillon, et n'y représentent qu'une frange de la population féminine, la seule qu'il nous ait été possible de toucher. La langue française est ressentie par elles comme un auxiliaire de taille lorsqu'elles se révoltent contre la tradition. Elle est un peu le langage par lequel elles affirment leur existence, leur naissance au monde, pour reprendre la formule de Mammeri dans *Le Sommeil du juste*. Entre les hommes et les femmes qui ne déclarent parler qu'une langue, il y a une sorte de renversement presque symétrique pour l'importance de ces langues dans l'échantillon. 26 pour cent des hommes ne cochent que l'arabe, contre 13,4 pour cent des femmes ; par contre 17,3 pour cent des hommes ne cochent que le français, contre 23 pour cent des femmes. 3,8 pour cent des femmes écrivent mieux l'arabe que le français, contre 7,3 pour cent des hommes. Par ailleurs autant les femmes et jeunes filles de la nouvelle génération que nous avons interrogées parlent plus volontiers le français que les hommes, autant dans la génération précédente le français était avant tout l'apanage masculin, par l'ouverture sur l'extérieur, sur la Cité, qu'il supposait. La femme, gardienne des traditions, était exclue ou s'excluait elle-même de la Cité. 43 pour cent des personnes interrogées parlent « parfois » le français avec leur père, 9,8 pour cent « toujours », 39,9 pour cent seulement affirment ne jamais le parler avec lui. Il en va tout autrement avec la mère : 73,3 pour cent des sujets ne parlent « jamais » le français avec elle, 3,4 pour cent « toujours », 19,2 pour cent « parfois ». Le rapport est donc exactement l'inverse d'une génération à l'autre. Dans la mesure où les femmes actives de la nouvelle génération que nous avons touchées aspirent à l'ouverture, où elles veulent acquérir l'espace urbain et la modernité d'où leurs mères se retranchaient, elles se servent du français comme d'une arme, comme d'un Sésame. Et les jeunes gens le savent qui affirment tous que les jeunes femmes et jeunes filles citadines le parlent bien plus volontiers qu'eux (95 pour cent de réponses en ce sens), et qui nous confient que c'est en français qu'on fait le mieux sa cour à une jeune citadine algérienne. Le français est lié au changement de la vie, et à son amélioration. Les sujets qui sont les plus nombreux à affirmer qu'ils parlent mieux le français que l'arabe sont issus des familles les plus démunies, sont fils de journaliers, de gardiens, ou d'hommes de peine (31,8 pour cent dans cette catégorie, alors que la moyenne générale est de 19,2 pour cent) et font le parallèle entre leur promotion sociale et leur connaissance de cette langue, connaissance dont ils tirent plus de fierté que les autres.

La langue est donc plus qu'un simple outil de communication, au Maghreb. Elle est hautement valorisée, ressentie à tous les niveaux comme portant en elle tout un univers éthique : tradition, authenticité et religion pour l'arabe, modernité, aliénation et liberté individuelle à la fois, laïcité enfin, pour le français. Dans ces conditions, il ne faudra pas s'étonner si les deux littératures en présence se révèlent investies elles aussi d'un ensemble de valeurs à priori, qui sont attachées en grande partie à la langue dont elles se servent.

UNE LITTÉRATURE PRIVILÉGIÉE

Le regard de l'autre

La littérature maghrébine de langue française est à la fois refusée parce que se servant d'une langue qui est celle de l'autre, et valorisée, peut-être grâce au regard de l'autre justement. En effet, à côté d'elle existe une littérature de langue arabe assez abondante, et parfois de qualité, principalement en Tunisie et au Maroc, mais également en Algérie. Or, la littérature de langue française seule est connue et diffusée à l'extérieur. Les universités arabes hors du Maghreb ignorent le plus souvent la littérature maghrébine, ou la méprisent ; alors que la littérature maghrébine de langue française est lue assez largement en France ou en Amérique, et enseignée par des universités de plus en plus nombreuses de ces pays. Cette valorisation par le regard extérieur n'est certes pas la seule cause du succès, au Maghreb même, des littératures nationales de langue française. Leur contenu, qui est en général remise en cause de la société coloniale, des mœurs traditionnelles ou des contradictions actuelles, est ressenti par ceux qui les connaissent comme une « prise de la parole », à la fonction souvent libératrice, et explique lui aussi ce statut particulier. Mais il n'en reste pas moins vrai que, comme le montre Abdelkebir Khatibi, cette littérature constitua à ses débuts une justification culturelle pour la gauche française favorable aux mouvements de libération : « Il fallait bien démontrer que les sociétés colonisées ne sortaient pas du néant, qu'elles étaient dotées de valeurs authentiques et d'une véritable culture. » C'est pourquoi, poursuit le sociologue marocain, la présence de ces écrivains « comblait un vide et répondait à une attente. On salua cette littérature avec un certain enthousiasme, l'édition s'en empara, à tel point que chaque maison d'édition posséda son « Arabe de service » (26) .

Actuellement, cette littérature est en grande partie prisonnière de la situation qui lui permit d'émerger. Pieusement, certains de ses auteurs sont encore inscrits dans les programmes scolaires, surtout en Algérie, et les vitrines des libraires s'ornent de quelques romans de la grande époque, ou même parfois d'un recueil de poésie. Mais la lecture en dépasse-t-elle le cadre scolaire ou universitaire ? Les enquêtes que nous avons pu faire laissent apparaître une image collective de la littérature maghrébine de langue française selon laquelle cette dernière ne serait plus guère adaptée à la modernité vécue actuelle. On est fier de la caution culturelle que cette littérature représente pour le regard de l'autre, et en même temps agacé par les deux aspects auxquels on la réduit le plus souvent : la description ethnographique de la vie traditionnelle, qui gêne parce qu'on la sent faite pour l'autre, et les récits d'une guerre qu'on veut dépasser, toute douloureuse qu'elle ait été, pour aller à la rencontre du progrès, de l'avenir, du socialisme.

La description ethnographique

Car c'est bien sous ces deux aspects que cette littérature est, d'abord, connue. Née vers 1920, la littérature maghrébine de langue française s'affirme en tant que telle à partir de 1945, et surtout vers 1950. Or, *Le Chapelet d'ambre* d'Ahmed Sefrioui (Maroc, 1949), *Le Fils du pauvre* de Mouloud Feraoun (Algérie, 1950), *La Grande Maison* de Mohammed Dib et *La Colline oubliée* de Mouloud Mammeri (Algérie, 1952) sont avant tout des descriptions de la vie traditionnelle. Mais déjà, si Sefrioui exploite encore un certain exotisme un peu facile – celui qu'attendent bien des lecteurs européens –, les Algériens montrent l'impact de la colonisation dans des univers qui vont perdre leur unité, qui sont sur le point d'éclater. Chez Feraoun et Dib, la faim est

26 Abdelkebir Khatibi, *Le Roman maghrébin*, Paris, Maspero, 1968, pp. 9-10.

omniprésente. Quant au livre de Mammeri, fine analyse de l'intrusion brutale du temps de la Cité, de l'Histoire, dans l'espace clos et « oublié » jusque-là d'un village traditionnel kabyle, ne peut-il se résumer dans ce chant mystérieux des *mères*, premières victimes de cette rupture et garantie la plus secrète d'un univers désormais détruit, qui se répondent de colline en colline lors du départ de leurs fils pour la guerre (de 1939-1945) ? Aussi très vite ces écrivains de la « génération de 1952 », que Mostefa Lacheraf et Mahfoud Kaddache avaient alors accusé de servir la cause coloniale en montrant une société close au lieu de mettre en avant des pays maghrébins en devenir, vont-ils durcir leur analyse. La dénonciation était déjà présente dans *La Grande Maison*. L'essentiel de *L'Incendie* n'est plus la description d'un cadre, mais bien la révélation d'une prise de conscience paysanne, et sa manifestation par la grève. « Un incendie avait été allumé, et jamais plus il ne s'éteindrait » (p. 154), est-il dit dans ce livre prophétique publié six mois seulement avant l'embrasement révolutionnaire du 1er novembre 1954. Et si la révolte d'Arezki, dans *Le Sommeil du juste* de Mammeri (1956) est plus désespérée, elle n'en est pas moins radicale. Les plus hésitants, parmi ces premiers écrivains, restent Sefrioui et Feraoun. Mais Dib n'a-t-il pas raison d'affirmer, en 1958, que « dépeindre un paysage, ceux qui l'habitent, les faire parler comme ils parlent, c'est leur donner une existence qui ne pourra plus leur être contestée. On pose le problème en posant l'homme » (27) ? La description de l'univers traditionnel peut être exploitée par le colon. Elle l'a été pour Sefrioui. Mais elle est aussi affirmation de soi face à la négation coloniale, et à ce titre elle sert le combat de libération. D'ailleurs le reproche politique n'est pas le seul : souvent aussi le lecteur maghrébin, récemment installé dans l'univers de la modernité, ne sera que fort peu attiré par la description de l'univers traditionnel qu'il vient de quitter. S'y ajoute une sorte de pudeur : cet univers est à présent celui de la mère, de l'espace familial protégé dont il ne convient pas de parler dans ce lieu public qu'est un livre, surtout écrit dans la langue des autres. Et puis, il n'est jamais bien agréable d'être un objet de curiosité : le lecteur étranger, quelle que soit sa bonne volonté, est-il toujours exempt de paternalisme ?

27 *Témoignage chrétien*, 7 février 1958.

La guerre

Les récits guerriers constituent l'autre volet, antithétique, de cette image des littératures nationales de langue française au Maghreb, du moins en Algérie et au Maroc. Mais en fait de récits guerriers, quels sont-ils ? Hors les témoignages, qui ne se réclament pas de la littérature à proprement parler, nous en trouvons surtout dans l'affligeante collection de nouvelles publiées, un peu sur commande, par la revue algérienne *Promesses*, publication du ministère de l'Information et de la Culture (19 numéros parus, entre avril 1969 et janvier-février 1974. Depuis, il semble qu'il y ait eu tarissement ?) : ces nouvelles partent le plus souvent d'un événement, parfois vécu, dont elles ne retiennent que l'aspect anecdotique, en répétant sans fin les mêmes clichés, les mêmes structures : l'« authenticité » au nom de laquelle elles ont été choisies n'est-elle que le refus de sortir du cercle de la médiocrité ? Quelques œuvres plus marquantes, heureusement, émergent ici. C'est d'abord la poésie militante réunie en recueils par Denise Barrat dans *Espoir et parole* (28) , et par J.E. Bencheikh et J. Lévi-Valensi dans *Le Diwan algérien* (29) . Ce sont ensuite les romans et la poésie de Malek Haddad. C'est enfin *L'Opium et le bâton* de Mouloud Mammeri, publié en 1965, et dont Ahmed Rachedi a tiré au cinéma une bien mauvaise superproduction qui fit que pendant longtemps ce titre fut l'un des plus connus en Algérie de la littérature nationale. (Depuis, la télévision a popularisé les deux premiers romans de Dib, avec un excellent feuilleton réalisé par Mustapha Badie.) Sauf les romans de Malek Haddad et quelques poèmes militants, il faut bien reconnaître que cette production guerrière n'est pas de la meilleure qualité. De plus, certains intellectuels révolutionnaires déplorent, comme Mostefa Lacheraf, que cet « héroïsme dans sa conception individualiste et fracassante . . . perpétue un nationalisme anachronique et détourne les gens des réalités nouvelles et du combat nécessaire en vue de transformer la société sur des bases concrètes, en-dehors des mythes inhibiteurs et des « épopées » sans lendemain » (30) . A l'heure de l'industrialisation et de la révo-

28 Denise Barrat, *Espoir et parole, poèmes algériens*, Paris, Seghers, 1963.

29 J.E. Bencheikh et J. Lévi-Valensi, *Diwan algérien*, Centre pédagogique maghrébin, 1967.

30 Mostefa Lacheraf, Communication au colloque d'Hammamet, 1968.

lution agraire en Algérie, ou de la lutte de l'intellectuel contre les inégalités sociales et politiques au Maroc et en Tunisie, on a un peu tendance à considérer ces deux premiers courants littéraires comme anachroniques, tant par leur forme que par leur contenu.

C'est qu'on oublie des textes moins connus (parce que se prêtant moins aux extraits de manuels) ou plus difficiles d'accès, mais qui dépassent souvent l'anecdote plate et la biographie pour créer des langages neufs et forts.

L'acculturation

Dans sa périodisation thématique du roman maghrébin, Abdelkebir Khatibi dégage trois phases, avant 1962, terminus ad quem de son étude :

« a) De 1945 à 1953, le roman ethnographique domine (avec description de la vie quotidienne) : Sefrioui, Feraoun, Mammeri, Dib (première manière).

b) De 1954 à 1958, le problème de l'acculturation constitue la préoccupation majeure de cette deuxième tendance : Chraïbi, Memmi.

c) De 1958 à 1962 règne la littérature militante centrée sur la guerre d'Algérie : Bourboune, Djebar, Kréa, Haddad, Dib (deuxième manière) » (31) .

Si nous respectons cette périodisation, même non systématisable car il n'y a pas succession véritable de « périodes » ou de « courants », nous nous apercevons d'abord que l'image collective dégagée lors de nos enquêtes en Algérie laisse de côté la deuxième phase, où domine le « problème de l'acculturation ». Il faut dire que cette « image collective » est essentiellement algérienne, et que des deux auteurs cités par Khatibi, le premier est Marocain, le second Tunisien. Mais la problématique de Malek Haddad, en Algérie, est beaucoup plus celle de son acculturation d'intellectuel colonisé hésitant, comme son héros Khaled dans *Le Quai aux fleurs ne répond plus*, entre son univers culturel d'écrivain choyé par les milieux littéraires de gauche en France, et ses racines profondes constantinoises. Son œuvre est d'abord l'expression de la mauvaise conscience de l'écrivain qui se sait inutile à la révolution et à son pays. Elle est aussi celle du déchirement de personnages dépassés par l'Histoire, parce qu'ils en sont les victimes du fait de leur

31 Khatibi, ouvrage cité, pp. 27-28.

culture française, comme le héros de *L'Élève et la leçon*. N'oublions pas que cet écrivain a été le chantre de son « exil dans la langue française », de sa « nostalgie d'une langue maternelle dont nous avons été sevrés et dont nous sommes les orphelins inconsolables » (32) . Quant à Assia Djebar, en Algérie toujours, peut-on véritablement en faire un écrivain militant ? L'engagement nationaliste n'intervient en effet chez elle qu'en 1962, dans son troisième roman, *Les Enfants du nouveau monde*. La véritable révolution dans la seule œuvre féminine *connue* de cette littérature est double : c'est d'abord le scandale d'une femme écrivant, se produisant ; c'est aussi le contenu de ses livres : la découverte du corps par la femme, dans *La Soif* et *Les Impatients*, et celle du couple, plus tard, dans *Les Alouettes naïves*. Mais cette « révolution » reste très limitée : elle est surtout l'expression (involontaire ?) des contradictions d'une classe bourgeoise francisée par sa culture, et néanmoins conservatrice dans ses mœurs : autre effet de l'acculturation. Œuvre, donc, facilement localisable du point de vue sociologique, et qui de plus n'innove guère sur le plan littéraire proprement dit.

L'innovation d'Albert Memmi par contre, en Tunisie, est dans l'analyse sociale systématique, jointe à ses qualités littéraires, qui lui permet de cerner sa triple acculturation : « Le livre de Memmi, disait J.-P. Sartre du *Portrait du colonisé*, ne *raconte* pas ; s'il est nourri de symboles, il les a tous assimilés : c'est la *mise en forme* d'une expérience » (33) . Déjà, dans *La Statue de sel*, l'écrivain prenait, par rapport au récit de son enfance ratée parce que prise entre les contradictions de trois cultures, le recul nécessaire à l'analyse, à cette « géométrie passionnée » que Sartre, encore, voyait dans son œuvre. De ces contradictions, bien sûr, naît la révolte, qui cependant ne diminue pas la solitude et l'isolement grandissants d'un écrivain qui voudrait à présent nier la littérature maghrébine parce que les écrivains maghrébins sont de plus en plus amenés à le remettre en question (cf. la récente polémique à propos de la Palestine, et particulièrement les deux ouvrages publiés presque simultanément : *Vomito blanco* d'A. Khatibi et *Juifs et Arabes* de Memmi). Solitude aussi, que celle de Driss Chraïbi, au Maroc, dont la violente révolte contre le père, thème central de son œuvre et principalement de ses deux romans les plus marquants : *Le Passé simple* (1954) et *Succession ouverte* (1962), s'accompagne contradictoirement, à la fois d'une

32 Malek Haddad, *Les zéros tournent en rond*, Paris, Maspero, 1961, p. 32.

33 *Les Temps modernes*, numéros 137-138, 1957.

revendication fracassante de vivre à l'étranger (« Mon horizon s'est ouvert, je ne peux pas le refermer », dit-il dans *Souffles*), et d'une tragique mais ambiguë nostalgie d'authenticité islamique. La publication du *Passé simple* fut suivie d'une polémique à la mesure de la violence parricide du livre : le Fils ne s'y servait-il pas, en pleine crise franco-marocaine, de sa culture occidentale pour tuer le Père-Seigneur et toutes les valeurs traditionnelles sclérosées ? Pourtant, dans *Les Boucs*, l'année suivante, la même violence s'en prend cette fois à l'Europe, qui refuse tout autant que le Père sa dignité au Fils, « damné de la terre », selon l'expression de Fanon. Mais la culture occidentale n'est-elle pas justement un deuxième père, disputant ses droits au premier et haïssant en même temps le fils, tout comme lui ? C'est pourquoi A. Khatibi a pu considérer ces romans comme « un modèle de psychanalyse » (34) , et A. Laabi les traiter de « première œuvre moderne » de la littérature marocaine. C'est bien par leur modernité que frappent, en 1956 et 1962, *L'Âne* et *Succession ouverte*, premières œuvres maghrébines à s'interroger sur la signification des indépendances. L'« acculturation », chez Chraïbi, est dépassée dans la révolte, et dans un chant d'angoisse dont la tonalité n'appartient qu'à lui.

C'est pourquoi le terme d'« acculturation », ou celui d'« aliénation », plus exact sociologiquement, nous semblent revêtir une réalité trop fuyante pour être systématisée avec la complaisance qu'y mettent certains : l'acculturation n'est-elle pas devenue un phénomène mondial ? Le déchirement culturel ne peut justifier des reniements qui ne sont peut-être que tarissement naturel. Le problème de la langue a été trop souvent monté en épingle pour exclure les écrivains de langue française au Maghreb en escamotant le vrai motif de la haine qu'ils suscitent parfois : leur regard critique. Pourquoi ceux qui les accusent ne commencent-ils pas par produire, les premiers, en « langue nationale » ?

Dépassement formel

D'ailleurs l'acculturation est surtout un problème d'intellectuels. Le mot est incompréhensible au « lecteur moyen » dont nous avons essayé de dégager le profil dans quelques enquêtes, malheureusement limitées, en Algérie. Soyons juste cependant : ce même lecteur ne pénètre aussi que difficile-

34 Khatibi, ouvrage cité, p. 77.

ment dans l'univers des deux romans les plus forts de cette période, parce qu'ils dépassent l'anecdote et l'autocontemplation : *Nedjma*, de Kateb Yacine, et *Qui se souvient de la mer* de Mohammed Dib : ces deux écrivains ont su, sans tourner le dos à l'événement, le recréer à travers une mythologie et une poétique tout à fait originales, bien que différentes. Peut-être parce qu'ils sont les seuls, parmi les écrivains abordés jusqu'ici, à avoir suffisamment dépassé leur problème individuel d'insertion dans une culture et dans l'Histoire, pour créer et faire vivre des symboles s'imposant par eux-mêmes, en dehors de tout décryptage, mais appelant néanmoins le décryptage – la lecture – multiple. *Nedjma* (1956) est, de tous les romans maghrébins de langue française, le texte le plus enseigné en Algérie (où il figure avec *L'Incendie* de Dib dans les programmes d'œuvres à étudier dans le second cycle de l'enseignement secondaire) et à l'étranger, et celui sur lequel le plus grand nombre de recherches universitaires sont en cours ou terminées. Son écriture déconcerte souvent, car l'anecdote en est éclatée, la chronologie linéaire remplacée par une construction cyclique rigoureuse, un va-et-vient permanent entre le réalisme, les symboles et les mythes, à travers lesquels on retrouve à la fois l'unité et la dispersion de la tribu (« Nedjma » en arabe signifie étoile). « Le mythe chez Kateb, dit Khatibi, est cette médiation qui, tout en soulignant le décalage entre l'histoire et l'activité de l'imaginaire, constitue cette volonté de tricher avec l'histoire, de la violenter, de la contourner, de la brouiller dans une atmosphère ludique. Le mythe en tant que tel traduit un comportement ; au-delà d'une histoire vériste, le mythe vient au secours de l'histoire et devient un élément historisant » (35) . L'Histoire, chez Kateb, serait la période pré-révolutionnaire de 1945 à 1954. Chez Dib, c'est de la guerre elle-même qu'il s'agit, et de la « brusque conscience que (l'écrivain avait) prise à ce moment-là du caractère illimité de l'horreur et, en même temps, de son usure extrêmement rapide ». Au lieu de se contenter, dans *Qui se souvient de la mer* (1962) du récit de cette horreur dans telle ou telle de ses manifestations quotidiennes, comme le font les plates nouvelles dont nous parlions plus haut, ou même les romans « réalistes », ou « psychologiques » comme ceux que Mouloud Mammeri ou Malek Haddad ont écrits sur le même sujet, Dib préfère, comme Picasso dans *Guernica*, nous dit-il dans une postface, se faire « accoucheur de rêves ». Car « décrire l'horreur dans ses manifestations

35 Ibid, p. 106.

concrètes lorsqu'on n'a pas à dresser un procès-verbal serait se livrer presque à coup sûr à la dérision qu'elle tente d'installer partout où elle émerge. Elle ne vous abandonnerait que sa misère et vous ne feriez que tomber dans son piège : l'usure » (36). Une analyse méthodique peut « décoder » certains symboles du livre, et l'histoire linéaire n'est point absente. Le temps du récit, même si l'espace en est onirique, se rapproche d'une succession chronologique, malgré quelques plongées particulièrement évocatrices dans l'enfance du narrateur. Mais l'essentiel est, à partir de ce support, la transformation du « réel », toujours fragmentaire, en une réalité plus vraie, grâce à une écriture profondément poétique : « la puissance du mal ne se surprend pas dans ses entreprises ordinaires, mais ailleurs, dans son vrai domaine : l'homme – et les songes, les délires qu'il nourrit en aveugle et que j'ai essayé d'habiller d'une forme » (36).

Écritures de l'actuel

Le « lecteur moyen », en Algérie du moins, que nous avons interrogé, est en général bien loin de pénétrer ces œuvres souvent « difficiles ». Mais faut-il pour autant ne lui proposer que la platitude ? Ce serait procéder, nous semble-t-il, d'un bien étrange mépris pour « le pauvre peuple ignorant », mépris que Kateb a fort bien stigmatisé dans une interview. Nous avons pu constater que les enthousiasmes de lecture soulevés parfois par les deux textes que nous venons de décrire étaient loin d'être toujours le fait d'intellectuels rompus aux « techniques » d'approche des textes. N'y a-t-il pas parfois mauvaise foi à proclamer d'autorité que telle œuvre est « difficile » ? Reconnaissons cependant que, s'il conçoit la recherche esthétique dans l'œuvre d'expression arabe, ce « lecteur moyen » attend surtout de l'œuvre de langue française un *contenu*. Ceci rejoint les observations faites plus haut sur le français conçu comme langue véhiculaire. On charge l'écrivain national de langue française, justement à cause de la semi-différence qu'institue le fait qu'il se serve de la langue des « autres », de *dire* ce qu'on ressent confusément comme une inadaptation à la modernité, mais dont le conformisme ambiant, ou tout simplement un respect profondément ancré de valeurs morales devant lesquelles on ne sait plus se situer, empêche de parler soi-même. Parmi divers thèmes qu'on aimerait lui voir aborder on insiste surtout sur « les problèmes de la jeunesse

36 Mohammed Dib, postface à *Qui se souvient de la mer*, Paris, Seuil, 1962, pp. 189-190.

et de la famille » et la « situation de la femme et du couple » (respectivement 71,4 pour cent et 65,5 pour cent des réponses à nos questionnaires). Or, de jeunes écrivains qui attestent de la vitalité actuelle de cette littérature, dont certains, comme Albert Memmi, ont prédit un peu vite le « tarissement naturel », ont bien senti que c'est là que réside l'une des contradictions majeures d'une société résolument engagée dans la modernité technique, et néanmoins respectueuse au plus haut point des traditions islamiques les plus contraignantes (et raidies actuellement du fait même de la tension que crée la rencontre de ces deux « discours »). Le plus connu d'entre eux est sans conteste Rachid Boudjedra, dont *La Répudiation* (1969) connaît encore un énorme succès de scandale. Comme *Le Passé simple* de Chraïbi, mais dans le contexte cette fois de l'indépendance acquise, le roman est d'abord une entreprise de meurtre, par l'écriture, du père phallique et castrateur, qui a répudié la mère et dessine tout au long du livre les figures d'une « danse » sinistre « sur notre enfance saccagée ». Danse dont les rites majeurs sont toute une succession de fêtes, marquées par la hantise du sang, que développera *L'Insolation* (1972). Ici, plus que chez Chraïbi, l'instrument essentiel du meurtre symbolique est une colossale explosion érotique, sous les coups de laquelle tout l'édifice sclérosant de la famille va s'écrouler. *La Répudiation* est d'abord l'espace d'un cri, d'une révolte en laquelle toute une frange de la jeunesse, principalement étudiante, se retrouve. Aussi le livre circule-t-il beaucoup, dans une semi-clandestinité qui n'empêche pas le roman d'être inscrit à des programmes de faculté. Cette même révolte se retrouve chez les jeunes poètes dont Jean Sénac avait réuni les textes les plus significatifs (dont la fameuse *Nuit de noces* de Youcef Sebti), dans son *Anthologie de la nouvelle poésie algérienne* (1971). Les exemplaires importés de cette anthologie se sont arrachés en quelques jours. (On pourra la compléter avec le numéro sur la littérature algérienne de la revue Europe, n° 567-568, juillet-août 1976.

Cependant *La Répudiation* et *L'Insolation* ne sont pas qu'un « roman familial » (37). Ils sont aussi une violente

37 Cette notion de « roman familial », ainsi que la progression du roman de fête, sont analysés dans : Charles Bonn, « *La Répudiation*, ou le roman familial et l'écriture – espace tragique », *Revue de l'Occident Musulman et de la Méditerranée*, Aix-en-Provence, n° 22, 2e semestre 1976, pp. 175-180.

remise en question du « pays hôpital » dans lequel les pères, qui ont confisqué la révolution ou l'ont livrée « aux mains des avorteurs », enferment les fils. Ce « pays hôpital » devient chez Mourad Bourboune (*Le Muezzin*, 1968) la « ville fausse couche, ville bâtarde affalée sur le lieu d'irruption de la vraie ville » (p. 185). Le Muezzin découvre, à son retour des prisons françaises, qu'au lieu de « raser la ville à l'arrivée, de déterrer ses fondations, de l'ensemencer de sel selon le rite des grands âges : faire place nette au sanctuaire du nouveau culte », on a menti, « on ne l'a pas fait. On triche, on la maquille : elle est devenue une autre semblable à elle-même » (p. 153). Pour subvertir cette ville, une seule arme : l'écriture. Celle du *Muezzin* atteint une qualité et une exigeance rares, tout en restant limpide et pleine d'ironie. Délire, certes, devant une ville triste, mais délire organisé, dans lequel se manifeste un créateur authentique, même s'il publie trop peu.

Cette interrogation devant la Cité nouvelle, Mohammed Dib l'approfondit de roman en roman, perpétuellement en quête de lui-même comme de son écriture, qu'il renouvelle sans fin. Nous considérons son roman *La Danse du roi* (1968), tout comme *Omneros* (1975), son dernier recueil de poésie, comme un des plus impitoyables regards sur ce vide effrayant, fondamental, à partir duquel se dit toute création véritable, c'est-à-dire sur ce « visage d'ombre d'où s'écoulait le discours ». Comme son héros Rodwan, Dib poète cherche inlassablement derrière tous les masques, tous les visages, dans et par le risque constant de se perdre, le tremblement ultime, à « plonger dans les sources de ténèbres et surprendre cette parole à son véritable point d'émission, non sur un visage, mais à une origine inéclaircie, plus oubliée que l'oubli, et dont rôdaient et criaient en lui une nostalgie, un amour et une haine à côté desquels la mort qui unit elle aussi le commencement et la fin est plus douce, plus charitable » (38) . Et ce regard justement, chez l'auteur, donne au rapport de ses personnages avec la modernité qui les entoure soudain une dimension tragique. Tragique de Rodwan et Arfia, vivant encore l'hallucination de leur passé révolutionnaire, dans une ville qui les exclut. Mais tragique aussi de Kamal, le héros de *Dieu en Barbarie* (1970) et *Le Maître de chasse* (1973), dont le Discours d'ordre et de progrès qui fonde la nouvelle Cité technocratique est ruiné, dans le premier texte, par le délire onirique de Lâbane, peuplé par la terre, le feu et le sang, par les prédictions de

38 Mohammed Dib, *La Danse du roi*, Paris, Seuil, 1968, pp. 51-52.

Hakim Madjar sur la fin des plus orgueilleuses civilisations (« Nous camperons sur la place de la Concorde, dans Hyde Park et Broadway » (39)), et par son propre passé (symboliquement, il ne sait pas qui lui a donné les moyens d'étudier : à qui, donc, le Discours qu'il représente doit d'exister). Ce Discours se réduira à la fin de ce roman à un « grand rire strident qui se répercuta longuement dans la nuit déserte » (p. 218) : qu'y a-t-il de plus tragique que le rire ? Dans *Le Maître de chasse* il suivra encore plus tragiquement sa propre logique, qui s'avérera être celle de l'exclusion de tout discours *autre*, dans une solitude grandissante. C'est donc depuis la route que les soldats envoyés par Kamal tireront sur les « Mendiants de Dieu » et tueront Hakim. Pourtant n'est-ce pas Kamal, en fait, qui est mort depuis le début du roman ? En ce sens l'angoisse de Dib nous concerne tous, et nous amène avec lui à ces *bords de feu*, dernier poème d'*Omneros* :

« comme fleurit l'enfance
entre les mains d'une nuit écarlate
l'aurore rescapée d'un drap
fait face à la mort » (p. 149)

C'est, lui aussi, d'une inquiétude devant « la découverte du nouveau monde » (titre rassemblant ses deux derniers romans, *Le Champ des Oliviers*, 1972, et *Mémoire de l'Absent*, 1974), que procède Nabile Farès, dont le premier roman, *Yahia pas de chance*, date de 1970. Jeune écrivain dont la lecture n'est pas toujours facile – mais son objet même ne récuse-t-il pas justement la clarté conceptuelle pour n'être accessible qu'au chant ? –, Farès nous transmet dans l'énigme de l'alouette (« sur cette branche où est mon nid danse une lame de rasoir » (*Yahia . . .*, p. 40)) ou le chant de tante Aloula à l'enterrement de son fils, chant qui « brise le meurtre/et donne vie » (p. 147), le tremblement premier devant la vie et la mort, devant la blessure du temps et de l'Histoire, ou celle des langages falsifiés. Tremblement devant le saut irréversible de Yahia dans l'Histoire et l'âge adulte (« d'où la signification vulgaire de l'expression *pas* de chance »), devant « cette déflagration meurtrière de votre terre » qui emporte Abdenouar, dans *Le Champ des Oliviers*, écrit « en marge des pays en guerre », ou devant l'éclatement de l'outre, unité perdue de l'enfance et du pays inaccompli dans *Mémoire de l'Absent*, lequel n'arrive plus à repasser le fleuve. Et pourtant l'Ogresse, comme Jidda, la vieille, sont

39 Mohammed Dib, *Dieu en Barbarie*, Paris, Seuil, 1970, pp. 201-202.

présentes, et donnent aux livres de l'auteur ce rythme qui ne peut être que leur, et qui est peut-être le chant de l'origine.

Tout autant pénétrés de rythmes anciens, ceux, cette fois des anciennes mélopées arabes – alors que la mythologie de Farès était berbère, et qu'y revivait, dans *Mémoire de l'Absent*, l'ancienne Kahena, reine des Aurès avant l'arrivée de « l'homme du livre » –, mais accordés à la souffrance et à la joie du présent, sont les poèmes émouvants, limpides et raffinés de Bachir Hadj-Ali (*Chants pour le 11 décembre*, 1963, *Chants pour les nuits de septembre*, deuxième partie de *L'Arbitraire*, 1966 (40), et enfin *Que la joie demeure*, 1970 (41). Bachir Hadj-Ali est surtout connu en Algérie pour ses positions politiques et ses séjours en prison, tant sous l'occupation française que depuis le 19 juin 1965. Il est également le plus fin musicologue algérien, et sa poésie, toute de retenue, sait allier dans une harmonie bien personnelle la diversité toujours sincère et émue de ses préoccupations. Ce qui lui vaut l'admiration à la fois des critiques et de toute une jeunesse inquiète qui voit en lui un aîné discret mais toujours actuel.

Il faut signaler enfin, pour terminer ce tour d'horizon de la création algérienne actuelle, *Le Village des asphodèles* (42), seule œuvre, nostalgique, d'un écrivain qui a choisi de vivre en France. Ali Boumahdi y décrit son enfance et son adolescence dans l'univers traditionnel du Titteri, tout comme le faisait Feraoun en Kabylie vingt ans plus tôt, mais avec tendresse et malice à la fois, ce qui lui permet de donner une nouvelle actualité à un courant que l'on croyait révolu.

L'Algérie, comme on le voit, tient toujours la part du lion dans cette production littéraire maghrébine de langue française. En Tunisie, mis à part Albert Memmi qui n'écrit plus d'œuvres littéraires, ou des jeunes poètes qui commencent à publier quelques plaquettes dispersées, l'essentiel de l'activité littéraire est de langue arabe (43). Par contre le Maroc connaît toujours une production originale,

40 Édit. de la Nouvelle Critique, 1963, et édit. de Minuit, 1966.

41 Édit. P.J. Oswald, Paris, 1970. C'est à notre connaissance le seul recueil de l'auteur encore disponible en librairie.

42 Ali Boumahdi, *Le Village des asphodèles*, Paris, Laffont, 1970.

43 Voici le survol de cette littérature tunisienne de langue française par Tawfik Baccar, professeur à la faculté des lettres de Tunis, dans le dossier *Alif* déjà cité, pp. 13-14 : « En poésie, quelques poèmes de Salah Farhat parus à partir de 1918 dans différentes revues ; les *Chants de l'aurore* de Salah El Ettre publiés en 1931, quelques poèmes de Mustapha Filali, Mohamed Souissi, et notamment Ahmed Ben Salah, publiés dans la revue *Hikma* entre

quoique plus influencée semble-t-il que la production algérienne par les recherches françaises actuelles sur le texte et le langage. La revue *Souffles* a joué pour la création marocaine, pendant la trop courte période de sa publication (22 numéros parus, de 1966 à 1971-1972. En 1973-1974 trois numéros d'une nouvelle série, uniquement politique, ont paru à Paris), un rôle décisif. Plusieurs de ses fondateurs, dont Abdellatif Laabi et Abraham Serfaty, sont actuellement emprisonnés, exilés ou clandestins. D'autres, comme Mostefa Nissaboury et Mohammed Melehi, ont fondé une autre revue, nettement moins engagée politiquement et à vocation plus plastique que littéraire ou idéologique : *Intégral*. Une autre revue littéraire de qualité, *Pro-C*, essaie depuis 1973 de faire face à une situation financière difficile.

Si sur le plan politique, l'équipe de *Souffles*, comme on l'a vu, remettait violemment en question la francophonie (et introduisait de plus en plus de textes en arabe dans la revue), les écrivains qui la composaient se servaient – se servent encore – du français sans complexe excessif : la diffusion, que seul le français permet encore, pour le moment, n'est-elle pas également une nécessité combattante ? C'est pourquoi Abdellatif Laabi caractérise leur attitude face au français comme une « coexistence non pacifique [. . .] qui a fait souvent dire que la littérature maghrébine ou négro-africaine d'expression française ne pouvait être qu'une littérature terroriste, c'est-à-dire une littérature brisant à tous les niveaux (syntaxe, phonétique, morphologie, graphie, symbolique, etc.) la logique originelle de la langue française » (44).

Ce « terrorisme » au sein de la langue française, Mohammed Kheir-Eddine en est certainement le représentant le plus caractéristique et le plus fécond. Jacqueline Arnaud relève quelques-uns des procédés de distorsion de la langue utilisés par l'écrivain, comme l'utilisation d'un vocabulaire insolite qui « finit par créer un monde d'allusions et de

1948 et 1950 ; *Night* de Ferid Ghazi, publié en 1949 ; *Les Cendres de Carthage*, publié en 1952, de Abdelmajid Tlati, et plus récemment, *Avec ou sans* de Salah Garmadi, et de Ali Hamouda un recueil de poésie intitulé *Les Roses de l'aurore*.
Pour les récits, contes, nouvelles et romans, je citerai *Les Toits d'émeraude* de Tahar Essafi en collaboration avec Guy Dervil (1924), *Derrière le rideau* de Nomane (1923). De Mahmoud Aslan, *Scènes de la vie du bled* (1933) et *Pages africaines* (1934). Enfin, de Messadi, *Le Voyageur*, publié dans *L'Afrique littéraire* aux environs de 1942-1943. Pour le théâtre enfin, *Entre deux mondes* de Mahmoud Aslan (1933). »
On notera à la fois l'ignorance des textes les plus récents, et l'omission voulue d'Albert Memmi. Depuis, il faut signaler le roman de Mustapha Tlili, *La rage aux tripes*, Paris, Gallimard, 1975.

44 « Nous et la francophonie », dossier de *Souffles* déjà cité, p. 36.

symboles étrangers au monde mental d'un français », ou « cette façon très personnelle de réduire en noms communs des noms propres familiers d'une mémoire maghrébine : « tes corans de naphte inouï », « les koweits de panégyrique », « ce congo grugé d'étoiles de lymphe », « les alcools latérites des afriques du sang », « son afrique dorsale », etc ». Elle souligne par ailleurs la destruction de la forme romanesque, autre héritage culturel, « en éruptions, en coulées verbales, comme de la lave en fusion ». Pourtant, à travers les deux récits mythiques d'*Agadir* et du *Déterreur* (mythe-symbole de la ville-pays dans le premier, mangeur de cadavres jeté en prison dans le second), elle découvre que :

> « les textes de Kheir-Eddine sont en fait des autobiographies délirantes, fantasmatiques, où le narrateur se dédouble, dit je, se tutoie, parle de lui à la troisième personne : « me voilà encore lancé trop loin dans le temps pour que je ne confonde pas ce qui m'est sûrement arrivé avec ce qu'un autre vivant dans mes chromosomes aurait vécu. Qu'importe ! Il faut me débarrasser de moi-même, tel que je suis devenu, non plus attendre, me cacher peut-être derrière des paravents d'existence commodes à porter . . . » (p. 46). Ce propos du *Déterreur* pourrait aussi bien convenir aux textes précédents, *Corps négatif* et *Moi l'aigre*. Le « corps négatif », c'est le règne où il vit, et aussi le poète constamment dédoublé, qui se « côtoie dans la rue ». Il est « l'aigre », le poète révolté, le talent « morbide et violent qui détruit en se détruisant », qui n'a d'autre recours que de faire crépiter sa machine à écrire comme des balles, de s'engager dans la « guérilla linguistique ». Il est celui qui déterre et met à jour la pourriture, pour qu'elle soit insupportable.
> Et chez ce narrateur traversé de voix, soudain des personnages s'imposent : nous débouchons sur le théâtre. Tous ces textes, sauf le dernier, comportent des fragments théâtraux. Dans *Agadir*, « Moi » dialogue avec la Kahina et Youssef Ben Tachfine, qui condamnent le roi régnant, le roi négatif. *Histoire d'un Bon Dieu* qui fait suite à *Corps négatif* met en scène, notamment, un dialogue entre la mère, le prisonnier son fils et le grand Singe régnant. Mais c'est surtout dans *Moi l'aigre* que se développe un véritable drame, en onze séquences, avec prologue et épilogue, la « tragibouffonnerie » du personnage royal, parodié en train de se débattre contre ses propres contradictions, ses militaires comploteurs, ses bourgeois menaçant de le déposer, ses imams antédiluviens, ses artistes cabotins, les opposants qui soulèvent le peuple, et l'ombre du « grand Opposant », dont il nie

avoir voulu verser le sang. Le peuple vient à la fin démystifier les « monstres qui ne sont que des hommes », et les faiblesses de l'opposition « mélange de bourgeois et de marxistes qui remuent comme un tas de scorpions » (45) .

Élèves de Lacan et de Barthes, Abdelkebir Khatibi et Tahar Benjelloun apparaissent à première vue moins violents. Ils n'ont tous deux publié qu'un seul roman (46) , et entre les deux œuvres des parallèles sont à faire. Toutes deux partent d'un itinéraire autobiographique, plus visible néanmoins dans *La Mémoire tatouée* de Khatibi, que dans *Harrouda* de Benjelloun, mais dans lequel la narration traditionnelle linéaire, est décentrée au profit d'une circularité reconquise : « encerclement mythique, ce contre quoi toute l'histoire s'effiloche » (p. 129), dont Khatibi est reconnaissant à Kateb, circularité des deux « cités-mères » qu'éventrent chez Benjelloun la machine du technocrate et le temps de la mémoire éclatée qu'elle apporte, circularité que les enfants-oiseaux d'Harrouda essayent d'imposer à la « ville à venir » lors de la fête révolutionnaire. Cependant l'itinéraire de Khatibi est une « fugue sur la différence », une quête d'identité à travers les mémoires juxtaposées, dont la moindre n'est pas celle du Livre, le Coran dont la Parole émaille le « roman », un « choc de doubles, partis d'une illusion et comme entraînés en une complexité géométrique – l'écriture » (p. 191), alors que celui de Benjelloun est la traversée-lecture de villes-textes, espaces-corps ou espaces rêvés, passages successifs jusqu'au passage ultime, celui du détroit, devant Tanger-la-trahison. Mais les deux itinéraires sont sous-tendus par l'écriture, qui est désir, car l'espace d'origine est vécu en creux, comme un manque. « Nous n'avions pas la mer », répète le citoyen de Fass (p. 58) qui a « lu les détours d'un silence dans l'abîme d'une mère » (p. 67) au corps « pâle à l'aube de (son) désir » (p. 77). Et du creux de ce manque jaillit le désir-éjaculation de mots chez Benjelloun, ou la danse-séduction devant l'Autre chez Khatibi : « Quand je danse devant toi, Occident, sans me

45 Jacqueline Arnaud, « Le Roman maghrébin en question chez Kair-Edoline Boudjedra, Tahar Benjelloun », *Revue de l'Occident Musulman et de la Méditerranée*, Aix-en-Provence, n° 22, 2e semestre 1976, pp. 59-68.

46 Mais là ne se limite pas leur production. Khatibi est le sociologue bien connu dont nous avons déjà cité la thèse sur *Le Roman maghrébin*, et dont nous signalerons de plus la récente étude de sémiologie maghrébine, *La Blessure du nom propre* (Denoël, 1974). Benjelloun a produit plusieurs excellentes plaquettes de poésie, dont *Cicatrices du soleil* (Maspéro 1972) et *Le Discours du chameau* (Maspéro 1974) et il écrit assez régulièrement dans *Le Monde*.

dessaisir de mon peuple, sache que cette danse est de désir mortel » (p. 188). Les deux livres, enfin, devant cette agression de la différence ou des mémoires vagabondes, sont à la fois échos de la mère (c'est pour elle que Benjelloun « prend la parole »), et ouverture assumée à l'universel : « La mémoire tatouée – le titre du livre – est une dédicace à la mère. Se décoloniser de quoi ? De l'identité et de la différence folles. Je parle à tous les hommes » (*La Mémoire tatouée*, p. 192).

AUTRES MANIFESTATIONS CULTURELLES LE CINÉMA

L'expression culturelle maghrébine, mise à part la littérature de langue française que beaucoup considèrent comme un phénomène marginal, se fait essentiellement, est-il besoin de le préciser, en langue arabe ou berbère. Il faut souligner particulièrement le très riche foisonnement de la musique (qu'elle soit « populaire » ou « andalouse »), et l'énorme succès qu'elle connaît, tant en exécution directe dans les fêtes et les campagnes, que par les moyens audio-visuels. On notera, entre autres, au Maroc, les tentatives de création nouvelle à partir d'un fond populaire par des ensembles comme fil filala etNasr El Ghiwane. Par ailleurs la littérature de langue arabe se développe rapidement, avec l'introduction de plus en plus fréquente du genre romanesque (47) , dont A. Khatibi a montré qu'il était un genre importé. La seule expression non « littéraire » accessible pour un public francophone est le cinéma, dont la langue est, sans complexe cette fois, l'arabe parlé, mais dont les films sont assez souvent sous-titrés en français et projetés sous cette forme dans quelques cinémas du Quartier latin.

Le plus connu et le plus fécond des cinémas maghrébins est le cinéma algérien, qui bénéficie en grande partie d'un monopole d'État sur la production et la distribution. On peut, en gros, distinguer deux périodes dans la production cinématographique algérienne : jusqu'à la fin de 1971 la production est déjà abondante et dispose de moyens financiers

47 Assez peu de traductions. Citons cependant celle, excellente, que vient de faire Marcel Bois du bon roman d'Abdelhamid Benhadouga, *Le Vent du Sud* (Alger, SNED, 1975). Le numéro 567-568 de la revue *Europe* sur la littérature algérienne présente un choix de traductions des principaux textes récents de langue arabe (en extraits), à côté d'extraits d'écrivains de langue française.

importants, mais se limite à une thématique stéréotypée : celle de la guerre. Guy Hennebelle comptabilise 17 longs métrages algériens dans cette première période et constate que « 14 d'entre eux se rapportent au thème de la guerre de libération. Sur les trois qui échappent à cette catégorie, deux sont des productions françaises : *Mektoub ?* et *Étoile aux dents* consacrés au thème de l'émigration. Le troisième, *Safari pour un colonel israélien*, consacré à la Palestine, est la seule production algérienne qui ne traite pas de la guerre de libération » (48) . De cette période, on retiendra *l'Opium et le bâton* (1969), adaptation fort peu fidèle du roman de Mouloud Mammeri que Guy Hennebelle appelle avec raison une « machinerie hollywoodienne », et qui s'il a été vu par plus d'un million de spectateurs en très peu de temps, ne contribue que fort peu à l'émergence d'une esthétique véritablement algérienne. Les mêmes reproches peuvent s'appliquer, bien qu'à un degré moindre, à *La Nuit a peur du soleil* (1966) de Mustapha Badie, qui a pour le moins le mérite de dénoncer l'attitude ambiguë face au colon de la grande bourgeoisie nationale, tout comme la voracité des parvenus à l'indépendance. Le seul long métrage de très grande qualité de cette première génération de cinéastes algériens est *Le Vent des Aurès* (1965) de Mohammed Lakhdar-Hamina, qui sait rendre avec beauté et sobriété le tragique d'une mère dont le fils a été enlevé par l'armée et qui se heurte, impuissante jusqu'à en mourir, oubliée dans la nuit, à la machinerie absurde des camps où elle essaye de le retrouver.

La proclamation de la révolution agraire fin 1971, suivie quelque temps plus tard d'un changement de direction à l'O. N. C. I. C. (49) , va permettre l'éclosion du « cinéma djidid » ou jeune cinéma, qui s'impose actuellement à l'admiration des cinéphiles du monde entier. Pour ces jeunes réalisateurs formés pour la plupart à l'ex-Institut national du cinéma de Ben Aknoun, des films nombreux, nécessitant des budgets bien moins importants, vont devenir surtout des moyens d'expression et d'incitation, mûs par un regard critique sur leur société et une idéologie progressiste par lesquels leurs auteurs s'inscrivent dans tout le renouveau culturel de jeunes Algériens comme les poètes que réunissait

48 Guy Hennebelle, *Les Cinémas africains en 1972*, numéro spécial de *L'Afrique littéraire et artistique*, n° 20, 1972.

49 Office national du cinéma algérien. Cet Office n'est pas le seul producteur de films, mais le plus important.

Jean Sénac, ou les jeunes troupes théâtrales pour qui l'expérience de Kateb Yacine avec *Mohammed prends ta valise* et *La Guerre de 2 000 ans* constitue une aire de départ. Même si les « têtes de Turcs » comme le constate plaisamment Monique Hennebelle, sont souvent les mêmes, dans un souci pédagogique évident : « le féodal, le technobureaucrate et la dactylo (celle-ci représentant sans doute l'exemple d'une émancipation parfois mal comprise et déformée par l'influence occidentale) » (50) , l'authenticité et le courage de cette production sont remarquables.

Dans le choix des films les plus représentatifs que fait Monique Hennebelle (50) , *Le Charbonnier* de Mohammed Bouamari est certes le plus connu. A travers les déboires d'un ancien maquisard qui gagne péniblement sa vie et que le modernisme tendrait à écraser, les dénonciations sont assez fortes, et la facture esthétique de qualité. On regrettera seulement un certain simplisme de la fin, selon laquelle la révolution agraire serait la solution miracle et immédiate à tous les problèmes d'une société qui se cherche, et même à l'émancipation féminine. *Noua* d'Abdelaziz Tolbi, *Les Spoliateurs* de Lamine Merbah et *Les Bonnes Familles* de Djaffar Damardji dénoncent avec finesse et courage les compromissions de la bourgeoisie nationale d'avant et d'après l'indépendance. « Monsieur Joseph, le colon, est parti, mais El Hadj Tahar, le féodal, est resté », dit Tolbi, alors que l'un des personnages de Damardji invite ses parents, possédants inquiets devant la révolution agraire, à faire comme lui : « Mais donnez donc vos terres au gouvernement qui de toute façon va les prendre ! Et faites comme moi : reconvertissez-vous dans l'industrie d'État. » Enfin, *Sous le peuplier* de Moussa Haddad est pour Monique Hennebelle « un modèle de didactisme intelligent » en ce que « comme chez Bouamari, le film se charge de valeur positive (incitation à la révolution agraire) alors que son héros est fortement négatif (c'est un individualiste forcené) » et démontre de ce fait « qu'il n'est aucunement nécessaire pour éclairer les spectateurs de recourir à cet encombrant héros positif nanti de toutes les vertus » (50) . On est loin de *L'Opium et le bâton* !

Il faudrait citer bien d'autres titres dans ce fécond cinéma algérien (par exemple *La Voie*, de Slim Riad, ou *Décembre*, de Moh. Lakhdar-Hamina), qui promet encore beaucoup avec

50 Monique Hennebelle, « Coup de tonnerre dans le cinéma algérien : le « cinéma djidid » fait irruption », *L'Afrique littéraire et artistique* n° 29, juin 1973.

L'Héritage (1974), dernier film de Bouamari, et *Chronique des années de braise*, où Mohammed Lakhdar-Hamina a été peut-être un peu écrasé par l'énorme budget (un milliard, selon Hamid Skif (51)) dont il a disposé. Nous n'avons pu parler ici de bons films algériens produits en France, comme *Mektoub ?* d'Ali Ghalem (1970), ou de co-productions bien connues comme *La Bataille d'Alger, « Z »*, ou *Remparts d'argile*. Nous avons par ailleurs cité plus haut le bon feuilleton télévisé que Mustapha Badie a tiré de *La Grande Maison* et de *L'Incendie* de Dib (1974).

Les productions de la Tunisie et du Maroc sont loin d'atteindre cette richesse, en partie parce qu'elles ne disposent pas de la même indépendance par leurs organes de production et de distribution, et parce qu'elles n'ont pas le même soutien politique. Aussi ne peut-on parler dans ces pays que de débuts prometteurs.

Le cinéaste tunisien le plus connu est Omar Khlifi, qualifié par les critiques de « populiste », en ce sens que ses derniers films situent leur intrigue dans des milieux campagnards et reposent avant tout sur l'action. Citons, de Khlifi, *Le Rebelle* (1967), *Les Fellaghas* (1970), et surtout *Hurlements* (1973) qui découvre le tragique toujours présent de la situation des filles en milieu campagnard traditionnel. L'autre tendance du cinéma tunisien est dite « intellectualiste », et illustrée par Sadok Ben Aïcha (*Mokhtar*, 1967), Ferid Boughedir (*La Mort trouble*, 1968) et Abdellatif Ben Ammar (*Une si simple histoire*, 1969). Ce courant est fortement marqué par des recherches qui ont plutôt cours de l'autre côté de la Méditerranée. Hamouda Ben Halima (*Khlifa la teigne*, 1968) et Brahim Babaï (*Et demain*, 1974) essaient des adaptations de textes littéraires tunisiens. Mais si le premier, à partir d'une nouvelle de Bechir Khraïef, arrive à créer une œuvre personnelle, toute de sensibilité, le second ne produit qu'un film bien terne à côté du roman de qualité d'Abdelkader Bencheikh (52). Saluons cependant *Seuils interdits* (1973) de Ridha Behi et *Sejnana* (1974) de Benammar, qui annoncent une production peut-être plus diversifiée et plus critique dans un proche avenir.

La production marocaine est encore plus pauvre. Cependant deux films s'imposent par leur très grande qualité. *Wechma* (*Traces*, en français), de Hamid Bennani (1970) est un film de recherche original, même si l'on y décèle des

51 *Algérie-Actualité*, n° 470, du 20 au 26 octobre 1974.

52 Abdelkader Bencheikh, *Et ma part d'horizon* (roman en arabe), Ceres-production, Tunis, 1971.

parentés avec Bunuel, que d'ailleurs l'auteur ne cache pas. Quant à *Mille et une mains* (1973) de Souhel Ben Barka, il est peut-être le premier film marocain à dénoncer, avec des images d'une rare beauté, l'exploitation d'un sous-prolétariat artisan de la laine par la grande bourgeoisie manufacturière et commerçante marocaine. Mais cette beauté est en même temps reprochée au réalisateur par l'opposition révolutionnaire, qui considère aussi que le mécontentement et la prise de conscience y sont détournés, puisque le personnage de l'étrangère est là comme un bouc émissaire. Cependant le fait même que cette querelle puisse avoir lieu n'est-il pas déjà de bon augure pour la production à venir ?

EN GUISE DE CONCLUSION

Au terme de cette étude, il paraît bien difficile de conclure. Les sujets abordés, la problématique même de départ, centrée sur la langue française, phénomène omniprésent mais marginal, empêchent une vision d'ensemble du fonctionnement culturel nord-africain, que d'ailleurs nous serions bien incapables de tenter. Puissions-nous cependant avoir levé quelques préjugés tenaces, et montré que finalement tout, au Maghreb plus qu'ailleurs, est en pleine et rapide transformation.

Charles BONN
(Université de Constantine – Algérie)

BIBLIOGRAPHIE MAGHRÉBINE

par Jean DÉJEUX

Ouvrage de base et de référence :

Annuaire de l'Afrique du Nord, Paris, C. N. R. S., cette source de documentation est la plus importante et la plus méthodique concernant l'Afrique du Nord.
Il s'agit de forts volumes (de 1 200 p. environ) paraissant depuis 1962 (dernier paru en 1975, celui de 1973, t. XII). Les Études portent sur des problèmes politiques, économiques, juridiques, d'administration et de culture. Viennent ensuite des Chroniques, selon chaque pays, y compris la Libye. Suivent une chronologie systématique et des documents (décrets, ordonnances), des Chroniques scientifiques et enfin des Bibliographies systématiques, y compris des principales revues en langue arabe.

GÉOGRAPHIE

Guides bleus, Paris, Hachette.
Précieux auxiliaires, bien documentés et sérieusement renseignés. A chaque pays, *Maroc, Algérie, Tunisie*, est consacré un volume.

Guides touristiques de Jean HUREAU, Paris, édit. Jeune Afrique.
Illustrés de magnifiques photos, trois volumes ont été publiés : *Le Maroc aujourd'hui* (1970, 288 p.), *La Tunisie aujourd'hui* (1970, 256 p.) et *L'Algérie aujourd'hui* (1974, 264 p.).

La collection « Petite Planète », Paris, Seuil.
Fort bien illustrés, ces petits volumes peuvent servir d'excellentes introductions au pays à découvrir ; ils sont de véritables invitations au voyage : ZERAFFA (Michel), *Tunisie* (1955, 190 p., n° 8 de la coll.), MONTEIL (Vincent), *Maroc* (1962, 190 p., n° 31), VERGNAUD (François), *Sahara* (réimp. 1970, 190 p., n° 22).

ISNARD (Hildebert), *Le Maghreb*, Paris, P. U. F., 1966, 275 p., Coll. « Magellan ».
Il s'agit du Maghreb d'aujourd'hui. L'auteur traite des données naturelles et humaines, de l'héritage économique de la colonisation et des voies de développement. Sont étudiées ensuite les particularités de chaque État maghrébin. Bibliographie.

HISTOIRE

Algérie

JULIEN (Charles-André), *Histoire de l'Afrique du Nord*, t. I *Des origines à la conquête arabe*, Paris, Payot, 1951, 334 p., mis à jour par Christian COURTOIS, t. II *De la conquête arabe à 1830, Ibid.*, 1952, 367 p., mis à jour par Roger LE TOURNEAU.
Ouvrage « classique » de base le plus connu et parmi les mieux rédigés ; la 1re édit. avait paru en un volume en 1931. Des bibliographies critiques et copieuses terminent ces volumes fort instructifs.

LAROUI (Abdallah), *L'Histoire du Maghreb*, Paris, Maspéro, 1970, 395 p., Coll. « Textes à l'appui ».
Essai de synthèse sur le Maghreb par un historien marocain d'idéologie marxiste. Assez difficile à lire, cet ouvrage remet en question certaines idées reçues dans l'historiographie française à l'égard de Maghreb.

MONLAÜ (Jean), *Les États barbaresques*, Paris, P. U. F., 1964, 128 p., Coll. « Que sais-je ? », n° 1097.
L'auteur traite avec bonheur de l'impulsion turque et des « républiques corsaires » au Maghreb, de leur économie et de leurs sociétés, jusqu'à l'investissement de ces pays maghrébins par la France.

JULIEN (Charles-André), *Histoire de l'Algérie contemporaine*, t. I *La Conquête et les débuts de la colonisation, 1827-1871*, Paris, P. U. F., 1964, 632 p.
Maître livre, véritable somme sur cette période coloniale, avec une bibliographie critique très importante. En neuf chapitres, l'auteur traite de la Régence d'Alger en 1830, de l'Affaire d'Alger (1827-1830), de la période d'incertitude (1830-1834), de l'occupation restreinte à l'occupation anarchique (1834-1840), de Bugeaud à Abd El-Kader, de la colonisation sous Bugeaud (1840-1848), de l'armée d'Afrique, de l'Algérie sous la Deuxième République (1848-1852), sous le Second Empire (1852-1870) et de l'insurrection de Kabylie en 1870-1871.

AGERON (Charles-Robert), *Les Algériens musulmans et la France (1871-1919)*, Paris, P. U. F., 1968, 2 t., 1298-X p.
Après l'étude de l'insurrection de 1871, l'auteur traite, de main de maître, du nouveau régime foncier, des instruments de la domination coloniale et de « l'absence de politique indigène ». Il passe ensuite à l'intervention de la métropole dans la crise algérienne et étudie l'évolution de la « politique indigène » (1891-1914), pour terminer sur les Algériens pendant la première guerre mondiale. Une importante bibliographie clôt cette recherche.

JULIEN (Charles-André), *L'Afrique du Nord en marche*, Paris, Julliard, 3e édit. mise à jour, 1972, 440 p., bibliographie critique importante.
L'auteur traite de l'évolution du Maghreb entre les deux guerres mondiales : « nationalismes musulmans et souveraineté française ».

LE TOURNEAU (Roger), *Évolution politique de l'Afrique du Nord musulmane, 1920-1961*, Paris, Armand Colin, 1962, 502 p., bibliographie.
Cet ouvrage conduit le lecteur au seuil des indépendances des pays maghrébins. Son plan est plus progressif que celui du précédent ouvrage mais l'idéologie que sous-tend l'œuvre de Ch-A. Julien est plus progressiste que celle de R. Le Tourneau.

BERQUE (Jacques), *Le Maghreb entre deux guerres*, Paris, Seuil, 2e édit. 1970, 472 p.
Histoire sociale et politique, où l'auteur, selon sa méthode, révèle des interprétations originales, donne des clés, analyse en profondeur, mais le lecteur achoppe souvent en face d'un langage difficile et d'une langue qui n'est pas ici simplifiée, au contraire.

AGERON (Charles-Robert), *Histoire de l'Algérie contemporaine*, Paris, P. U. F., 1966, 128 p., Coll. « Que sais-je ? », n° 400.
Synthèse très bien faite et indispensable pour une bonne vue d'ensemble de 1830 à l'indépendance de l'Algérie en 1962.

VATIN (Jean-Claude), *L'Algérie politique. Histoire et société*, Paris, Armand Colin, 1974, 312 p., Coll. « Cahiers de la Fondation nationale des sciences politiques », n° 192.
Relecture intelligente et critique des diverses histoires de l'Algérie : l'Algérie précoloniale, l'Algérie des Français (1830-1919), colonialisme et contestation (1919-1945), enfin nationalisme et libération (1945-1962).

LECA (Jean) et VATIN (Jean-Claude), *L'Algérie politique. Institutions et régime*, Paris, Armand Colin, 1975, 502 p. Coll. « Cahiers de la fondation nationale des sciences politiques » n° 197.
Ce volume complétera le précédent et étudiera les institutions de l'Algérie indépendante.

LACHERAF (Mostefa), *L'Algérie : nation et société*, Paris, Maspéro, 1965, 350 p., Coll. « Cahiers libres ». Réédit. Alger, S. N. E. D., 1974.
Reprise d'études parues dans diverses revues. L'auteur analyse des moments de l'histoire de son pays, met en lumière des aspects méconnus, relit cette histoire avec un regard algérien. M. LACHERAF traite du colonialisme et de la féodalité, du patriotisme rural, de la psychologie de la conquête, des perspectives révolutionnaires, de la culture dans l'Algérie indépendante, etc. L'Algérie est en vue ici sous ses aspects dynamiques comme nation en marche vers sa libération politique (hier) et vers sa libération économique (aujourd'hui).

COURRIÈRES (Yves), *La Guerre d'Algérie*, en quatre tomes : *Les Fils de la Toussaint*, Paris, Fayard, 1968, 450 p. ; *Le Temps des Léopards*, 1969, 613 p. ; *L'Heure des colonels*, 1970, 620 p. ; *Les Feux du désespoir*, 1971, 675 p.
La guerre d'Algérie a été écrite par plusieurs auteurs partiellement, et partialement aussi, souvent. Le recul du temps manque encore pour une histoire rigoureuse aussi bien du côté algérien que du côté français ; les archives ne sont pas accessibles ; les manières de voir cette guerre sont différentes d'un côté et de l'autre. Les ouvrages de Y. Courrières sont connus de larges publics ; ils ont été en outre publiés récemment dans le « Livre de poche ». La guerre y est vue du côté français principalement, avec cependant des informateurs algériens parfois. L'œuvre se présente comme un travail de journaliste-historien honnête. Mais certains acteurs du drame y trouvent des erreurs, des inexactitudes, une manière particulière de parler de certains faits récusée et contestée, c'est inévitable. Ajoutons que les historiens algériens la rejettent parce que, entre autres, elle met trop

en lumière certaines personnalités et pas suffisamment l'ensemble du peuple algérien engagé dans l'action libératrice. Volumes d'un intérêt passionnant, néanmoins.

Maroc

Outre les ouvrages cités plus haut de Ch.-A. JULIEN, R. LE TOURNEAU et A. LAROUI :

TERRASSE (Henri), *Histoire du Maroc des origines à l'établissement du protectorat*, Casablanca, édit. Atlantides, 1930, 2 t., 412 et 508 p. ; édit. abrégée, 1952, 240 p.
Histoire vue principalement du point de vue de l'historiographie française.

SPILLMAN (Georges), *Du protectorat à l'indépendance, 1912-1955*, Paris, Plon, 1967, 250 p.
L'auteur traite de la naissance de l'État moderne, s'arrête surtout aux différents résidents français et termine par les années précédant immédiatement l'indépendance.

LACOUTURE (Jean), *Le Maroc à l'épreuve*, Paris, Seuil, 1958, 386 p.
L'ouvrage s'arrête au combat pour l'indépendance du pays et au nationalisme en action.

Le Maroc politique. De l'indépendance à 1973, Paris, Sindbad, 1975, 488 p. Textes rassemblés et présentés par Claude PALAZZOLI.
Sorte de guide de la pensée politique marocaine de 1956 à 1973 à travers des documents. Essai de synthèse honnête qui permet de faire connaissance avec les principales tendances.

MIÈGE (Jean-Louis), *Le Maroc*, Paris, P. U. F., 5e édit. 1971, 128 p., Coll. « Que sais-je ? » n° 438.
Histoire et problèmes économiques d'aujourd'hui.

Plusieurs auteurs, *Histoire du Maroc*, Paris, Hatier et Casablanca, Librairie nationale, 1967.
En fonction de l'enseignement.

Tunisie

GANIAGE (Jean), *Les Origines du protectorat français en Tunisie (1861-1881)*, Tunis, Maison tunisienne d'édition, 2e édit., 1968, 618 p.

GARAS (Félix), *Bourguiba et la naissance d'une nation*, Paris, Julliard, 1956, 282 p.

ROUS (Jean), *Habib Bourguiba : l'homme d'action de l'Afrique*, Paris, J. Didier, 1969.
Trois ouvrages qui éclaireront l'histoire tunisienne, surtout à travers l'œuvre du « combattant suprême ».

RAYMOND (André) et PONCET (Jean), *La Tunisie*, Paris, P. U. F., 2e édit. 1971, 128 p., Coll. « Que sais-je ? » n° 318.
Histoire du protectorat et problèmes politiques et économiques de la Tunisie indépendante.

SOCIÉTÉS ET INSTITUTIONS – ÉCONOMIE

Pour une découverte des sociétés algériennes :

BOURDIEU (Pierre), *Sociologie de l'Algérie*, Paris, P. U. F., 5e édit. 1974, 128 p., Coll. « Que sais-je ? » n° 802.
Texte très dense.

BOUSQUET (G.H.), *Les Berbères*, Paris, P. U. F., 1957, 120 p., Coll. « Que sais-je ? » n° 718.
L'auteur étudie les premières populations historiques du Maghreb et les institutions des sociétés berbères.

TILLION (Germaine), *Le Harem et les cousins*, Paris, Le Seuil, 1966, 218 p.
L'auteur, ethnologue, développe un aspect important de la vie des sociétés maghrébines, le mariage endogamique encore pratiqué dans

une proportion non négligeable. Certains titres ou sous-titres sont malheureusement quelque peu journalistiques, mais l'auteur a le mérite d'exposer pour le grand public cette question du mariage privilégié avec la cousine.

M'RABET (Fadélà), *La Femme algérienne*, suivi de *Les Algériennes*, Paris, Maspéro, 1969, 302 p.
F. M'Rabet a tenté de dévoiler avec passion la situation de la femme algérienne dans deux ouvrages, maintenant réédités en un volume : *La Femme algérienne* à lire comme un cri d'exaspération, et *Les Algériennes*, qui est un essai d'approfondissement du problème.

ZERDOUMI (Nafissa), *Enfants d'hier. L'Éducation de l'enfant en milieu traditionnel algérien*, Paris, Maspero, 1970, 302 p., Coll. « Domaine maghrébin ».
Un essai insistant sur les aspects traditionnels de l'éducation. Le lecteur puisera de nombreux renseignements dans cet ouvrage du genre ethnographique, à l'exclusion de développements sociologiques. Le milieu traditionnel étant toujours envahissant surtout dans les campagnes, des mutations sont néanmoins en cours : elles balaient les comportements d'hier ; le monde moderne investit de tous côtés le monde des adolescents et adolescentes dans les grandes villes.

BOUDJEDRA (Rachid), *La Vie quotidienne en Algérie*, Paris, Hachette, 1971, 262 p., Coll. « Vies quotidiennes contemporaines ».
Une description des réalités algériennes de tous les jours. Récit assez plat, sociologie absente, ethnographie assez déficiente, des inexactitudes et des erreurs précises. En l'absence d'autre ouvrage du même genre, c'est-à-dire synthétique et sans érudition, un lecteur non averti pourra en tirer quelque profit.

Sur des aspects des sociétés tunisiennes et marocaines :

DEMEERSEMAN (André), *La Famille tunisienne et les temps nouveaux*, Tunis, Maison tunisienne d'édition, 1967, 440 p.
Par un fin connaisseur de la société tunisienne, une description des mutations dans la famille.

DEBBASCH (Charles), *La République tunisienne*, Paris, Librairie Pichon et Durand, Auzias, 1962, 229 p., Coll. « Comment ils sont gouvernés ».
Une information sur l'administration de la Tunisie.

BOUGHALI (Mohamed), *La Représentation de l'espace chez le Marocain illettré, Mythes et tradition orale*, Paris, Anthropos, 1974, 304 p.
Sont étudiés l'espace et les rites de passage, la maison, le champ, l'espace et les mesures traditionnelles, la ville et le village, le monde, la Umma, les rapports espace/temps dans la mentalité traditionnelle marocaine.

ROBERT (Jacques), *La Monarchie marocaine*, Paris, Librairie Pichon et Durand, Auzias, 1963, 350 p., Coll. « Comment ils sont gouvernés ».

Sur l'économie des pays maghrébins :

Les ouvrages d'économie vieillissent rapidement à cause des chiffres et des transformations en cours. Sur le Maghreb dans son ensemble on pourra lire au choix une somme ou un bref volume d'initiation.

TIANO (André), *Le Maghreb entre les mythes*, Paris, P. U. F., 1967, 622 p.
Une somme de recherches lucides et critiques.

GALISSOT (René), *L'Économie de l'Afrique du Nord*, Paris, P. U. F., 1969, 128 p., Coll. « Que sais-je ? », n° 965.

VIRATELLE (Georges), *L'Algérie algérienne*, Paris, Édit. Ouvrières, 1970, 186 p.
Ouvrage sérieux et très bien documenté, insistant surtout sur les problèmes de l'industrialisation, sans négliger pour autant les autres

aspects de l'Algérie d'aujourd'hui. Ancien correspondant du *Monde* à Alger, l'auteur était bien placé pour écrire ce livre objectif.

CHALIAND (Gérard) et MINCES (Juliette), *L'Algérie indépendante*, Paris, Petite collection Maspéro, 1972, 176 p.

Les auteurs, écrivant dans une optique marxiste-léniniste, aboutissent à des critiques assez radicales de la situation en partant de leurs théories de base. Sont étudiés : l'Algérie sous Ben Bella, la construction de l'État sous Boumediene, ainsi que le choix de l'industrialisation, le plan quadriennal, les problèmes de l'agriculture. Les auteurs concluent à un « capitalisme d'État assez voisin de celui de l'Égypte nassérienne ». La réalisation essentielle de ces dix années d'indépendance est « l'édification d'un État ayant le contrôle direct de ses richesses nationales ».

DOUCY (Arthur) et MONHEIM (Francis), *Les Révolutions algériennes*, Paris, Fayard, 1972, 304 p.

Exposé honnête, mais qui ne fait bien souvent que paraphraser les déclarations et orientations officielles.

ROSSI (Pierre), *La Tunisie de Bourguiba*, Tunis, Kahia, 1967, 200 p.

Le lecteur aura une connaissance sympathique de la Tunisie d'aujourd'hui, mais peu critique.

LAHBABI (Mohamed), *Les Années 80 de notre jeunesse*, Casablanca, Éditions maghrébines, 1970, 256 p.

Vues prospectives intelligentes et clairvoyantes.

TRÉBOUS (Madeleine), *Migration et développement. Le Cas de l'Algérie*, Paris, O. C. D. E., 1970, 242 p.

Les ouvrages sur l'émigration maghrébine en Europe sont maintenant nombreux. Celui-ci se recommande pour la qualité de ses analyses.

CIVILISATION – CULTURE – RELIGION

Le Maghreb constitue une aire culturelle arabo-musulmane. Il est donc nécessaire de s'informer sur ces données culturelles et religieuses d'une façon objective et sérieuse.

Le Coran :

Une bonne et belle traduction s'impose, celle de Denise MASSON, Paris, N. R. F., 1967, 1 088 p., Coll. « La Pléiade ».

D'un prix certes moins élevé, celle de KASIMIRSKI est très ancienne et connue, mais moins fidèle, Paris, Garnier-Flammarion, 1970, 512 p. Préface de Mohammed ARKOUN.

BLACHÈRE (Régis), *Le Coran*, Paris, P. U. F., 1966, 128 p., Coll. « Que sais-je ? » n° 1245.

Excellente introduction au Livre saint de l'Islam.

ARNALDEZ (Roger), *Mahomet*, Paris, Seghers, 1970, 186 p., Coll. « Philosophes de tous les temps », n° 68.

D'une grande probité intellectuelle.

Pour une connaissance de l'ensemble de la religion musulmane :

RONDOT (Pierre), *L'Islam et les musulmans d'aujourd'hui*, Paris, L'Orante, 2 t., 1959, 374 p. et 1960, 254 p. Bibliographie.

Accessible à un large public, cet ouvrage traite non seulement de la foi et du culte musulman mais encore des divers pays où l'Islam est répandu.

RONDOT (Pierre), *L'Islam*, Paris, Lafarge, 1965, 128 p., Coll. « Prismes ».

Très utile comme condensé et par ses aperçus originaux.

JOMIER (Jacques), *Bible et Coran*, Paris, Le Cerf, 1959, 146 p.

Pour une comparaison. En 116 courts chapitres, l'auteur étudie d'une manière avertie ce qu'il faut savoir du Coran par rapport à la Bible.

GARDET (Louis), *L'Islam, religion et communauté*, Paris, Desclée, 1967, 496 p.
Livre indispensable pour un lecteur cultivé. L'auteur est connu pour sa compétence. Insistant sur la théologie, il étudie les valeurs religieuses musulmanes de base, les écoles de théologie, la mystique, enfin l'Islam comme communauté et les problèmes contemporains. Étude sérieuse, approfondie et abordant le monde musulman avec sympathie.

LAHBABI (Mohammed-Aziz), *Ibn Khaldoun*, Paris, Seghers, 1968, 190 p., Coll. « Philosophes de tous les temps », n° 47.
L'auteur, philosophe marocain, met à la portée d'un large public la figure du grand historien – sociologue musulman.

DERMENGHEM (Émile), *Le Culte des saints dans l'Islam maghrébin*, Paris, Gallimard, 1954, 352 p.
L'auteur traite avec perspicacité et compétence des aspects non orthodoxes mais souvent encore bien vivants de l'Islam maghrébin. L'ouvrage fourmille de renseignements sur les pratiques traditionnelles populaires, sur les « marabouts » et sur les cultes qui s'enracinent profondément dans l'histoire du Maghreb berbère ancien.

MERAD (Ali), *Le Réformisme musulman en Algérie de 1925 à 1940*, Paris, Mouton, 1967, 472 p.
Essai d'histoire religieuse et sociale écrit avec intelligence. Livre indispensable à qui veut connaître un moment vigoureux de l'histoire récente de l'Algérie.

Pour des réflexions de Maghrébins sur l'Islam contemporain :

BENNABI (Malek), *Vocation de l'Islam*, Paris, Le Seuil, 1954, 170 p.
Cet essai verse parfois dans le verbalisme, mais il ne manque pas de critique et d'autocritique ; ses vues sont suggestives. Il rendait un son nouveau lors de sa parution.

LAROUI (Abdallah), *L'Idéologie arabe contemporaine*, Paris, Maspéro, 1967, 224 p., Coll. « Textes à l'appui ». Préface de Maxime Rodinson.
Cet ouvrage de l'historien marocain n'est pas facile à lire tant à cause de sa densité que de son vocabulaire (idéologie marxiste). L'auteur traite des Arabes et de l'authenticité, des Arabes et de la continuité, ainsi que de la raison universelle et de l'expression (littérature).

LAROUI (Abdallah), *La Crise des intellectuels arabes. Traditionalisme ou Historisme ?* Paris, Maspéro, 1974, 222 p., Coll. « Textes à l'appui ».
L'auteur continue à réfléchir sur ses thèmes favoris : tradition, modernisme, nationalisme, rationalité, en face de l'Europe.

DJAÏT (Hichem), *La Personnalité et le devenir arabo-islamique*, Paris, Le Seuil, 1974, 302 p.
Historien tunisien, l'auteur aborde des problèmes épineux, malaisés à exposer ; il fait preuve de courage et d'audace et son livre donne à coup sûr à penser. Ainsi discute-t-il de l'Islam et de l'arabité, du problème historique, de l'arabisme, de la recherche d'une idéologie, de la réforme et du renouveau dans la religion, de l'homme arabo-musulman, enfin de l'organisation de la société et de l'État.

TALBI (Mohamed), *Islam et dialogue*, Tunis, Maison tunisienne d'édition, 1972, 54 p.
Excellent exemple de la volonté d'ouverture chez des intellectuels musulmans d'aujourd'hui. L'auteur est un historien tunisien reconnu pour sa compétence et sa grande probité intellectuelle.

RODINSON (Maxime), *Islam et Capitalisme*, Paris, Le Seuil, 1966, 304 p., et *Marxisme et monde musulman*, Paris, Le Seuil, 1972, 700 p.
Érudit marxiste de renommée, l'auteur aborde ici deux aspects particuliers du monde musulman, le second ouvrage étant un recueil d'études déjà parues dans diverses revues. Ces aspects sont traités de main de maître.

BERQUE (Jacques), *Les Arabes*, Paris, Sindbad, 1973, édit. revue et augmentée, 148 p.
Essai qui se veut une réflexion sur cette « manière d'être » qu'est l'arabisme. Livre suggestif, mais souvent allusif, et qui nécessite donc, par ailleurs, une connaissance suffisante de l'histoire des pays arabo-musulmans.

LETTRES

Il s'agit principalement ici des *lettres de langue française* écrites par des Maghrébins. La littérature maghrébine de langue arabe est peu traduite en français. Quelques ouvrages généraux en traitent toutefois partiellement.

DÉJEUX (Jean), *Bibliographie méthodique et critique de la littérature algérienne d'expression française, 1945-1970*, suivie de la Bibliographie succincte des littératures tunisienne et marocaine, dans la *Revue de l'Occident musulman et de la Méditerranée* (L. A. P. E. M. O., Université d'Aix-en-Provence), n° 10, 2e semestre 1971, 200 p.

Ouvrages généraux

KHATIBI (Abdelkebir), *Le Roman maghrébin*, Paris, Maspéro, 1968, 248 p., Coll. « Domaine maghrébin ».
L'auteur traite aussi bien du roman de langue française que de langue arabe, des années 50 et de la période de la guerre de libération en Algérie.

MAZOUNI (Abdallah), *Culture et enseignement en Algérie et au Maghreb*, Paris, Maspero, 1969, 248 p.
Essayiste, l'auteur expose ici avec lucidité et une grande liberté ce qu'il pense de problèmes délicats à traiter comme ceux du bilinguisme, de la berbérité, de la tradition orale, de l'arabisation, de l'aliénation, des spécificités nationales et de l'Université.

LAHJOMRI (Abdeljalil), *L'Image du Maroc dans la littérature française (de Loti à Montherlant)*, Alger, S. N. E. D., 1973, 312 p. Bibliographie.
Essai sur la littérature des Français concernant le Maroc.

DÉJEUX (Jean), *La Poésie algérienne de 1830 à nos jours. Approches socio-historiques*, Paris, Mouton, 1965, 94 p. sous la direction de Albert Memmi (le nom de l'auteur n'est pas indiqué sur l'ouvrage).
Étude sur « l'engagement » de cette poésie en Algérie jusqu'à la guerre de libération comprise.

DÉJEUX (Jean), *Littérature maghrébine de langue française*, Sherbrooke, édit. Naaman (P. Québ., Canada), 1973, 496 p. Bibliographie complète des œuvres de fiction, ainsi que des essais et témoignages. (Diffusion : Paris, Librairie l'École, 11, rue de Sèvres.)
Essai qui se présente comme une introduction générale à cette littérature et une étude critique et systématique de douze auteurs parmi les plus représentatifs depuis les années 50 jusqu'à nos jours : Jean Amrouche, Mouloud Feraoun, Mohammed Dib, Mouloud Mammeri, Kateb Yacine, Assia Djebar, Driss Chraïbi, Albert Memmi, Jean Sénac, Mourad Bourboune, Rachid Boudjedra et Mohammed Khaïr-Eddine. Ces études sont suivies d'une sélection d'autres écrivains présentés rapidement.

DÉJEUX (Jean), *La Littérature algérienne contemporaine*, Paris, P. U. F., 1975, 128 p., Coll. « Que sais-je ? » n° 1604.
Cette synthèse traite rapidement de la littérature des Français en Algérie (de 1830 à 1900, de 1900 à 1935, et de « l'École d'Alger » jusqu'aux années 50) et de la littérature des Algériens, celle de langue française et celle de langue arabe. L'ensemble a été conçu pour servir d'introduction aux littératures algériennes.

YETIV (Isaac), *Le Thème de l'aliénation dans le roman maghrébin d'expression française, 1952-1956*, Sherbrooke, C. E. L. E. F., Université, (P. Québ., Canada), 1972, 243 p.

L'auteur traite du « quinquennat de l'aliénation », selon son expression. En fait la recherche de l'identité n'a pas cessé par la suite.

BONN (Charles), *La Littérature algérienne de langue française et ses lectures. Imaginaire et discours d'idées*, Sherbrooke, édit. Naaman (P. Québ., Canada), 1974, 252 p. Bibliographie. (Diffusion : Paris, Librairie l'École, 11, rue de Sèvres.)
L'ouvrage comprend deux parties assez distinctes : une étude des structures profondes de l'imagination créatrice (espace maternel et cité), le compte rendu ensuite d'une enquête auprès de lecteurs algériens de cette littérature algérienne. D'une manière précise, la recherche porte alors sur le difficile rapport entre la libre création et l'idéologie nécessaire. « Y a-t-il pour l'artiste, dans un pays qui se construit, une place autre que celle du thuriféraire ? », demande l'auteur.

ROTH (Arlette), *Le Théâtre algérien de langue dialectale, 1926-1954*, Paris, Maspéro, 1967, 200 p., Coll. « Domaine maghrébin ».
Étude selon une optique socio-historique et développement de certains thèmes.

AZIZA (Mohamed), *Le Théâtre et l'Islam*, Alger, S. N. E. D., s.d., 80 p., et *Regards sur le théâtre arabe contemporain*, Tunis, Maison tunisienne d'édition, 1970, 162 p.
Deux ouvrages qui peuvent servir pour une réflexion sur le sujet.

Anthologies

Parmi un certain nombre d'anthologies déjà parues (en français), nous pouvons retenir :

BARRAT (Denise), *Espoir et parole*, Paris, Seghers, 1963, 254 p.
Poèmes algériens de la guerre de libération : sélection de 81 poèmes de la résistance.

ARNAUD (Jacqueline), DÉJEUX (Jean), KHATIBI (Abdelkebir) et ROTH (Arlette), *Anthologie des écrivains maghrébins d'expression française*, Paris, Présence africaine, 2e édit. 1965, 300 p.
L'ouvrage est précédé d'une importante introduction d'Albert Memmi.

LÉVI-VALENSI (Jacqueline) et BENCHEIKH (Jamel-Eddine), *Diwan algérien. La Poésie algérienne d'expression française de 1945 à 1965*, Alger, S. N. E. D., 1967, 254 p.
Étude critique de quelques poètes et choix de textes.

SÉNAC (Jean), *Anthologie de la nouvelle poésie algérienne*, Paris, Librairie Saint-Germain-des-Prés, 1971, 124 p., Coll. « Poésie I » n° 14.
Présentation de quelques poètes et de leurs œuvres : nouvelle génération depuis les années 1964-1966.

Écrivains marocains. Du Protectorat à 1965 (choix, traduction de l'arabe et présentation par Mohammed BENJELLOUN TOUIMI, Abdelkebir KHATIBI et Mohammed KABLY), Paris, Sindbad, 1975, 146 p.

BEN JELLOUN (Tahar), *La Mémoire future*. Anthologie de la nouvelle poésie du Maroc, Paris, Maspéro, 1976, 214 p. Coll. « Voix ».

ARNAUD (Jacqueline), DÉJEUX (Jean) et ROTH (Arlette), *Anthologie des écrivains français du Maghreb*, Paris, Présence africaine, 1969, 365 p. avec une importante introduction de Albert Memmi.

Romans et Recueils de nouvelles

Algérie

Après une période de mimétisme de 1920 aux années 50, la littérature algérienne de langue française surgit avec qualité. Les œuvres sont largement autobiographiques et ethnographiques d'abord, puis sont davantage engagées dans le combat libérateur, pour enfin, à partir de 1964-1966 environ, devenir plus critiques et combatives à l'intérieur même de la société algérienne.

FERAOUN (Mouloud), *Le Fils du pauvre*, Paris, Seuil, réédit. 1954, 130 p.
L'auteur (1913-1962) a fait paraître à compte d'auteur la première édition de son roman en 1950. Cette autobiographie d'un instituteur kabyle est très attachante par ses accents profondément humains.

FERAOUN (Mouloud), *La Terre et le sang*, Paris, Seuil, 1963, 254 p.
L'auteur nous donne à voir les sociétés kabyles et les émigrés travaillant dans les mines en France. Un travailleur revient au village avec son épouse française. Ce roman est plein d'une fine psychologie.

DIB (Mohammed), *La Grande Maison*, Paris, Seuil, 1952, 190 p ; *L'Incendie*, Paris, Le Seuil, 1967 (2e édit.), 220 p., et *Le Métier à tisser*, Paris, Seuil, 1957, 200 p.
L'auteur (né en 1920) s'est fait remarquer par cette première trilogie. Le premier roman décrit une enfance pauvre à Tlemcen durant l'année 1938-1939 ; le second (1re édit. 1954) montre l'effervescence politique chez les paysans durant l'hiver 1939-1940 ; enfin, le troisième traite de la prise de conscience politique chez les tisserands en 1941-1942. Excellente image de différentes couches de la société durant ces années ; ton populiste.

DIB (Mohammed), *Qui se souvient de la mer*, Paris, Seuil, 1962, 190 p.
Le romancier parle de la guerre d'indépendance sans réalisme sanglant mais avec la puissance des images apocalyptiques.

DIB (Mohammed), *Dieu en Barbarie*, Paris, Seuil, 1970, 220 p., et *Le Maître de chasse*, Paris, Seuil, 1973, 206 p.
Nouvelle trilogie, plus difficile à lire que la première, consacrée à des problèmes de l'Algérie indépendante.

MAMMERI (Mouloud), *La Colline oubliée*, Paris, Plon, 1952, 256 p.
Le romancier (né en 1917) a écrit un beau livre relatant le malaise chez les jeunes de la montagne kabyle autour des années 1940-1945. On était finalement acculé à l'émigration.

MAMMERI (Mouloud), *L'Opium et le bâton*, Paris, Plon, 1965, 290 p.
L'auteur s'arrête à la guerre d'indépendance vécue dans un village de la montagne kabyle. Le médecin Bachir Lazrak, héros de l'histoire, malgré son acculturation accepte finalement de partir au maquis. La fin du récit nous laisse sur une réflexion quelque peu désabusée.

OUARY (Malek), *Le Grain de la meule*, Paris, Buchet-Chastel, 1956, 200 p.
Le romancier (né en 1916) nous conte ici une histoire de vengeance et d'honneur dans un village kabyle. Elle se déroule avant l'arrivée des Français, si bien que nous avons là une lecture de la société avec ses valeurs propres sans l'apport de la civilisation des « autres ».

BOUMAHDI (Ali), *Le Village des asphodèles*, Paris, Laffont, 1970, 438 p.
A. BOUMAHDI (né en 1934) raconte sa vie, depuis les années 35 environ, dans un gros village du centre de l'Algérie. Facile à lire, ce récit demeure plein d'intérêt, nous faisant pénétrer dans une grande famille aux prises avec les difficultés quotidiennes et les événements. L'auteur nous fait lire avec intelligence sa propre histoire.

HADDAD (Malek), *La Dernière Impression*, Paris, Julliard, 1958, 204 p.
L'auteur (né en 1927) nous plonge en plein drame de deux amants qui tentent de s'unir. Or, la guerre de libération commande la rupture des liens entre Saïd et Lucie, comme entre l'Algérie et la France.

HADDAD (Malek), *L'Élève et la leçon*, Paris, Julliard, 1960, 158 p.
Débat de conscience d'un médecin musulman à cheval sur deux civilisations, en face de sa fille qui lui demande de la faire avorter et de sauver son amant hors-la-loi.

KATEB (Yacine), *Nedjma*, Paris, Le Seuil, 1956, 256 p.
Le roman de Kateb (né en 1929) marquait un tournant dans cette littérature en 1956. Il apportait quelques perspectives nouvelles dans la thématique et l'écriture. A la poursuite de la cousine, l'auteur redécouvre une autre « étoile », l'Algérie, patrie occupée par les « autres ». Cet ouvrage génial, à la grande luxuriance, demeure difficile à lire pour ceux dont la scolarisation n'est pas très poussée.

DJEBAR (Assia), *Les Alouettes naïves*, Paris, Julliard, 1967, 430 p.
La romancière (née en 1936) a écrit trois romans avant celui-ci où elle aborde des problèmes de couple ordinairement occultés dans cette littérature écrite par des hommes. Assia DJEBAR s'en tire fort bien d'ailleurs. La toile de fond est la guerre d'Algérie ou la vie des réfugiés en Tunisie.

BOURBOUNE (Mourad), *Le Muezzin*, Paris, Bourgois, 1968, 314 p.
BOURBOUNE (né en 1938) prend la tête de la contestation et du refus : « marre de tous les pays en quête de héros positifs » ! Il s'agit ici d'un muezzin (qui appelle à la prière musulmane) bégue et athée, proférant un anti-coran.

BOUDJEDRA (Rachid), *La Répudiation*, Paris, Denoël, 1969, 293 p.
Le romancier (né en 1941) s'attaque avec virulence aux maux de la tribu. Écriture de délire, néologismes, images scatologiques et farfouillement que d'aucuns parmi les lecteurs supporteront peut-être mal. Roman iconoclaste de la remise en question et du dévoilement, d'un grand écrivain.

BOUDJEDRA (Rachid), *L'Insolation*, Paris, Denoël, 1972, 236 p.
De la même veine que le précédent.

FARÈS (Nabile), *Yahia, pas de chance*, Paris, Seuil, 1970, 160 p.
Nabile FARÈS (né en 1941) use d'une langue subtile et d'un langage parfois obscur, se livrant à des recherches sur le « pays inaccompli » (les racines historiques du Maghreb berbère), l'identité, la naissance d'un monde nouveau. Son premier roman nous rappelle les charmes de l'enfance et de l'adolescence bousculés par la guerre de libération.

FARÈS (Nabile), *Le Champ des oliviers*, Paris, Seuil, 1972, 230 p., et *Mémoires de l'absent*, Paris, Le Seuil, 1974, 236 p.
Ces deux romans commencent une trilogie, « la découverte du nouveau monde ». Les évocations, l'onirisme, les exercices de langage et de style ne contribuent pas à en rendre aisée l'interprétation. « Le vrai monde est plusieurs » : il faut donc s'accepter mélangé, multiple, bref assumer la mixité et le métissage.

ACHOUR (Mouloud), *Le Survivant et autres nouvelles*, Alger, S. N. E. D., 1971, 308 p.
D'une écriture linéaire et sans audaces critiques, l'auteur nous conte des histoires à travers lesquelles on devine que la rigueur et la pureté sont là-haut dans la montagne natale, la déperdition, la souillure et la bâtardise dans la Ville.

LEMSINE (Aïcha), *La Chrysalide*, Paris, Des femmes, 1976, 277 p.
Une Algérienne livre aux lecteurs une chronique saisissante de la vie d'une famille et de plusieurs femmes des années 40 à nos jours. Document vu de l'intérieur et finement restitué.

Maroc

Moins importante en quantité que la littérature algérienne, celle du Maroc en langue française compte néanmoins quelques bons témoins. Apparue autour des années 50, elle connut un temps de latence, mais se manifeste de nouveau en qualité depuis 1964-1966 environ.

SEFRIOUI (Ahmed), *La Boîte à merveilles*, Paris, Seuil, 1954, 166 p.
Le romancier (né en 1915) livre des souvenirs d'une enfance tranquille dans la medina de Fès. Livre plein de charme et de poésie.

CHRAÏBI (Driss), *Le Passé simple*, Paris, Denoël, 1954, 260 p.
Chraïbi (né en 1926) écrit son premier roman, survolté et en pleine

effervescence. Révolte contre le père, les bourgeois, les traditions figées. Le héros voulait vivre et il avait besoin de croire. Enfiévré d'une soif d'absolu, il partait pour l'Europe. Écriture souvent éclatée, vocabulaire cru.

CHRAÏBI (Driss), *Succession ouverte*, Paris, Denoël, 1962, 180 p.
Le héros revient au Maroc pour la mort du Seigneur, le père. Comme héritage, il reçoit la consigne de creuser davantage encore le sens de l'existence. Et il repart chez les « autres ».

CHRAÏBI (Driss), *La Civilisation, ma mère*, Paris, Denoël, 1972, 188 p.
Parmi les nombreux autres romans de l'auteur, celui-ci est le début d'une trilogie. Chraïbi nous montre la libération de la femme à travers les efforts sympathiques d'un garçon pour « éduquer » et « moderniser » sa mère. Le ton est enjoué et tonique.

KHAÏR-EDDINE (Mohammed), *Agadir*, Paris, Seuil, 1967, 143 p.
Avec Kaïr-Eddine (né en 1941) nous prenons un tournant. Comme en Algérie, refus radical des mythes, des situations sclérosées, des adhérences qui freinent l'émancipation. Un séisme a eu lieu. Réel et symbolique, il annonce le rejet de la pourriture. Dans ses délires, l'auteur se révolte contre le sang, les ancêtres, les maîtres qui gouvernent, aussi bien dans ce roman que dans les autres.

KHAÏR-EDDINE (Mohammed), *Le Déterreur*, Paris, Seuil, 1973, 126 p.
L'auteur continue à se montrer « un bougre qui ne tolère pas les autres », à tirer sur le père et à tenter de se débarrasser de lui-même tel qu'il est devenu. Enfermé dans une tour, il tourne en rond et « bouffe » les cadavres . . . Cette littérature éclatée brise tous les genres classiques et fait entendre un langage nouveau, corrosif et résolument démystificateur.

KHATIBI (Abdelkebir), *La Mémoire tatouée*, Paris, Denoël, 1971, 192 p.
Le romancier (né en 1938) livre ici un ouvrage subtil et très composé, « l'autobiographie d'un décolonisé », où l'auteur se débat avec sa double identité.

BEN JELLOUN (Tahar), *Harrouda*, Paris, Denoël, 1973, 188 p.
Né en 1944, T. Ben Jelloun renoue avec les mythes de deux villes, Fès et Tanger. Roman-poème qui nous entraîne dans les rêves d'adolescents face à la vieille prostituée, Harrouda. Dévoilement par bribes d'une durée et d'une identité anciennes.

Tunisie

La littérature tunisienne de langue française est très peu représentée sur le plan romanesque. Avant la seconde guerre mondiale, ce sont des écrivains issus de la communauté tunisienne juive qui se sont manifestés par des ouvrages (nouvelles, romans, récits) se rapportant aux milieux juifs. Autour des années 50, le nom à citer est celui de Albert MEMMI (né en 1920) dont il est intéressant de lire, par exemple, les deux premiers romans.

MEMMI (Albert), *La Statue de sel*, Paris, réédit. Gallimard, 1966, 292 p.
Ce roman a paru pour la première fois en 1953. L'auteur, entre deux civilisations, décrit avec beaucoup de talent son enfance et son adolescence dans le ghetto de Tunis. Là est le point de départ de Memmi pour son investigation sur la sociologie de l'homme dominé. Ce roman de qualité est un document des plus passionnants.

MEMMI (Albert), *Agar*, Paris, Buchet-Chastel, réédit. 1963, 250 p.
Cette œuvre constitue l'étape suivante : les deux civilisations et cultures se rencontrent et s'affrontent à l'intérieur du couple mixte, lui juif tunisien, elle blonde de l'Est de la France. Ce roman rigoureux et sombre dévoile les difficultés objectives de ces mariages, compte tenu de l'histoire du pays et de la défense de chaque communauté en face de l'étranger. Comment accepter l'autre dans sa différence ?

Poèmes

Algérie

La poésie qui domine jusque vers 1965 est en général la poésie de la résistance en fonction du combat libérateur. *Espoir et parole*, anthologie déjà citée de Denise Barrat, en donne des exemples bien choisis. On peut mentionner quelques recueils qui méritent de retenir l'attention :

DIB (Mohammed), *Ombre gardienne*, Paris, Gallimard, 1961, 66 p.

ABA (Noureddine), *La Toussaint des énigmes*, Paris, Présence africaine, 1963, 96 p.

HADDAD (Malek), *Le Malheur en danger*, Paris, La Nef de Paris, 1956, 60 p.

GRÉKI (Anna), *Algérie, capitale Alger*, Tunis, S. N. E. D., Oswald, 1963, 146 p. en arabe et 90 p. en français.

SÉNAC (Jean), *Matinale de mon peuple*, Rodez, Subervie, 1961, 144 p.

TIDAFI (Nordine), *Le Toujours de la patrie*, Tunis, S. N. E. D., Oswald, 1962, 158 p.

AMRANI (Djamal), *Aussi loin que mes regards se portent...*, Alger, S. N. E. D., 1972, 246 p.

De nos jours d'autres recueils élargissent les horizons :

BOUDJEDRA (Rachid), *Pour ne plus rêver*, Alger, S. N. E. D., 1965, 80 p.

HADJ ALI (Bachir), *Que la joie demeure*, Honfleur, P.J. Oswald, 1970, 100 p.

TIBOUCHI (Hamid), *Soleil d'herbe*, Paris, Chambelland, 1974, 56 p.

FARAOUN (Ghaoûti), *Pour une danaïde*, Grenoble, La Nauf créatique, 1970, n.p., Coll. « Syllepse ».

DIB (Mohammed), *Omneros*, Paris, Seuil, 1975, 158 p.

DJAOUT (Tchar), *Solstice barbelé*, Sherbrooke, A. Naaman (P. Qué. Canada), 1975, 62 p.

Maroc

Quelques recueils parus depuis 1964-1966 sont dignes d'être retenus tant pour leur profondeur que pour leur écriture nouvelle :

BEN JELLOUN (Tahar), *Cicatrices du soleil*, Paris, Maspéro, 1972, 114 p., Coll. « Voix ».

KHAÏR-EDDINE (Mohammed), *Soleil arachide*, Paris, Le Seuil, 1969, 128 p.

MORSY (Zaghloul), *D'un soleil réticent*, Paris, Grasset, 1969, 136 p.

LAÂBI (Abdellatif), *L'Arbre de fer fleurit*, Paris, P.J. Oswald, 1974, 68 p.

NISSABOURY (Mostafa), *La Mille et deuxième nuit*, Casablanca, Shoof, 1975, 111 p.

Tunisie

Peu de recueils parus. Nous mentionnerons cependant :

GARMADI (Salah), *Avec ou sans* et *Allahma alhayya* (chair vive), Tunis, C. E. R. E. S.-Productions, 1970, 15 poèmes en français (28 p.) et 18 en arabe (40 p.).

BEN ALI (Larbi), *Prophéties insoumises*, Paris, édit. Saint-Germain-des-Prés, 1973, 48 p.

BOURAOUI (Hedi), *Vésuviade*, Paris, Saint-Germain-des-Prés, 1976, 103 p.

Théâtre

Algérie

Ce sont principalement les pièces de KATEB Yacine, qui ont été jouées en français ou en langue arabe (littéraire et parlée), qui ont retenu l'attention. Il s'agit surtout d'un théâtre engagé.

KATEB (Yacine), *Le Cercle des représailles*, Paris, Seuil, 1959, 168 p. Le volume contient : *Le Cadavre encerclé, La Poudre d'intelligence* et *Les Ancêtres redoublent de férocité.*

BOUZAHER (Hocine), *Des Voix dans la casbah*, Paris, Maspéro, 1960, 118 p.

AMRANI (Djamal), *Il n'y a pas de hasard*, Alger, S. N. E. D., 1973, 126 p.

BOUHADA (Boudjema), *La Terre battue*, Honfleur, P.J. Oswald, 1972, 74 p.

Maroc et *Tunisie*

Très peu de pièces écrites en français. Retenons :

FARIS (Farid) (M), *Le Rempart de sable*, Rabat, E. T. N. A., 1962, 130 p.

MELLAH (Fawzi) (T), *Néron ou les Oiseaux de passage*, Honfleur, P.J. Oswald, 1973, 60 p.

Littérature orale populaire

Il s'agit ici d'un choix de traductions de contes et de poèmes arabes et berbères.

Pour l'ensemble du Maghreb :

SCELLES-MILLIE (J.), *Contes arabes du Maghreb*, Paris, G.P. Maisonneuve, 1970, 336 p. ; *Légende dorée d'Afrique du Nord*, Paris, G.P. Maisonneuve, 1973, 220 p. et *Contes mystérieux d'Afrique du Nord*, Paris, G.P. Maisonneuve, 1972, 250 p.

SCELLES-MILLIE (J.) et KHELIFA (B.), *Quatrains de Medjdoub le sarcastique*, Paris, G.P. Maisonneuve, 1966, 194 p.

BELHALFAOUI (Mohammed), *La Poésie arabe maghrébine d'expression populaire*, Paris, Maspéro, 1973, 208 p., Coll. « Domaine maghrébin ».

REESINK (Pieter), *Contes et récits maghrébins*, Sherbrooke, A. Naaman. (P. Qué. Canada), 1977, 166 p. (Diffusion, l'École, 11, rue de Sèvres, 75006 Paris)

Pour l'Algérie :

AMROUCHE (Jean), *Chants berbères de Kabylie*, Tunis, 1939, réédit. Paris, Charlot, 1947, 190 p.

AMROUCHE (Marguerite-Taos), *Le Grain magique. Contes, poèmes et proverbes berbères de Kabylie*, Paris, Maspéro, 1966, 250 p.

MAMMERI (Mouloud), *Les Isefra, poèmes de Si Mohand ou Mhand*, Paris, Maspéro, 1969, 480 p., Coll. « Domaine maghrébin ».

LACOSTE (Camille), *Légendes et contes merveilleux de la Grande Kabylie*, Paris, Impr. Nationale, 1965, 2 t., 558 p.
Il s'agit d'une traduction des textes recueillis par Auguste MOULIÉRAS et publiés par lui en 1893 et 1898.

LACOSTE (Camille), *Le Conte kabyle*, Paris, Maspéro, 1970, 534 p., Coll. « Domaine maghrébin ».
Étude ethnologique à partir des traductions précédentes.

OUARY (Malek), *Poèmes et chants de Kabylie*, Paris, Librairie Saint-Germain-des-Prés, 1972, 174 p., Coll. « Anthologies de la poésie universelle ».

LACHERAF (Mostefa), *Chansons des jeunes filles arabes*, Paris, Seghers, 1953, 42 p.

Pour le Maroc :

EL FASI (Mohammed), *Chants anciens des femmes de Fès*, Paris, Seghers, 1967, 120 p.

N'AIT ATTIK (Mririda), *Les Chants de la Tessaout*, Casablanca, Maroc éditions, 1972, 120 p. Traduction par René EULOGE.

Pour la Tunisie :

GUIGA (Abderrahman), *La Geste hilalienne*, Tunis, Maison tunisienne d'édition, 1968, 86 p.

ARTS

Cinéma

HENNEBELLE (Guy), *Les Cinémas africains en 1972*, numéro spécial (n° 20, 1972) de *L'Afrique littéraire et artistique*, Paris, 370 p., avec la collaboration de plusieurs auteurs.
L'ouvrage le plus étoffé et aux analyses les plus pertinentes. Les cinémas maghrébins sont étudiés largement pp. 103-184.

BOUDJEDRA (Rachid), *Naissance du cinéma algérien*, Paris, Maspéro, 1971, 102 p., Coll. « Domaine maghrébin ».
L'auteur traite rapidement de l'Algérie dans la vision cinématographique avant 1954, puis des cinémas français et étrangers face à la guerre d'Algérie, enfin de la naissance du cinéma algérien (quelques thèmes et quelques problèmes).

Production cinématographique, 1957-1973, Alger, Ministère de l'Information et de la Culture, 1974, 232 p.
Album avec photographies, statistiques et renseignements divers.

KHLIFI (Omar), *L'Histoire du cinéma en Tunisie*, Tunis, Société tunisienne d'édition, 1970, 244 p.

Filmographie

Algérie :

LAKHDAR-HAMINA (Mohammed), *Le Vent des Aurès* (1966).
Une mère à la recherche de son fils emmené dans un camp d'internement. Film très lent et très beau.

BOUAMARI (Mohammed), *Le Charbonnier* (1972).
Également lent mais également réussi. Un homme du peuple, pauvre, acquiert une conscience politique et sociale dans l'Algérie d'aujourd'hui.

RACHEDI (Ahmed), *L'Opium et le bâton* (1969).
Inspiré par le roman du même nom de Mouloud Mammeri, ce film décrit la guerre de libération dans un village de la montagne kabyle.

RIAD (Slim), *La Voie* (1968).
Sur les camps d'internement durant la guerre de libération.

Plusieurs auteurs, *L'Enfer à dix ans* (1969).
Cinq sketches réalisés par G. Bendedouche, S.A. Mazif, A. Bouguermouh, A. Laskri et Y. Akika. Sobre et émouvant.

BOUAMARI (Mohammed), *L'Héritage* (1974).
Les problèmes des lendemains de la guerre dans un village qu'il faut reconstruire.

LAKHDAR-HAMINA (Mohammed), *Chronique des années de braise* (1975).
Vaste fresque et très long métrage sur le passé colonial de l'Algérie et sur la prise de conscience politique menant à la lutte armée. Grand prix du Festival de Cannes en mai 1975.

Tunisie :

KHLIFI (Omar), *Hurlements* (1972).
Histoire dramatique de jeunes filles bédouines, Saadia et Selma, écrasées par les traditions et les coutumes ancestrales.

BEN AMMAR (Abdellatif), *Une si simple histoire* (1969).
Problèmes de mariages mixtes et de l'engagement de l'intellectuel.

BABAÏ (Brahim), *Et demain* (1971).
L'exode rural traité avec beaucoup de vérité.

Maroc :

BENNANI (Hamid), *Wechma* (1971).
« Traces » (en traduction) conte la vie d'un jeune orphelin en difficulté avec son père adoptif. Son malaise a des causes à la fois politiques et psychanalytiques. Film original et profondément enraciné.

Musique

JARGY (Simon), *La Musique arabe*, Paris, P. U. F., 1971, 128 p., Coll. « Que sais-je ? » n° 1436.
Musique arabe classique et populaire, description des instruments de cette musique.

EL MAHDI (Salah), *La Musique arabe*, Paris, Alphonse Leduc, 1972, 100 p.
Étude des modes de cette musique et des instruments (avec illustrations).

Arts plastiques et Iconographie

MARÇAIS (Georges), *L'Art musulman*, Paris, P. U. F., 1962, 186 p., Coll. « Les Neuf Muses ».

LAMBERT (Élie), *L'Art musulman d'Occident, des origines à la fin du XVe siècle*, Paris, S. E. D. E. S., 1966, 150 p.
Ces deux livres serviront d'introduction à l'étude de l'art musulman d'une façon générale.

BOUROUIBA (Rachid), *L'Art religieux musulman en Algérie*, Alger, S. N. E. D., 1973, 226 p.
Belle étude sur l'art ancien.

KHADDA (Mohammed), *Éléments pour un art nouveau*, Alger, U. N. A. P., 1972, 78 p.
Réflexions pertinentes sur la situation actuelle et sur l'héritage.

RACIM (Mohammed), *Mohammed Racim, miniaturiste algérien*, Alger, ministère de l'Information et de la Culture, s.d., 80 p. et 21 planches en couleur.
Magnifique album, pour le plaisir des yeux, sur la vie musulmane d'hier en Algérie.

Visages de l'Algérie, Alger, ministère de l'Information et de la Culture, 80 p. environ.
Collection constituée par des albums de textes et d'illustrations dont les sujets sont des villes, des régions de l'Algérie ou des problèmes de l'économie du pays. Textes assez courts, photographies nombreuses.

Art et culture, Alger, ministère de l'Information et de la Culture.
Belle collection reliée et artistiquement illustrée. Huit volumes ont paru (fin 1974) consacrés aux mosquées en Algérie, à l'architecture religieuse, à des villes (Bejaïa, Tlemcen), aux musées, à l'émir Abd El-Kader. Beaux souvenirs à emporter après un voyage.

PRESSE ET MAISONS D'ÉDITIONS

Presse et Périodiques (en langue française)

Algérie

– Quotidiens :

El Moudjahid, 20, rue de la Liberté, Alger. Le mercredi, supplément culturel (16 p.).

– Hebdomadaires :

Algérie-Actualité, 20, rue de la Liberté, Alger.
Révolution africaine, organe du Parti du Front de libération nationale (F. L. N.), 7, rue du Stade, Hydra-Alger.

L'Unité, organe de l'union nationale de la jeunesse algérienne, palais Zighout Youcef, boulevard Zighout-Youcef, Alger.

– Mensuels :

El Djeich, du Commissariat politique de l'armée, 3, chemin de Gascogne, Alger.
L'Algérien en Europe, 3, rue Joseph-Sansbœuf, 75008 Paris.

– Irréguliers :

El Djazaïria, Union des femmes algériennes (U. N. F. A.), villa Joly, avenue Franklin-Roosevelt, Alger.
Reflets, de la Commission algérienne pour l'U. N. E. S. C. O., ministère des Enseignements primaire et secondaire, avenue de Pékin, Alger.
Alger-Réalités, de l'Assemblée populaire communale de la ville d'Alger, Nouvel Hôtel de Ville, rue Hasselah-Hocine, Alger.

Tunisie

– Quotidien : *Le Temps*, 4, rue Ali Bach Hamba, Tunis. *L'Action*, boulevard du 9-avril 1938, Tunis.

– Biannuel : *Ibla*, 12, rue Djemaa-El-Haoua, Tunis.

– Irrégulier : *Alif*, J. Daoud, 24, rue Gamel-Abdel-Nasser, Tunis.

Maroc

– Quotidiens :

L'Opinion, 11, avenue Allal-Ben-Abdallah, Rabat.
Maghreb-Information, 46, rue de la Garonne, Rabat.

– Mensuel :

Lamalif, Loghlam-Presse, 27, rue d'Épinal, Casablanca.

Irréguliers :

Intégral, 7, rue Rouget-de-l'Isle, B.P. 935, Casablanca. Six numéros par an.
Pro-C, 9, rue Oulad-Ziane, Aviation-Rabat. Trimestriel (en principe).

Maisons d'Éditions

Algérie

SOCIÉTÉ NATIONALE D'ÉDITION ET DE DIFFUSION (S. N. E. D.), 3, boulevard Zighout-Youcef, Alger ; département éditions : 51, rue Larbi-Ben-M'Hidi, Alger.

Tunisie

MAISON TUNISIENNE D'ÉDITION (M. T. E.), 70, avenue de la Liberté, Tunis.

SOCIÉTÉ TUNISIENNE DE DIFFUSION (S. T. D.), 5, avenue de Carthage, Tunis.

C. E. R. E. S.-Productions, 8, avenue de Montplaisir, Tunis.

Maroc

ÉDITIONS MAGHRÉBINES, 5-13, rue Soldat-Roch, Casablanca.

SOCHEPRESS, 1, place Bandoeng, B.P. 693, Casablanca.

SHOOF, 21, rue Pierre-Mignard, Casablanca.
Alger, octobre 1976.

Le français en Afrique Noire

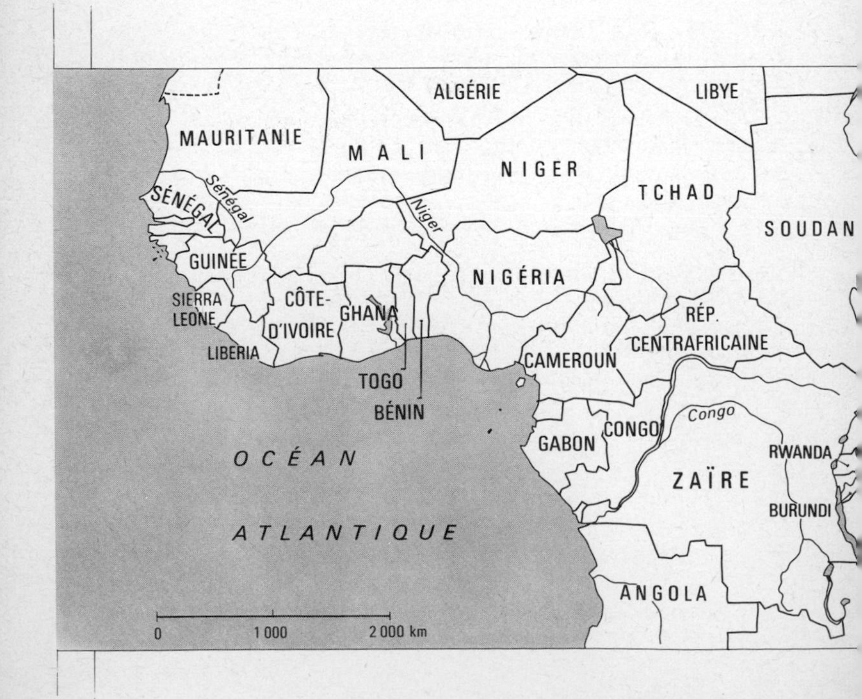

L'IMPLANTATION DU FRANÇAIS EN AFRIQUE NOIRE

Un des traits les plus constants de l'expansionnisme européen, en dehors de l'assujettisement économique et politique des territoires conquis, a toujours été l'exportation et la diffusion des langues occidentales aussi bien en Afrique qu'en Amérique. L'Afrique, pour sa part, apparaît à toutes les époques de son histoire comme l'un des meilleurs champs d'expansion des langues européennes puisque, d'une part, celles-ci constituent encore de nos jours les langues officielles de la quasi-totalité des États africains et que, d'autre part, les blocs politiques coïncident exactement avec les blocs linguistiques : on parle toujours d'Afrique anglophone ou francophone. Ces expressions qui disent clairement le rôle de la langue dans la naissance et le développement d'une nation nous conduisent donc, dans un premier temps, à retracer l'itinéraire et les modalités de l'implantation du français dans la partie de l'Afrique au sud du Sahara, naguère qualifiée d'Afrique occidentale française et d'Afrique équatoriale française.

Dès les débuts de l'installation française en Afrique, variable selon les territoires, l'école est apparue comme l'un des instruments privilégiés de la politique d'expansion et de maintien du fait colonial. La brochure officielle des instructions à l'usage des commandants de région et de cercle de 1889 stipule que « les écoles sont créées pour répandre notre civilisation et inspirer le plus loin et chez les plus grand nombre possible, le respect et l'amour de la France . . . ». Quelques décennies plus tard, dans un opuscule destiné au personnel enseignant dans les écoles de l'A. O. F. et édité par les soins du Gouvernement général à Dakar, J. L. Monod précise : « Notre enseignement ne pouvant encore s'adresser qu'à une infime minorité, doit être donné tout d'abord à une élite intellectuelle sans doute, mais surtout sociale, à celle qui détient l'autorité et nous seconde dans l'administration de ce pays . . . » Il ajoute toutefois, quelques pages plus loin : « Un minimum d'instruction élémentaire ayant pour base la connaissance du *français parlé tout au moins* est indispensable à l'indigène. Cette diffusion du français est une nécessité absolue . . . les indigènes deviendront plus confiants. Nos conseils économiques seront mieux compris, mieux écoutés. Leur goût s'affinera, leurs besoins grandiront et avec eux s'accroîtra leur puissance de consommation au profit de la métropole » (1) .

1 Cité par BLACHÈRE (J.C.), *Quelques aspects de l'implantation de la langue française en Mauritanie jusqu'en 1960*. Bulletin de l'IFAN, Tome XXXIV, série B, n° 4, oct. 1972.

On voit donc apparaître, dès le départ, une hésitation et une ambiguïté quant à l'enseignement et à la diffusion du français. Tantôt, en effet, il s'agit de favoriser l'émergence d'une classe d'intermédiaires, « d'aides subalternes de l'administration », tantôt d'étendre les bienfaits de notre langue au plus grand nombre dans un but politique et mercantile évident.

Quoi qu'il en soit, la stratégie de la France et de la Belgique va se traduire par l'institution d'un champ d'exclusion visant à déprécier systématiquement les langues africaines. Cette dévalorisation s'effectue de deux façons, d'une part au niveau du discours colonial (les langues africaines étant qualifiées de patois, au mieux de dialectes), d'autre part au niveau de la pratique politique (la connaissance du français permettant aux autochtones d'approcher et éventuellement de partager le pouvoir colonial). Il s'agit donc pour le colonisateur d'établir LA civilisation (c'est-à-dire SA civilisation) face au vide culturel supposé d'une Afrique réputée sauvage et barbare, projet qui débouche dans un premier temps sur la création d'une classe d'individus ayant en commun la maîtrise (variable) de la langue dominante : aristocratie locale, commerçants, interprètes, domestiques, lettrés . . . Au stade ultérieur la différenciation linguistique va s'établir non plus seulement selon l'échelle des classes, mais aussi en fonction d'un processus géographique ville contre campagne. Cette évolution s'accompagne d'un important changement de structure dans la mesure où les classes supérieures résidant à la ville tendent de plus en plus à abandonner leur langue au profit du français (il y a là comme le retour à un nouveau monolinguisme) tandis que le prolétariat urbain qui ne parlait que la langue dominée accède peu à peu à la langue dominante, donc devient à son tour en partie francophone. Seule la masse rurale, dans son immense majorité, continue à parler les langues africaines. Si l'on ajoute que l'administration, la justice, l'école et les mass media font un usage quasi exclusif du français, on voit qu'à la limite l'opposition entre le français et les langues vernaculaires a tendance à se transformer en opposition entre l'ancien et le nouveau, les langues africaines se trouvant obligées – à leur insu – de s'assumer comme langues du passé, donc langues rétrogrades. Il s'est d'ailleurs produit un phénomène semblable en France lorsque la IIIe République, soucieuse d'étendre son centralisme autoritaire à tous les domaines, s'attachait à présenter le breton comme « la langue des curés ».

Pour résumer cette rapide introduction on peut donc dire que la politique résolument assimilassionniste pratiquée en

Afrique noire s'articule autour de deux dogmes complémentaires. Le premier dogme se fonde sur l'idée (au demeurant sincère) que les colonisés ont tout à gagner à apprendre la langue du colonisateur, qui les introduira au monde moderne et à la civilisation. Le second de ces dogmes, conséquence logique du premier, c'est que les langues africaines son parfaitement impropres à l'enseignement comme à la recherche pour la raison déterminante qu'elles ne sont pas écrites.

Ainsi on aboutit dans la plupart des cas à une double situation linguistique lourde d'implications politiques : d'un côté le français, langue dominante liée aux formes les plus modernes de l'économie, du commerce et de l'administration, de l'autre, les langues africaines associées par l'opinion aux structures archaïques de production en même temps qu'aux formes de la vie sociale les plus proches de la tradition locale.

LE FRANÇAIS DANS LA VIE AFRICAINE LE FRANÇAIS À L'ÉCOLE (2)

Difficultés et problèmes de l'apprentissage. Le français est actuellement la langue de l'enseignement dans une vingtaine de pays africains dits francophones. A plusieurs reprises les gouvernements de ces États ont réaffirmé leur attachement à notre langue dont ils entendent faire l'instrument de leur progrès culturel, économique et social et, conséquence de ceci, chaque année des milliers d'enseignants français sont envoyés en Afrique pour y dispenser un enseignement assez peu différent de celui qui est pratiqué en France.

A première vue, on pourrait donc penser que le statut du français en Afrique ne diffère guère de celui qu'il détient en métropole. Ce serait gravement méconnaître le contexte linguistique et sociologique des pays africains qu'une rapide comparaison nous permettra peut-être d'éclairer. Si on prend en effet le cas de deux enfants, l'un français, l'autre africain, on peut retracer succinctement les étapes de leur apprentissage de la langue. Le premier, lorsqu'il arrive à l'école primaire vers l'âge de six ans, a déjà atteint une certaine maturité linguistique et possède en même temps qu'un vocabulaire de base l'essentiel des structures de sa langue. Les années de scolarité ont surtout pour but de préciser et de fixer ces connaissances préalablement acquises oralement par un double système de transcription de la parole et de

2 Cette étude s'inspire de l'enquête réalisée en 1964 par le CLAD sous le titre « Le français au Sénégal en milieu scolaire ». Ronéot.

décodage de l'écriture. On observe donc, dans le cas qui nous occupe, que l'apprentissage de la langue écrite se fait avec un décalage de plusieurs années par rapport à l'apprentissage de la langue parlée.

En nous attachant maintenant au second exemple envisagé, celui d'un enfant africain de six ans issu d'un milieu modeste, on constate qu'à son arrivée à l'école, il est généralement traité, sur le plan pédagogique, comme s'il était un enfant français familier de sa langue depuis les premiers balbutiements. Or nous savons bien que non seulement cet enfant n'a jamais entendu parler français dans son entourage, mais qu'en outre il a déjà acquis de solides habitudes dans sa langue maternelle et que ces habitudes vont inéluctablement contrarier son apprentissage du français. Si l'on ajoute que le français qu'il apprend est principalement la forme écrite de la langue (souvent même dans ses aspects les plus littéraires) on en conclut que l'enfant africain scolarisé doit apprendre à écrire avant de savoir parler !

A cette absurdité d'une méthode inadaptée vont s'ajouter très souvent des difficultés inhérentes au milieu familial dont est issu l'enfant. D'une part, la scolarisation n'est vraiment acceptée par l'ensemble de la population africaine que depuis une dizaine d'années, ce chiffre devant d'ailleurs être nuancé quand il s'agit des filles, et d'autre part l'attitude de la famille demeure souvent ambiguë devant l'école. Si elle doit permettre de « faire un fonctionnaire » le plus rapidement possible, l'école occidentale suscite encore simultanément une certaine méfiance, principalement en pays musulman, où elle se pose en rivale de l'école coranique. Alors que l'école coranique apprend à l'enfant à se discipliner et à se concentrer, l'école française exige en effet de lui une rupture profonde avec sa langue maternelle et, partant, avec tout le milieu traditionnel, car les acquisitions scolaires exigent paradoxalement une coupure radicale avec la vie quotidienne. Dans les cas les plus favorables, les parents font tout ce qu'ils peuvent pour que les enfants restent le plus longtemps possible à l'école, mais ils n'ont que très rarement conscience de l'épreuve et du désarroi que cette situation représente pour eux.

LE POUVOIR EST AU BOUT DU DICTIONNAIRE

Dans son roman en grande partie autobiographique *Climbié*, Bernard Dadié a mis en scène le personnage d'un jeune garçon que ses parents ont décidé d'inscrire à l'école des Blancs. Nous sommes en pleine période coloniale, à l'époque où le problème n'est plus de savoir si on doit ou non envoyer ses enfants à l'école, mais de les envoyer à tout prix, car les places sont chères. « Dans le monde actuel il faut savoir lire et écrire pour être vraiment quelqu'un », déclare à son fils Papa N'Dabian, et c'est à peu près le même langage que tiennent les vieux au moment du départ des enfants pour Bingerville : « Surtout ne vous faites pas renvoyer pour des bêtises. Nous comptons sur vous . . . Pour le moment il s'agit de travailler. Vous récolterez ce que vous aurez semé . . . Dans le monde actuel les ignorants n'ont plus de place. L'homme instruit est un lion . . . »

On sait cependant que l'enseignement du français en Afrique ne pouvait s'adresser indistinctement à tous les enfants et qu'il a revêtu d'emblée un caractère éminemment sélectif, dans la mesure où il était essentiellement destiné aux fils de chefs et de notables dont l'administration coloniale recherchait la collaboration. Après l'école préparatoire, seuls en effet les meilleurs élèves étaient dirigés vers l'école élémentaire la plus voisine, les autres étant « rendus à leur famille », euphémisme qui signifiait qu'en fait ils retournaient à l'analphabétisme. Langue des commerçants, des fonctionnaires et des commis, des domestiques, en un mot de tous ceux qui traitaient avec le pouvoir colonial, le français a donc rapidement évolué vers un statut ambigu : langue de dialogue avec l'Occident conquérant, il était simultanément l'instrument qui permettait d'accéder à un certain pouvoir, économique ou politique.

Depuis l'accession à l'indépendance, les choses n'ont guère changé et le français demeure l'atout majeur de la promotion sociale, puisqu'il est à la fois la langue des affaires, de l'administration omniprésente et de la politique. C'est en effet en français que les leaders de l'indépendance et de l'unité africaine ont forgé leur éloquence persuasive dans les congrès internationaux, et parodiant une formule célèbre, on peut dire qu'en Afrique « le pouvoir est au bout du dictionnaire » !

Toutes ces raisons expliquent que les gouvernements indépendants d'Afrique noire de la zone d'influence française et belge ont pour la plupart opté en faveur de la francophonie et recherché le chemin de l'unification et de la centralisation dans la francisation de l'enseignement. Dans ces conditions on ne s'étonnera donc pas que le français soit à la fois la langue de l'école, de l'administration, de la presse, de la radio et de la télévision. Mais à partir du moment où la langue officielle n'est parlée ou comprise que par 10 pour 100 de la population globale, un tel choix comporte évidemment de graves implications tant au plan politique qu'idéologique. Ce qu'a bien montré Sembene Ousmane dans sa nouvelle intitulée *Le Mandat.*

LE FRANÇAIS ET LES LANGUES AFRICAINES QUEL AVENIR ? D'UN BILINGUISME DE FAIT À UN BILINGUISME DE DROIT

Le difficile passage d'une culture de l'oralité à une civilisation de l'écriture et la publication d'un assez grand nombre d'œuvres contemporaines, écrites en français par les Africains, a conduit un certain nombre de spécialistes à poser le problème de l'existence même de la littérature négro-africaine. Pour bon nombre de ces auteurs, le développement de cette littérature est en effet inséparable de la promotion des langues africaines, et ils estiment que dans le contexte actuel le prestige dont continue à jouir la langue de l'ancien colonisateur et l'ambiguïté de l'intelligentsia vis-à-vis du problème linguistique ne favorisent guère leur émergence.

La culture d'un pays est le reflet de la situation de dépendance ou d'indépendance politique de ce pays. En particulier les langues d'un pays évoluent, stagnent ou même tendent à disparaître selon que ce pays jouit ou non d'une indépendance politique dont les conséquences se manifestent dans tous les domaines de la vie sociale et culturelle. Pendant la domination coloniale, les cultures africaines et leurs langues d'expression ont subi le sort réservé aux cultures et à l'homme « primitifs » : si elles n'étaient pas ignorées, elles étaient niées.

Toutefois l'exemple de la littérature américaine qui en est venue à acquérir peu à peu droit de cité, tout en continuant à s'exprimer en anglais, a conduit certains critiques à penser que ce qui fondait l'originalité de l'œuvre littéraire procédait davantage de l'enracinement dans une tradition déterminée que de l'emploi de telle ou telle langue. C'est ainsi que Jahn (3) a tenté une approche de la littérature africaine à partir d'un certain nombre de critères destinés à en définir la finalité. Jahn s'attache essentiellement au contenu même de l'œuvre et pour lui le problème linguistique est un problème secondaire. De même pour le grand romancier nigérian Chinua Achebe, qui s'autorise du précédent de Joseph Conrad, écrivain polonais écrivant en anglais, la langue

3 JAHN (J.), *Muntu, l'homme africain et la culture néo-africaine*, Paris, Seuil, 1961.

anglaise paraît tout à fait capable de porter le poids de l'expérience africaine et d'en rendre compte de façon satisfaisante.

Il y a là, nous semble-t-il, un point de vue dichotomique très discutable dans la mesure où il place d'un côté la langue et de l'autre la culture, comme si la culture se réduisait à une sorte de liquide neutre susceptible d'être versé sans dommage dans n'importe quelle outre. Or nous savons depuis quelques décennies, grâce aux recherches de la linguistique moderne, que la langue fait partie intégrante de la culture dont elle n'est qu'un des aspects. La culture d'un peuple est en effet par définition le lieu de sédimentation des manières de faire et de penser de ce peuple, et c'est en étudiant sa langue et sa grammaire que l'on parvient, pour une large part, à en saisir les articulations et la logique interne. On s'aperçoit alors que non contente de communiquer la pensée, la langue préside étroitement à son élaboration. Ainsi le fait d'utiliser une langue d'emprunt pour exprimer sa propre culture aboutit-il non seulement à une transformation du message mais à une véritable trahison. C'est ce qu'exprime le beau poème du Haïtien Léon Laleau, précisément intitulé « Trahison » :

« Ce cœur obsédant, qui ne correspond
Pas à mon langage ou à mes coutumes,
Et sur lequel mordent, comme un crampon,
Des sentiments d'emprunt et des coutumes
D'Europe, sentez-vous cette souffrance,
Et ce désespoir à nul autre égal
D'apprivoiser, avec des mots de France,
Ce cœur qui m'est venu du Sénégal ?

On peut donc estimer qu'une littérature africaine d'expression africaine est possible, à condition de bien vouloir s'en donner les moyens. Les raisons qui inclinent en faveur d'un tel choix sont d'ordre à la fois linguistique et politique.

SITUATION HISTORIQUE ET IDÉOLOGIQUE DE LA LITTÉRATURE AFRICAINE DE LANGUE FRANÇAISE

Lorsqu'en 1939 éclate la seconde guerre mondiale, l'Afrique, à l'exception du Libéria et de l'Égypte, constitue encore un vaste Empire colonial que se partagent les grandes puissances européennes et où elles détiennent la totalité du pouvoir politique et économique. Aucune ne met en doute la légitimité et la pérennité de sa puissance, toutes méprisent les mouvements nationalistes dont elles mésestiment d'ailleurs largement l'importance réelle.

Pourtant, face au maître blanc, des hommes se lèvent qui refusent le racisme et l'injustice sociale ; ils entendent prouver que la prétendue « infériorité » des peuples colonisés n'est pas éternelle et leur recherche d'une personnalité négro-africaine s'ordonne autour de trois grandes idéologies :

– la Bible et le panafricanisme pour les anglophones ;

– la Déclaration des droits de l'homme pour les francophones ;

– l'Islam et le panarabisme pour l'Afrique méditerranéenne.

Les uns et les autres s'accordent toutefois pour dénoncer l'abîme qui sépare la théorie de la pratique, et tous veulent relever l'image du Noir, à ses propres yeux, comme à ceux du Blanc.

En 1945, quand s'achève la guerre, il apparaît soudain que la revendication politique a cheminé à pas de géant sous l'influence conjuguée de la révolution des transports et des communications, de l'arrivée de nouveaux coloniaux plus proches des autochtones et de l'urbanisation accélérée qui, en multipliant les échanges, ont permis à de nombreux Africains l'accession à des postes de responsabilité naguère réservés aux Européens.

Ainsi se forme une nouvelle classe moyenne africaine, avide de pouvoir et de considération, dont l'apparition coïncide avec le retour au pays natal des anciens combattants qui ont beaucoup vu et beaucoup retenu pendant leur séjour passé en Europe et exigent, en échange des sacrifices consentis, d'être enfin traités comme des hommes à part entière.

Le relativisme culturel

A ce mouvement des idées résultant du brassage humain auquel a donné lieu la guerre 39-45, il faut ajouter l'importance du courant du relativisme culturel dont témoignent les travaux des grands ethnologues français et allemands, Maurice Delafosse, Robert Delavignette, Georges Hardy, Théodore Monod et, bien entendu, Leo Frobenius.

Sous leur influence se fait en effet peu à peu jour l'idée que le modèle européen n'est peut-être pas le seul existant et, à la notion d'États africains anarchiques livrés aux seuls caprices de l'instinct, tend à se substituer l'image de sociétés organisées selon des règles minutieuses, lentement façonnées par la tradition et l'histoire.

Théodore Monod est le plus sûr interprète du mouvement de revalorisation des civilisations précoloniales lorsqu'il affirme, dans la préface de *Karim* du Sénégalais Ousmane Socé : « Le Noir n'est pas un homme sans passé, il n'est pas tombé d'un arbre avant-hier. L'Afrique est littéralement pourrie de vestiges préhistoriques . . . Il serait donc absurde de continuer à la regarder comme une table rase, à la surface de laquelle on peut bâtir, ab nihilo, n'importe quoi. »

Ainsi finissent par s'imposer les deux notions conjuguées et complémentaires d'un pluralisme de civilisations et d'un relativisme des cultures.

Chaque culture, prise dans sa singularité, étudiée dans son originalité, possède sa propre valeur et ses propres richesses. La distinction fondamentale entre sociétés supérieures et sociétés inférieures, entre peuples civilisateurs et peuples à civiliser se trouve donc vidée de l'essentiel de son contenu intellectuel et moral.

Dans l'esprit de la très grande majorité de ceux qui le professent, ce pluralisme culturel ne vise d'ailleurs nullement à une remise en cause du fait de la colonisation. La plupart des anthropologues sont des coloniaux, et il est significatif que ce soit à Paris, en 1931, à l'occasion et sous l'égide de l'Exposition coloniale, que se soit tenu le premier congrès de l'Institut international africain.

Il n'en reste pas moins que l'une des bases essentielles de la bonne conscience colonisatrice des hommes du XIXe siècle, c'est-à-dire la conviction d'incarner, face à la barbarie, la seule forme valable de civilisation, se trouve définitivement démantelée.

La négritude

Cette prise de conscience de la spécificité et de la dignité des cultures africaines n'allait pas tarder à être assumée, et reprise en charge, par les intellectuels noirs rassemblés à Paris, donnant ainsi naissance au mouvement de la négritude.

On se souvient qu'en 1932 avait paru, sous le titre provocateur de *Légitime Défense*, une sorte de manifeste-programme rédigé par un groupe d'intellectuels antillais.

Ses auteurs, Étienne Lero, René Ménil et Jules-Marcel Monnerot, y dressaient un sévère réquisitoire contre leurs compatriotes accusés de mimétisme littéraire et de conformisme social, et proposaient simultanément un programme qui définissait dans ses grandes lignes la voie à suivre par l'écrivain antillais : une plus grande sincérité dans sa démarche et le recours à une thématique authentiquement africaine, recouvrant aussi bien le sentiment de sa révolte devant l'injustice sociale dont il est victime que l'expression de son lyrisme viscéral.

Pour diverses raisons, la tentative de *Légitime Défense*, plus politique que littéraire, fut sans lendemain et ne dépassa pas le niveau théorique. Elle devait toutefois éveiller des échos durables dans les rangs des intellectuels négro-africains du monde entier.

L'Étudiant noir

A l'apparition fulgurante de *Légitime Défense* succéda en effet un petit périodique corporatif intitulé *L'Étudiant noir*, rédigé par un groupe d'étudiants africains et antillais, réunis autour d'Aimé Césaire, de Léopold Senghor et de Léon Damas.

On sait en réalité peu de choses sur les activités de *L'Étudiant noir* qui, si l'on en croit Léon Damas, se proposait surtout « de mettre fin au système clanique en vigueur au Quartier Latin » et de rattacher les Noirs à leur histoire, leurs traditions et leurs langues ».

« Nous étions alors plongés, a écrit Senghor, avec quelques autres étudiants noirs, dans une sorte de désespoir panique. L'horizon était bouché. Nulle réforme en perspective, et les colonisateurs légitimaient notre dépendance politique et économique par la théorie de la table rase. Nous n'avions, estimaient-ils, rien inventé, rien créé, ni sculpté, ni peint, ni chanté . . . Pour asseoir une révolution efficace, il nous fallait d'abord nous débarrasser de nos vêtements d'emprunt, ceux de l'assimilation, et affirmer notre être, c'est-à-dire notre négritude. »

Désireux de se démarquer par rapport à son prédécesseur, *L'Étudiant noir* rejeta en grande partie les thèses de *Légitime Défense*, jugées trop assimilationnistes, et préconisa un repliement fervent autour des valeurs culturelles spécifiquement nègres.

Le rejet porta en grande partie sur le marxisme et le surréalisme, soupçonnés d'être des forces de récupération. C'était l'époque où le mouvement de l'Internationale communiste recherchait l'amitié des peuples colonisés, mais cette motivation n'était rien moins que désintéressée, et l'approche des problèmes coloniaux se faisait unilatéralement en fonction d'une stratégie révolutionnaire dont l'Europe continuait à constituer l'unique pivot.

Conscients que les voies africaines et les voies du marxisme divergeaient sur bien des points, les membres du groupe de *L'Étudiant noir* restèrent donc à l'écart du mouvement communiste, tout en reconnaissant au socialisme son incontestable valeur en tant que méthode de recherche et technique de révolution politique.

Quant au surréalisme, en dépit des liens qui unissaient le groupe de *L'Étudiant noir* à Philippe Soupault et à Robert Desnos, il ne fut, semble-t-il, qu'un moyen passager au service d'une recherche originale. Dans la postface des *Éthiopiques*, Léopold Senghor prétend en effet avoir été finalement peu marqué par l'esthétique d'André Breton :

« La vérité est que j'ai surtout lu, plus exactement écouté, transcrit et commenté des poèmes négro-africains ... Si l'on veut nous trouver des maîtres, il serait plus sage de les chercher du côté de l'Afrique. » Cette double prise de distance par rapport aux maîtres occidentaux s'accompagne d'une véritable déclaration de guerre à l'Europe : en même temps que le conflit des cultures est posé comme essentiel et définitif, on proclame la nécessité d'une révolution culturelle ayant pour objectifs la réconciliation des Noirs avec eux-mêmes, l'affirmation de leur singularité ethnique et la reprise en main de leur propre destin :

« Que veut le jeune Noir ? s'interroge Léopold Senghor. Vivre. Mais pour vivre vraiment il faut rester soi. L'acteur est l'homme qui ne vit pas vraiment. Il fait vivre une multitude d'hommes, mais il ne se fait pas vivre. La jeunesse noire ne veut jouer aucun rôle, elle veut être soi.

« L'histoire des Nègres est un drame en trois épisodes. Les Nègres furent d'abord asservis (des idiots et des brutes, disait-on) ... Puis on tourna vers eux un regard plus indulgent. On s'est dit : ils valaient mieux que leur réputation. Et on a essayé de les former. On les a assimilés. Ils furent à l'école des maîtres de grands enfants, disait-on. Car seul l'enfant est perpétuellement à l'école des maîtres.

« Les jeunes Nègres d'aujourd'hui ne veulent ni asservissement, ni assimilation. Ils veulent l'émancipation. « Des hommes, dira-t-on, car seul l'homme marche sans précepteur sur les grands chemins de la pensée ... »

LES TROIS ÂGES DE LA LITTÉRATURE AFRICAINE

Dans *Les Damnés de la terre* Frantz Fanon consacre une série de réflexions à décrire l'attitude de l'homme de culture face à l'éveil des nationalités. Après avoir remarqué que dans un premier temps « l'intellectuel colonisé s'est jeté avec avidité dans la culture occidentale », il observe un second temps, au cours duquel tout cet acquis culturel se trouve rejeté au bénéfice du passé africain et des valeurs traditionnelles qu'il draine. Cette analyse permet à Fanon d'esquisser une périodisation de la production littéraire africaine, qui, selon lui, se distribue en trois temps. « Dans une première phase, l'intellectuel colonisé prouve qu'il a assimilé la culture de l'occupant ... l'inspiration est européenne et on peut aisément rattacher ces œuvres à un courant bien défini de la littérature métropolitaine ... Dans un second temps, le colonisé est ébranlé et décide de se souvenir. Enfin, dans une troisième période dite de combat, le colonisé, après avoir tenté de se perdre dans le peuple, de se perdre avec le peuple, va au contraire secouer le peuple. Au lieu de privilégier la léthargie du peuple il se transforme en réveilleur de peuple. »

Écrites au moment même où la plupart des États africains accédaient à l'indépendance, ces lignes nous paraissent avoir gardé toute leur pertinence, mais nous bénéficions aujourd'hui d'une plus grande distance critique et le panorama que nous proposons ici s'en trouvera légèrement modifié. Il semble bien, en effet, que la première phase ait tout au plus la valeur d'un jalon et soit sans grande importance intrinsèque : nous ne lui consacrerons qu'un bref développement. Par contre, nous mettrons davantage l'accent sur les raisons qui ont poussé les écrivains africains à s'exprimer d'abord sous une forme lyrique, quitte ensuite à accorder leurs suffrages au genre romanesque. Enfin nous consacrerons un développement à un genre qui n'avait pratiquement pas encore vu le jour au moment où Fanon écrivait *Les Damnés de la Terre*, le théâtre.

La poésie

• *une poésie d'épigones*

L'imitation des écrivains de la métropole est surtout sensible chez les poètes des Antilles et d'Haïti. Dans les îles tout se passe en effet comme si les seuls modèles dignes d'intérêt ne pouvaient se recruter que dans les rangs décadents des romantiques, des symbolistes et des parnassiens français. A la fois par conformisme social et par servilité littéraire on imitera donc à qui mieux mieux Baudelaire, Hugo, Verlaine, Leconte de Lisle, Théodore de Banville ou José Maria de Heredia. Le résultat de cette attitude, c'est une littérature de pastiche qui passe totalement à côté de la réalité indigène et qui, en définitive, n'intéresse véritablement personne. Littérature de pastiche en effet, car elle se moule dans une prosodie très classique (usage de l'alexandrin et du sonnet par exemple) et se complaît dans le développement des thèmes les plus conventionnels, la description des paysages exotiques, les évanescences crépusculaires ou les idylles mélancoliques chuchotées sur le mode mineur.

Par contre, au nom de la convenance et de la tradition culturelle gréco-latine, les poètes antillais ou haïtiens se gardent bien de faire la moindre allusion soit à la dure réalité sociale qui les environne, soit aux émotions profondes qui les bouleversent, et ils s'évertuent à camoufler leur passion et leur être authentique derrière une façade hypocrite afin de plaire à un public élitaire et mondain, pour qui il n'y a de salut que dans la décalcomanie scrupuleuse des modèles occidentaux. Suzanne Césaire a donc beau jeu de dénoncer la vanité d'une poésie dont l'abâtardissement n'a d'égal que la prétention. Examinant l'œuvre d'un poète martiniquais, John-Antoine Nau, elle écrit en effet en 1941 dans la revue *Tropiques* : « De la littérature ? oui. Littérature de hamac. Littérature de sucre et de vanille. Tourisme littéraire . . . Allons, la vraie poésie est ailleurs. Loin des rimes, des complaintes, des alizés, des perroquets. Bambous, nous décrétons la mort de la littérature doudou. Et zut à l'hibiscus, à la frangipane, au bougainvillier. La poésie martiniquaise sera cannibale ou ne sera pas ! »

Faute d'études précises sur la question, nous sommes beaucoup moins bien renseignés sur le mouvement poétique de langue française en Afrique noire à l'époque qui nous préoccupe. Dans l'anthologie consacrée à ce qu'il appelait en 1947 « les différentes cultures franco-indigènes », Damas note en effet avec juste raison le peu d'intérêt porté par les revues éditées dans la colonie (comme *La Revue de Madagascar*) aux productions des écrivains coloniaux. D'ailleurs s'il accorde une large place aux poètes antillais, malgaches et guyanais, Léon Damas limite le chapitre Afrique Noire aux seuls noms de Léopold Senghor et de Birago Diop.

Léopold Senghor lui-même n'échappe pas non plus tout à fait aux reproches d'imitation, et sans doute vaut-il mieux que les rats aient mangé le manuscrit du poème qu'il composa en 1927 à l'occasion de la naissance de son neveu, et que marquait fortement, s'il faut en croire Armand Guibert, l'empreinte du symbolisme et du Parnasse . . .

A Madagascar les choses n'étaient guère différentes puisque les premières œuvres de J.-J. Rabearivelo sont fortement influencées par l'école poétique française, engagée, de Baudelaire au Parnasse, dans la composition de pièces brèves tendant vers la poésie pure ou l'impassibilité.

• *une grande flambée lyrique*

– Pourquoi la poésie ?

La publication de *Pigments* de Léon Damas en 1937, suivie deux ans plus tard par celle du *Cahier d'un retour au pays natal* de l'Antillais Aimé Césaire, a marqué le coup d'envoi du mouvement de la négritude auquel est bientôt venu se joindre le poète sénégalais Léopold Senghor. De la conjonction de ces trois hommes et de quelques autres (en particulier le Malgache J. Rabemananjara) devait naître une extraordinaire flambée poétique qui restera comme le témoignage passionné de l'expression lyrique de la révolte et de la renaissance militante de la culture africaine.

A l'origine de ce sursaut il y a le désir commun à tous ces hommes d'échapper à la suprématie de la culture blanche et de revenir vers des racines ingorées. Selon Fanon ce « mouvement de repli » commande et explique en grande partie une écriture qui ne peut être que lyrique : « Style heurté, fortement imagé, car l'image est le pont-levis qui permet aux énergies inconscientes de s'éparpiller dans les prairies environnantes. Style nerveux, animé de rythmes, de part en part habité par une vie éruptive . . . »

Il est donc naturel qu'en renouant avec leurs racines africaines, les poètes de la négritude aient retrouvé enfouis au fond d'eux-mêmes les chants et les mots de leur enfance. Léopold Senghor le reconnaît d'ailleurs très volontiers quand il écrit dans la postface aux *Éthiopiques* : « Puisqu'il faut m'expliquer sur mes poèmes, je confesserai encore que presque tous les êtres et choses qu'ils évoquent sont de nos cantons . . . Il m'a donc suffi de nommer les choses, les éléments de mon univers enfantin pour prophétiser la cité de demain, qui renaîtra des cendres de l'ancienne, ce qui est la mission du Poète. »

J.-P. Sartre pour sa part affirme dans « Orphée noir » que si les intellectuels africains ont d'abord choisi la poésie pour dire leur profond malaise, c'est à la fois parce que l'expression de la révolte est incompatible avec l'esprit d'analyse et d'abstraction qui définit la prose, et ensuite parce que l'Africain entretient avec le monde des rapports d'ordre affectif qui se traduisent naturellement par des chants et par des danses. Ainsi, à une « prose d'ingénieurs », caractéristique de l'Occident, s'oppose une « poésie d'agriculteurs ».

– Les Étapes

Le premier à entonner la trompette de la négritude avant la lettre fut le Guyanais Léon Damas dont le recueil *Pigments* exprimait la nostalgie d'un passé irrémédiablement perdu – « rendez-les-moi mes poupées noires que je joue avec elles » – avant de clamer brutalement sa révolte d'assimilé et de blanchi malgré lui. Deux ans plus tard, dans l'indifférence générale, le *Cahier d'un retour au pays natal* faisait écho au cri de Léon Damas. Après s'être attaché à démystifier le faux pittoresque des îles, le poète procède à une prise de conscience graduelle de son aliénation, affirme sa volonté d'assumer totalement la souffrance de son peuple bafoué et exalte avec fougue les valeurs de la négritude retrouvée. En 1945, au lendemain de la guerre, Léopold Senghor fait entendre sa voix dans les *Chants d'ombre* suivis trois ans plus tard par *Hosties noires*. Dans ces deux recueils, Léopold Senghor entreprend un pèlerinage au royaume d'enfance qui lui permet de retrouver le tuf originel dans lequel ils s'enracine profondément, mais le souvenir des nuits de jadis n'oblitère pourtant pas les souffrances de l'exil, de la solitude et de la haine. Pourtant le poète veut pardonner les offenses de cette France « qui dit bien la voie droite et chemine par des sentiers obliques » et il affirme sa volonté de réconcilier le monde noir et le monde occidental. A peu près à la même époque, dans sa prison, le poète malgache J. Rabemananjara achève *Antsa*, hymne patriotique dédié à la liberté.

En 1948, Léopold Senghor publie l'anthologie de la poésie nègre et malgache qui, du même coup, fait connaître au grand public les œuvres des poètes noirs d'expression française, tandis que la retentissante préface de J.-P. Sartre orchestre à grands coups de cymbales la reconnaissance de la négritude et tente simultanément d'en ordonner les intentions. La décennie qui devait mener aux indépendances n'a pas été inféconde – en 1956 sont publiés les *Éthiopiques* de Senghor, en 1959 *Ferrements* d'Aimé Césaire – et elle voit la montée d'une nouvelle génération poétique avec des hommes comme Tchicaya (*Le Mauvais Sang, Feux de brousse*) Édouard Maunick (*Les Manèges de la mer*), René Depestre, J. B. Tati-Loutard, Maxime N'Debeka, Patrice Kayo (*Hymnes et sagesse*), Francis Bebey, Malick Fall (*Reliefs*) Lamine Diakhaté (*Primordiale du sixième jour*), etc.

– Les thèmes

On sait que l'irruption de l'Occident en Afrique, à la fin du XIXe siècle, a eu pour conséquence la destruction des structures administratives, politiques, religieuses et culturelles de la cité africaine. La langue des Blancs relègue au second plan les parlers du cœur, tandis que les fétiches sont jetés dans les brasiers allumés par des missionnaires trop zélés. Simultanément, le langage de l'administration et du maître d'école exalte les valeurs héritées du siècle des philosophes, l'ordre, la raison, le progrès. Dans ces conditions on comprend mieux pourquoi la poésie africaine est d'abord voyage aux sources ancestrales et redécouverte des masques primordiaux :

« **Afrique mon Afrique**
Afrique des fiers guerriers
Afrique dans les savanes ancestrales », chante David Diop.

Mais on aurait tort de ne voir dans cet élan qu'une simple nostalgie, car pour le poète il s'agit en fait de donner toute sa valeur au contrat qui le lie intimement aux forces du cosmos. En Afrique il n'y a pas rupture entre le monde des vivants et le monde des morts, et le langage poétique a précisément pour fonction de dévoiler et d'exprimer les affinités existant entre ces deux univers complémentaires. Au lieu d'essayer de dominer le monde, l'homme africain va donc chercher à s'y intégrer de toutes ses forces :

« Eïa pour ceux qui n'ont jamais rien inventé
pour ceux qui n'ont jamais rien exploré
pour ceux qui n'ont jamais rien dompté
mais ils s'abandonnent, saisis, à l'essence de toute chose
ignorants des surfaces mais saisis par le
mouvement de toute chose
insoucieux de dompter, mais jouant le jeu du monde
véritablement les fils aînés du monde. »

(Aimé Césaire)

Pourtant il arrive un moment où les valeurs du passé ne suffisent plus à compenser les souffrances du présent. Alors la poésie devient l'arme miraculeuse de la révolte et Léopold Senghor peut s'écrier : « Je déchirerai les rires Banania sur tous les murs de France. »

Avec l'indépendance s'achève la première partie de ce voyage qui a conduit le poète « des rives du soir aux rives du matin ». Mais un acte politique ne suffit pas pour retrouver ce qui a été en partie perdu : l'âme. Le poète va donc tenter de dépasser son angoisse d'homme écartelé entre deux cultures pour rejoindre son moi profond et authentique. Cette démarche explique le caractère de quête orphique revêtu par bon nombre des œuvres poétiques africaines, du *Cahier d'un retour au pays natal* de Césaire à *Feu de brousse* et *Épitomé* de Tchicaya. S'il clame son malheur de déraciné, Tchicaya veut néanmoins entonner le chant de renaissance de la fraternité retrouvée entre tous les hommes et il ne craint pas d'envoyer la négritude à tous les diables. Appartenant à la même génération, et situé au confluent de plusieurs races, le poète mauricien Édouard Maunick étonne par le ton violent et passionné de son message, tandis que René Depestre, originaire d'Haïti, chante le cheminement des hommes nouveaux qui « trébuchent dans la matinale lourdeur ».

A l'heure actuelle, la poésie africaine se partage en trois courants essentiels, les continuateurs de la négritude, les révolutionnaires et, à mi-chemin de ces deux tendances, ceux que nous appellerons les poètes du « comment vivre ? »

Le roman

Avec l'émancipation des territoires d'outre-mer, l'Afrique émerge de plus d'un siècle de soumission et accède enfin au libre droit de disposer d'elle-même. C'est le moment que choisissent bon nombre de poètes pour casser leur plume (parfois provisoirement, les *Lettres d'hivernage* de Senghor parues en 1973 en sont la preuve) et remiser kôras et balafons, tandis que les romanciers font leur entrée en scène. Un rapide coup d'œil sur la chronologie des principaux romans africains montre en effet que la plupart furent écrits de 1954 à nos jours, c'est-à-dire au moment même où la cité africaine commençait à prendre conscience d'elle-même. Toutefois l'Afrique n'a pas attendu l'accès à l'indépendance de la plupart des États qui la constituent et par conséquent sa rentrée dans l'histoire, pour témoigner de sa problématique au niveau romanesque. On se souvient sans doute en effet qu'en 1921 les jurés du prix Goncourt provoquèrent un véritable scandale en couronnant le roman du Guyanais René Maran, *Batouala*, dans lequel étaient évoqués les ravages provoqués par une exploitation mercantile incontrôlée dans plusieurs territoires de l'Oubangui-Chari. *Batouala* avait d'ailleurs été précédé en 1920 par *Les Trois Volontés de Malick* écrit par l'instituteur sénégalais Mapathé Diagne, et il fut suivi en 1926 par le célèbre *Force-Bonté*, œuvre du tirailleur Bakari Diallo. Enfin en 1935 paraissait *Karim, véritable roman sénégalais* dû à la plume d'Osmane Socé, un des membres de *L'Étudiant noir*.

Cette irruption du roman à l'horizon africain s'explique sans doute par le fait que toute prose est nécessairement fonctionnelle, et qu'il fallait des romanciers pour tenter de rendre compte de la nouvelle société en train de s'édifier sous leurs yeux. Avec la part d'arbitraire et de schématisme implicite à toute démarche de ce type nous tenterons simultanément de décrire les directions essentielles dans lesquelles s'est engagé le roman africain, de dégager la problématique qui s'y exprime et enfin de poser la question de la pertinence du roman en tant que genre littéraire importé.

Au départ il y a la contestation. Dans *Les Bouts de bois de Dieu*, le Sénégalais Sembene Ousmane, qui a été successivement docker, écrivain et cinéaste met en scène en groupe de syndicalistes aux prises avec l'administration coloniale. L'auteur part d'une situation vécue, la grève du chemin de fer Dakar-Niger en 1947-1978, pour dénoncer dans le roman la corruption et la médiocrité des chefs traditionnels, complices du pouvoir blanc, et leur opposer l'abnégation et le courage des militants, hommes et femmes confondus, qui n'hésitent pas à affronter les forces de répression coloniale pour faire triompher leur légitime revendication. Le même souci de rendre sa dignité à l'Africain exploité et humilié apparaît dans les deux chefs-d'œuvre de Ferdinand Oyono, *Le Vieux Nègre et la médaille* et *Une vie de boy*. Le premier de ces romans narre l'épisode tragi-comique au cours duquel le vieux Méka, un brave paysan camerounais, est successivement décoré par le haut-commissaire puis, à la suite d'une méprise, insulté, brutalisé et emprisonné par ceux-là mêmes qui exaltaient l'amitié et la fraternité entre tous les hommes. Quant à Toundi, le héros malheureux de *Une vie de boy*, il meurt victime de sévices pour avoir été le témoin involontaire des amours coupables de la femme du commandant de cercle avec le régiseur de la prison.

Mongo Beti se montre encore plus acerbe dans la dénonciation des maux liés à la colonisation. Dans ses quatre premiers romans échelonnés de 1954 à 1958, *Ville cruelle, Le Pauvre Christ de Bomba, Mission terminée* et *Le Roi miraculé*, cet auteur camerounais s'attache à peindre de façon assez pessimiste la dégradation de la société africaine traditionnelle au contact de la civilisation européenne. Ses personnages, fascinés par l'univers frelaté de la ville sont peu à peu dépouillés de leurs dieux, coupés de leurs racines et on les voit s'enliser progressivement dans la logomachie, l'irresponsabilité ou la fuite vers d'improbables paradis urbains. Enfin dans *Sous l'orage* le Malien Seydou Badian aborde les délicats problèmes du mariage. Son roman est un réquisitoire aussi bien contre l'autorité abusive des anciens que contre la domination européenne au Soudan, et il constitue un témoignage précieux sur l'évolution de ce pays à la veille des changements politiques qui devaient le conduire à l'indépendance.

Au moment même où ils contestent la société coloniale, les romanciers éprouvent le besoin de se reconnaître dans les héros du passé. Ce besoin d'identification à des images prestigieuses d'une époque révolue explique le succès rencontré par toute une littérature de récits épiques, de chroniques ou de contes et légendes qui, en exaltant le culte du héros et en restituant la mémoire des temps anciens, se proposent de fournir aux Africains d'aujourd'hui des témoignages authentiques sur une culture du passé trop longtemps méprisée. Au milieu de toutes ces figures, deux noms se détachent : Soundjata et Chaka.

Soundjata, ou l'épopée mandingue du Guinéen Djibril Tamsir Niane, qui fait songer à la fois à Homère et à la *Chanson de Roland*, nous raconte comment les Keita sont parvenus à constituer le prestigieux empire du Mali. Quant à Chaka, qui entreprit au début du XIXe siècle de rassembler les tribus d'Afrique australe, il préfigure à sa manière la mystique de l'unité africaine incarnée par Lumumba ou Nkruma.

Crépuscule des temps anciens du Voltaïque Nazi Boni narre la chronique des Bowé sur près de trois siècles, et évoque la décadence au moment de l'arrivée des premiers Blancs. Pour sa part, le Congolais Jean Malonga raconte l'histoire de sa tribu dans *La Légende de M'Pfoumou Ma Mazono*. A ce courant historico-ethnographique se rattachent *Cette Afrique-là* de Jean Ikele Matiba, *Fadimata la princesse du désert* du Soudanais Ibrahim Mamadou Ouane, et bien entendu tous les contes recueillis par Birago Diop (*Les Contes* et *Les Nouveaux Contes d'Amadou Koumba*), Bernard Dadié (*Le Pagne noir*), Benjamin Matip (*A la belle étoile*), Joseph Brahim Seid (*Au Tchad sous les étoiles*), etc.

Quels que soient les prestiges du passé, c'est dans le présent que les nouvelles générations doivent inscrire leur destin. Pour beaucoup de jeunes Africains, formés aux disciplines et aux méthodes occidentales, le contact avec l'Europe va se traduire en effet par une grande difficulté à se situer au moment où ils reprennent contact avec le pays natal. Cette expérience parfois douloureuse fournit le sujet d'un certain nombre de romans de formation dont *L'Aventure ambiguë* du Sénégalais Cheikh Amidou Kane constitue le meilleur exemple. Histoire d'un véritable itinéraire spirituel, *L'Aventure ambiguë* reflète les hésitations et les doutes, puis finalement l'échec de Samba Diallo, l'enfant noir successivement élève de l'école coranique et de l'école française. Tandis qu'au pays des Diallobés un pathétique affrontement oppose les tenants de la tradition aux partisans des valeurs occidentales, Samba Diallo poursuit ses études de philosophie à Paris et découvre la difficulté de concilier en lui les exigences contradictoires de deux civilisations antagonistes : « Je ne suis pas un pays des Diallobés distinct face à un Occident distinct, et appréciant d'une tête froide ce que je puis lui prendre et ce qu'il faut que je lui laisse en contrepartie. Je suis devenu les deux. Il n'y a pas une tête lucide entre les deux termes d'un choix. Il y a une nature étrange, en détresse de n'être pas deux. » Le livre s'achève tragiquement par la mort de Samba Diallo assassiné au lendemain de son retour en Afrique par un fanatique. A cette veine du *Bildungsroman* se rattachent trois romans dans lesquels la part de l'autobiographie est importante : *L'Enfant noir* du Guinéen Camara Laye, *Climbié* de l'Ivoirien Bernard Dadié, et enfin *Kocoumbo, l'étudiant noir* d'Aké Loba.

L'angoisse sous-jacente à ces œuvres devient l'objet même de deux romans : *Un piège sans fin*, du Dahoméen Olympe

Bhely-Quenum, et *Le Regard du roi* de Camara Laye. Dans la première de ces œuvres, l'auteur raconte la pitoyable histoire d'Ahouna que persécute un destin implacable, tandis que *Le Regard du roi* met curieusement en scène un héros blanc, Clarence, qui poursuit une quête mythique à travers une Afrique fabuleuse. Aux côtés du *Devoir de violence*, du Malien Yambo Ouologuem, offrant le spectacle hallucinant d'une Afrique délirante livrée aux démons du mal et de la peur, je rangerais volontiers deux œuvres plus récentes, *Le Cercle des tropiques* du Guinéen Alioum Fantouré et *Remember Ruben* de Mongo Beti. Ces deux romans que je rapproche à dessein sont en effet situés dans un espace à mi-chemin du réel et de l'imaginaire, et ils servent de cadre à la déambulation incessante de deux personnages picaresques, bien incapables de trouver leur équilibre dans la jungle d'une nouvelle Afrique où règnent en maîtres absolus l'hypocrisie, le cynisme et l'ivresse bureaucratique de despotes parfaitement ubuesques.

On frôle ici un dernier genre qui renoue d'ailleurs d'une certaine façon avec les premières œuvres citées : il s'agit des romans du désenchantement dans lesquels la satire sociale et politique s'exerce désormais aux dépens des nouveaux maîtres de l'Afrique. C'est certainement pour l'instant Amadou Kourouma qui nous en fournit le meilleur exemple avec *Le Soleil des indépendances*, œuvre foisonnante et baroque dans laquelle ce romancier ivoirien met en scène un prince malinké déchu aux prises avec le parti unique et le président à vie d'une imaginaire république noire. Fama, qui a vu lui échapper la direction d'une coopérative et le secrétariat général d'une sous-section du parti, « ces deux plus viandés et gras morceaux des indépendances », doit finalement se contenter d'aumônes avant de faire connaissance avec les geôles du nouveau régime, pour avoir omis de raconter un rêve prémonitoire à ses supérieurs. Ironie, amertume, humour et fausse désinvolture donnent à ce récit singulier une tonalité tout à fait insolite, et en font un des plus grands romans africains contemporains. La même veine contestataire anime *Tribaliques* du Congolais Henri Lopez, féroce satire du régime de l'ex-président Fulbert Youlou, tandis que Sembene Ousmane continue le combat en conjuguant les prestiges de l'écriture livresque et cinématographique. Il a en effet porté à l'écran ses deux dernières œuvres, *Le Mandat* et *Xala*, qui constituent une redoutable dénonciation des abus perpétrés par les bourgeoisies « compradores » dépositaires de l'héritage colonial. *Le Mandat*, par l'intermédiaire de son héros Ibrahima Dieng, un pauvre chômeur illettré, met en scène le monde du petit peuple des bidonvilles installés aux portes de prospères métropoles africaines, et flétrit la morgue d'une nouvelle caste d'employés en col blanc et de fonctionnaires corrompus portés au pouvoir par l'indépendance. *Xala*, dernier roman de Sembene Ousmane, s'en prend au parasitisme d'une pseudo-bourgeoisie sénégalaise, incapable de s'émanciper de la tutelle exercée par de puissants groupes financiers étrangers. Enfin dans *Perpétue*, dernier roman de Mongo Beti, le désenchantement confine au désespoir puisque l'héroïne, au nom si symbolique, incarne le destin d'une Afrique déchirée et condamnée au malheur.

Reste maintenant à déterminer quel est l'avenir du roman en Afrique. Un certain nombre de critiques ont fait remarquer que le roman était un genre littéraire importé à la faveur de la colonisation, et qu'il convenait peut-être, pour cette raison, de le disqualifier. Sans vouloir entrer dans une vaine polémique, on peut faire à ce sujet deux observations. La première pour remarquer qu'en effet la plupart des écrivains africains ont été chercher leurs modèles chez les romanciers occidentaux, qu'il s'agisse de Balzac, Zola, Kafka ou Camus. Peut-être, tout au moins en ce qui concerne les deux premiers auteurs nommés, ces modèles sont-ils en partie responsables du caractère parfois un peu trop descriptif, voire linéaire ou scolaire, de certains romans africains à l'intérieur desquels la part de l'imaginaire et la nécessaire distance de l'écrivain vis-à-vis de son sujet nous semblent insuffisants. Il y a là sans doute une explication à la prolifération sans lendemain d'un grand nombre d'œuvres trop directement autobiographiques. Mais, d'un autre côté, on ne voit pas pourquoi l'Afrique ferait l'économie de la phase romanesque, dans la mesure où l'éclosion du roman coïncide un peu partout avec l'apparition d'une conscience nationale, (doublée souvent d'une conscience de classe) et permet aux hommes de se situer à la fois dans l'espace et dans le temps et de mieux comprendre leur place dans le monde moderne.

Le théâtre

• *Le théâtre traditionnel*

La question de décider s'il a existé ou non un théâtre traditionnel africain suscite de nombreuses controverses dont l'origine réside dans la définition même de la notion de théâtre. Il est certain que si l'on se réfère au cadre rigide de la scène à l'italienne, avec ses décors peints et la ségrégation rigoureuse des acteurs et des spectateurs qui caractérise encore très souvent les représentations dramatiques en

Occident, on peut répondre qu'effectivement le théâtre n'existait pas dans l'Afrique d'autrefois. Par contre, si on pense aux spectacles de la Grèce antique ou aux célébrations liturgiques du Moyen Âge, dont le caractère est essentiellement religieux, on voit clairement que l'Afrique a connu et pratiqué le théâtre depuis ses origines. Dans la mesure, en effet, où l'existence même de la communauté rurale traditionnelle s'enracine dans un faisceau de croyances manifestées par des rites cycliques, eux-mêmes fondés sur le rythme des travaux et des jours, on assistera donc périodiquement à des cérémonies, à des fêtes qui ont pour objet de manifester la présence au monde de l'homme africain dans ses rapports multiples et complexes avec les dieux comme avec les autres hommes. Les occasions de ces répésentations sont nombreuses et apparaissent essentiellement liées aux moissons, aux cultes des ancêtres, aux initiations et bien entendu à tous les actes fondamentaux de l'existence humaine, la naissance, le mariage, la mort. En marge de ces manifestations solennelles, la vie quotidienne suscite en outre de multiples possibilités de dramatisation, par exemple lors de la récitation d'un mythe ou d'un conte au cours d'une veillée villageoise. Dans toutes ces circonstances, les témoignages soulignent l'interpénétration étroite du geste, de la parole et de la musique et montrent que l'on est bien en présence d'une action théâtrale. Selon les cas, cette action théâtrale peut revêtir un caractère religieux ou profane et mettre l'accent tantôt sur le geste, tantôt sur la parole, tantôt sur le rythme. Les sorties de masques, le mvet (4) , les scènes du vaudou haïtien ou les récits des origines et des hauts faits de la tribu appartiennent de toute évidence au genre religieux, tandis que les contes animaliers dont le récitant chante, danse et mime les différentes péripéties, ou le *koteba* du Mali qui met cocassement en scène la femme, l'amant et le mari trompé, relèvent davantage du divertissement pur et simple.

Profane ou religieux, ce théâtre traditionnel a pour caractéristiques d'être à la fois synthétique et populaire. Il opère en effet une synthèse au double plan technique et rhétorique, puisque d'une part le conteur ou le griot fait le plus souvent office d'acteur total qui recrée le drame dans le temps même où il interprète à lui seul tous les rôles (dieux, hommes, animaux), et que d'autre part, ce théâtre mêle indistinctement la comédie, l'épopée et la tragédie et tend à restituer la vie dans son intégrité, rires et larmes confondus.

4 Au Cameroun le « mvet » désigne à la fois l'instrument (sorte de cithare), l'instrumentiste et le concert.

En second lieu, par ses sources comme par ses acteurs qui à l'exception des quelques spécialistes dont nous parlons plus loin se recrutent uniquement dans les rangs des villageois, ce théâtre traditionnel est essentiellement populaire : les thèmes sont en effet empruntés à la vie de tous les jours et les œuvres représentées, qui requièrent la participation effective des spectateurs, s'adressent indistinctement à tout le monde puisqu'elles sont jouées gratuitement sur la place publique.

Les buts de ce théâtre sont explicites : en donnant à chacun le sentiment de son appartenance au groupe, il permet de consolider l'ordre de la communauté et de faire passer à ses membres les messages pédagogiques indispensables à son maintien. Mais cette fonction didactique du théâtre traditionnel ne doit pas conduire à minimiser le rôle esthétique qui demeure très important : l'arrivée du joueur de mvet ou la célébration d'un rite sont toujours pour le village promesse de joie et de divertissement, fête.

- *Le théâtre de l'époque coloniale*

D'abord introduit par les pères missionnaires, le théâtre indigène d'expression française connaît à partir de 1930 un développement rapide dans le cadre de l'école William-Ponty au Sénégal. Cette école, qui avait pour mission de former les auxiliaires africains dont l'administration coloniale française éprouvait le besoin, a constitué en effet, sous l'impulsion de son directeur Charles Béart, un véritable laboratoire où s'élaborait une nouvelle esthétique dramatique. Pendant les grandes vacances les élèves étaient tenus d'enquêter dans le milieu traditionnel et devaient rédiger de courtes monographies sur les coutumes et les usages jugés les plus significatifs ; ensuite, à partir de ces enquêtes ethnographiques, il fallait monter des pièces qui étaient jouées lors de la fête de fin d'année en présence du corps enseignant et des membres de la bourgeoisie noire locale. Devant le succès de l'entreprise, l'activité théâtrale eut tendance à occuper une place prépondérante dans l'enseignement dispensé à l'école William-Ponty et certains élèves eurent même l'occasion de venir à Paris en 1937 pour y présenter un spectacle dans le cadre de l'exposition coloniale.

Après 1948, le nouveau système d'enseignement mis en place en A. O. F. sous la pression des événements qui commençaient à ébranler les empires coloniaux, bouleverse radicalement les structures et sonne le glas de William-Ponty. Toutefois, l'idée d'un théâtre indigène de langue française n'est pas totalement abandonnée puisque, à partir de 1954, les centres culturels créés par Bernard Cornut-Gentil encouragent et soutiennent la création dramatique.

A la même époque Keita Fodeba est amené à rompre avec la tradition de William-Ponty et il entreprend, tout en demeurant fidèle à la tradition, d'administrer la preuve que les œuvres anciennes sont susceptibles d'être exploitées pour des causes nouvelles, et capables par conséquent de s'intégrer au monde moderne. *Aube africaine*, poème dansé et joué, est salué avec enthousiasme par Frantz Fanon qui écrit : « Comprendre ce poème, c'est comprendre le rôle qu'on a à jouer, identifier sa démarche, fourbir ses armes. Il n'y a pas un colonisé qui ne reçoive le message contenu dans ce poème. »

• *Le théâtre contemporain*

A partir de 1954 et alors même que se déroule l'expérience des centres culturels, le théâtre africain s'engage dans la voie de la contestation et de la remise en cause de l'ordre colonial ; à partir de 1960 ce mouvement va s'intensifier, avec des pièces comme *La Mort de Chaka* de Seydou Badian, *Les Malheurs de Tchakô*, de Charles Nokan, *Monsieur Thogo-Gnini* de Bernard Dadié et *Trois Prétendants, un mari* de Guillaume Oyono.

Actuellement le théâtre africain semble se développer dans trois directions principales : la dénonciation du colonialisme et de ses séquelles, l'analyse du conflit des générations et la critique des mœurs politiques.

La dénonciation du colonialisme s'effectue souvent de façon indirecte par le truchement de pièces historiques qui ont pour fonction de revaloriser une histoire dénigrée, et de restaurer dans leur dignité des sociétés et des personnages du passé précolonial. A ce courant appartiennent *L'Exil d'Albouri* de Cheikh N'Dao, *Une si belle leçon de patience* de Massa Makan Diabate, *Kondo le requin* de Jean Pliya, *Sikasso ou la dernière citadelle* de Djibril Tamsir Niane.

Un second courant analyse les conflits qui résultent de l'affrontement de la tradition et du modernisme, le parasitisme familial, le problème de la dot, le mariage, la polygamie. Dans ce courant se range une pièce comme *Trois Prétendants, un mari* de Guillaume Oyono-Mbia.

Enfin la critique des mœurs politiques fait l'objet d'un troisième courant dont les auteurs stigmatisent la corruption, l'incivisme, l'appétit de pouvoir de la classe politique et dénoncent le hiatus croissant entre la masse rurale et une élite urbaine. Il faut ici classer des pièces comme *Monsieur Thogo-Gnini* de Dadié, *Les Termites* d'Eugène Dervain, *L'Homme qui tua le crocodile* de Sylvain Bemba, *Dieu nous l'a donné* de Maryse Condé et, bien entendu, *La Tragédie du roi Christophe* et *Une saison au Congo*.

• *Tendances actuelles*

Il semble donc qu'on en revient de plus en plus à une conception du théâtre engagé, ce qui ne fait d'ailleurs que renouer avec la tradition du théâtre africain qui s'est toujours manifesté comme l'expression de la conscience de la « cité ».

Dans ces conditions on ne s'étonnera donc pas que le théâtre de la dérision d'un Beckett ou d'un Ionesco n'ait guère suscité d'échos chez les dramaturges africains. Il s'agit en effet moins pour eux de sensibiliser leur public à une crise de civilisation que de le stimuler par la représentation efficace d'une société en pleine mutation, et ce souci didactique explique en grande partie pourquoi nous assistons actuellement à une telle prolifération du théâtre d'idées. Toutefois un tel théâtre représente des dangers car tous les dramaturges ne possèdent pas l'art consommé d'Aimé Césaire et ils peuvent fort bien dissimuler un talent médiocre sous le couvert d'idées politiquement justes. Si l'on en juge par le récent spectacle du festival de Nancy, une réaction semble s'esquisser au sein de certaines troupes dramatiques africaines en faveur d'un théâtre tournant délibérément le dos au texte. Ainsi, au cours du festival de 1971, la troupe du conservatoire de Kinshasa a-t-elle présenté un très beau spectacle intitulé *Le Jeu des vivants* qui est une méditation sur la naissance de l'homme africain en proie aux démons dès sa naissance, mais néanmoins toujours porté par l'espoir. Le spectacle qui s'articule autour de quelques mots clés laisse libre cours à l'invention gestuelle et à la danse, et il s'apparente aux recherches de Bob Wilson dans *Le Regard du sourd*.

Au même festival, on a également pu voir *Atlantagana* qui s'inspire d'une légende ivoirienne et raconte la création, à partir du chaos originel, de la terre, du soleil, de la lune, des plantes, des animaux et des hommes. Ce drame, entièrement dansé sur des chorégraphies traditionnelles, évoque le conflit permanent entre le dieu de la vie et le dieu de la mort, et présente l'originalité de ne pouvoir être joué que par des acteurs africains.

On voit donc d'après ces quelques exemples que le théâtre négro-africain contemporain cherche encore sa voie, et que son évolution probable résultera d'une synthèse entre le discours occidental et l'esthétique traditionnelle.

LA LITTÉRATURE AFRICAINE EN QUESTION

Un bilan modérément optimiste

Depuis l'attribution du prix Renaudot à l'écrivain malien Yambo Ouologuem pour son roman *Le devoir de violence*, en 1968, aucune récompense notoire n'est venue signaler à l'attention du public une œuvre romanesque nouvelle, et l'on doit convenir que les dernières années écoulées donnent plutôt le sentiment d'une stagnation dans le domaine de la production littéraire africaine de langue française. Kôras et balafons remisés, les hérauts de la négritude semblent en effet avoir renoncé à taquiner la muse : Léopold Senghor, le poète-président, a attendu plus de dix ans avant de donner une suite poétique à *Nocturnes*, tandis que Césaire se tournait vers la scène d'où il est d'ailleurs absent depuis 1969 ; quant à Tchicaya qui, pendant un moment, avait pu faire figure de chef de file de la nouvelle génération poétique, son dernier recueil, *Arc Musical*, remonte à 1970. Chez les romanciers, également, bien des voix se sont tues : celle de Camara Laye dont *L'Enfant noir* avait suscité les éloges quasi unanimes de la critique, comme celle de Cheikh Hamidou Kane, auteur de l'unique et remarquable *Aventure ambiguë*. Enfin depuis quelques années Sembene Ousmane a délibérément troqué le stylo contre la caméra, et entrepris d'adapter à l'écran quelques-unes de ses propres nouvelles : *La Noire de...*, *Le Mandat*, puis *Xala*. A propos de cet auteur, il convient d'ailleurs de relever une erreur tenace que l'on rencontre souvent sous la plume d'africanistes pourtant avertis : Sembene Ousmane n'a ni « abandonné l'écriture pour le cinéma » (A. Gérard) ni « rénoncé à l'œuvre écrite pour la langue universelle des images » (R. Mercier). La vérité est qu'il continue à écrire (il a publié *Xala* en 1974) tout en devenant son propre metteur en scène.

Ce trop rapide bilan semble donc indiquer que la littérature africaine contemporaine traverse une période de crise et qu'elle se heurte à un certain nombre de difficultés dont nous allons tenter de rendre compte.

Une littérature à bout de souffle

Bien qu'un certain nombre d'intellectuels et d'universitaires africains récusent le terme de crise pour caractériser la situation actuelle, la chose et par conséquent le mot semblent hors de doute. Dans le numéro spécial de la très officielle *Revue de littérature comparée* consacré aux littératures francophones et anglophones de l'Afrique noire (5),

5 Juillet-Décembre 1974.

Albert Gérard, analysant la situation de la francophonie dans les lettres africaines, conclut au « déclin manifeste tant quantitatif ou qualitatif de la production littéraire en langue française », tandis que Roger Mercier, invitant ses lecteurs à une réévaluation de la littérature négro-africaine d'expression française, n'hésite pas à utiliser à plusieurs reprises le terme de crise.

Toutefois si la plupart des diagnostics convergent, l'accord est loin de se réaliser lorsqu'il s'agit d'analyser les causes de cette crise. Nous tenterons donc pour notre part d'en dresser l'inventaire et d'en dégager un certain nombre d'hypothèses. En allant du plus simple et du plus superficiel au plus complexe il semble bien que le déclin de la littérature africaine d'expression française soit dû en grande partie à un phénomène de mode, à l'anachronisme d'un certain nombre de thèmes et enfin au divorce entre l'auteur et son public potentiel.

On se souvient qu'au début du XXe siècle un certain nombre de peintres et d'artistes parisiens « firent la découverte » de l'art nègre et ne manquèrent pas d'en tirer de substantiels enseignements. Tandis que Picasso lui rendait un hommage spectaculaire dans ses *Demoiselles d'Avignon*, la *Revue nègre* triomphait au théâtre des Champs-Élysées et Blaise Cendrars procurait en 1921 la première *Anthologie nègre*. Les difficultés économiques nées de la grande crise de 1929 et la montée du péril fasciste devaient bientôt faire oublier cette parenthèse exotique, et il a fallu attendre le lendemain de la seconde guerre mondiale pour voir reparaitre une curiosité à l'égard du monde noir. On assiste alors, en particulier dans les rangs de la gauche française, à une célébration de la littérature africaine dont l'exemple le plus achevé est certainement l'*Orphée noir* de J.-P. Sartre publié en 1948. Aussi légitime soit-il, cet hommage rendu aux écrivains noirs traduit souvent une culpabilité inconsciente chez beaucoup d'intellectuels, et il aboutit parfois à une surévaluation de certains talents. Avec sa lucidité habituelle, Sartre l'avait d'ailleurs parfaitement compris lorsqu'il dénonçait le paternalisme de la critique européenne à l'égard de la littérature africaine. C'était l'époque où chaque éditeur en vogue avait son « nègre de service » et apportait ainsi sa caution culturelle au mouvement d'émancipation du tiers monde. Depuis lors les choses ont bien changé, et ce n'est un secret pour personne que les éditeurs parisiens manifestent beaucoup de réticence à l'égard des manuscrits en provenance des auteurs africains. La mode des nègreries est passée.

Nous reviendrons sur ce problème de l'édition. Auparavant il nous faut aborder le débat relatif à la thématique de la littérature africaine. On a vu que, pour l'essentiel, la thématique de la littérature négro-africaine se cristallisait autour de la dénonciation du colonialisme, de la quête (souvent autobiographique) de l'identité perdue et de l'exaltation de la négritude.

Cette littérature devait rencontrer un franc succès jusqu'au moment où les auteurs nigérians regroupés autour de Black Orpheus s'avisèrent d'en dénoncer le caractère passéiste et mythique. Le coup d'envoi donné à Ibadan n'a pas manqué de susciter des remous, et il faut bien reconnaître que la promulgation soudaine des indépendances a dans bien des cas privé l'écrivain africain de son objet. Sans vouloir sous-estimer les graves problèmes liés au caractère néo-colonialiste des nouveaux États africains, il faut donc bien avouer que les écrivains africains ont désormais le choix entre perpétuer la veine anti-colonialiste – ce qui a pour effet de produire des œuvres souvent redondantes et médiocres – ou dénoncer les maux liés à l'instauration de régimes autoritaires et passablement corrompus – ce qui ne leur laisse d'autre issue que l'exil ou le silence. Mais comme à toute chose malheur est bon, peut-être ne doit-on pas exagérément déplorer cette mutation qui aura permis d'une part d'endiguer le flot de la littérature autobiographique, d'autre part d'engager l'écrivain africain dans la voie d'une nouvelle recherche.

La vogue du roman à la première ou à la troisième personne, narrant une expérience vécue d'acculturation, enfermait en effet l'écrivain dans une formule romanesque assez conventionnelle, et ce n'est pas sans raison que la critique a souvent déploré le caractère scolaire de certaines productions africaines. Si quelques épigones s'obstinent encore à imiter leurs aînés, la nouvelle génération des poètes, romanciers et dramaturges africains tente, avec un succès variable, de se libérer des modèles dépassés et d'introduire au double plan de la forme et du contenu un souffle nouveau. Des écrivains comme Tchicaya, Yambo Ouologuem et surtout Amadou Kourouma témoignent bien de cette volonté d'enrichir l'imaginaire africain et de produire une écriture de l'actuel.

– Le divorce auteur-public : ces efforts se heurtent cependant au problème particulièrement délicat que constitue la difficile rencontre entre l'écrivain africain et son public.

Lors de leur deuxième congrès tenu à Rome en 1959 la plupart des écrivains noirs présents proclamèrent leur volonté d'exprimer la réalité de leur peuple, volonté qui allait de pair avec le souci d'éduquer et de libérer ce peuple encore soumis au joug de l'Europe.

« Certains ont pu dire que l'écrivain est un ingénieur des âmes, remarquait Aimé Césaire. Nous, dans la conjoncture où nous sommes, nous sommes des propagateurs d'âmes, des multiplicateurs d'âmes, et à la limite des inventeurs d'âmes ». (6)

Vingt-cinq ans après ces propos résonnent d'une manière étrangement amère. Pendant ce quart de siècle, en effet, le destin n'a guère été favorable à l'Afrique et d'une façon générale aux pays du tiers monde. Tandis que la détérioration des termes de l'échange et la balkanisation faisaient des États africains autant d'otages des grandes puissances, la vie culturelle continuait à être dominée par l'impérialisme occidental. Le développement de l'enseignement, avec pour corollaire l'extension du marché du livre, a bien suscité des vocations d'écrivains, mais sans pour autant entraîner un développement satisfaisant de l'édition et de l'industrie du livre autochtones. On saisit donc mieux le caractère utopique des intentions généreuses proclamées naguère à Rome, puisque l'écrivain et d'une façon générale l'homme de culture africain n'ont pas encore réussi à trouver leur place au sein des nouvelles sociétés mises en place au lendemain des indépendances.

Ces quelques remarques aigres-douces ne doivent pourtant pas dissimuler le besoin de s'exprimer et par conséquent d'écrire qui existe chez beaucoup de jeunes Africains et qui se traduit par un très grand nombre de manuscrits : l'expérience du C. L. E. à Yaoundé est là pour le prouver. Malheureusement, faute de maisons d'édition africaines en nombre suffisant, ces manuscrits qui voient le jour à Brazzaville ou à Lomé trouvent rarement preneur et peuvent en partie rendre compte de la stagnation dans nous parlions à l'instant. Mais l'accaparement des élites par les tâches de construction nationale comme la quasi-inexistence d'un réseau cohérent d'édition, ne suffisent pas à expliquer la situation actuelle qui résulte aussi en grande partie d'un certain rapport entre le livre et ses 20 pour 100 de lecteurs potentiels. En effet, en dépit du succès remporté par certains titres publiés dans des collections de poche, le livre demeure encore pour la plupart des Africains un objet de luxe (quelque peu insolite dans la mesure où ils s'enracinent profondément dans une tradition orale), et d'une pratique

6 « L'homme de culture et ses responsabilités » ; intervention au 2e Congrès International des écrivains et artistes noirs, Rome, 1959.

délicate qui résulte à la fois de la promiscuité de la vie familiale et des conditions souvent déplorables de l'habitat.

Si le livre introduit une rupture dans le système de communication traditionnel, il entraîne également une importante modification du statut de l'objet littéraire. Il n'y a pas en effet, dans l'Afrique traditionnelle, disjonction entre l'art et la vie, et par conséquent entre l'artiste et ses contemporains. L'art y apparaît fonctionnel et semble avoir pour fonction de répondre à un certain nombre de critères. Nous en retiendrons ici trois principaux : l'efficacité, la participation et l'émotion.

A l'inverse de ce qui se produit souvent en Occident, la parole littéraire africaine n'est en effet jamais gratuite. Elle n'a pas davantage pour but de répondre à l'attente d'une élite seule capable d'en goûter les subtilités, ni d'offrir à l'écrivain blasé une tour d'ivoire à l'abri des tourments de l'existence. Contrairement à son confrère occidental, l'artiste africain est parfaitement intégré à sa communauté d'origine au sein de laquelle il occupe toujours une fonction très précise : en même temps qu'il prononce la parole pour forger le fer ou encore moissonner la récolte, capturer un animal sauvage, il manifeste la cohésion et la cohérence des valeurs du groupe.

« En Afrique noire, déclare Léopold Senghor, l'art pour l'art n'existe pas. Tout art est social . . . Sous les apparences du lion, de l'éléphant, de l'hyène, du crocodile, du lièvre, de la vieille femme, nous lisons clairement avec nos oreilles, nos structures sociales et nos passions, les bonnes comme les mauvaises. »

L'accomplissement de cette fonction a pour corollaire la participation à l'acte littéraire de tous les membres du groupe rassemblés dans une même ferveur. La voie de l'oralité qu'empruntent le chanteur et le poète favorise évidemment au plus haut point cette fusion de la communauté soutenue par l'action conjuguée du rythme et de la scansion.

Enfin, la parole littéraire africaine est émotion, et sa profération met en jeu tout le système des forces vitales dans lesquelles l'homme et la nature sont étroitement enserrés.

Les symboles, les images et les rythmes dont se sert le poète renvoient donc l'auditeur-spectateur à une certaine vision du monde dont il participe étroitement et dans laquelle il a sa place aux côtés des ancêtres et des dieux.

Si l'on se tourne maintenant du côté de l'Europe, on se rend compte que la littérature y remplit une fonction diamétralement opposée, et on peut se demander si le statut de l'objet littéraire africain n'est pas en train de devenir celui de la littérature occidentale.

Dans *Qu'est-ce que la littérature !*, J.-P. Sartre a bien montré en effet que si le clerc médiéval et l'écrivain du XVIIe siècle avaient essentiellement pour fonction de transmettre l'idéologie constituée, une brusque mutation s'opère à partir du XVIIIe siècle, quand l'écrivain, cessant de refléter l'ordre établi, se met brusquement en tête de le contester.

Il en résulte un extraordinaire épanouissement de la littérature et, pour une brève période, un accord parfait entre l'écrivain et son public. Mais cette lune de miel est de courte durée et, dès 1848, l'écrivain est amené à écrire, non pas pour, mais contre ses lecteurs. Ce malentendu croissant explique donc une littérature conçue le plus souvent comme un moyen de contestation du réel.

Une telle modification du statut de l'objet littéraire a évidemment pour conséquence d'entraîner un changement de la fonction de l'écrivain.

Il nous semble en effet que l'introduction des littératures écrites en Afrique a profondément bouleversé les rapports qui existaient naguère entre le détenteur de la parole et son public, et qu'en particulier ce public a été dépossédé de tous les privilèges qu'il détenait dans l'ancien système : privilège de participer, de jouir esthétiquement, et d'assurer la continuité entre l'œuvre présente et le patrimoine de toute la communauté.

Dans un tel contexte, le griot ou le conteur apparaissent comme les détenteurs, les interprètes et les gardiens d'une culture commune à tous, en vertu du principe, dégagé par L. Senghor, qui veut qu'en Afrique « toute manifestation d'art soit collective, faite par tous avec la participation de tous ... ». Ainsi le conteur enseigne-t-il aux jeunes gens la nécessité d'une bonne conduite et leur montre que le plein épanouissement de l'individu n'est possible que si son comportement s'inscrit dans le cadre de la collectivité tout entière. D'une façon générale, tout le monde apprend qu'il a tout à gagner en obéissant aux croyances de la communauté.

Toutes proportions gardées, le conteur traditionnel se trouve donc dans la même situation que le clerc médiéval ou l'écrivain du XVIIe siècle, pour lesquels ne se posait absolument pas la question de leur « mission », dans la mesure où les uns comme les autres étaient fortement intégrés dans une société hiérarchisée à idéologie religieuse et politique très contraignante.

A cette transparence des rapports entre le détenteur de la parole et son auditoire s'oppose désormais l'opacité d'une relation qui évoque, à bien des égards, le dialogue des sourds. Dans le temps même où la parole littéraire se désacralisait, l'écrivain africain se trouvait en effet engagé dans une critique radicale de la société, contestation, sans doute nécessaire, mais qui a pour conséquences d'une part d'introduire une rupture entre le public et l'écrivain, d'autre part d'installer ce dernier dans une situation de mauvaise conscience dont témoigne assez bien le malaise actuel de la littérature africaine.

Le problème linguistique

Depuis plusieurs années le débat engagé autour de la littérature africaine fait une place de plus en plus large au problème linguistique et à la promotion des langues africaines.

La conséquence logique de cette prise de conscience est un retour aux sources de la culture nationale et à ses moyens d'expression, dont les artisans sont paradoxalement les intellectuels les plus imbus de culture occidentale, ceux-là mêmes dont on aurait pu penser qu'ils constitueraient les meilleurs garants de l'assimilation. Ce dont s'étonne l'Europe, étonnement auquel fait écho la parole de Jean-Paul Sartre dans *Orphée noir* : « Qu'est-ce donc que vous espériez quand vous ôtiez le bâillon qui fermait les bouches noires ? » Les résolutions adoptées au premier Congrès des artistes et écrivains noirs de 1956 confirment ce diagnostic et affirment la double nécessité d'une libération politique et culturelle de l'Afrique.

Mais c'est certainement Léopold Senghor qui le premier a posé avec le plus de netteté le problème de l'utilisation des langues africaines.

Dans un texte qui date de 1937 et dont le thème était « Le Problème culturel en A. O. F. », Senghor, après avoir défini la culture comme « une réaction raciale de l'homme sur son milieu », admet la nécessité de l'assimilation comme condition de survie de l'Afrique. Il en tire toutefois la conséquence que l'enseignement en A. O. F. devra être bicéphale et donc axé sur la pratique du bilinguisme. Un tel enseignement, estime Senghor, présente pour l'Afrique un intérêt social et surtout un intérêt culturel car, écrit-il, « il n'y a pas de civilisation sans une littérature qui en exprime les valeurs, et sans littérature écrite pas de civilisation qui aille au-delà de la simple curiosité ethnographique ». « Or, se demande Senghor, comment concevoir une littérature indigène qui ne serait pas écrite dans une langue indigène ? »

C'est sans doute en partie le choix du français qui explique le caractère souvent trop descriptif du langage dans les premiers romans africains. Tout se passe comme si l'écrivain était affecté d'une certaine impuissance à nommer :

il essaie de rendre compte de son expérience mais au moyen d'une langue étrangère qui, aussi bien acquise soit-elle, ne porte plus les mêmes structures temporelles et ne transmet ni le même inconscient collectif ni le même vécu que la langue originelle.

Dans un pays comme l'Afrique où la parole appartient encore pour une large part au registre du sacré, il est en effet permis de s'interroger sur la pertinence de l'écriture en tant que lieu de l'expression profonde. Un certain refus de nommer les choses ne proviendrait-il pas du fait que la langue française constitue par excellence l'expression d'une certaine forme de pensée laïque foncièrement étrangère à la sensibilité africaine ? Souvenons-nous du héros de *L'Aventure ambiguë*. Tant que Samba Diallo possède la certitude de la foi il n'éprouve pas le besoin de l'exprimer en parlant. Mais dès qu'il commence à douter il se met à parler et à discuter. C'est le paradoxe de la parole occidentale qui dans le temps même où elle essaie de combler un vide et de dénoncer son impuissance crée ce vide et engendre cette impuissance.

L'écrivain et la critique

Depuis quelques années les rapports entre les écrivains africains et la critique – particulièrement la critique occidentale – ont tendance à s'envenimer. Alors qu'il fut un temps où la littérature africaine s'adressait presque exclusivement à un public occidental dont elle sollicitait et l'attention et l'approbation, il n'est pas rare aujourd'hui de rencontrer des intellectuels africains qui récusent, à priori, aux critiques européens toute compétence à parler de la production littéraire de leurs compatriotes. C'est le cas de Joseph Okpaku dans un article publié dans le n° 70 de *Présence Africaine*.

Sans se porter jusqu'à des positions aussi extrêmes, il faut cependant prendre conscience des problèmes que pose l'approche de la littérature nègre par un lecteur occidental. Écrire dans la langue de l'ex-colonisateur c'est en effet, pour l'écrivain africain, se placer sous le regard du Blanc, c'est-à-dire sous le regard d'une culture longtemps ressentie comme dominante. Inversement, le regard que porte le lecteur occidental sur une œuvre africaine comporte un mélange ambigu d'étonnement et de culpabilité, expression du désarroi inconscient de celui qui voit accéder à l'écriture ceux-là mêmes auxquels il y a à peine un siècle il refusait toute civilisation. Une infinité de regards et de jugements critiques s'inscrivent donc dans le jeu complexe de la lecture et de l'écriture, et posent naturellement le problème délicat de la pertinence des instruments de la critique littéraire : les analyses thématique, sociologique, linguistique, psychologique sont-elles vraiment adaptées à la littérature africaine ?

Il est vraisemblable que la réponse se situe dans une approche la plus ouverte possible de l'œuvre littéraire singulière, quitte à en tirer par la suite de manière expérimentale des règles applicables à un corpus plus étendu. Il y a lieu toutefois d'éviter tout système qui risquerait d'aboutir, comme cela se passe aux États-Unis, à une rigoureuse ségrégation entre domaine noir et domaine blanc.

Tout en reconnaissant ce qu'a pu lui apporter son expérience personnelle de la négritude et du racisme, l'écrivain afro-américain James Baldwin refuse en effet ce cloisonnement en s'affirmant d'abord comme un écrivain et non pas comme un écrivain noir. N'est-ce pas le même langage que tient le poète Tchicaya lorsqu'il nous pose la question : « Je suis nègre ; pourquoi cela prend-il le sens d'une déception ? »

LE CINÉMA EN AFRIQUE NOIRE

LA NAISSANCE DU CINÉMA EN AFRIQUE NOIRE

S'il est un art véritablement populaire en Afrique, c'est bien le cinéma. Malheureusement le spectateur africain n'a que très rarement l'occasion d'assister à la projection d'œuvres authentiquement africaines pour des raisons qui tiennent à la fois aux structures de la production et de la distribution, et à l'extrême jeunesse des cinémas africains. Comme Jean Rouch l'a bien montré dans *Moi, un Noir*, le public africain est en effet étroitement conditionné par un déferlement incessant de productions hollywoodiennes et égypto-indiennes qui encombrent en permanence les écrans de salles étroitement contrôlées par deux puissantes sociétés distributrices, la Comacico et la Secma.

En dépit de conditions aussi défavorables la décennie 1960-1970 a engendré une première génération de cinéastes parmi lesquels le Sénégalais Sembene Ousmane, le Nigérien Mustapha Alassane et l'Ivoirien Désiré Icaré font figure de chefs de file. Fort d'une cinquantaine d'œuvres (en majorité de courts et moyens métrages), le nouveau cinéma africain se heurte encore à trois obstacles majeurs : la censure, le manque de ressources et les problèmes que pose sa diffusion.

La censure exerce ses ravages, soit directement par le retrait imposé de séquences jugées offensantes par les pouvoirs établis, soit indirectement en obligeant les auteurs à recourir à des ruses et à des subterfuges de langage qui nuisent à la lisibilité de leurs œuvres. « Seuls alors, remarque Guy Henebelle, quelques intellectuels à lunettes sont en mesure de déchiffrer les intentions subversives qui sont contenues dans le film ! » A moins qu'ils n'obtiennent l'appui d'un organisme officiel (ministère de la Coopération, Agence de coopération culturelle et technique, etc.), le manque de moyens contraint les réalisateurs à travailler avec des budgets spartiates et dans des conditions qui nuisent parfois à la qualité de l'image ou de la bande-son. Enfin, une fois le film achevé, encore faut-il obtenir qu'il soit programmé dans des salles africaines. Nouvelles difficultés qui tiennent au quasi-monopole des programmes occidentaux et au cloisonnement des différents États africains. Car, si des amorces de diffusion régionale entre pays du Maghreb d'une part, et pays d'Afrique noire francophone d'autre part ont été esquissés, il faut bien convenir que le Nord et le Sud du Sahara restent cloisonnés d'une manière presque étanche. Pourtant c'est avec un vif intérêt que les spectateurs du festival d'Alger ont découvert en 1968 *Le Mandat* de Sembene Ousmane, tandis qu'en retour le film algérien *L'Aube des damnés* remportait un grand succès deux ans plus tard au festival de Ouagadougou.

LES GRANDS THÈMES DU CINÉMA AFRICAIN

Dans la mesure où la naissance des cinémas africains coïncide avec la promulgation des indépendances, l'inspiration qui les ordonne s'articule pour l'essentiel autour d'une thématique de la décolonisation, du conflit tradition-modernisme et du désenchantement lié à l'instauration d'un nouveau pouvoir noir.

Si le souci de décoloniser l'histoire obsède les cinéastes algériens, il n'en est pas de même en Afrique noire, à l'exception des Guinéens Sekoumar Barry avec *Et vint la liberté*, et Diagne Costadès qui dans *Hier aujourd'hui demain* évoque quelques aspects de la domination française d'antan. Il convient toutefois d'y ajouter le film de Sembene Ousmane *Emitaï* rappelant la résistance des paysans de Casamance aux réquisitions de riz imposées par l'administration coloniale pendant la dernière guerre.

Dans leur majorité les cinéastes africains se montrent beaucoup plus attentifs aux transformations subies par l'Afrique après un siècle de domination étrangère. Dépossédés de leurs terres, de leur histoire et de leur identité, les Africains ont en effet parfois bien du mal à réintégrer leur personnalité aliénée, et il n'est pas rare que des blocages apparaissent au sein de la société post-coloniale : problème des anciens combattants, retour au pays des intellectuels formés en Occident, mariage mixte, etc.

Dans *Cabascado* le Nigérien Oumarou Ganda confronte ironiquement des Africains francophones et anglophones rivalisant d'ardeur dans la comparaison des mérites respectifs des armées française ou britannique ! Illustrant une nouvelle de Birago Diop, le Sénégalais Momar Thiam raconte dans *Sarzan* l'histoire de ce sergent fou, qui, une fois de retour dans son village, considère tous ses compatriotes comme autant de « sauvages » qu'il entreprend de « civiliser ». Enfin dans *Niaye*, Sembene Ousmane a évoqué une situation analogue en mettant en scène un ancien tirailleur sénégalais qui défile solitairement dans la rue chaque matin aux accents de *la Marseillaise* . . .

Si les anciens combattants font encore problème, il en va souvent de même avec le retour au pays des étudiants qui, au terme d'une aventure ambiguë, ne savent plus très bien s'ils sont encore des Nègres ou s'ils sont devenus des « toubabs ». Dans *Et la neige n'était plus* le Sénégalais Babacar Samb-Makharam a montré les difficultés de réinsertion d'un de ces « peaux noires, masque blanc », tandis que l'Ivoirien Désiré Icaré stigmatisait dans deux films, *Concerto pour un exil* et *A nous deux, France* à la fois la condition des étudiants exilés à Paris, qui diffèrent sans cesse un retour problématique, et les difficultés des « mariages-domino ». Le problème de la femme africaine est d'ailleurs abordé à plusieurs reprises, soit à travers le thème de la polygamie, dans *Le Mandat* et *Xala* de Sembene Ousmane, et dans *Le Wazou polygame* d'Oumarou Ganda, soit dans la dénonciation de ses appétits de consommation dans le *Karim* du Sénégalais Thiam. Mais la thématique qui sollicite le plus profondément les cinéastes africains concerne la dénonciation des abus liés à la prise du pouvoir par les nouvelles bourgeoisies noires.

C'est sans doute encore une fois le grand réalisateur sénégalais Sembene Ousmane qui a ouvert la voie avec *Borom Sharet, La Noire de . . ., Xala* et surtout *Le Mandat*, autant de courts et longs métrages dans lesquels l'écrivain reconverti à la pellicule (sans pour autant avoir cassé sa plume) fustige d'importance la corruption, le népotisme et l'arrogance des nouveaux maîtres de l'Afrique. Sembene Ousmane, qui a en partie renoncé à la littérature pour mieux toucher son public, veut être l'avocat des éternels exploités, paysans, habitants des bidonvilles, auxquels une indépendance factice n'apporte qu'un surcroît de misère et d'humiliation. Toutefois Sembene Ousmane doit parfois pratiquer l'auto-censure (ce que ne manquent pas de lui reprocher les plus radicaux des étudiants de la F. E. A. N. F.) car vivant au Sénégal il est parfois contraint à des compromis avec le pouvoir : « Je ne peux pas exprimer à l'écran ce que je dis par écrit, à savoir que nous sommes gouvernés en Afrique par des enfants mongoliens du colonialisme français. »

Dans la même veine, mais de manière à la fois plus brouillonne et plus virulente, le Mauritanien Med Hondo dénonce dans *Soleil Ô* la collusion de la bourgeoisie française avec la classe actuellement au pouvoir en Afrique, en même temps qu'il ironise amèrement sur le sort des travailleurs émigrés voués, au terme d'une nouvelle traite des Nègres, à balayer la France.

Enfin, dans son dessin animé *Bon voyage, Sim*, Mustapha Alassane ironise sur les coups d'État à répétition dont la relation défraie périodiquement la chronique africaine. On y voit un roi-crapaud qui, au retour d'un voyage à l'étranger, découvre avec peine et stupéfaction son trône occupé par un officier-crapaud chamarré de décorations ! Toute ressemblance avec des personnages connus ou des événements récents serait évidemment purement fortuite . . .

UNE ESTHÉTIQUE PASSÉISTE

Si l'émergence du jeune cinéma africain dans les années 60 a coïncidé avec la contestation de l'hégémonie hollywoodienne et l'apparition presque simultanée du cinéma novo au Brésil, de la nouvelle vague française et du free cinéma britannique, il faut bien reconnaître que son esthétique reste encore largement tributaire de modèles dépassés. « Dans bien des cas, écrit Guy Hunebelle, tout s'est passé comme si les réalisateurs, longtemps écartés des caméras que monopolisaient les Occidentaux, s'étaient, dans leur volonté fougueuse d'expression, empressés d'accaparer le langage de l'oppresseur sans le remettre en question. »

Cette remarque, qui rejoint un certain nombre d'observations similaires que nous avons pu faire à propos de la littérature nègre, explique en grande partie le caractère conventionnel ou parfois même sclérosé de l'esthétique cinématographique africaine. La plupart des films africains apparaissent en effet profondément marqués par le néo-réalisme des années 45-50, style *Le Voleur de bicyclette* de Vittorio De Sica. Dans les deux cas on retrouve la même linéarité du récit, le découpage en séquences parfaitement structurées, la même manière de camper un héros qui entraîne l'identification avec le spectateur. Toutefois il faut observer d'une part que cette esthétique éprouvée contribue encore à remplir les salles européennes, et que, d'autre part, elle possède l'avantage de proposer à un public de spectateurs africains encore tout neuf, une lecture immédiate d'une réalité qu'ils ont besoin de déchiffrer pour mieux comprendre leur situation dans le monde.

Sans doute l'avenir permettra-t-il à des formes nouvelles de se faire jour, à mi-chemin d'une problématique authentiquement africaine et d'une esthétique résolument novatrice, mais il ne faut pas oublier que les cinéastes africains en sont encore à leurs premiers essais (quinze ans, c'est la prime adolescence) et qu'il n'y a aucune raison de penser que leurs compatriotes resteront éternellement consommateurs de pellicules impressionnées par des étrangers.

Jacques CHEVRIER
(Université de Paris XII et Paris III)

BIBLIOGRAPHIE
par Hélène BRULEY

Remarque : La nationalité des auteurs africains est mentionnée de la façon suivante :
BE Bénin (ex. Dahomey) – BU Burundi – CA Cameroun – CI Côte-d'Ivoire – CO Congo – GA Gabon – GUI Guinée – HV Haute-Volta – MA Mali – MAU Mauritanie – N Niger – R Rwanda – RCA République Centrafricaine – S Sénégal – TC Tchad – TO Togo – Z Zaïre.

Bibliographie

BARATTE Thérèse. Bibliographie des auteurs africains et malgaches de langue française, Paris, O. R. T. F. (3e édition 1972) 124 p.

OUVRAGES GÉNÉRAUX

HISTOIRE, GÉOGRAPHIE, OUVRAGES DE RÉFÉRENCE

– Afrique Centrale. *Les républiques d'expression française*. Paris : Hachette (Les guides bleus), 1962, 533 p.
– Afrique de l'Ouest. Paris : Hachette (Les guides bleus), 1958, 542 p. Dans chaque volume, intéressants chapitres d'introduction.
– Afrique 76. Paris : Jeune Afrique, n° spécial annuel, 584 p. Panorama et ouvrage de référence.

BONI (N.), *Histoire synthétique de l'Afrique résistante*. Paris : Présence africaine, 1971. Avec une préface de Jean Suret-Canale.

CORNEVIN (R. et M.), *L'Afrique Noire de 1919 à nos jours*. P. U. F. 1973, 240 p. Contient une bibliographie de l'histoire récente à travers les auteurs africains.

CORNEVIN (R. et M.), *Histoire de l'Afrique des origines à la deuxième guerre mondiale*. Paris : Payot, (4e éd. 1974, 445 p.).

CORNEVIN (M.), *Histoire de l'Afrique contemporaine, de la deuxième guerre mondiale à nos jours*. Paris : Payot, 1972. Deux ouvrages de base.

DESCHAMPS (H.) (sous la direction de), *Histoire générale de l'Afrique Noire*. Paris : P. U. F., 1971, 2 vol. 576 p. et 720 p. Surtout ouvrage de référence.

GOUROU (P.), *L'Afrique*. Paris : Hachette, 1970, 331 p. Solide étude géographique d'ensemble. Illustré.

KI-ZERBO (J.), *Histoire de l'Afrique Noire*. Paris : Hatier, (2e éd. 1973, 600 p.). *Une lecture de l'histoire africaine*. Dense.

MAUNY (R.), *Les siècles obscurs de l'Afrique Noire*. Histoire et archéologie. Paris : Fayard, 1970, 314 p. Un des meilleurs ouvrages sur la période. L'accent est mis sur l'Ouest africain.

MERLE (M.), *L'Afrique noire contemporaine*. Paris : A. Colin, 1968, 456 p. Coll. « U ». Pour une bonne initiation.

Le Nouveau dossier Afrique : Situation et perspective d'un continent. Verviers, Gérard et Cie, Marabout-Université, 1971, 363 p.

SURET-CANALE (J.), *Afrique Noire occidentale et centrale*. Paris : Éditions Sociales.
Tome 1 : Géographie, Civilisation, Histoire. 1961, 2e éd. 1968, 399 p.
Tome 2 : L'ère coloniale, 1900-1945, 1964, 638 p.
Tome 3 : De la colonisation aux indépendances, 1945-1960, 1970, 432 p.
Important ouvrage d'un historien marxiste. Très documenté et sans complaisance.

CIVILISATION

1. GRANDS TRAITS

ADOTEVI (S.), *Négritude et négrologues*. Paris : U. G. E., 1972, Coll. « 10/18 ».

BA (A.Hampaté), *Aspects de la civilisation africaine*. (Personne, culture, religion). Paris : Présence Africaine, 1972, 141 p. Par l'un des plus anciens et des plus connus des chercheurs de la section ethnologique de l'I. F. A. N., qui s'est consacré à la défense de la tradition orale dans les cultures soudaniennes de l'Ouest africain. Ici, il s'agit des traditions peule et bambara.

BAUMANN (B.) et WESTERMAN (D.), *Les peuples et les civilisations de l'Afrique*. Paris : Payot, 1967, 469 p. Très bonne synthèse.

DIA (M.), *Islam, sociétés africaines et culture industrielle*. Dakar : Les Nouvelles éditions africaines, 1976. Par le leader socialiste récemment libéré.

DIOP (C. Anta), *Nations nègres et culture*. Paris : Présence Africaine, rééd. 1976. Thèse très contestataire qui a fait sensation en 1955. L'auteur y soutient une origine nègre à l'ancienne civilisation égyptienne. Une date dans la prise de conscience historique et culturelle des africains.

DIOP (C. Anta), *Antériorité des civilisations nègres* : mythe ou vérité historique ? Paris : Présence africaine, 1967, 300 p. Important ouvrage destiné à étayer la thèse de l'auteur passionnément discutée.

FODE (D.), *Le manifeste de l'homme primitif*. Montréal : éd. Lemeac, 1973, coll. « Francophonie vivante ». Mise en question radicale de notre prétendue civilisation.

MAQUET (J.), *Les civilisations noires*. Histoire, techniques, arts, sociétés. Paris : Horizons de France, 1962, Verviers, Gérard et Cie : Marabout-Université, 1966, 319 p. Une somme de renseignements. Livre primé au festival des Arts Nègres de Dakar en 1966.

MVENG (E.), *Dossier culturel panafricain*. Paris : Présence Africaine, 1966, 236 p.

N'DIAYE (J. P.), *Élites africaines et culture occidentale*. Paris : Présence Africaine, 1969.

N'DIAYE (J. P.), *Monde noir à destin politique*. Paris, Présence Africaine, 1977, 200 p.

PAULME (D.), *Les civilisations africaines*. Paris : P. U. F., 128 p. (« Que sais-je ? »), 5e éd. 1969. Les civilisations africaines à travers l'histoire et l'étude des sociétés.

ROUSSEAU (M.), *Aspects de la culture noire*. Paris : Fayard.

SENGHOR (L. S.), *Liberté I, Négritude et humanisme*. Paris : Éditions du Seuil, 1964, 446 p. Senghor analyse, à diverses époques de sa carrière, le rapport entre langue et culture.

SENGHOR (L. S.), *Liberté II, Nation et voie africaine du socialisme*. Paris, Éditions du Seuil, 1971, 320 p. Suite de réflexions politiques.

TOWA (M.), *Négritude ou servitude*. Yaoundé : C. L. E., 1971. Remise en question de l'idée de négritude.

2. RELIGION

DAMMANN (E.), *Les religions de l'Afrique*. Payot, 1964, 270 p.

DESCHAMPS (H.), *Les religions de l'Afrique Noire*. Paris : P. U. F., 1956, 128 p. « Que sais-je ? ». Toutes celles qu'on y pratique aujourd'hui.

FROELICH (J. C.), *Les musulmans d'Afrique Noire*. Paris : Édition de l'Orante, 1962, 406 p. Ouvrage riche, bénéficiant d'un certain recul et d'une clarté qui facilitent la lecture.

HOLAS (B.), *Les dieux d'Afrique Noire*. Paris : Paul Geuthner, 1968, 285 p. Les croyances authentiquement africaines.

MONTEIL (V.), *L'Islam noir*. Paris : Éditions du Seuil, 1964, 368 p. Par un spécialiste des questions musulmanes, étude très complète, qui s'appuie sur une quantité de faits, et qui essaie en outre de répondre à quelques questions brûlantes sur les marabouts, la femme, l'argent, le développement, etc.

Les religions africaines comme source de valeurs de civilisation. Colloque de Cotonou, 1970, Paris : Présence Africaine, 1972.

Les religions africaines traditionnelles. Rencontres internationales de Bouaké. Paris : Éditions du Seuil, 1965, 205 p.

3. SOCIÉTÉ

BALANDIER (G.), *Afrique ambiguë*. Paris : Plon, 1957, Rééd. Union générale d'éditions, 1962, 313 p. « 10/18 ». Excellent ouvrage sur la société africaine contemporaine, où la réflexion s'appuie sur une quantité de faits et d'observations.

BALANDIER (G.), *Sociologie actuelle de l'Afrique Noire*. Paris : P. U. F., 3e éd. 1974, 552 p. Ouvrage de base.

Civilisation (La) de la femme dans la tradition africaine. Colloque de la Société Africaine de Culture. Abidjan : 1972, Paris : Présence Africaine, 1973.

ERNY (P.), *L'enfant et son milieu en Afrique Noire*. Essai sur l'éducation traditionnelle. Paris : Payot, 1972, 311 p.

FANON (F.), *Les damnés de la terre*. Paris, Maspéro, 1969.

KEITA (A.), *Femme d'Afrique*. Paris : Présence Africaine, 1975. La vie d'Awa Keita racontée par elle-même. (Grand prix littéraire de l'Afrique Noire 1976).

PAULME (D.), *Femmes d'Afrique Noire*. Paris/La Haye : Mouton, 1960, 278 p. Dans les civilisations soudaniennes de l'Afrique de l'Ouest.

Tradition et modernisme en Afrique Noire. Rencontres de Bouaké. Paris : Éditions du Seuil, 1965, 318 p.

ZIEGLER (J.), *Sociologie de la nouvelle Afrique*. Paris : Gallimard, (coll. « Idées »), 1964.

4. CULTURE : ARTS PLASTIQUES, MUSIQUE, THÉÂTRE ET CINÉMA (ÉTUDES)

DELANGE (J.), *Arts et peuples de l'Afrique Noire*. Introduction à une analyse des créations plastiques. Préface de Michel Leiris. Paris : Gallimard, 1967, 274 p. + 190 pl. h.t. L'univers esthétique de l'Afrique Noire et la création artistique dans leur contexte sociologique et historique.

LAUDE (J.), *Les arts de l'Afrique noire*. Paris : Le Livre de Poche, 1966, 384 p. Illustré.

LEIRIS (M.), *Afrique Noire*. Paris : Gallimard, 1967, 476 p. (coll. « l'Univers des formes »). Une somme luxueusement illustrée.

BEBEY (F.), *Musique d'Afrique*. Paris : Horizons de France, 1969, 208 p. + 1 disque 33 t. Par un grand musicologue et compositeur camerounais.

BEBEY (F.), *Musique africaine moderne*. Paris : Présence Africaine, 1967.

ENO-BELINGA (M. S.), *Littérature et musique populaire en Afrique noire*. Paris ; Cujas, 1965.

La Musique dans la vie. Rayonnement des cultures africaines. Tome II. Paris : O. R. T. F., 1969, 241 p.

5. ÉCONOMIE ET POLITIQUE

BENOT (Y.), *Idéologie des indépendances africaines*. Paris : Maspéro, (nouvelle éd. 1972, 548 p.).

DECRAENE (P.), *Le Panafricanisme*. Paris, P. U. F., « Que sais-je ? », 1964, 128 p.

DIA (M.), *Réflexions sur l'économie de l'Afrique Noire*. Paris : Présence Africaine, 1976.

DUMONT (R.), *L'Afrique noire est mal partie*. Paris : Éditions du Seuil, 1972, 282 p. Un classique très controversé.

HAMA (B.), *Les problèmes brûlants de l'Afrique*. Honfleur : P. J. Oswald, 1973, 3 tomes :
Tome 1 : Pour un dialogue avec nos jeunes. Démarches pédagogiques. Préface de Cheikh Hamidou Kane. 173 p.
Tome 2 : Changer l'Afrique. 141 p.
Tome 3 : Prospective. 125 p.
Ce sont avant tout les problèmes du Niger.

LANCINE (C.), *L'Afrique Noire est bien partie.* Honfleur : P. J. Oswald, 1972. Un Guinéen répond à René Dumont.

LAVROFF (D. G.), *Les partis politiques en Afrique noire.* Paris : P. U. F., 1970, 128 p. « Que sais-je ? ». Bonne synthèse.

N'DIAYE (J. P.), *La jeunesse africaine face à l'impérialisme.* Paris : Maspéro, 1971, 196 p. Par un sociologue sénégalais réputé.

TRAORE (S.), *Responsabilité historique des étudiants africains.* Paris : Anthropos (2e éd. 1974), 200 p.

LITTÉRATURE

LANGUE

ALEXANDRE (P.), *Langues et langage en Afrique Noire.* Paris : Payot, 1967, 176 p. Ouvrage stimulant d'un des pionniers de l'étude des langues africaines en France.

CALVET (J.-L.), *Linguistique et colonialisme.* Paris : Payot, 1974, 272 p. Une mise en accusation de l'enseignement du français en Afrique Noire par l'ancien directeur du C. L. A. D.

CHAMPION (J.), *Les langues africaines et la francophonie.* Paris/La Haye : Mouton, 1974, 344 p.

DAVID (J.), *Dictionnaire du français fondamental pour l'Afrique.* Paris : Didier, 1974, 433 p. Selon les méthodes de Georges Gougenheim, dictionnaire conçu principalement pour les Africains non francophones.

DUPONCHEL (L.), *Dictionnaire du français de Côte-d'Ivoire.* Abidjan, Institut de linguistique appliquée, 1975.

HOUIS (M.), *Anthropologie linguistique de l'Afrique Noire.* Paris, P. U. F., 1971, 232 p.

LAFAGE (S.), *Lexique du français du Togo et du Dahomey.* Abidjan, Institut de linguistique appliquée, 1975.

Quelques documents sonores peuvent servir de témoignages sur le français qui est parlé en Afrique noire francophone :

KODJO (abbé P.), *La Création. L'enfant prodigue. Job. La panthère et l'agneau . . .* Disques Antarès, 45 t.

BEBEY (F.), *La condition masculine*, 45 t.

Ces disques sont disponibles chez Pasdeloup, 89 bd St Michel, 75005 Paris.

HISTOIRE ET ÉTUDES LITTÉRAIRES – ANTHOLOGIES

ANOZIE (S. O.), *Sociologie du roman africain.* Paris : Aubier, 1970, 268 p. Étude structurale du roman africain par un universitaire du Nigeria.

BARATTE (Thérèse), *Bibliographie des auteurs africains et malgaches de langue française.* Paris : O. R. T. F. (3e éd. 1972, 124 p.).

CENDRARS (B.), *Anthologie nègre.* Paris : 1920, rééd. Le Livre de Poche, 1972. Ancienne anthologie consacrée à la tratidion orale et qui témoigne de la passion avec laquelle on découvrait les cultures nègres dans le premier quart du siècle.

CHEVRIER (J.), *Littérature nègre.* Afrique, Antilles, Madagascar. Paris : A. Colin, 1974 (2e éd. 1975, 288 p.). (« U » Prisme). Beaucoup plus tourné vers l'avenir que consacré au panorama historique traditionnel. Tentative intéressante de classification des genres du roman africain.

CHEVRIER (J.), *Oyono, une vie de boy : étude critique.* Paris, Hatier, coll. « Profil d'une œuvre ». 1977, 80 p.

CORNEVIN (R.), *Littératures d'Afrique Noire de langue française.* Paris : P. U. F., 1976, 273 p. (coll. « Sup. »). Précieux, en particulier pour la richesse de l'information.

GOURDEAU (J. P.), *La littérature négro-africaine d'expression française*. Paris : Hatier (Théma-anthologie), 1973, 158 p. Petite anthologie dont l'objectif n'est pas de faire une place à tous les auteurs, loin de là, mais d'illustrer, par des extraits, les cinq grands thèmes reconnus par l'auteur.

GUIBERT (A.), *Léopold Sédar Senghor, l'homme et l'œuvre*. Paris : Présence Africaine, 1968.

KESTELOOT (L.), *Les écrivains noirs de langue française*. Naissance d'une littérature. Bruxelles, Université libre de Bruxelles, 1961, 3e éd. 1965, 340 p. Thèse brillante. Ouvrage de base.

KESTELOOT (L.), *L'épopée traditionnelle*. Paris : Nathan, 1971.

Littérature africaine. (Collection), Paris : Nathan, 63 p. Fascicules d'accès facile présentant les principaux auteurs ainsi que les genres traditionnels avec des extraits. Une vingtaine de titres parus.

Littérature de langue française hors de France. Anthologie didactique. Sèvres : F. I. P. F., 1976, 704 p. La section 1 est consacrée aux auteurs d'Afrique Noire, très actuel.

MAKOUTA-MBOUKOU (J. P.), *Introduction à la littérature noire*. Yaoundé : C. L. E., 1970, 140 p. Petit ouvrage, utile à des élèves.

MELONE (T.), *De la négritude dans la littérature négro-africaine*. Paris : Présence Africaine, 1962, 137 p. Étude de la négritude et de ses manifestations littéraires.

MELONE (T.), *Mongo Beti, l'homme et de destin*. Paris : Présence Africaine, 1971, 286 p.

MERAND (P.), *La vie quotidienne en Afrique Noire à travers la littérature africaine*. Paris : L'Harmattan, 1977, 238 p.

NANTET (J.), *Panorama de la littérature noire d'expression française*. Paris : Fayard, 1972, 278 p.

PAGEARD (R.), *Littérature négro-africaine*. Paris : Le Livre Africain, 2e éd. 1969, 162 p. Bonne synthèse (sans extraits) du mouvement littéraire contemporain.

QUILATEAU (C.), *Bernard Binlin Dadié*. Paris : Présence Africaine, 1967, 172 p. Essai consacré au célèbre écrivain ivoirien.

Regard sur les littératures africaines. Paris : AUDECAM, 1975, 60 p. (Recherche, pédagogie et culture, numéro spécial, mars-avril 1975). Informations utiles.

SENGHOR (L. S.), *Anthologie de la nouvelle poésie nègre et malgache de langue française*. Précédée de « Orphée noir » de J.-P. Sartre. Paris : P. U. F., 1948, 3e éd. 1972, 227 p. Ouvrage classique.

JADOT (J. M.), *Les écrivains africains du Congo Belge et du Ruanda-Burundi*. Histoire, bilan, problèmes. Bruxelles, A. R. S. O. H., 1959, 197 p.

KANE (M.), *Birago Diop, l'homme et l'œuvre*. Paris : Présence Africaine, 1971, 226 p.

KESTELOOT (L.), *Anthologie négro-africaine. Panorama critique des prosateurs, poètes et dramaturges noirs du XXe siècle*. Verviers, Gérard et Cie. Marabout Université, 1967, 430 p. Ouvrage devenu classique (présentation et textes, pas de bibliographie).

Réalisées en coproduction par Radio France Internationale et de Club des lecteurs d'expression française (27, rue Oudinot, Paris 75007) les « Archives sonores de la littérature Noire » proposent sous une forme audio-visuelle (livre et disque) une série d'études ou de documents sonores consacres aux grands écrivains négro-africains.
Déjà parus : Cheikh Hamidou Kane, Ferdinand Oyono, Amadou Hampate Ba, Léopold Sedar Senghor, Camara Laye.

ŒUVRES

1. POÉSIE

DADIÉ (B.), *Hommes de tous les continents.* Paris : Présence Africaine, 1967.

DIAKHATE (L.), *Primordiale du sixième jour.* Paris : Présence Africaine, 1963, rééd. 1970. Un chant à la gloire de l'Afrique.

DIOP (B.), *Leurres et lueurs.* Paris : Présence Africaine, 1961, 86 p. A la différence des autres poètes de la négritude, Birago Diop, qui reste très proche de la tradition orale, donne à ses poèmes une sorte de calme mystérieux.

DIOP (D.), *Coups de pilon.* Paris : Présence Africaine, 1961, rééd. 1973, 62 p. Poèmes de la révolte, par un poète militant.

JOACHIM (P.), *Anti-grâce.* Paris : Présence Africaine, 1967. 64 p.

LISEMBE (E.), *Solitude.* Honfleur : P. J. Oswald, 1973, 54 p.

MAKOUTA-M'BOUKOU (J. P.), *L'âme bleue.* Yaoundé : C. L. E., 1971, 109 p. Poèmes mystiques.

MAKOUTA-M'BOUKOU (J. P.), *Cantate de l'ouvrier.* Honfleur : J. P. Oswald, 1974, 69 p.

MAMANI (A.), *Poémérides.* Honfleur : J. P. Oswald, 1972, 52 p.

NDAO (C.), *Mogariennes.* Paris : Présence Africaine, 1970, 52 p.

NDEBEKA (M.), *Soleils neufs.* Yaoundé : C. L. E., 1969. Poèmes engagés qui célèbrent les lendemains heureux de la société socialiste. *L'oseille, les citrons.* Honfleur, P. J. Oswald, 1975.

SENGHAT KUO (F.), *Fleurs de latérité.* Heures rouges. 1954, rééd. Yaoundé : C. L. E., 1971. Exaltation de l'Afrique dans des poèmes politiques très engagés.

SENGHOR (L. S.), *Poèmes.* Paris : Éditions du Seuil (coll. « Point »), 1974, 256 p. Recueil des principaux poèmes du grand poète de la négritude.

SIKHE CAMARA, *Poèmes de combat et de vérité.* Honfleur, P. J. Oswald, 1967.

TATI-LOUTARD (J. B.), *Les racines congolaises.* Honfleur : P. J. Oswald, 1968, 77 p.

TATI-LOUTARD (J. B.), *Les normes du temps.* Kinshasa : Édition du Mont Noir, 1974, 69 p. Un des meilleurs poètes africains actuels.

TCHIKAYA U TAM'SI, *Épitomé*, suivi de *Arc Musical.* Honfleur : P. J. Oswald, 1970, 172 p. (Grand prix du festival de Dakar 1966). Le poète le plus marquant de la nouvelle génération. Inspiration authentiquement africaine et spontanée, images puissantes, liberté.

TCHIKAYA U TAM'SI, *Le mauvais sang*, suivi de *Feu de brousse.* Honfleur : P. J. Oswald, 1970.

TITINGA PACÉTÉ, *Refrains sous le Sahel.* Honfleur, P. J. Oswald, 1976.

TSHIAKATUMBA (M. M.), *Réveil dans un nid de flammes.* Paris : Seghers, 1969. Poèmes de la révolte et de la douleur devant le pays déchiré.

2. ROMANS – NOUVELLES

ANANOU (D.), *Le fils du fétiche.* Paris : Nouvelles éditions latines, 1955, rééd. 1971, 213 p. Problèmes familiaux et religieux dus à la tradition.

BA (A. Hampaté), *L'étrange destin de Wangrin* ou les *roueries d'un interprète.* Paris : U. G. E., 1973, (coll. « 10/18 »). Grand prix litt. d'Afrique Noire, 1974. Chronique de l'époque coloniale, pleine d'humour, avec des échantillons nombreux du parler « petit nègre » d'alors.

BADIAN (S.), *Sous l'orage*, suivi de *La mort de Chaka* (pièce en cinq tableaux). Paris : Présence Africaine, 1963, 254 p. Contestation du mariage dans la société traditionnelle. Réquisitoire contre l'autorité abusive des anciens et contre la domination française au Soudan.

Le sang des masques. Paris, Robert Laffont, 1976, 250 p.

BAMBOTE (M.), *Princesse Mandapu*. Paris : Présence Africaine, 1972, 187 p. Par le premier écrivain actuel de l'Empire Centrafricain.

BEBEY (F.), *Le fils d'Agatha Moudio*. Yaoundé : C. L. E., 1967. Un ton de conteur pour peindre avec réalisme et humour le petit peuple des villes et des bidonvilles.

BEBEY (F.), *La poupée*. Yaoundé : C. L. E., 1973. Le petit monde des marchés africains.

BETI (M.), *Mission terminée*. Paris : Buchet-Chastel, 1957, rééd. 1972, 255 p. (prix Sainte-Beuve 1958). Beaucoup d'humour et de lucidité pour le récit des mésaventures d'un lycéen qui vient en vacances dans son village.

BETI (M.), *Le pauvre Christ de Bomba*. Paris : Laffont, 1955. Satire des efforts d'un missionnaire bien intentionné, mais peu lucide. Le roman le plus connu de M. Beti.

BETI (M.), *Perpétue et l'habitude du malheur*. Paris : Buchet-Chastel, 1974, 310 p. Un ton plus amer pour traduire les désillusions de la décolonisation et le désespoir devant le destin d'une Afrique décidément condamnée au malheur.

BETI (M.), *Remember Ruben*. Paris : U. G. E. (« 10/18 »), 1974, 313 p. Les déambulations d'un Africain dans la jungle des bidonvilles, partagé entre la sagesse et la révolte. Une sorte d'épopée assez confuse.

BETI (M.), *Le roi miraculé*. Chronique des Essazam. Paris : Buchet-Chastel, 1958. Un vieux roi africain roublard en face d'un missionnaire zélé sont au centre d'une sorte d'épopée burlesque contée avec beaucoup de verve.

BETI (M.) (pseudonyme : Esa Boto), *Ville cruelle*. Paris : Présence Africaine, 1956, rééd. 1971. Le premier roman de l'auteur, où il dénonce déjà avec une ironie lucide et pénétrante la dégradation de la société traditionnelle au contact de la civilisation européenne. Ici, un jeune paysan est en proie à la « ville moderne ».

BHELY-QUENUM (O.), *Le chant du lac*. Paris : Présence Africaine, 2e éd. 1972. 157 p. Grand prix litt. Afrique Noire, 1966. Durant un voyage en pirogue, la révélation des deux mondes dans lesquels se meut l'Africain d'aujourd'hui.

COUCHORO (F.), *L'héritage, cette peste*. Lomé : Éditogo, 1963. Un des nombreux feuilletons de l'auteur, parus dans Togo-Presse entre 1962 et 1970, exemple de littérature populaire dans le cadre du Togo contemporain.

DADIÉ (B.), *Climbié*. Paris : Seghers, 1953, réimp. 1965, 260 p. Roman de formation, en grande partie autobiographique, où l'auteur évoque les difficultés de l'apprentissage, à l'école, d'une autre culture.

DONGALA (E.), *Un fusil dans la main, un poème dans la poche*. Paris : A. Michel, 1973, 284 p. Roman très contemporain, dans le cadre des maquis de guérillas et qui évoque les problèmes politiques les plus aigus de l'Afrique actuelle.

FALL (M.), *La plaie*. Paris : Albin Michel, 1967, 256 p. Les déceptions et l'inadaptation des paysans de la brousse attirés par les villes. Contestation de la nouvelle société africaine née de la colonisation.

FANTOURE (A.), *Le cercle des Tropiques*. Paris : Présence Africaine, 1973, 252 p. (Grand prix litt. Afrique Noire, 1973). Roman très contemporain : histoire d'un coup d'État et de sa préparation dans les faubourgs d'une grande ville.

GOLOGO (M.), *Le rescapé de l'Éthylos*. Paris : Présence Africaine, 1963, 381 p. Autobiographie d'un médecin alcoolique.

HAMA (B.), *Kotia Nima* (3 t.). Paris : Présence Africaine, 1969, (Grand prix litt. Afrique Noire, 1970). Gros roman autobiographique.

IKELE-MATIBA (J.), *Cette Afrique-là !* Paris : Présence Africaine, 1972, 245 p. (Grand prix litt. Afrique Noire, 1963). Au temps de la colonisation, histoire d'un commis d'administration et de ses difficultés à passer du régime allemand au régime français.

KANE (C. A.), *L'aventure ambiguë*. Paris : Julliard, 1961, 221 p. (rééd. U. G. E. « 10/18 », 1972), (Grand, prix litt. Afrique Noire, 1962). Beau récit de l'enfance et du conflit d'un jeune Africain musulman : de l'école coranique aux milieux intellectuels de Paris. Les épreuves de la formation.

KOUROUMA (A.), *Les soleils des indépendances*. Montréal : les Presses Universitaires, 1968. Paris : Éditions du Seuil, 1970, 208 p. (prix « Études françaises », Montréal, 1968). Les déceptions d'un prince de l'Afrique traditionnelle dans la société post-coloniale. En forme de fresque foisonnante et baroque.

LAYE (C.), *L'enfant noir*. Paris : Plon, 1963, rééd. Livre de Poche, 1971. 384 p. Un des plus beaux récits d'auteur africain. Évocation très classique d'une enfance traditionnelle.

LAYE (C.), *Le regard du roi*. Paris : Plon, 1954. Très différent. Roman à demi-allégorique de la quête de soi.

LAYE (C.), *Dramouss*. Paris : Plon, 1966, 256 p. Encore un autre ton. Violente satire politique d'un régime qui a contraint l'auteur à l'exil.

LOBA (A.), *Kocoumbo, l'étudiant noir*. Paris : Flammarion, 1960, 269 p. (Grand prix litt. Afrique Noire 1961). Itinéraire de la formation d'un jeune Ivoirien.

LOPES (H.), *Tribaliques*. Yaoundé : C. L. E., 1971. (Grand prix litt. Afrique Noire, 1972). Nouvelles. Réquisitoire contre la société africaine post-coloniale et les nouveaux régimes politiques.

MUDIMBE (V. Y.), *Entre les eaux*. Paris : Présence Africaine, 1973. 186 p. Un prêtre africain écartelé entre des exigences contradictoires.

NOKAN (C.), *Le soleil noir point*. Paris : Présence Africaine, 1967. 70 p. L'intellectuel africain entre le passé et un destin nouveau.

OUOLOGUEM (Y.), *Le devoir de violence*. Paris : éditions du Seuil, 1968, 208 p. (Prix Renaudot 1968). Fresque éblouissante et cruelle où se révèle pour la première fois dans la littérature une Afrique sauvage et profondément authentique. Très commenté et discuté.

OYONO (F.), *Une vie de boy*. Paris : Julliard, 1958. (2e éd. Presses-Pocket), 1970. 192 p. Satire féroce des blancs pendant la colonisation : leurs mœurs, leur cupidité, leur dureté. Très pessimiste.

OYONO (F.), *Le vieux nègre et la médaille*. Paris : Julliard, 1956. (2e éd. U. G. E. « 10/18 », 1972). 192 p. Ironie et lucidité pour évoquer le destin pitoyable d'un vieil africain naïf victime de la société et de l'administration coloniale.

PLIYA (J.), *L'arbre fétiche*. Yaoundé : C. L. E., 1972. 3 nouvelles sur le thème de l'Afrique traditionnelle confrontée à l'ère de l'indépendance.

SADJI (A.), *Maïmouna*. Paris : 1958 (2e éd. 1972). Ascension et chute d'une jeune fille de la brousse venue conquérir Dakar.

SASSINE (W.), *Saint Monsieur Baly*. Paris : Présence Africaine, 1973, 223 p. Histoire d'un instituteur exemplaire et passionné.

SEMBENE (O.), *Les bouts de bois de Dieu*. Paris : Le livre contemporain, 1960 rééd. Presse-Pocket, 1971. 339 p. Histoire d'une grande grève et de la lutte d'un groupe de syndicalistes contre l'administration coloniale. Beaucoup de souffle et de chaleur.

SEMBENE (O.), *Le mandat*. Paris : Présence Africaine, 1966. (rééd. 1976. 190 p.) Le petit peuple des villes du Sénégal entre l'Afrique traditionnelle et la nouvelle administration. (Film et roman).

SEMBENE (O.), *Xala*. Paris : Présence Africaine, 1973, 176 p. Satire de la nouvelle bourgeoisie au pouvoir en Afrique et dénonciation de ses abus.

3. TRADITION ORALE : CONTES, CHRONIQUES, ÉPOPÉES

BA (A. Hampaté), et KESTELOOT (L.), *Kaïdara*. Récit initiatique peul. Paris : Julliard, 1969. 181 p.

BONI (N.), *Crépuscule des temps anciens*. Paris : Présence Africaine, 1974. 258 p. Chronique d'une tribu. De l'apogée à la chute du Bwamu.

CALAME-GRIAULE (G.), *Le lièvre et le tambour*. Paris : Présence Africaine, 1958. Contes de l'Afrique soudanienne.

DADIÉ (B.), *Le pagne noir*. Paris : Présence Africaine, 1955. (rééd. 1970), 159 p. Contes populaires et fables.

DIABATE (M. M.), *Janjon et autres chants populaires du Mali*. Paris : Présence Africaine, 1970, 110 p. Traduction de chants épiques et d'amour des pays de la savane.

DIOP (B.), *Les contes d'Amadou Koumba*. Paris : Présence Africaine, 1947, 3e éd. 1969, 190 p. Adaptation de contes traditionnels. Un classique.

DIOP (B.), *Les nouveaux contes d'Amadou Koumba*. Paris : Présence Africaine, 1958, 176 p.

DIOP (B.), *Contes et savanes*. Paris : Présence Africaine, 1963. 257 p. (Grand prix litt. Afrique Noire, 1964).

DIOP (O. S.), *Contes et légendes d'Afrique Noire*. Paris : Nouvelles éditions latines, (rééd. 1970) 157 p.

ÉQUILBECQ (F. V.), *Contes populaires d'Afrique Occidentale*. Paris : (rééd. Maisonneuve et Larose, 1972) 520 p.

HAMA (B.), *Contes et légendes du Niger*. Paris : Présence Africaine, 1972, 3 tomes.

KABA (A.), *Contes de l'Afrique Noire*. Sherbrooke (Québec) : éditions Naaman, 80 p.

MALONGA (J.), *La légende de M'Pfoumou Ma Mazono*. Paris : Présence Africaine, 1954, 153 p. Chronique d'une tribu dans sa lutte contre les blancs.

MATIP (B.), *A la belle étoile*. Paris : Présence Africaine, 1962, 104 p.

NGOUANKOU, *Autour du lac Tchad*. Yaoundé : C. L. E., 1969, 184 p. Contes.

NIANE (D. T.), *Soundjata ou l'épopée mandingue*. Paris : Présence Africaine, 1960, (rééd. 1971), 154 p. Adaptation de la tradition orale des Keita et de la fondation de l'empire du Mali.

PAULME (D.), *La mère dévorante*. Paris, Gallimard, 1976. Essai sur la morphologie des contes africains.

SEID (J. B.), *Au Tchad sous les étoiles*. Paris : Présence Africaine, 1962, 104 p.

TOURE (A.), OULD ALLIAF (M.), DELAROZIÈRE (M. F.), *Il était une fois . . . en Mauritanie*. Paris : Ligel, 1968, 104 p.

TOWO-ATANGANA (G.), *Nden-Bobo l'araignée toilière*. Yaoundé : C. L. E., 1966, 39 p. Conte Béti.

Il faut signaler également l'excellente collection des « Classiques africains » publiée par les éditions Armand Colin. Elle contribue à assurer une plus large diffusion aux chefs-d'œuvre de la tradition orale africaine.

THÉÂTRE

BADIAN (S.), *La mort de Chaka*. Paris : Présence Africaine, 1963. Rééd. in Sous l'orage, 1972. Pièce historique célébrant une des gloires de l'histoire africaine.

BEMBA (S.), *Tarentelle noire et diable blanc*, Honfleur, Oswald, 1976.

DADIÉ (B.), *Monsieur Thôgô-Gnini*. Paris : Présence Africaine, 1970. Du dramaturge africain le plus connu. Ascension et chute d'un parvenu cupide. Critique assez anodine de la société née de la colonisation et de la nouvelle classe au pouvoir.

DADIÉ (B.), *Béatrice du Congo*. Paris : Présence Africaine, 1970. Pièce à base historique.

DIABATE (M. M.), *Une si belle leçon de patience*. Paris : O. R. T. F., 1972. L'histoire est, là aussi, dramatique.

LISEMBE (E.), *Chant de la terre, chant de l'eau*. Honfleur : P. J. Oswald. Transposition dramatique de « Gouverneurs de la rosée » de Jacques Roumain.

MENGA (G.), *La marmite de Koka-Mbala*. Paris : O. R. T. F., 1969. Grand prix du concours théâtral interafricain de 1968. Pièce villageoise.

NDAO (C.), *L'exil d'Albouri*. Honfleur : P. J. Oswald, 1967. Premier prix, festival Panafricain d'Alger, 1970. Pièce historique. Un des derniers rois Wolof refuse de se soumettre au conquérant français.

NDEBEKA (M.), *Le président*. Honfleur : Oswald, 1970. Pamphlet contre les dirigeants de l'Afrique post-coloniale.

NIANE (D. T.), *Sikasso* ou *la dernière citadelle*. Honfleur : Oswald, 1971.

NIANE (D. T.), *Chaka*. Honfleur : Oswald. Deux pièces historiques célébrant l'Afrique guerrière, résistante ou conquérante.

NOKAN (C.), *Les malheurs de Tchakô*. Honfleur : Oswald. Satire sociale.

OYONO-MBIA (G.), *Trois prétendants, un mari*. Yaoundé : C. L. E., 1964. Du théâtre villageois à l'écriture dramatique. Satire sociale.

OYONO-MBIA (G.), *Notre fille ne se mariera pas*. Paris : O. R. T. F., 1971. Prix du concours théâtral interafricain. Satire sociale. Pièce issue du fonds populaire.

PLIYA (J.), *Kondo le requin*. Cotonou : édition du Benin, 1966. Paris : O. R. T. F., 1969. (Grand prix litt. Afrique Noire, 1968). Pièce historique : lutte de Béhanzin contre la pénétration française.

ZADI ZAOUROU (B.), *Les Sofas*. Honfleur : Oswald. Pièce historique : Lutte de Samory contre la pénétration occidentale.

Études

CORNEVIN (R.), *Le théâtre en Afrique Noire et à Madagascar*. Bilan et perspectives. Paris : Le livre africain, 1970. 330 p.

RICARD (A.), *Théâtre et nationalisme*. Paris, Présence Africaine, 1972. 236 p.

Le théâtre négro-africain. Actes du Colloque d'Abidjan, 1970. Paris : Présence Africaine, 1971. 249 p. Série d'études sur le théâtre d'Afrique Noire.

PRODUCTION CINÉMATOGRAPHIQUE

Le Sénégal a la production la plus importante et le premier des réalisateurs africains :

SEMBENE Ousmane qui dénonce les maux de la société post-coloniale dans :
- Borom Sarett (1963)
- La Noire de . . . (1966)

– Le Mandat (1968). Prix de la critique internationale au Festival de Venise en 1968.
– Xala (1974).

En 1971, Ababacar SAMB s'est distingué avec « Kodou », Prix de l'Agence de Coopération culturelle et technique (A. C. C. T.) pour le scénario, et grand prix du festival international du film d'expression française (F. I. F. E. F.) à Dinard. Il s'inspire davantage de l'Afrique traditionnelle.

Au Niger, l'activité cinématographique est grande avec une floraison d'auteurs venus après le chef de file, Mustapha ALASSANE avec :
– Le retour de l'aventurier (1966)
– Toula (1974)

Oumarou GANDA avec Cabascabo (1969)
Inoussa OUSSEINI avec Paris c'est joli (1974).

Le cinéma ivoirien est connu surtout par :
– Désiré ÉCARE, Concerto pour un exil (1968)
– A nous deux la France (1970)
et Timité BASSORI, La femme au couteau (1970).

Enfin deux Mauritaniens ont acquis la notoriété avec des films contestataires :
– Med HONDO, Soleil Ô (1969)
– Les bicots-nègres nos voisins (1974), (prix de l'A. C. C. T. pour le scénario et Tanit d'or au festival de Carthage).
– Sidney SOKHONA, Nationalité immigré (1976).

Études

HENNEBELLE (G.), *Les cinémas africains en 1972*. Paris : Société africaine d'édition, 1972. (« L'Afrique littéraire et artistique », numéro spécial n° 20). 371 p. Important. Bien documenté.

POMMIER (P.), *Cinéma et développement en Afrique Noire francophone*. Paris : édition Pedone, 1974. 184 p. Thèse de doctorat avec certains chapitres intéressants, mais qui doit être corrigée et actualisée, ayant été rédigée vers 1971.

Regard sur les cinémas africains. Paris : AUDECAM, 1975. (« Recherche, pédagogie et culture », n° 17-18). Situation et réflexions.

Le rôle du cinéaste africain dans l'éveil d'une conscience de civilisation noire. Rencontres de Ouagadougou, 8-13 avril 1974. Paris : Présence Africaine, n° 90.

Spécial cinéma. Paris : Agence de coopération culturelle et technique, 1975. (Agecop-liaison, mai-juin, 1975, n° spécial). Panorama utile.

VIEYRA (P. S.), *Le cinéma africain des origines à 1973*. (Tome 1). Paris : Présence Africaine, 1977. 444 p. Une somme. Information quasi exhaustive sur tous les films, et réflexion sur la situation et les problèmes du cinéma africain (y compris le Maghreb) par un historien qui est aussi un témoin et parfois un artisan et qui s'est consacré au cinéma.

VIEYRA (P. S.), *Sembene Ousmane cinéaste*. Paris : Présence Africaine. 1973. Essai consacré au plus célèbre des cinéastes d'Afrique noire francophone.

PRESSE

Principaux QUOTIDIENS africains de la langue française

Ehuzu (Bénin).
Cameroun-Tribune (Yaoundé).

La Presse du Cameroun (Douala).
Fraternité-Matin (Abidjan), (avec pages littéraires).
Le Sahel (Niamey).
Le Soleil (Dakar) (avec pages littéraires).
Togo-Presse (Lomé).
Élima (Kinshasa) (avec pages littéraires).
Salongo (Kinshasa) (avec pages littéraires).
Monano (Kisanghani).

Périodiques africains publiés en Afrique

Abbia (Yaoundé), mensuel bilingue. Forum littéraire important.
L'écriture (Yaoundé). Tribune permanente pour tous les auteurs.
Le Cameroun littéraire (Yaoundé). Tribune permanente pour tous les auteurs.
Éburnea (Abidjan), mensuel d'information sur la vie du pays et de l'Afrique, les arts et la culture (Agence ivoirienne de presse).
Entente Africaine (Abidjan), revue trimestrielle des pays de l'entente Bénin-Sahel.
Africa (Dakar), bimestriel.
Afrique nouvelle (Dakar), hebdomadaire catholique.
Bulletin de L'I. F. A. N. (Dakar).
Décennie 2 (Dakar), culturel.
Éthiopiques (Dakar), mensuel culturel.
Nouvelles Universitaires africaines (Dakar), Bulletin de l'A. U. P. E. L. F.
Études Maliennes. Bulletin de l'Institut des sciences humaines.
Sénégal-Acutalités (Dakar), Informations.
Carrefour d'Afrique (Kigali). Hebdomadaire du Rwanda.
Togo-Réalités (Lomé).
Études togolaises. Bulletin de l'Institut National de la recherche scientifique du Togo
Zaïre Afrique (Kinshasa). Mensuel du Centre d'études pour l'Action sociale (C. E. P. A. S.). Consacré à la vie culturelle africaine.
Panorama d'Afrique (Kinshasa). Mensuel (magazine d'informations).
Tous les Bulletins publiés par les étudiants et les Facultés de Lettres et de Sciences Humaines des universités de Dakar, Abidjan, Yaoundé, Lomé, Kinshasa, Lubumbashi, Brazzaville du Bénin et de Butare.

– Périodiques africains publiés hors d'Afrique :
L'Afrique contemporaine. bimestriel. La Documentation française (31 quai Voltaire 75007 Paris).
L'Afrique littéraire et artistique (32, rue de l'échiquier, 75010 Paris).
Bingo. Le mensuel du monde noir (11, rue de Téhéran, 75008 Paris).
France-Eurafrique, Mensuel.
Jeune Afrique. Hebdomadaire international (51, avenue des Ternes, 75017 Paris).
Présence Africaine. Revue culturelle bilingue du monde noir (18, rue des Écoles, 75005 Paris), trimestrielle.
Tam-Tam (7, rue Thibaud, 75014 Paris). Revue des étudiants africains catholiques de Paris.
Bulletin de la Fédération des étudiants d'Afrique noire en France. (F. E. A. N. F., Paris).
Bulletins périodiques d'organismes spécialisés.

PRINCIPALES MAISONS D'ÉDITION

En Afrique

Éditions C. L. E. (Centre de littérature évangélique), Yaoundé. En plein essor.
Éditions Saint-Paul, Yaoundé/Kinshasa.
Éditions du Mont-Noir, Kinshasa/Lubumbashi (Zaïre). Très actives.
Les Presses Universitaires du Zaïre, Lubumbashi.

Éditions populaires du Mali, Bamako.
N. E. A. (Nouvelles éditions africaines), Dakar/Abidjan. (Société récente dans laquelle l'État du Sénégal est majoritaire).
Éditions du Bénin, Porto-Novo.
Éditions de la Lagune, Lomé.
NUBIA, 50, boulevard de Port-Royal, 75005 Paris. Spécialisé dans la publication d'ouvrages consacrés à la littérature traditionnelle (bilingues).

En dehors de l'Afrique

Éditions Présence Africaine, 25 bis, rue des Écoles, 75005 Paris. (Maison la plus ancienne et la plus connue).
Le Livre africain, 13, rue de Sèvres, 75005 Paris.
Éditions Pierre-Jean Oswald, Honfleur/Paris, 7, rue de l'École Polytechnique, 75005 Paris. (Surtout théâtre et poésie).
Jeune Afrique Éditions, 51, avenue des Ternes, 75017 Paris. (Guides Atlas).
E. D. I. C. E. F. (Éditions classiques d'expression française), 93, rue Jeanne d'Arc, 75013 Paris. (Livres d'enseignement).
Éditions Ligel, 77, rue de Vaugirard, 75006 Paris. (Livres scolaires et pour jeunes).
A B C (Afrique biblio Club), 23, rue Daubenton, 75005 Paris.
Publie des ouvrages de vulgarisation destinés à un large public.

CENTRES D'ÉTUDES ET ORGANISMES

A. U. D. E. C. A. M. (Association universitaire pour le développement de l'enseignement et de la culture en Afrique et à Madagascar). 100, rue de l'Université, 75007 Paris.

C. A. R. D. A. N. (Centre d'analyse et de recherches documentaires pour l'Afrique Noire). Maison des Sciences Humaines, 54, Bd Raspail, 75007 Paris.
Inventaire de toutes les thèses consacrées à l'Afrique noire.

C. E. D. A. O. M. (Centre d'études et de documentation pour l'Afrique et l'Outre-Mer). 29, quai Voltaire, 75007 Paris.

I. F. A. N. (Institut fondamental d'Afrique Noire).
Université de Dakar.

Société des africanistes.
Musée de l'Homme, Place du Trocadéro, 75016 Paris.

Universités :
Univ. du Burundi, Bujumbura.
Univ. de Yaoundé.
Univ. Jean-Bedel Bokassa, Bangui.
Univ. de Brazzaville.
Univ. d'Abidjan.
Univ. nationale du Bénin, Cotonou.
Univ. nationale du Gabon, Libreville.
Univ. de Ouagadougou.
Univ. de Niamey.
Univ. nationale du Rwanda, Butare.
Univ. de Dakar.
Univ. du Tchad.
Univ. du Bénin, Lomé.
Univ. nationale du Zaïre (U. N. A. Z. A.), Kinshasa.
(Ces universités comportent différents centres de recherche).

Océan indien (Madagascar, Réunion, Maurice, Comores, Seychelles)

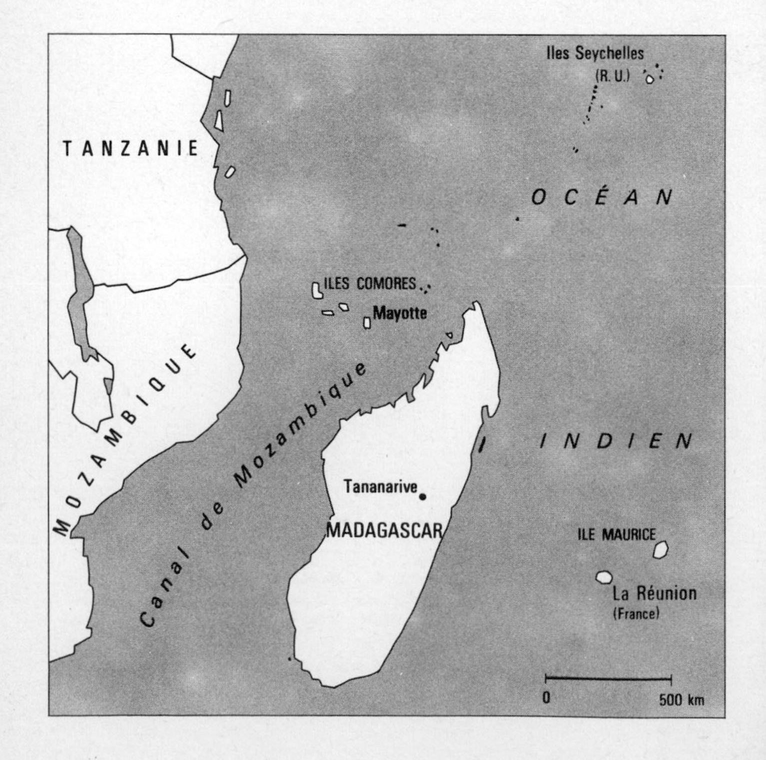

On parle français dans les îles de l'océan Indien au sud de l'équateur. Mais cette affirmation recouvre des situations linguistiques fort dissemblables. La place du français dans la vie sociale et culturelle varie d'une île à l'autre. Aux Comores et à Madagascar, le français est une langue étrangère, qui, en fonction des circonstances historiques, a joué (et parfois continue de jouer) un rôle important dans certains domaines : enseignement, administration, commerce, etc. Aux Mascareignes et aux Seychelles, la langue la plus répandue étant le créole, dont les rapports avec le français sont étroits, celui-ci n'y apparaît pas comme une langue réellement étrangère. La sensibilité de la région aux problèmes linguistiques est vive : ils affleurent dans tous les grands mouvements qui agitent les îles. Les explosions malgaches de 1947 et surtout de 1972 mirent au premier plan des revendications contre la domination de la langue française (1) . Les débats politiques à l'île Maurice s'alimentent volontiers de la querelle sur le choix d'une langue nationale.

1 De nombreux textes de Jacques Rabemananjara, datant de ses années de prison ou d'exil, évoquent la frustration des Malgaches privés par la colonisation française de leur langue et de leur passé (cf. *Nationalisme et problèmes malgaches*, passim). Les pancartes brandies par les manifestants écoliers du mai malgache de 1972 disaient sans équivoque leur refus de l'hégémonie de la langue française : « Français, langue d'esclaves. »

MADAGASCAR

A Madagascar (8 millions d'habitants), le français est une langue étrangère importée par la colonisation. La langue maternelle est le malgache, appartenant à la famille des langues malayo-polynésiennes ; les variations dialectales sont suffisamment faibles pour que l'unité linguistique de l'île ait été reconnue dès longtemps et confirmée par les chercheurs modernes. Mais on ne saurait réduire la question linguistique à Madagascar à une opposition brutale entre français et malgache. L'histoire des relations entre les deux langues est longue et complexe et elle éclaire la situation présente de la francophonie dans la grande île.

Après une période de reconnaissance des côtes malgaches, les Français tentèrent de s'installer au Sud-Est de l'île, en un lieu qu'ils baptisèrent Fort-Dauphin, en l'honneur du futur Louis XIV. Ils s'y maintinrent, – difficilement, – de 1642 à 1674. Le but de l'opération était évidemment commercial, mais il s'y mêlait des intentions « civilisatrices » : il s'agissait de gagner les indigènes « en les traitant avec humanité et avec tendresse, [...] en leur enseignant les beaux-arts, en leur apprenant à cultiver la terre, [...] enfin en leur enseignant la religion chrétienne, qui était le plus grand bien qu'ils pussent recevoir » (2). On envoya donc à plusieurs reprises des missionnaires : des lazaristes, sous l'autorité de saint Vincent de Paul. Ils s'efforcèrent d'obtenir des conversions, expédièrent en France de jeunes Malgaches pour y parfaire leur instruction, établirent un catéchisme bilingue et un dictionnaire de la langue malgache, fondèrent un établissement d'enseignement sous forme d'un petit séminaire. Mais le bilan est très décevant quand, en 1674, les rescapés de Fort-Dauphin s'embarquent pour l'île Bourbon : les convertis sont pour la plupart retournés à la religion traditionnelle. Bien que nous manquions de renseignements précis sur les aspects culturels de cette première intervention française à Madagascar, il semble bien que l'échec doive en être imputé à la liaison étroite de la générosité « civilisatrice » et de l'exploitation coloniale.

Les tentatives de colonisation ne reprirent qu'un siècle plus tard, avec Modave et Benyowski. Mais, entre-temps, Madagascar était devenu le repaire des pirates, qui établirent

2 Extrait du commentaire (d'époque) des « Ordonnances et règlements » de la Compagnie des Indes Orientales, créée pour l'exploitation de Madagascar. Cf. Alfred et Guillaume Grandidier, *Collection des ouvrages anciens concernant Madagascar*, tome IX, p. 414.

même, dans la baie de Diego-Suarez, l'éphémère république internationale de Libertalia. Puis des relations commerciales se nouèrent, notamment avec les Français installés aux Mascareignes : on échangeait du riz, du bétail, des esclaves contre de la bimbeloterie, des fusils ou des piastres. Nicolas Mayeur, qui visita Madagascar à la fin du XVIIIe siècle, notait que les habitants de la côte étaient « en relation constante avec les étrangers ». Des traitants français, venus de Bourbon ou de l'île de France, avaient d'ailleurs créé des comptoirs et des magasins sur la côte est. Le français, ou plus probablement le créole des Mascareignes, devint la langue du commerce extérieur et des échanges internationaux.

Le XIXe siècle voit émerger, sur les Hautes Terres, le royaume merina, qui affirme peu à peu sa vocation à unifier l'île entière sous sa direction, cependant que se développe la rivalité coloniale franco-anglaise, qui devait aboutir à l'annexion de la grande île par la France en 1896. Dès le règne de Radama Ier (1810-1828), la cour de Tananarive accueille certaines techniques européennes. Le roi utilise l'antagonisme des Français et des Anglais dans l'océan Indien (les seconds ont conquis l'île de France, qui redevient île Maurice, tandis que les premiers conservent Bourbon) pour se faire reconnaître par les étrangers comme roi de Madagascar. Il réorganise son armée avec l'aide d'une assistance technique européenne, il attire des artisans qui forment de jeunes Malgaches aux métiers du bois, de la pierre ou des métaux, mais surtout il introduit l'enseignement, qui connaît un développement remarquable, malgré certaines réticences des parents peu désireux de confier leurs enfants à des maîtres étrangers. La première école fut ouverte en 1820 ; il y en avait 23 huit ans plus tard, qui comptaient 2 300 élèves. L'initiative la plus notable de Radama demeure sa décision de transcrire la langue malgache par une écriture en caractères latins. Jusqu'alors, un alphabet de type arabe était utilisé par certains clans du Sud-Est, mais il était assez malcommode et réservé à des usages sacrés. Le roi, qui avait appris le français avec Robin, un ancien sergent de l'armée napoléonienne, évadé de Bourbon, surveilla lui-même la mise au point du nouvel alphabet. Robin, devenu secrétaire du roi, et deux missionnaires britanniques arrivèrent à une transcription excellente : à chaque son de la langue malgache correspondait un seul signe graphique. Le développement de l'enseignement s'en trouva grandement facilité. Les missionnaires purent scolariser les jeunes Malgaches dans leur langue maternelle et traduire la Bible à l'intention des nouveaux chrétiens. Malgré le rôle prédominant des missions britanniques, l'usage de la langue anglaise ne se répandit pas à Tananarive, car elle n'était pas langue d'enseignement. S'y intéressaient surtout les maîtres malgaches formés pour suppléer les missionnaires et qui devaient avoir accès aux manuels et aux sources du savoir occidental. En revanche, le français (et/ou le créole) continuait à jouer, sur la côte, son rôle de langue des tractations commerciales avec les îles de l'océan Indien. Les relations entre Madagascar et les Mascareignes étaient régulières : certains jeunes Malgaches, des familles proches du pouvoir, se rendaient à Maurice pour y parfaire leurs études. Tous ceux qui participaient au commerce avec l'étranger devaient s'initier au créole. Les quelques écoles catholiques installées à Tananarive dispensaient un enseignement de français. Ainsi français et créole deviennent langues étrangères privilégiées à la cour de Radama Ier. Les fameux cahiers d'écriture du roi contiennent d'ailleurs plusieurs séries de phrases en français. Un voyageur de passage à Tananarive en 1827 remarquait que le roi « parl(ait) le créole de Bourbon de manière à rendre parfaitement les idées ». Un manuscrit ancien (daté de 1835) comporte un lexique créole-malgache à côté d'un lexique anglais-malgache : preuve de l'intérêt manifesté par les Malgaches du début du XIXe siècle pour les langues étrangères (3) .

Au long du XIXe siècle, cette double tendance générale se prolonge : utilisation du malgache dans l'enseignement, à l'intérieur ; recours à des langues étrangères pour communiquer avec l'extérieur. Sans doute la reine Ranavalona Ire (1828-1861) ferme-t-elle le royaume aux influences occidentales et interdit-elle la propagation du christianisme. Mais elle ne chasse pas les étrangers qui apportent une réelle compétence technique. C'est sous son règne que le Gascon Jean Laborde édifie l'ensemble industriel de Mantasoa (comprenant un haut fourneau et des machines fabriquées sur place). Jean Laborde et Lastelle (qui avait, lui, la haute main sur le commerce extérieur du royaume) s'ingénient à maintenir la prépondérance du français pour les relations étrangères. Le très court règne de Radama II rouvre tout

3 Nous empruntons cette indication comme la citation précédente à un article de Bakoly Domenichini-Ramiaramanana, « Le Problème de la francophonie à Madagascar », dans *Les Littératures d'expression française. Négritude africaine, négritude caraïbe*, publication du Centre d'études francophones de l'Université de Paris XIII. Cet article, qui donne quelques exemples tirés du lexique créole-malgache, constitue par ailleurs une analyse très pénétrante de la situation socio- et psycho-linguistique du français à Madagascar. Sur plusieurs points importants, nos conclusions recoupent les siennes.

grand le royaume : les missions reviennent, et avec elles les écoles, qui se multiplient. Les jésuites, après des expériences décevantes à Nosy-Bé et Sainte-Marie, alors colonies françaises, s'installent à Tananarive et à Tamatave et, dès 1862, ils publient une série de manuels scolaires et religieux. Dès lors, tandis que sous le règne des trois dernières reines malgaches le royaume poursuit une œuvre remarquable de modernisation, l'histoire de l'enseignement malgache est dominée, jusqu'à l'occupation française, par la rivalité entre missions protestantes et catholiques, que soutiennent les impérialismes britannique et français. Les protestants (la London Missionary Society, les anglicans, les luthériens, les quakers) assurent l'intégralité de l'enseignement dans la langue du pays, alors que les catholiques, surtout dans les écoles citadines, apprennent le français à leurs élèves. La conversion au protestantisme de la reine et du premier ministre (1869) sembla donner l'avantage aux protestants, dont les écoles comptaient 137 000 élèves en 1894, contre seulement 27 000 aux écoles catholiques. Mais, si les catholiques durent recruter surtout parmi les classes inférieures de la stricte hiérarchie sociale malgache, il n'y eut pas d'opposition effective de l'État à leur enseignement, ni en particulier à celui du français. Le gouvernement avait décrété l'obligation pour les enfants de plus de sept ans de fréquenter une école : ce qui explique les résultats remarquables obtenus en 1894 ; le taux de scolarisation dans l'Imerina est comparable à celui des pays européens de l'époque. Un voyageur affirmait en 1898 : « Nous avons trouvé (les Merina) plus instruits qu'on ne l'est parmi les populations rurales de France » (4) . A l'influence de l'enseignement, qui propage le français davantage que l'anglais, il faut ajouter celle, très vive sur la côte est, des étrangers établis comme colons ou commerçants : au nombre de 1 800, ils sont pour les deux tiers créoles des Mascareignes, dont la langue continue à être celle des ports et du commerce.

L'école occupe une place centrale dans le dispositif de domination coloniale mis en place par la France à partir de l'annexion de 1896. Gallieni y voit un instrument de conquête pacifique des cœurs et des esprits. Une circulaire de janvier 1899, « au sujet des principes de colonisation à appliquer à Madagascar », précise : « C'est encore par l'instruction qu'on fera comprendre aux Malgaches les avantages de la civilisation, la nécessité du travail, et qu'on

4 C. Carol, *Chez les Hova, au pays rouge*, Paris, Ollendorf, 1898, p. 343.

leur inculquera des sentiments de respect et d'affection pour la France. » Certes, la politique scolaire et culturelle de Gallieni réserve une place à la langue et à la culture malgaches : il affirme qu'on n'a pas le droit de priver un peuple de sa propre langue ; il incite ses collaborateurs à apprendre le malgache ; il prône le respect des coutumes et de l'« âme » des colonisés ; il fonde en 1902 l'Académie malgache pour préserver une civilisation qu'il sent menacée. Mais les instructions très fermes qu'il avait données dès son arrivée (circulaire sur l'enseignement du 5 octobre 1896) tendent à assurer la suprématie absolue de la langue et de la civilisation françaises : « Madagascar est devenue aujourd'hui une terre française. La langue française doit donc devenir la base de l'enseignement dans toutes les écoles de l'île. [...] Vous ne devez jamais perdre de vue que la propagation de la langue française dans notre nouvelle colonie, par tous les moyens possibles, est l'un des plus puissants éléments d'assimilation que nous ayons à notre disposition et que tous nos efforts doivent être dirigés vers ce but. » On ne saurait demander aveu plus net, et Charles Péguy publia, en 1905, dans les *Cahiers de la quinzaine*, une protestation contre cette politique d'asservissement culturel. En fait, le système d'enseignement colonial recouvrait une pratique hypocrite et ambiguë, assez éloignée de l'idéal affirmé d'assimilation. Gallieni avait créé des écoles officielles laïques, où le français était matière principale et langue d'enseignement, mais il avait autorisé les écoles privées, et même ce qu'il appelait les « écoles d'églises », aux maîtres peu qualifiés, où le malgache pouvait jouer un rôle plus important. L'enseignement était obligatoire (mais on manquait d'écoles et de maîtres pour accueillir tous les enfants) et la moitié du temps au moins devait être consacrée à l'étude du français. Des écoles normales et professionnelles étaient organisées pour former les cadres subalternes. Ainsi était mis en place un « enseignement malgache », inspiré, pour les principes et les programmes, du modèle français. On institua parallèlement, en 1908 pour les garçons, en 1909 pour les filles, deux collèges secondaires, devenus ensuite lycées, où les programmes étaient ceux de la métropole. Destinés aux enfants des colons et fonctionnaires français, ces lycées s'ouvrirent en 1914 aux « indigènes », à la seule condition d'une maîtrise suffisante de la langue française. En réalité, la double filière : enseignement malgache/enseignement européen, qui a subsisté, sans changement notable dans l'organisation, jusqu'après la seconde guerre mondiale, reposait sur une séparation étanche. Les enfants engagés dans la voie de l'école publique malgache ne pouvaient guère accéder à l'école européenne. Les jeunes Malgaches qui fréquentaient le lycée, et pouvaient ensuite poursuivre des études supérieures en France, provenaient de familles généralement aisées, déjà francophones, qui avaient choisi d'envoyer leurs enfants dans des écoles primaires de type européen. C'est que le français a changé de fonction dans la société malgache du XXe siècle : il n'est plus seulement, comme au siècle précédent, langue du commerce et de l'ouverture sur l'extérieur, il est devenu la langue du pouvoir, de l'administration, des relations économiques... La présence d'une minorité européenne dominante lui fait jouer un rôle important dans la vie quotidienne. La maîtrise du français devient pour les Malgaches un moyen de promotion sociale et permet d'accéder à (ou, pour les anciennes couches dirigeantes, de se maintenir dans) la sphère du pouvoir. L'école européenne fabrique une minorité francisée qui se sent la vocation de ramasser les miettes du pouvoir colonial (et qui, au moment de l'indépendance, pensera pouvoir le reprendre en main).

Une première réforme importante eut lieu en 1951. Bien que Madagascar fût de toutes les colonies celle où l'enseignement était le plus développé, la distorsion entre les deux filières devenait trop criante. Sans supprimer le cloisonnement, on s'efforça d'établir des ponts pour permettre aux meilleurs d'accéder à l'école européenne. La République Malgache, indépendante en 1960, continua d'abord dans la voie tracée. La constitution reconnut au français, langue officielle avec le malgache, un rôle privilégié. On multiplia les écoles et les établissements secondaires, chaque sous-préfecture souhaitant être dotée d'un collège d'enseignement général (5), cependant qu'on maintenait l'alignement des examens terminaux, donc aussi des programmes, sur ceux de l'ancienne métropole. Mais l'enseignement public ne parvenant pas à répondre à la forte demande de scolarisation, c'est l'enseignement privé, de qualité parfois douteuse, qui accueille la majorité des élèves (72 000, en 1970, contre 31 000 dans les établissements d'État). Par ailleurs, le français étant langue d'enseignement, et l'anglais première langue étrangère, le malgache ne peut prétendre qu'au statut de seconde langue vivante étrangère. La politique d'assimilation sournoise, héritée de la colonisation, avait donc réussi à expulser une langue de son propre pays.

5 L'article de B. Domenichini-Ramiaramanana (*op. cit.*) renvoie à l'*Atlas de Madagascar*, qui fournit une carte éloquente (accompagnée d'un commentaire) de l'état de l'enseignement secondaire au cours de l'année scolaire 1970-1971.

Cependant, il serait injuste de passer sous silence l'effort de malgachisation mené par la première République, qui s'appliqua à adapter les enseignements primaire et supérieur, avant de réformer les programmes du secondaire. Mais les résultats furent décevants, faute de pouvoir former suffisamment de maîtres qualifiés et d'obtenir un consensus réel sur le choix du malgache standard. Les événements de 1972, qui précipitèrent la chute du régime, éclatèrent à l'occasion d'une grève scolaire. Le système avait atteint son point de rupture. La machine scolaire, affolée, augmentait son rendement en diplômés, promis de plus en plus sûrement au chômage. Tandis qu'en l'absence d'un choix politique clair, les maîtres ne parvenaient plus à enseigner convenablement ni le malgache, ni le français : tous constataient la « créolisation » de l'un et de l'autre.

Le nouveau régime a fait de la malgachisation l'axe de son projet politique. Le français, dont la fonction de sélecteur social avait été plus clairement perçue, vit un moment son horaire largement réduit dans l'enseignement secondaire. Mais il ne semble pas possible à l'État malgache moderne de faire l'économie d'une langue de communication avec l'étranger et d'ouverture sur l'extérieur : le français paraît le mieux qualifié pour tenir ce rôle. A condition que son statut soit défini sans ambiguïté et qu'il cesse définitivement d'être enseigné comme s'il était la langue maternelle des jeunes Malgaches. Le français n'a d'avenir à Madagascar que s'il redevient une langue invitée.

Le développement d'une littérature en langue française à Madagascar ne peut se comprendre qu'en référence à la situation linguistique qui a été décrite, et qu'en relation avec la (ou les) littérature(s) en langue malgache. Il a existé une littérature malgache orale, dont les vestiges subsistent encore, loin de la civilisation urbaine. La littérature malgache écrite est née au XIXe siècle, fille de l'imprimerie et des missions. Les anciens élèves des écoles anglaises, scolarisés en malgache, fournissent le public des premiers journaux (*Teny Soa* paraît en 1866) et des méditations religieuses, poèmes, nouvelles, romans, etc. publiés par la presse de Tananarive. La littérature malgache d'expression française n'a pu se développer que lorsque le français fonctionna comme langue de communication interne et de culture, donc à l'époque coloniale. Son public potentiel est constitué par les Malgaches francophones, par les Français installés à Madagascar et par quelques métropolitains amateurs de dépaysement exotique. A l'origine, dans une énorme production, que recense méticuleusement la bibliographie de Grandidier, il est bien difficile de distinguer littérature malgache et littérature coloniale, comme de séparer ce qui relève du littéraire et ce qui prétend aux sciences humaines. Ainsi l'ouvrage de Jean Paulhan, *Les Hain-tenys merinas*, publié pour la première fois en 1913. Le sous-titre annonce : *poésies populaires malgaches recueillies et traduites par Jean Paulhan*. Donc un recueil ethnographique par un passionné de littérature exotique et orale ? Sans doute. Mais aussi un livre qui inaugure le genre cardinal de la littérature malgache francophone : l'adaptation aux inflexions françaises du hain-teny traditionnel. Et peut-être le premier texte où la voix malgache se fait entendre aux oreilles françaises. Jean Paulhan, qui fut professeur au collège de Tananarive, avant 1914, a collecté, chez les humbles et les paysans, des poèmes obscurs, méprisés par les jeunes bourgeois qui n'en comprenaient plus le sens, car formés aux écoles modernes et à la poétique européenne. Par un curieux paradoxe, la poésie malgache écrite s'est coulée dans le moule prosodique des cantiques protestants importés, tandis que l'édition et la traduction française de Paulhan restituent, à la méditation des générations ultérieures, cette vieille et autochtone poésie de querelle, fondée sur les parallélismes et la polysémie généralisée (chaque hain-teny ne prend son — ou ses — sens que dans et par la situation où il est improvisé). Parmi tous les poètes malgaches qui se sont essayés à transcrire le hain-teny en français, les réussites de Jean-Joseph Rabearivelo (*Vieilles Chansons des pays d'Imerina*, 1939) et de Flavien Ranaivo (quatre recueils de *L'Ombre et le vent*, 1947 à *Hain-Teny*, 1975) demeurent les plus remarquables.

Parmi les facteurs déterminants dans la naissance d'une littérature francophone de Madagascar : l'apparition, dans la société coloniale, de cercles lettrés, où brille le poète méridional Pierre Camo (6) . On y cultive un aimable provincialisme, que peut expliquer la lenteur des communications. On y entretient des relations avec l'arrière-garde des poètes symbolistes et avec des fantaisistes comme Paul-Jean Toulet ou Tristan Derème, mainteneurs du culte de la forme et de l'art pour l'art. On y publie des revues littéraires : *18° latitude sud* (1923-1924 et 1926-1927), *Capricorne* (1930-1931), *Océanides* (1937-1938), *Du côté de chez Rakoto* (1938-1939). On y accueille volontiers de jeunes talents indigènes, surtout s'ils viennent confirmer, par leurs progrès littéraires, la réussite de la politique coloniale. C'est

6 Marcel Raymond donne cette définition de sa poésie : « complexe, à la fois mallarméenne et valérienne » (*De Baudelaire au Surréalisme*, Paris, José Corti, 1966, p. 145).

dans ces milieux intellectuels que s'est révélé Jean-Joseph Rabearivelo (1903-1937), poète de l'acculturation, poète de la crucifixion du colonisé.

Ce jeune homme, habité par les contradictions d'un peuple soumis et rebelle, est devenu une légende pour les Malgaches d'aujourd'hui. Sa mort volontaire, mise en scène, avec un soin maniaque, sous le patronage conjoint de Baudelaire et des ancêtres familiaux, témoigne d'un déchirement désespéré entre des fidélités inconciliables. Son œuvre, longtemps présentée comme une réussite de l'assimilation culturelle, victime de lectures rapides, réductrices, partielles, demeure le lieu d'un conflit irréductible. Conflit de langues, d'exigences poétiques, de systèmes symboliques. Poète bilingue (multilingue : il prétend avoir publié des poèmes en espagnol), Rabearivelo choisit le français pour se faire reconnaître par un vaste public. Les premiers poèmes, gonflés de symboles morbides, prouvent de bonnes lectures : Mallarmé, Valéry, . . . On y devine aussi une voix qui ne s'est pas encore trouvée, un être divisé, orphelin, en quête de son identité. Puis, à trente ans, il abandonne le déguisement néo-symboliste, il découvre un ton qui surprend, une poétique originale : *Presque-Songes* (1934) et *Traduit de la nuit* (1935) marquent un accomplissement. Ces deux recueils ont dérouté, car Rabearivelo y contredit sa démarche antérieure. Il tourne le dos aux modèles européens pour interroger la « langue de (ses) morts » et ses procédés de fabrication littéraire, qu'il transfère en français. Ainsi le hain-teny et ses mécanismes de décalage, de renversement, de multiplication à l'infini des métaphores. Dans *Traduit de la nuit*, la métaphore de la nuit devient la matrice d'une allégorie généralisée et polysémique :

La peau de la vache noire est tendue,
Tendue sans être mise à sécher,
Tendue dans l'ombre septuple. [. . .]

La « peau de la vache noire » symbolise la nuit, qui elle-même symbolise . . . l'interprétation peut se prolonger indéfiniment. Ce glissement perpétuel des images, l'obsession thématique de la naissance du jour ou de la nuit désignent un malaise. Le journal intime de Rabearivelo (les *Calepins bleus*), encore inédit (7), permet de suivre la passion du colonisé, jusqu'aux dernières pages, écrites pendant l'agonie même du poète : mort choisie, mort savourée par l'écriture.

7 Ce journal (que Rabearivelo appelait ses *Calepins bleus*) est décrit par Robert Boudry, qui en a eu le dépôt après la mort du poète, dans son étude « *Jean-Joseph Rabearivelo et la mort* » (cf. Bibliographie). Il en avait publié des extraits dans le *Mercure de France* du 15 septembre 1938, pp. 532-548.

La figure et l'œuvre de Rabearivelo demeurent exemplaires. Son destin de « suicidé de la société » coloniale dénonce l'ambiguïté de sa réussite littéraire. Au nom de qui et pour qui pouvait-il écrire ? Ces questions avaient-elles même un sens ? L'œuvre de Jacques Rabemananjara (né en 1913) surgit, elle, avec l'urgence de la nécessité. C'est qu'elle naît de l'histoire : la « rébellion » malgache de 1947, dans laquelle Rabemananjara se trouve impliqué, en tant que parlementaire. *Antsa*, écrit en prison en 1947, est un cri d'amour et de douleur, un chant lancinant d'espoir et de liberté. *Lamba*, publié en 1961, mais composé en 1950, à la « maison de force de Nosy Lava », célèbre l'île, Madagascar, et la femme, unies en un même symbolisme exalté, à la fois solennel et sensuel. La violence, la luxuriance, l'érotisme cru des images rappellent parfois Césaire. La poésie de Rabemananjara s'inscrit dans la mouvance de la Négritude (il a participé de très près à l'élaboration de la revue *Présence africaine*). C'est une poésie de libération nationale : défi lancé à l'oppresseur, cri de guerre pour rallier les militants.

On ne saurait limiter la littérature malgache en langue française aux noms que nous avons évoqués, ni même aux œuvres citées. La transposition du hain-teny en français, le mal de vivre de Rabearivelo, la révolte de Rabemananjara nous ont semblé caractéristiques de trois aspects essentiels. Rabearivelo écrit quand le français supplante le malgache comme langue de communication et de culture. Rabemananjara préfigure le mouvement de retour aux sources nationales. Le hain-teny transposé indique peut-être la voie d'un dialogue harmonieux. Même si le malgache est la langue naturelle de la littérature malgache d'aujourd'hui, le français peut encore relayer et faire entendre à travers le monde les voix de la Grande Ile.

LA RÉUNION

Bien que l'unité culturelle des Mascareignes et des Seychelles soit évidente, il est préférable d'étudier chaque île séparément, pour faire ressortir les particularités dues aux vicissitudes de l'histoire (8) .

Comme Maurice et les Seychelles, la Réunion fut découverte déserte par les Européens. La première occupation

8 Dans l'étude de la situation linguistique de la Réunion, nous suivons de près un article de Michel Carayol et Robert Chaudenson, « Aperçu sur la situation linguistique à la Réunion », *Cahiers du Centre universitaire de la Réunion*, n° 3, mai 1973, pp. 1-44.

permanente remonte à la seconde moitié du XVIIe siècle : quelques Français, dont les rescapés de Fort-Dauphin, et quelques Malgaches. Jusqu'au début du XVIIIe siècle, l'équilibre se maintient entre population blanche européenne et population noire (d'origine africaine, malgache ou indienne). C'est à cette époque que se constitue le créole, résultat de l'évolution naturelle du français et des interférences dues au plurilinguisme (une place capitale revenant au malgache, langue de la majorité des esclaves). Deux grandes périodes d'immigration vont bouleverser la structure du peuplement de l'île (qui s'appelle Bourbon jusqu'en 1793, puis à nouveau de 1815 à 1848). D'abord la culture du café, puis celle du sucre exigent une très importante main-d'œuvre servile, que l'on fait venir surtout de la côte africaine. La proportion de Blancs tombe à moins de 20 pour 100 de la population totale de l'île. L'interdiction de la traite au début du XIXe siècle tarit peu à peu cette source de main-d'œuvre. La suppression de l'esclavage en 1848 libère des milliers de travailleurs qui refusent de rester sur les plantations de leurs anciens maîtres. On fait alors appel à l'immigration de travailleurs libres, les « engagés », qui viennent en majorité de l'Inde. La main-d'œuvre africaine (importée à la fin du XVIIIe siècle et au tout début du XIXe) et les travailleurs indiens (engagés à partir de 1825 jusqu'au début du XXe siècle) sont arrivés dans l'île alors que le créole, dans sa variété locale, était déjà constitué et servait de langue de communication entre maîtres, commandeurs (= contremaîtres sur les plantations) et esclaves, et entre les esclaves eux-mêmes, puisque ceux-ci étaient souvent d'origine ethnique différente. Les nouveaux arrivants n'ont pu qu'adopter une langue de travail déjà solidement installée. Le créole réunionnais révèle donc peu d'emprunts aux langues africaines et indiennes. Par ailleurs, les conditions géographiques (relief très tourmenté, pluviosité élevée) rendent les communications très difficiles et condamnent les groupes humains à l'isolement (du moins jusqu'à une date récente). Le système économique de la plantation – l'« habitation », comme on dit, s'enferme souvent entre des ravines et occupe le sol « du battant des lames au sommet des montagnes » – accentue la segmentation de la population. Cette dispersion facilite la déculturation des esclaves, contraints d'abandonner leur identité ethnique, pour adopter le modèle socioculturel dominant. Elle entraîne d'autre part la particularisation du créole en variétés propres à chaque habitation repliée sur elle-même. Enfin, autre facteur de division : l'apparition de l'économie sucrière, à la fin du XVIIIe siècle, et l'extension des grandes propriétés ont amené la formation d'un prolétariat blanc, qui, au début du XIXe siècle, se réfugie dans les « Hauts », peu accessibles et incultes. L'abolition de l'esclavage ruine définitivement cette classe de petits colons, qui vivent désormais dans un isolement recherché et dont le créole évolue en vase clos.

La Réunion actuelle (450 000 habitants) est donc composée d'une population d'origines très diverses. Mais la tendance générale est à l'homogénéisation, sur les plans culturel et linguistique, bien que certains groupes restreints (Indiens musulmans, que l'on appelle les « Z'Arabes », et Chinois) tentent de préserver leur identité. La Réunion est un département français depuis 1946 et le français est la langue officielle : c'est la langue de l'administration, des pouvoirs, de l'école. Il est répandu par les moyens d'information modernes : presse et surtout radio et télévision. Il est parlé couramment par deux groupes sociaux : les Français métropolitains installés à la Réunion, ou « Zoreils », qui incarnent un modèle culturel et linguistique prestigieux, et la bourgeoisie locale, grande et moyenne, constituée pour l'essentiel des descendants des colons blancs. Mais la langue de communication quotidienne et privée de la grande majorité de la population reste le créole, dont l'emploi public (presse, télévision, discours) demeure marginal et folklorique. Le créole est non seulement la langue maternelle des « petits Blancs », de la petite bourgeoisie et du prolétariat d'origine africaine ou métisse, mais aussi celle de la plus grande partie des Indiens (improprement désignés par le terme de « Malabars »), qui ont pratiquement abandonné la langue tamoule parlée par les premiers « engagés ». Sans entrer dans la complexité des faits linguistiques, il faut souligner que le terme « créole » ne recouvre pas une réalité uniforme. Les variantes sont nombreuses et constituent un « continuum linguistique » (9), qui fait passer insensiblement du français régional de la Réunion au créole, en passant par un français créolisé. Les conséquences de la situation linguistique sont particulièrement sensibles sur le plan scolaire. On a mené à la Réunion une politique remarquable d'ouverture d'écoles et d'établissements secondaires. Le taux de scolarisation est devenu comparable à celui de la métropole. Mais le niveau et les résultats d'examens sont décevants. C'est que les programmes, strictement identiques à ceux de la métropole, laissent démunis les enfants créolophones des couches

9. C'est la conclusion à laquelle aboutit l'article cité de Michel Carayol et Robert Chaudenson. Pour une analyse plus complète, on se reportera aux thèses de ces deux auteurs.

sociales les plus humbles, que la démocratisation de l'enseignement introduit en grand nombre dans les écoles primaires et secondaires. La maîtrise du français joue un rôle prédominant dans la sélection sociale.

Y a-t-il une littérature réunionnaise ? Il y a des auteurs nés à la Réunion. Mais expriment-ils une culture particulière à leur île natale ? Le développement des moyens rapides de communication, l'uniformisation des genres de vie, l'assimilation à laquelle tend la départementalisation rendent moins évidente l'originalité de la Réunion. De même que le créole lutte difficilement contre l'hégémonie du français dans les usages publics, ce qui pouvait être la culture réunionnaise est aujourd'hui détrôné par les modèles que véhiculent les media de grande diffusion. On consomme une cuisine et des chansons venues de France.

Ce n'est pas que la vie culturelle des siècles passés ait été spécialement brillante. Au contraire. Elle est marquée par une guerre sans merci, la déculturation (n'est-ce pas ce que les modernes appellent « lavage de cerveau » ?) imposée aux esclaves et aux « engagés ». La société réunionnaise a été (est encore ?) une société émiettée et mutilée. Du naufrage n'ont subsisté que des bribes de culture populaire : contes, chansons, ségas (10) . La culture savante, celle qui s'imprime et devient littérature, était réservée à la classe dominante. Celle-ci fut prolifique, si l'on en croit les listes de « poètes de l'île Bourbon », établies par les érudits. La poésie fut en effet le genre préféré du XIXe siècle : genre d'apparat, destiné à manifester la prééminence de l'« aristocratie coloniale », à l'intention d'un public local autoconsommateur. Les anthologies de la poésie française du XVIIIe siècle citent régulièrement Bertin et Parny : deux poètes des îles, au charme créole, érotique et impie. Mais la sensualité fade de leurs poèmes vient-elle de Bourbon ? Parny est aussi l'auteur des *Chansons madécasses* (1787), qu'il prétend recueillies de la bouche d'esclaves originaires de Madagascar. Excellent exemple du travestissement que l'on fait subir à la culture populaire : tout y est revêtu d'une langueur fin de siècle. La thématique des poètes du XIXe siècle s'organise selon un schéma autobiographique constant : le poète a connu une enfance paradisiaque dans l'île maternelle ; il a dû la quitter pour étudier ou travailler dans les pays du Nord ; mais il a conservé le chaud souvenir du paradis perdu ; sa poésie chante le regret de l'enfance tropicale. Jamais n'affleure l'envers de l'éden : la réalité coloniale esclavagiste. Sauf peut-

10 La séga est une danse d'esclaves, sans doute d'origine africaine, au rythme très vif. Les paroles qui l'accompagnent consistent en quelques phrases répétées de façon lancinante.

être chez Auguste Lacaussade (1817-1897), qui dut subir humiliations et frustrations du fait d'une naissance illégitime et métissée. Mais la sincérité ingénue de Lacaussade confesse que les sommets où se hausse la poésie réunionnaise ont précisément pour fonction de masquer l'esclavage :

« Là comme ailleurs, hélas, pèse la servitude,
Mais nos yeux, sur les monts trouvant la solitude,
Fuiront dans l'avenir un présent douloureux ;
Et les nuages blancs qui montent du rivage
Déplieront sous nos pieds, nous cachant l'esclavage,
Leur voile errant et vaporeux. »

(*Les Salaziennes*, 1839)

Mais Leconte de Lisle, qui succéda à Victor Hugo à l'Académie française ? Mais Léon Dierx, qui fut élu Prince des poètes, à la mort de Mallarmé ? Ils ont choisi de faire carrière dans le monde littéraire parisien. Les réussites de leur imagerie tropicale ne suffisent pas à faire d'eux des poètes réunionnais.

L'œuvre de Marius-Ary Leblond (11) est plus ambiguë. Ils obtinrent le prix Goncourt 1909 pour *En France*, où ils décrivaient Paris vu par les yeux d'un Réunionnais. Ils contribuèrent, par une abondante production romanesque, à lancer la vogue du roman colonial. La renommée (relative) qu'ils connurent était fondée sur l'exploitation de leur naissance réunionnaise.

Une véritable littérature réunionnaise ne peut naître qu'à la Réunion, de la société réunionnaise elle-même. A la fin du XIXe siècle, l'île comptait quelques publicistes au talent original, comme François du Mesgnil ou Jules Hermann, rêveurs éveillés, inventeurs d'une mythologie lémurienne, délicieusement farfelue. Le marasme économique du XXe siècle freina tout développement de la vie intellectuelle jusqu'à la fin de la seconde guerre mondiale. Aujourd'hui, où l'on assiste à une prise de conscience de l'identité insulaire, des tentatives nombreuses, en français et en créole, pourraient laisser espérer que la littérature réunionnaise est à venir.

MAURICE

L'histoire de l'île Maurice jusqu'en 1810 est parallèle à celle de la Réunion. Découverte déserte, colonisée d'abord par les Hollandais, elle est occupée en 1715 par les Français, qui la baptisent « île de France » et introduisent le créole de Bourbon comme langue de communication. Les Mascareignes

11 Pseudonyme de deux écrivains nés à la Réunion : Georges Athénas (1877-1955) et Aimé Merlo (1880-1958).

deviennent un point d'appui stratégique capital pour le contrôle de la route des Indes et l'enjeu de la rivalité coloniale franco-britannique. Finalement, les Anglais s'emparent en 1810 de l'île de France, qui retrouve son nom d'île Maurice. Le développement des cultures tropicales (café, puis sucre) impose le recours à une main-d'œuvre abondante : esclaves importés d'Afrique (côte du Mozambique), jusqu'au début du XIXe siècle, puis « engagés » recrutés aux Indes, beaucoup plus nombreux qu'à la Réunion (près de 450 000 en à peine un siècle, alors que la population totale de Maurice était de 370 000 habitants en 1901). La structuration du peuplement (assez différente de celle de l'île voisine) et la politique de l'administration coloniale britannique ont accusé les contrastes de la société mauricienne. Les groupes qui la composent ont une conscience très vive de leur identité ethnique, culturelle, linguistique, même si une évolution récente tend à privilégier les clivages d'ordre économique plus que l'appartenance à une communauté raciale.

La situation linguistique de l'île Maurice actuelle (900 000 habitants) est particulièrement complexe (12). L'Acte de Capitulation de 1810 stipulait : « les habitants conserveront leurs religion, lois et coutumes. » Ce qui fut interprété comme la reconnaissance du droit des colons à conserver l'usage de leur langue : une coutume parmi d'autres. Or la langue « officielle » de l'île de France était le français. D'où la petite guerre menée au XIXe siècle par l'autorité coloniale, désireuse d'imposer « la manière anglaise de penser et de sentir » : l'anglais fut peu à peu promu langue des cours de justice, de l'administration, de l'école, de la vie politique. Mais aucun texte n'avait jamais institutionnalisé cette pratique, avant la Constitution de 1947 qui précisa que l'anglais serait la langue officielle de l'Assemblée, mais que le français y serait admis facultativement. La Constitution de 1968, qui régit l'île Maurice indépendante, reprenant la même formulation, ne définit pas explicitement la langue officielle de l'État mauricien. Aussi voit-on le problème resurgir périodiquement et animer le débat politique.

Cette question est d'autant plus épineuse qu'on ne saurait la limiter à un affrontement entre le français et l'anglais. On parle en effet dix-sept langues différentes à l'île Maurice,

12 Nous nous référons à une étude de Pierre-Marie Moorghen, « Quelques Remarques sur la situation linguistique à l'île Maurice », *Cahiers du Centre universitaire de la Réunion, n°* 3, mai 1973, pp. 45-81.

dont sept au moins jouent un rôle réellement important. Outre l'anglais et le français déjà nommés, il faudrait citer le créole, arrivé à Maurice avec les premiers colons français, le chinois, dans deux variantes principales : le cantonais et le hakka, et de nombreuses langues indiennes, dont les plus usitées sont l'hindi, le bhojpuri (variante populaire du hindi), le tamoul, l'urdu et le gujerati, ces deux dernières étant les langues de la communauté musulmane. Les recensements de la population mauricienne fournissent de précieux renseignements sur la distribution de ces langues. Le tableau suivant reprend les données de 1972.

langues	pourcentage de population qui reconnaît cette langue comme maternelle	pourcentage de population qui utilise couramment cette langue au foyer
anglais	0,3%	0,3%
chinois	2%	1%
créole	32%	51%
français	4,5%	5%
hindi	40%	32%
autres langues indiennes	21%	10%

D'autres chiffres peuvent nuancer et compléter les conclusions qu'on peut tirer de ce tableau. L'anglais et le français peuvent être lus et/ou écrits par respectivement 30 et 40 pour 100 de la population : il s'agit évidemment des éléments qui ont traversé le système scolaire. Par contre cete proportion tombe à moins de 10 pour 100 pour hindi : c'est que les statistiques confondent abusivement hindi et bhojpuri. En revanche, près de 95 pour 100 de la population déclarent pouvoir parler le créole. Celui-ci est donc bien la langue majoritaire à Maurice. Surtout, il est la langue d'intercompréhension entre les diverses communautés qui constituent la société mauricienne. Les langues indiennes ne sont utilisées qu'à l'intérieur des groupes indo-mauriciens, de même que le chinois par les Sino-mauriciens. Anglais et français sont langues d'ouverture sur le monde extérieur, l'anglais demeurant la langue du code de la route, le français (dont la variété mauricienne diffère notablement du français standard) celle de l'ancienne classe dominante et de la littérature.

Nous tirerons seulement deux conclusions de ces remarques. L'imbroglio linguistique est tel qu'il conduit à une situation scolaire absurde : l'anglais, langue ultraminoritaire, reste – théoriquement, et souvent pratiquement – le support du système d'enseignement. On a parfois parlé de « miracle francophone » à propos du maintien de la langue française à Maurice : formule excessive, car, si le français est la langue d'une petite minorité, il est au mieux, pour les autres, une langue étrangère et vaguement familière (13) .

« L'île Maurice est un pâté de roches dans l'océan Indien, où sur un fond de colonialisme négrier, vivote une pseudo-civilisation dont chaque communauté de l'île revendique le monopole. [...] Ce pays cultive la canne à sucre et les préjugés. [...] Les idées y pénètrent, une goutte par siècle. La vraie culture y est si maigre, qu'elle est pratiquement inexistante. Seul le peuple est merveilleusement éveillé aux réalités de la vie, surtout chez les Noirs autochtones. » Quiconque s'intéresse à la littérature mauricienne doit méditer ces formules de Malcolm de Chazal (dans *Petrusmok*, 1951). Dans leur hautaine sévérité, elles expriment la déception et l'exigence d'un trop grand amour. Comme à la Réunion, l'histoire intellectuelle et littéraire de Maurice montre la confiscation du champ culturel par la bourgeoisie esclavagiste : le provincialisme et l'académisme font proliférer les « gensdelettres » autosatisfaits ; toute production populaire est sournoisement refoulée (Charles Baissac, qui eut l'insigne mérite, à la fin du XIXe siècle, de recueillir les contes, chansons et sirandanes (= énigmes) en créole du folklore mauricien, se croit obligé d'en excuser la naïveté : ce sont amusements d'un peuple de grands enfants). Pourtant, malgré les mythes et les mirages tropicaux, l'abondante production littéraire mauricienne fait entendre au lecteur patient une voix qui le retient : quelque chose cherche à se dire à travers la parole de Robert-Edward Hart et de Malcolm de Chazal, de Marcel Cabon et d'Édouard Maunick. C'est cette voix mauricienne que notre analyse voudrait définir.

Mais il faut une bonne oreille. Trop de voix françaises ont prétendu dire Maurice. Paul et Virginie se sont imposés comme héros-symboles. La littérature française, d'Alexandre

13 Le français conserve un rôle important dans la presse, à la radio et à la télévision. Les journaux mauriciens sont anciens (*Le Cernéen* paraît sans interruption depuis 1832) et vivants (les débats politiques ne refusent pas la violence verbale). La télévision diffuse beaucoup de programmes achetés en France. Les émissions de la télévision réunionnaise sont captées et largement suivies à Maurice. Ainsi, la presse soutient une francophonie autochtone, la télévision impose une francophonie étrangère (mais l'inverse est parfois vrai : quand les journaux recopient les dépêches d'agence et que la télévision s'efforce de faire parler les Mauriciens).

Dumas à Pierre Benoit, a construit une image de Maurice, par rapport à laquelle les écrivains mauriciens ont tenu à se définir : tant il est difficile, pour les littératures francophones, d'échapper à la pression du modèle français. Il convient donc de d'abord briser le miroir menteur de l'exotisme. Le premier, Bernardin de Saint-Pierre a donné à l'île Maurice un statut littéraire. Son *Voyage à l'île de France*, paru en 1773, relatant son séjour de 1769-1770, glisse du récit documentaire à la rêverie exotique. De ces souvenirs ambigus, où se mêlent la fascination de la luxuriance tropicale et la méfiance envers l'outre-mer, mauvaise copie de l'Europe, gâtée par la tare de l'esclavage, il tire la pastorale de *Paul et Virginie* (1788), dont le succès est considérable, car on la lit comme le rêve d'un retour au paradis. En fait, le court roman de Bernardin dénonçait l'illusion de l'éden tropical, vicié par l'esclavage et promis à la mort, et montrait l'impossibilité de vivre selon la nature. Mais les lecteurs n'ont retenu que le mythe de l'île paradisiaque. Mythe repris et développé par Alexandre Dumas (*Georges*, 1843), par les poèmes exotiques de Baudelaire, par la littérature de grande consommation (de Pierre Benoit aux auteurs à succès de romans policiers). La littérature mauricienne n'a pas cessé de se situer par rapport à cette image de l'île heureuse, soit qu'elle l'intériorise avec complaisance, soit qu'elle la refuse plus ou moins violemment.

Réfutation du voyage de Bernardin de Saint-Pierre : tel est le titre d'un des premiers ouvrages mauriciens, dû à Thomi Pitot, fondateur, en 1806, de la Table ovale, cercle de lettrés, amateurs de poésie et de bons repas. De la Table ovale à l'Académie mauricienne (rassemblée en 1964 par Camille de Rauville), plusieurs associations ont tenté de polariser la vie intellectuelle et cherché (plus ou moins consciemment) à définir une identité culturelle mauricienne. Mais la conquête britannique de 1810 est venue brouiller le jeu. L'activité littéraire, soutenue par une presse abondante et florissante, a été utilisée par les Franco-Mauriciens dans leur combat contre l'administration coloniale anglaise. Les nombreux poètes du XIXe siècle, écrivant dans la tradition française la plus académique, entendent manifester leur légitime filiation culturelle. A la fin du siècle, devant l'arrivée massive des immigrants indiens, la population créole (c'est-à-dire d'origine africaine, malgache ou métisse) rejoint les positions des Franco-Mauriciens et affirme son attachement à la culture française : c'est la signification qu'il faut donner à l'œuvre de Léoville L'Homme (1857-1928), considéré comme le premier grand poète mauricien. Sa poésie, d'inspiration parnassienne, trouve son modèle et sa norme dans une image maternelle de la France, seule protection « devant la montée des « nouvelles couches sociales », qui ne pouvait se faire sans dommage pour la culture intellectuelle » (14) .

Paradoxe de la littérature mauricienne : elle doit se libérer des mythes de l'exotisme européen, mais pendant longtemps (et ceci explique l'abondante production francophone, alors que la littérature mauricienne anglophone ou en langues indiennes n'apparaît que récemment) elle revendique son appartenance à la tradition française. Pourtant, les conditions matérielles (isolement géographique, nécessité de recourir aux éditeurs locaux, sans réelle diffusion à l'étranger) imposent le retour et la réflexion sur soi-même. Ainsi les premiers romanciers mauriciens, peu connus hors de leur île, tendent-ils leur miroir critique à la société insulaire : Clément Charoux, Savinien Meredac, et surtout, plus près de nous, Marcel Cabon ont trouvé un ton original. Loys Masson a obtenu, lui, une notoriété internationale : c'est qu'il s'est exilé de l'île natale, en 1939, pour n'y plus jamais retourner, et que ses romans et poèmes ont été publiés à Paris ; au-delà de sa diversité, son œuvre révèle plus qu'un attachement thématique aux hommes et aux paysages de l'océan Indien : une culpabilité secrète, comme la mauvaise conscience d'un exilé qui sait qu'il ne réalisera pas son rêve d'enfant – qui est aussi le rêve de l'enfant du *Notaire des Noirs* (1961) : participer au combat de libération des opprimés, dans son propre pays.

Robert-Edward Hart (1891-1954) aurait pu se faire éditer en Europe. Ses premiers recueils de poèmes – *Les Voix intimes, Sur la syrinx*, dont les titres disent l'inspiration symboliste – avaient été acceptés par des éditeurs parisiens. Mais ensuite, pour son cycle romanesque de *Pierre Flandre* (1928-1936), pour ses autres recueils poétiques : *L'Ombre étoilée* (1924), *Poèmes solaires* (1937), *Plénitudes* (1948), il est resté fidèle aux éditeurs mauriciens. Cette œuvre, ouverte aux influences conjointes de l'Orient et de l'Occident (Gide et le symbolisme comme les civilisations de l'Inde) poursuit la recherche d'une enfance fabuleuse : enfance hors du temps, qui rend possible l'extase d'une fusion panthéiste avec la nature tropicale. L'île Maurice est le lieu privilégié de cette quête panique : les pierres et les arbres y parlent un langage que déchiffre le poète.

. . . Que déchiffrent les poètes. Malcolm de Chazal (né en 1902), révélé aux lecteurs français, en 1947, par des textes enthousiastes de Jean Paulhan et André Breton et célébré

14 Léoville L'Homme, *Les Lettres françaises à l'île Maurice* (1914), p. 14.

comme un météore poétique tombé du ciel, a donné à la recherche de Hart un prolongement vertigineux. Son œuvre, dispersée en de multiples publications, la plupart en tirages locaux et confidentiels, se développe dans une double direction : exploration systématique de toutes les correspondances et analogies (*Sens plastique*, 1948 ; *La Vie filtrée*, 1949 (15), construction d'une grandiose cosmogonie mauricienne (*Petrusmok*, 1951 ; *L'île Maurice protohistorique, folklorique et légendaire*, 1973), qui fait de l'île le vestige d'un continent disparu, la Lémurie, et de ses montagnes, des monuments sculptés par la main d'hommes géants et antédiluviens. Reprenant les intuitions d'un modeste précurseur, le Réunionnais Jules Hermann (qui lisait les signes du zodiaque gravés sur les parois de la montagne de Saint-Denis), Malcolm de Chazal donne aux fantasmes insulaires la cohérence d'une mythologie.

C'est dans l'exil qu'Édouard Maunick (né en 1931) a découvert sa vérité de Mauricien. Sa poésie (*Les Manèges de la mer*, 1964 ; *Mascaret*, 1966 ; *Fusillez-moi*, 1970), qui se souvient des poètes de la Négritude, poursuit une quête d'identité à travers une syntaxe éclatée, un langage cycloné. Images de mer et d'exil, de soleil et de sang : en elles se découvre le choix du métissage :

« mon royaume métis commence au point du jour
et ses orfèvreries hantent les fonds de chair
je prophétise le sang mêlé comme une langue de feu. »

(*Les Manèges de la mer*)

Hart, Chazal, Maunick, chacun à sa façon, explorent les voies d'une littérature authentiquement mauricienne. Il serait possible de citer d'autres noms, d'autres tentatives (il n'en manque pas, et d'écrivains de valeur). Car il semble que, depuis l'indépendance, une mutation se produise : à public nouveau, littérature neuve. La jeunesse mauricienne, inquiète de son identité, attend les écrivains qui l'aideront à se définir.

LES COMORES

Les Comores (250 000 habitants) ont une population d'origine très diverse : africaine, indonésienne, chirazienne, arabe et, à une date plus récente, malgache. Chaque île

15 On ne saurait se passer de donner, pour le plaisir, un ou deux exemples de pensées chazaliennes :
L'eau s'en allait pieds nus se baigner dans la mer.
Dans l'œil qui sourit, les paupières prennent forme de lèvres ; les cils s'avancent comme une rangée de dents ; et le blanc de l'œil dénude largement ses gencives.

utilise un dialecte qui lui est propre, très proche parent du kiswahili, parlé sur la côte orientale de l'Afrique ; on trouve à Mayotte une variété dialectale du malgache. Deux langues jouent un rôle important à côté de la langue maternelle : l'arabe et le français. L'arabe est réservé à la religion et aux cercles lettrés traditionnels. Le français a été répandu par l'enseignement moderne (d'ailleurs insuffisant et inadapté aux réalités comoriennes), et son emploi est resté superficiel, limité à certains aspects de la vie administrative, politique ou commerciale. La vie culturelle est dominée par l'islam, dans une variante vigoureuse et originale : c'est en arabe ou en langue comorienne qu'elle trouve son expression privilégiée.

SEYCHELLES

Les 85 îles ou îlots de l'archipel des Seychelles (50 000 habitants), situé au nord de Maurice, ont une population en très grande majorité créole, qui parle le créole. Le français est resté la langue de quelques vieilles familles issues de la bourgeoisie coloniale. L'administration britannique (l'archipel était une colonie de la couronne et a accédé à l'indépendance en 1976) a réussi à imposer l'anglais comme langue de l'enseignement. Longtemps isolées, les Seychelles doivent maintenant affronter l'afflux de touristes étrangers qui risquent de peser sur l'évolution de la situation linguistique.

Jean-Louis JOUBERT
(Université de Paris XII)

BIBLIOGRAPHIE

OUVRAGES GÉNÉRAUX

BIBLIOGRAPHIES

GRANDIDIER (Guillaume), *Bibliographie de Madagascar*, Paris, 4 volumes, 1905, 1906, 1935, 1957.

A jour jusqu'en 1955, consultable dans les grandes bibliothèques, complétée à partir de 1964 par la *Bibliographie annuelle de Madagascar*, éditée par l'Université de Madagascar.

TOUSSAINT (Auguste) et ADOLPHE (H.), *Bibliography of Mauritius* (1502-1954), Port-Louis, 1956.

Bibliographie générale, complétée régulièrement par les *Mauritius Archives Publications*.

Il n'existe actuellement aucune bibliographie générale des Comores, de la Réunion et des Seychelles.

GÉOGRAPHIE

Atlas de Madagascar. Édité par l'association des géographes de Madagascar, sous la direction de René BATTISTINI, Françoise et Paul LE BOURDIEC, Tananarive, 1969, 68 planches.
Réalisation remarquable. Chaque planche est accompagnée d'un commentaire.

ISNARD (Hildebert), *Madagascar*, Paris, A. Colin, 1964, 220 p., Coll. « A. Colin ».
Introduction excellente ; comporte aussi une partie historique.

BATTISTINI (René), *L'Afrique australe et Madagascar*, Paris, P. U. F., 1967, 230 p., Coll. « Magellan ».

DOLLOT (L.), *L'Ile Maurice et ses dépendances*, Paris, La Documentation française, 1971, 36 p., Coll. « Notes et études documentaires », n° 3794.

SCHERER (André), *La Réunion*, Paris, La Documentation française, 1967, 52 p., Coll. « Notes et études documentaires », n° 3358.

DEFOS DU RAU (J.), *L'Ile de la Réunion, étude de géographie humaine*, Bordeaux, Thèse de la faculté des lettres et sciences humaines, 1960, 716 p.
Thèse qui fait autorité. Importante bibliographie.

HISTOIRE

DESCHAMPS (Hubert), *Histoire de Madagascar*, Paris, Berger-Levrault, 1960, 3e éd. 1973, 348 p., 50 F., Coll. « Mondes d'outre-mer ».
Un classique de l'historiographie traditionnelle. Bibliographie méthodique.

DESCHAMPS (Hubert), *Madagascar*, Paris, P. U. F., 1968, 128 p., Coll. « Que sais-je ? », n° 529.
Le plus succinct des ouvrages d'introduction à Madagascar.

RALAIMIHOATRA (Édouard), *Histoire de Madagascar*, Tananarive, Société malgache d'édition, 1965-1967, 2 vol., 226 et 108 p.
Un point de vue malgache, dans un ouvrage à usage scolaire.

TRONCHON (Jacques), *L'Insurrection malgache de 1947*, Paris, Maspéro, 1974, 398 p., Coll. « Textes à l'appui ».
Une thèse universitaire sur un sujet douloureux. Première étude sérieuse, à partir d'archives souvent inédites.

TOUSSAINT (Auguste), *Histoire de l'océan Indien*, Paris, P. U. F., 1961, 286 p.
Une histoire essentiellement maritime.

TOUSSAINT (Auguste), *Histoire des îles Mascareignes*, Paris, Berger-Levrault, 1972, 356 p., Coll. « Mondes d'outre-mer », 75 F.
Étude d'historiographie traditionnelle, par un archiviste minutieux.

TOUSSAINT (Auguste), *Histoire de l'île Maurice*, Paris, P. U. F., 1971, 128 p., Coll. « Que sais-je ? », n° 1449.
Initiation commode, qui situe dates et faits principaux

SCHERER (André), *Histoire de la Réunion*, Paris, P. U. F., 2e éd. 1966, 128 p., Coll. « Que sais-je ? ».
Introduction succincte.

DAYER (P.-L.), *Les Iles Seychelles. Esquisse historique*, Fribourg, 1966.
Une des rares études en français sur ces îles oubliées.

BOURDE (André), « Comores », article dans l'*Encyclopaedia Universalis*, vol. IV.
Mise au point de quelques pages, récente, accompagnée d'une bibliographie élémentaire.

THIERRY (Solange), *Madagascar*, Paris, Le Seuil, rééd. 1969, 192 p., Coll. « Microcosme. Petite planète ».

JANICOT (Claude), *Madagascar*, Lausanne, édit. Rencontre, 1964, 192 p., Coll. « Atlas des voyages ».
Bonnes introductions pour voyageurs pressés. Illustration soignée.

FAUBLÉE (Jacques), *Ethnographie de Madagascar*, Paris, La Nouvelle Édition, 1946.
Panorama de la diversité des sociétés malgaches.

DECARY (Raymond), *Mœurs et coutumes des Malgaches*, Paris, Payot, 1952.
Un classique de l'ethnographie traditionnelle.

CONDOMINAS (Georges), *Fokon'olona et collectivités rurales en Imerina*, Paris, Berger-Levrault, 1960, 234 p.
Analyse qui fait autorité de la communauté de base des sociétés malgaches. La restructuration du fokon'olona est la pierre angulaire de la révolution entreprise par la seconde République Malgache.

ALTHABE (Gérard), *Oppression et libération dans l'imaginaire. Les Communautés villageoises de la côte orientale de Madagascar*, Paris, Maspéro, 1969, 354 p., Coll. « Textes à l'appui ».
Étude sociologique d'un phénomène de possession, le « tromba », où peut se lire la résistance des paysans au pouvoir central.

ANDRIAMANJATO (Richard), *Le Tsiny et le tody dans la pensée malgache*, Paris, Présence africaine, 1957, 100 p.
Analyse célèbre de deux catégories fondamentales de la pensée malgache.

RABEMANANJARA (Jacques), *Nationalisme et problèmes malgaches*, Paris, Présence africaine, 1959, 220 p.
Témoignages sur la réaction malgache à la colonisation.

URBAIN-FAUBLÉE (Marcelle), *L'Art malgache*, Paris, P. U. F., 1963, 142 p., Coll. « Pays d'outre-mer ».
Ethnographie de quelques productions artistiques.

Ile Maurice, isle de France, Port-Louis, édit. Isle de France, 1974, 148 p.
Album de belles images.

DECOTTER (André), *Maurice*, Port-Louis, 1972, 260 p.
Le pittoresque des îles . . .

VAILLAND (Roger), *La Réunion*, Lausanne, édit. Rencontre, 1964, 192 p., Coll. « Atlas des voyages ».
Un reportage souvent passionnant, parfois complaisant.

Les « Petites France » d'outre-mer. Des Caraïbes au Pacifique, Paris, supplément aux « Dossiers et documents du Monde », janvier 1975, 52 p.
Un des articles est consacré à la Réunion, un autre aux Comores.

LELOUTRE (Jean-Claude), *La Réunion département français*, Paris, Maspéro, 1968, 128 p., Coll. « Cahiers libres ».

Groupe Eliard Laude, *Réunion 1969, une colonie française*, Paris, Maspéro, 1969, 128 p.
Dossier qui, comme le livre de J.-C. Leloutre, met en question la politique de départementalisation.

FAVOREU (Louis), *L'île Maurice*, Paris, Berger-Levrault, 1970, 120 p.
Étude politique et constitutionnelle.

DURAND (Joyce et Jean-Pierre), *L'île Maurice, quelle indépendance ? La Reproduction des rapports de production capitalistes dans une formation sociale dominée*, Paris, édit. Anthropos, 1975, 256 p.
Autopsie d'une île par deux sociologues marxistes.

HAZAREESINGH (Kissonsing), *Histoire des Indiens à l'île Maurice*, Paris, Librairie d'Amérique et d'Orient, 1973, 2232 p.

ARTS ET LETTRES

HISTOIRE DE LA LITTÉRATURE

Il n'existe pas d'étude synthétique sur les littératures de l'océan Indien. On pourra se reporter aux chapitres spécialisés, dans les grandes histoires de la littérature francophone, en particulier aux études d'Auguste VIATTE :

« La Littérature d'expression française dans la France d'outre-mer et à l'étranger », dans *Littératures françaises, connexes et marginales, Histoire des Littératures III*, Encyclopédie de la Pléiade, Paris, Gallimard, 1958.

VIATTE (Auguste), *La Francophonie*, Paris, Larousse, 1969, 205 p. (le chapitre sur l'océan Indien occupe les pages 83-100).

Les ouvrages suivants concernent des aspects particuliers :

Les plus beaux écrits de l'Union française et du Maghreb, Paris, La Colombe, 1947, 454 p., Coll. « Les plus beaux écrits ».
Comporte un chapitre de présentation et d'anthologie de la littérature de Madagascar, par A. Rakoto-Ratsimamanga et E. Ralajmihiatra.

BOUDRY (Robert), *Jean-Joseph Rabearivelo et la mort*, Paris, Présence africaine, 1958, 84 p.
Cette étude biographique est le seul ouvrage consacré au grand poète malgache.

BOUCQUEY-DE SCHUTTER (Éliane), *Jacques Rabemananjara*, Paris, Seghers, 1964, 192 p., Coll. « Poètes d'aujourd'hui », n° 112.
Monographie et anthologie.

RODA (Jean-Claude), *Bourbon littéraire. Guide bibliographique des poètes créoles*, Saint-Denis, Bibliothèque universitaire de la Réunion, 1974, 82 p.

RODA (Jean-Claude), *Bourbon littéraire II*. Guide bibliographique des prosateurs créoles, Saint-Denis, Bibliothèque universitaire de la Réunion, 1975, 189 p.

ITHIER (J.-J. Waslay), *La Littérature française à l'île Maurice*, Paris, M. Lac, 1930, 288 p.
Thèse d'université (Sorbonne), vieillie, insistant surtout sur le XIXe siècle.

LHOMME (Léoville), *Les Lettres françaises à l'île Maurice*, édit. de la « Pensée de France », 1914, 47 p.
Le point de vue du premier chef de file de la littérature mauricienne.

URRUTY (Jean), *Poètes mauriciens*, 3 vol., Port-Louis, Royal Printing, 1971, 1972, 1973, XX-122 p., 134 p., 144 p.
Panorama et anthologie précieuse de la poésie mauricienne. Ne peut malheureusement (comme les deux ouvrages précédents) être consulté que dans les grandes bibliothèques.

MOULIN (Charles), *Loys Masson*, Paris, Seghers, 1962, 212 p., Coll. « Poètes d'aujourd'hui », n° 88.
Présentation de l'œuvre poétique et anthologie.

DE RAUVILLE (Camille), *Chazal des antipodes. Approche et anthologie*, Dakar, Nouvelles Éditions africaines, 1974, 118 p.
Utile introduction à une œuvre hermétique. Fournit des textes depuis longtemps épuisés et introuvables.

POÉSIE

Ravearivelo (J.-J.), Textes commentés par J. Valette, Paris, Fernand Nathan, 1967, 64 p., Coll. « Littérature malgache », n° 1.
Cette trop maigre anthologie offre les seuls textes du grand poète malgache qu'on puisse se procurer facilement. Mais de graves coquilles défigurent plusieurs poèmes.

RABEARIVELO (Jean-Joseph), *Poèmes. Presque-Songes. Traduit de la nuit*, Tananarive, Imprimerie officielle, 1960, 220 p.
Réédition des deux recueils majeurs, donnant les versions française et malgache de chaque poème. N'est malheureusement pas diffusée hors de Madagascar.

J. Rabemananjara. Textes commentés par G. Ravelonanosy, Paris, Fernand Nathan, 1970, 64 p., Coll. « Litérature malgache », n° 3.
Brève anthologie de textes souvent épuisés.

RABEMANANJARA (Jacques), *Antsa*, Paris, Présence africaine, nouvelle éd., 1961, 66 p.

RABEMANANJARA (Jacques), *Lamba*, Paris, Présence africaine, 1961, 84 p.

RABEMANANJARA (Jacques), *Antidote*, Paris, Présence africaine, 1961, 48 p.

Trois recueils de poésie militante : le cri et le désir d'un poète en prison.

RABEMANANJARA (Jacques), *Les Ordalies*, Paris, Présence africaine, 1972, 64 p.
Sonnets de facture classique : retour au lyrisme.

Flavien Ranaivo. Textes commentés par J. Valette, Paris, Fernand Nathan, 1968, 64 p., Coll. « Littérature malgache », n° 2.
Plus qu'une anthologie : la réédition des trois premiers recueils (*L'Ombre et le vent ; Mes chansons de toujours ; Le Retour au bercail*) d'un poète délicat, attentif à restituer la grâce de la poésie traditionnelle malgache.

FOUCQUE (Hippolyte), *Les Poètes de l'île Bourbon*, Paris, Seghers, 1966, 190 p., Coll. « Melior ».
Bonne anthologie de la poésie réunionnaise du XIXe et de la première moitié du XXe siècle.

PARNY (Évariste), *Chansons madécasses*, Réédition : *Cahiers de la Réunion*, 1973, n° 3, pp. 101-105 et 1974, n° 4, pp. 84-100.

LECONTE DE LISLE (Charles-Marie), *Poèmes barbares*, Paris, Lemerre, 1872, 350 p.
Pour mémoire. Beaucoup de poèmes prennent leur inspiration dans les souvenirs réunionnais de l'auteur, mais il n'a jamais visé à fonder une littérature réunionnaise.

L'HOMME (Léoville), *Poésies et poèmes*, Port-Louis, librairie Esclapon, 1926, 142 p.
Anthologie poétique de Léoville L'homme, présentée par K. Hazareesingh, Mauritius, Mabatma Gandhi Institute et Paris, Fernand Nathan, 1976, 128 p.
Le plus représentatif des poètes mauriciens du XIXe.

HART (Robert-Edward), *Les Voix intimes*, Port-Louis, The General Printing, 1922, 250 p. ; rééd. Paris, Jouve et Cie, 1922.

HART (Robert-Edward), *L'Ombre étoilée*, Port-Louis, The General Printing, 1924, 270 p.

HART (Robert-Edward), *Mer indienne*, Port-Louis, The General Printing, 1925, 80 p.

HART (Robert-Edward), *Poèmes choisis*, Port-Louis, La Typographie moderne, 1930, 244 p.

HART (Robert-Edward), *Poèmes solaires*, Port-Louis, The Standard Printing Establishment, 1937, 62 p.

HART (Robert-Edward), *Plénitudes*, Port-Louis, Nouvelle Imprimerie coopérative, 1948, 216 p.
A travers ces recueils se dessine une évolution vers une mystique et un panthéisme enracinés dans la terre mauricienne.
Anthologie poétique de Robert-Edward Hart, présentée par K. Hazareesingh, Mauritius, Mabatma Gandhi Institute et Paris, Fernand Nathan, 1976, 128 p.

MASSON (Loys), *La Dame de Pavoux*, Paris, Robert Laffont, 1965, 204 p.
Pour mémoire. Ces poèmes d'amour (de la nature et de la femme) ont oublié les origines mauriciennes.

CABON (Marcel), *Kélibé-Kéliba*, Port-Louis, Croix du Sud, s.d. (1951), 16 p.
Un poème sans prétentions, qui retrouve les rythmes du séga.

DE CHAZAL (Malcolm), *Sens plastique*, Paris, Gallimard, 1948.

DE CHAZAL (Malcolm), *La Vie filtrée*, Paris, Gallimard, 1949.

DE CHAZAL (Malcolm), *Petrusmok, mythe*, Port-Louis, 1951.

DE CHAZAL (Malcolm), *Sens magique*, Port-Louis, 1956, 2e éd., Tananarive, 1958.

DE CHAZAL (Malcolm), *Poèmes*, Paris, J.-J. Pauvert, 1968, non paginé.

DE CHAZAL (Malcolm), *L'île Maurice protohistorique, folklorique et légendaire*, Port-Louis, G. de Spéville, 1973, 48 p.

DE CHAZAL (Malcolm), *L'Homme et la connaissance*, Paris, J.-J. Pauvert, 1974, 139 p.
Ces ouvrages constituent un choix dans une œuvre difficile (et difficile d'accès : la plupart des titres sont épuisés, souvent absents des grandes bibliothèques). *Sens plastique* offre les exemples les plus pertinents de la méthode poétique chazalienne.

MAUNICK (Édouard), *Les Manèges de la mer*, Paris, Présence africaine, 1964, 100 p.

MAUNICK (Édouard), *Mascaret ou Le Livre de la mer et de la mort*, Paris, Présence africaine, 1966, 140 p.

MAUNICK (Édouard), *Fusillez-moi*, Paris, Présence africaine, 1970, 58 p.
Une poétique de l'exil : la quête d'identité d'un métis, qui se choisit « nègre de préférence ».

ERENNE (Jean), *L'Ange aux pieds d'airain*, Port-Louis, 1934.
Tentative d'acclimatation du surréalisme aux Mascareignes. Causa un gros scandale à l'époque.

RENAUD (Pierre), *Les Balises de la nuit*, Port-Louis, Le Chien de plomb, 1974, non paginé.
Un parmi les très nombreux poètes mauriciens qu'il aurait fallu citer. Sa poésie est en quête d'une indépendance culturelle mauricienne.

ROMAN

LEBLOND (Marius et Ary), *Ulysse cafe*, Paris, Les Éditions de France, 1924, 310 p.
Un exemple du roman colonial réunionnais.

HART (Robert-Edward), *Mémorial de Pierre Flandre. Roman du tropique*, Port-Louis, La Typographie moderne, 1928, 152 p.
Premier volume d'un complexe cycle poétique et romanesque, achevé en 1936. Rêverie sur une enfance mauricienne.

MASSON (Loys), *L'Étoile et la clef*, Paris, Gallimard, 1945, 366 p.
Autobiographie rêvée. Les engagements révolutionnaires d'un jeune Franco-Mauricien. La lutte des classes dans l'île Maurice des années 30-40.

MASSON (Loys), *Les Tortues*, Paris, Robert Laffont, 1956, 286 p.
Roman maritime et métaphysique : les tortues des Seychelles comme allégorie de la mort.

MASSON (Loys), *Le Notaire des Noirs*, Paris, Robert Laffont, 1961, rééd. « Le Livre de poche », 1969, 256 p.
Les rêves révolutionnaires d'un enfant. Le roman d'une certaine mauvaise conscience.

MASSON (Loys), *Les Noces de la vanille*, Paris, Robert Laffont, 1962, 278 p.
Une enfance réunionnaise. Forme diptyque avec *Le Notaire des Noirs*.

MASSON (André), *Un temps pour mourir*, Paris, Calmann-Lévy, 1962, 296 p.
Par le frère de Loys, un roman halluciné : un cyclone apocalyptique s'abat sur les hauts plateaux d'une île tropicale qui pourrait être l'une des Mascareignes.

LAGESSE (Marcelle), *La Diligence s'éloigne à l'aube*, Paris, Julliard, 1958, rééd. Port-Louis, The General Printing, 1971, 256 p.
Roman historique et nostalgique. Le charme créole au début du XIXe siècle.

CABON (Marcel), *Namasté*, Port-Louis, Le Cabestan, 1965, 94 p.
Chronique paysanne au charme puissant : un regard sur la communauté indo-mauricienne.

FANCHETTE (Jean), *Alpha du centaure*, Paris, Buchet-Chastel, 1975, 160 p.
Dans la tradition mauricienne du roman métaphysique.

THÉÂTRE

RABEMANANJARA (Jacques), *Les Boutriers de l'aurore*, Paris, Présence africaine, 1957, 232 p.
Tragédie malgache : évocation des premières arrivées, sur la côte est, d'immigrants venus du Sud-Est asiatique.

RABEMANANJARA (Jacques), *Agapes des dieux. Tritriva*, Paris, Présence africaine, 1962, 264 p.
Tragédie d'après une légende traditionnelle.

LANGUES ET LITTÉRATURES TRADITIONNELLES

RAJAONA (Siméon), *La Structure du malgache*, Thèse, Paris-Sorbonne, 1969.
Étude fondamentale par un linguiste moderne.

PAULHAN (Jean), *Les Hain-tenys*, Paris, Gallimard, 1938, rééd. 1960, 216 p.
Démontage lumineux d'un genre poétique traditionnel. Textes traduits par l'auteur.

DOMENICHINI-RAMIARAMANANA (Bakoly), *Hainteny d'autrefois*, Tananarive, Librairie mixte, 1968, LXIV-336 p.
Textes et traductions de hain-teny retrouvés, recueillis à l'époque de Ranavalona Ire : à comparer avec les exemples de Paulhan.

RANAIVO (Flavien), *Hain-teny*, Paris, Publications orientalistes de France, 1975, 48 p.
Adaptation de hain-teny célèbres.

CHAUDENSON (Robert), *Le Lexique du parler créole de la Réunion*, Thèse, 1972, Paris, Champion, 1974, 2 vol.

CARAYOL (Michel), *Le Français parlé à la Réunion. Phonétique et phonologie*, Thèse, Toulouse, 1976.
Ces deux thèses sont les travaux les plus récents et les plus complets sur les problèmes du créole réunionnais.

BAISSAC (Charles), *Le Folklore de l'île Maurice*, Paris, Maisonneuve et Larose, 1887, rééd. 1967, 466 p., Coll. « Les littératures populaires de toutes les nations », tome 27.
Recueil de contes, chansons et devinettes (avec en regard la traduction française).

MUSIQUE

MUSIQUE MALGACHE, Disque Ocora, OCR 24.

VALIHA-MADAGASCAR, Disque Ocora, OCR 18.

CHANTS ET DANSES DE MADAGASCAR, Disque Le chant du Monde, LDX 74456.

TRIO JOKARY, *Folklore de l'île Bourbon*, Disque Discomad (Madagascar).

ÎLE MAURICE. ÉLÉMENTS MUSICAUX, O. R. T. F., Archives radiophoniques, Coll. « Pays du monde », disque n° RC 3.

TI FRÈRE, Folklore de l'île Maurice, plusieurs disques Capricorne.

CYRIL LABONNE, Ségas mauriciens, plusieurs disques Capricorne.

CINÉMA

RAMAMPY (Benoît), *L'Accident* (1972).

RANDRASANA (Ignace-Solo), *Le Retour* (1974).
Deux films malgaches (moyen et long métrage) qui proposent un regard critique sur les tensions internes de la société malgache.

ORGANISMES

Journaux

MADAGASCAR-MATIN (Tananarive).

LE JOURNAL DE L'ÎLE DE LA RÉUNION (Saint-Denis).

LE QUOTIDIEN DE LA RÉUNION (Saint-Denis).

ADVANCE, LE CERNÉEN, L'EXPRESS, LE MAURICIEN, THE NATION, THE STAR (Port-Louis).
On n'a indiqué que les journaux qui sont, au moins partiellement, rédigés en français.

Revues

ANNALES DE L'UNIVERSITÉ DE MADAGASCAR.
Plusieurs séries (Lettres, Droit, Sciences). La publication semble actuellement interrompue.

CAHIERS DU CENTRE UNIVERSITAIRE DE LA RÉUNION, rue de la Victoire, Saint-Denis, La Réunion.

LES CAHIERS DE LA RÉUNION ET DE L'OCÉAN INDIEN, Saint-Denis, Réunion.

L'ÉTOILE ET LA CLEF, 119, avenue G. Bergmann, 1050 Bruxelles, Belgique.
Revue de poésie et de littérature nouvellement fondée par le poète mauricien Raymond Chasle.

Centres

UNIVERSITÉ DE MADAGASCAR, BP 566, Tananarive, Madagascar.

CENTRE UNIVERSITAIRE DE LA RÉUNION, rue de la Victoire, Saint-Denis, Réunion (Président : M. Robert Chaudenson).

ARCHIVES DÉPARTEMENTALES, Saint-Denis, Réunion.

CENNADOM (Centre national de documentation des départements d'outre-mer), Saint-Denis, Réunion.

UNIVERSITÉ DE MAURICE, Le Réduit, Moka, Île Maurice (Vice-Chancelier : M. Romaschandraduth Burrenchobay).

MAURITIUS Archives, La Chaussée, Port-Louis, Île Maurice.

BIBLIOTHÈQUE CARNEGIE, Queen Elisabeth II avenue, Curepipe, Île Maurice.

Librairies

Les ouvrages mentionnés dans la bibliographie sont souvent épuisés ou simplement mal diffusés. Nous indiquons ci-dessous des librairies spécialisées qui possèdent un fonds d'ouvrages intéressant l'océan Indien.

LIBRAIRIE PRÉSENCE AFRICAINE, 25 bis, rue des Écoles, 75005 Paris.

LIBRAIRIE L'HARMATTAN, 18, rue des Quatre-Vents, 75006 Paris.

LIBRAIRIE DE LA FONTAINE, 13, rue de Médicis, 75006 Paris (point de vente d'ouvrages réunionnais).

LIBRAIRIE DE MADAGASCAR, avenue de l'Indépendance, Tananarive, Madagascar.

LIBRAIRIE LE CYGNE, B. P. 4, Rose Hill, Île Maurice.

LIBRAIRIE ALLOT, Les Arcades, Curepipe, Île Maurice.

Le Liban

« Si le Liban s'effondre, c'est une part de notre confiance dans le rapprochement des hommes, c'est-à-dire dans l'avenir, qui s'éteint. Nous ne pouvons pas nous permettre cette amputation » (1). Ce cri d'alarme, jeté par la romancière Andrée Chédid au septième mois d'une guerre civile atroce, la deuxième vécue par le Liban en trente ans d'indépendance (2), évoque à la fois la grandeur et la fragilité du projet national que ce petit pays (3) s'est donné comme fondement en 1943. Le « Pacte » conclu, à la veille de l'indépendance, entre les représentants des communautés chrétiennes et ceux des communautés islamiques (4), était un pari audacieux (5) : il préconisait la coexistence sur pied d'égalité, au sein d'un État démocratique et unitaire, de ces deux grands groupes de communautés ethnico-religieuses et impliquait l'émergence d'une culture de synthèse riche de leurs différences. Cette culture de synthèse qui, en réalité, était déjà en voie de formation depuis plus d'un siècle, impliquait à son tour, en raison même des allégeances spirituelles des deux groupes humains en présence, que le Liban, partie prenante dans la civilisation arabe, demeurât en rapport étroit avec la civilisation occidentale, prioritairement représentée par la France. Il est significatif, à cet égard, qu'à chaque rupture du Pacte, le conflit islamo-chrétien tende à se traduire sur le plan symbolique de la culture, les Musulmans revendiquant un Liban exclusivement « arabe » et les Chrétiens défendant le double visage « arabe et occidental » du pays. C'est dans ce contexte culturel complexe, à la fois pluraliste et bipolaire, qu'il convient de situer, pour le comprendre, le rôle de la langue française au Liban.

1 Andrée Chédid, « Vivre avec », in *Le Point*, n° 164, 10 novembre 1975, p. 73.

2 La première a éclaté en mai 1958 et a pris fin en octobre de la même année.

3 Le Liban a 10 400 km^2 de superficie, et environ 2 millions et demi de résidents de nationalité libanaise. Les résidents étrangers dépassent, semble-t-il, les 40 pour 100 de la population totale.

4 La population libanaise se compose de quinze communautés ethnico-religieuses : 1) trois communautés islamiques : Sunnites, Chiites, Druzes ; 2) onze communautés chrétiennes de très inégale importance : Maronites, Grecs orthodoxes, Grecs melkites, Arméniens grégoriens et Arméniens catholiques, Syriens jacobites et Syriens catholiques, Chaldéens nestoriens et Chaldéens catholiques, Latins, Protestants ; 3) une communauté israélite.

5 A la veille de l'indépendance, le pays était pratiquement déchiré entre deux tendances, les Musulmans souhaitant l'intégration du Liban, à titre de « province arabe », dans une grande Syrie, les Chrétiens préconisant, par réaction, l'idée d'un Liban amputé de ses régions périphériques à majorité musulmane et devenant ainsi un « foyer chrétien » lié d'une manière ou de l'autre à la France. Les esprits les plus audacieux réussirent à écarter ces deux termes de l'alternative et à faire triompher l'idée d'un Liban « association islamo-chrétienne » à parts égales, ouvert à l'Orient arabe et à l'Occident.

L'ENRACINEMENT DU FRANÇAIS AU LIBAN

L'implantation du français au Liban n'est pas le résultat d'une période d'occupation coloniale. Elle a précédé d'un siècle environ le mandat de brève durée exercé par la France sur ce pays de 1920 à 1943. C'est essentiellement par l'intermédiaire des écoles missionnaires que l'usage des langues occidentales s'est répandu, au XIXe siècle, dans la montagne et les villes de la côte. Dans les quelques écoles étrangères existantes au XVIIIe siècle, il arrivait sans doute qu'on enseignât des rudiments d'italien et de français. Mais ces langues, surtout l'italien, n'étaient réellement utilisées que par des catégories déterminées et restreintes de la population : des commerçants en relation avec les comptoirs vénitiens et génois de la côte, et des clercs formés dans les séminaires de Rome ou de Paris. C'est avec l'essor, à partir de 1840, du mouvement missionnaire catholique et protestant que le français et, à un moindre degré, l'anglais commencent à se répandre dans le pays, aux dépens de l'italien d'ailleurs (6) . « A partir de 1860, écrit un historien, la culture française l'emporte nettement sur les cultures italienne et anglo-américaine qui demeurent pourtant ses principales rivales » (7) . Soixante ans plus tard, le progrès du français est considérable : « Le français, écrit le même historien, est maintenant après l'arabe, la langue favorite des Libanais : presque tous les intellectuels et beaucoup de commerçants le parlent couramment » (8) . A partir de 1920 la Puissance mandataire s'emploiera à renforcer les institutions scolaires existantes et à organiser l'enseignement officiel.

Pour employer la terminologie des anthropologues, il faut donc dire que l'acculturation française au Liban s'est faite « dans l'amitié » et non « dans l'hostilité », qu'elle a été une

6 D'après un rapport publié en 1897, le Liban comptait à cette date une quarantaine d'établissements de tous degrés, français et autochtones, où l'enseignement du français était dispensé à plus de 7 000 garçons et filles, et douze établissements anglo-américains, où près de 1 000 élèves apprenaient l'anglais (H. Villeneuve, « Les Écoles françaises et étrangères en Syrie », in *Revue des Universités du Midi*, nouvelle série des Annales de la faculté de Bordeaux, T. III (XIXe année), n° 2, avril-juin 1897, pp. 206-240). En 1912, c'est-à-dire quinze ans plus tard, il y avait soixante établissements, mieux organisés, qui enseignaient le français à une population de 34 386 élèves (22 120 garçons + 12 266 filles) et dont certains utilisaient cette langue pour l'enseignement de diverses matières. (D'après Maurice Pernot, *Rapport sur un voyage d'étude à Constantinople, en Égypte et en Turquie d'Asie, janvier-août 1912*, Firmin-Didot et Cie, Paris, 1912, pp. 175-218.)

7 Georges Samné, *Les Œuvres françaises en Syrie*, Paris, 1919, p. 9.

8 Georges Samné, ouvrage cité, pp. 184-185.

« acculturation demandée » et non une « acculturation imposée » (9) . C'est sans doute pourquoi le français put si facilement devenir l'instrument d'une double libération culturelle et politique. C'est en effet grâce à leur accès direct à la culture française – dans certains cas à la culture anglo-saxonne – que les Libanais, en particulier les Libanais chrétiens, purent entreprendre, à partir des dernières décennies du siècle dernier, le gigantesque mouvement de la *Nahda* (Renaissance de la langue et des lettres arabes), qui devait s'étendre à tous les pays du Proche-Orient. « Je vous avouerai à ma honte, confiait en 1923 le vieux roi Hussein au philosophe turc Riza Tewfic, que ce sont les Libanais chrétiens... qui ont réussi à faire revivre l'arabe classique » (10) . C'est aussi grâce aux idées démocratiques répandues par les institutions occidentales, que Chrétiens et Musulmans commencèrent à organiser leur résistance contre l'occupant ottoman (11) . Tandis que, au Liban, en Syrie, en Égypte et même à Istanbul, un grand nombre de penseurs et d'hommes d'action libanais, musulmans et chrétiens, luttaient avec d'autres Proche Orientaux au sein de sociétés secrètes dissimulées sous le couvert de clubs littéraires (12) , à Paris un groupe important de Libanais chrétiens – poètes, historiens, publicistes – utilisaient la langue française pour défendre la cause du Proche-Orient arabe asservi par les Turcs. Cette fonction doublement libératrice de la langue et de la culture françaises suffit à illustrer le caractère privilégié de leur implantation au Liban.

LE FRANÇAIS, L'ANGLAIS ET L'ARABE AUJOURD'HUI

Officiellement pays de langue arabe, le Liban est en réalité, dans une large mesure, un pays bilingue. Si l'on désigne par bilinguisme non pas la simple coexistence de deux langues sur un territoire national, mais la proportion

9 C'est là, selon Roger Bastide, le type d'acculturation le plus favorable et le plus fécond (Art. « Acculturation » in *Encyclopadia Universalis*).

10 Cité par Pierre Rondot, *Les Chrétiens d'Orient*, « Cahiers de l'Afrique et de l'Asie », Paris, J. Peyronnet et Cie, 1955, p. 116.

11 « Le sentiment d'une même nationalité à l'égard des Turcs a pu s'éveiller sous l'influence de la puissante culture française, fixée dans les régions côtières depuis plus d'un siècle, et des idées démocratiques répandues par l'Université américaine de Beyrouth » (C. Brockelmann, *Histoire des peuples et des États islamiques depuis les origines jusqu'à nos jours*, Paris, Payot, 1949, pp. 397-398).

12 Sur ces sociétés secrètes, voir Sélim Abou, *Le Bilinguisme arabe-français au Liban*, essai d'anthropologie culturelle, Paris, P. U. F., 1962, pp. 347-349.

effective des citoyens qui pratiquent les deux langues à la fois, le Liban est plus bilingue que la Belgique, la Suisse ou le Canada. Contrairement à ces pays, il ne connaît pas de frontière linguistique, si bien que la connaissance et l'usage des deux langues peuvent en principe s'y étendre à toute la population. En fait, depuis l'indépendance, la proportion des bilingues est en croissance continue dans les diverses catégories de la population, chrétienne et musulmane, rurale et urbaine.

Mais de quel bilinguisme s'agit-il ? Le rôle de langue seconde a été, dès l'origine, disputé par le français et l'anglais. Entre 1860 et 1920, la langue française réussit à occuper la première place. La période du mandat lui donna, sur la langue rivale, une avance considérable qu'elle a pu sauvegarder jusqu'ici. Mais depuis une dizaine d'années, l'enseignement de l'anglais a pris un caractère agressivement concurrentiel, grâce à un afflux important de crédits américains et à une stratégie culturelle qui, si elle réussissait, ne manquerait pas de porter, à plus ou moins brève échéance, un coup décisif au français (13). Que l'anglais n'ait jamais eu ni prétendu avoir au Liban la même fonction culturelle que le français ne constitue pas une garantie en faveur de cette dernière langue, car les milieux d'obédience américaine s'offusquent précisément de constater et d'entendre dire que le français est enseigné et reçu comme langue de culture, c'est-à-dire comme un instrument de formation de la personnalité et prétendent, quant à eux, enseigner l'anglais comme une « langue neutre », tout juste utile pour l'acquisition des connaissances scientifiques et techniques ainsi que pour les affaires (14). Ils s'accommoderaient volontiers d'une arabisation de l'enseignement tempérée par un usage purement utilitaire de l'anglais (15).

Pour nous en tenir à l'actualité, nous pouvons dire que, depuis l'indépendance, le français et l'anglais ont progressé parallèlement, mais que l'écart entre les deux langues est resté sensiblement le même. Les rares statistiques disponibles, malgré leur caractère approximatif, suffisent à l'attester. En

13 Voir, à ce sujet, Sélim Abou, *Langues et culture au Liban* (Communication pour la Ve Biennale de la langue française, Dakar, 1-8 décembre 1973) in *Travaux et Jours* (Beyrouth), n° 50, janvier-mars 1974, pp. 110-111.

14 A propos de la fonction respective des deux langues, telles qu'elles sont enseignées et pratiquées au Liban, voir Sélim Abou, « Bilinguisme au Liban », in *Esprit*, numéro spécial sur « Le français, langue vivante », novembre 1962.

15 Voir, à ce sujet, Sélim Abou, *Langues et culture au Liban*, article cité, pp. 121-122.

1954, 42 pour 100 de la population beyrouthine parlaient le français et 22 pour 100 l'anglais (16). Une quinzaine d'années plus tard, en 1970, les proportions étaient respectivement de 48,5 pour 100 et de 26 pour 100 (17). D'autre part en 1958, 23 pour 100 des habitants du Liban central, ancien « Mont-Liban », savaient le français et 5 pour 100 l'anglais ; près de 10 pour 100 des habitants du Liban périphérique, adjoint au Mont-Liban en 1920, savaient le français, tandis que le taux de connaissance de l'anglais était négligeable dans cette région (18). En 1970, dans les zones rurales sans distinction de régions, 35 pour 100 connaissaient le français et 6 pour 100 l'anglais (19). Pour le Liban entier, nous ne disposons que des données de 1970 : 40 pour 100 avaient le français pour deuxième langue et 14 pour 100 l'anglais (20). Mais l'écart entre les taux de connaissance des deux langues est sans doute plus important que ne le disent les chiffres. En effet, depuis les années 50, les Libanais qui ont le français pour deuxième langue, accusent une tendance croissante à adjoindre à leur bilinguisme fondamental l'acquisition et l'usage de l'anglais, à titre de « business language », tandis que la tendance contraire est encore négligeable. Les pourcentages d'anglophones recouvrent donc nécessairement une certaine proportion, que les enquêtes ne précisent malheureusement pas, de gens qui sont en réalité des trilingues et dont l'anglais n'est que la troisième langue. Par contre il faut reconnaître que la moitié des bilingues arabe-

16 Voici le détail :

Langues	Beyrouth (a)	Zones rurales (b) Liban central	Zones rurales (b) Liban périphérique
Français	42%	23%	10%
Anglais	22%	5%	–

a) d'après Charles Churchill, and the Staff of the Economic Research Institute of the American University of Beirut, *The City of Beirut, a socio-economy survey*, Beyrouth, 1954.
b) d'après Sélim Abou, *Enquêtes sur les langues en usage au Liban*. « Recherches de l'Institut des lettres orientales », Beyrouth, 1961. Les enquêtes ont été effectuées durant l'été 1958.

17 Voici le détail :

Langues	Beyrouth	Banlieue de Beyrouth	Autres villes	Zones rurales	Liban entier
Français	48,5%	38,0%	43,7%	34,7%	39,7%
Anglais	26,0%	20,2%	11,6%	6,2%	14,1%

D'après Direction centrale de la Statistique, *L'Enquête par sondage sur la population active au Liban*, novembre 1970, vol. 1, Beyrouth 1972, tableau 54.

18 Voir tableau de la note 16.

19 Voir tableau de la note 17.

20 Voir tableau de la note 17.

français font un usage passif de la seconde langue : ils la comprennent et la lisent, mais ne se hasardent ni à la parler, ni à l'écrire. L'autre moitié la parle couramment, plus ou moins souvent selon les circonstances, et une large fraction a l'occasion de l'écrire au moins aussi fréquemment que l'arabe (21).

Il reste à situer le monolinguisme. Selon l'enquête de 1970, 50,6 pour 100 des Libanais ne connaissent que l'arabe, tandis que 48,8 pour 100 connaissent l'arabe avec au moins une autre langue, et que 0,6 pour 100 ignorent l'arabe (22). On peut s'étonner que la moitié de la population soit exclusivement arabophone, alors que le bilinguisme est de rigueur à tous les degrés de l'enseignement. Tout s'explique cependant, si l'on sait que des 50,6 pour 100 qui ne connaissent que l'arabe, plus de la moitié sont illettrés (23) : ils ne parlent d'ailleurs que l'arabe dialectal, linguistiquement aussi distant de l'arabe classique ou littéral que l'espagnol l'est du portugais ou le français moderne de l'ancien français. Les autres sont des gens qui ont abandonné l'école au cours ou à la fin du cycle primaire et qui ont vite fait d'oublier les rudiments de la langue occidentale.

FRANCOPHONIE ET CLASSES SOCIALES

L'avance du français par rapport à l'anglais est sans doute considérable, mais on peut s'étonner qu'elle ne soit pas plus

21 D'après une enquête effectuée par le Groupe de recherche en linguistique appliquée, sous les auspices de la Mission culturelle française, doc. polycop.

22 Voici le détail :

Langues	Beyrouth	Banlieue de Beyrouth	Autres villes	Zones rurales	Liban entier
ne connaissent que l'arabe	38,6%	44,5%	49,2%	60,0%	50,6%
connaissent l'arabe avec au moins une autre langue	60,8%	54,3%	50,7%	39,6%	48,8%
ne connaissent pas l'arabe	0,6%	1,2%	0,1%	0,4%	0,6%

D'après l'*Enquête par sondage*, ouvrage cité, tableau 53. L'enquête indique, par ailleurs, que l'arménien est parlé et/ou lu par 4,5% de la population et le turc par 1 ou 2%.

23 *L'enquête par sondage sur la population active au Liban*, ouvrage cité, précise : « Nous avons mesuré le taux d'analphabètes par les groupes d'âge supérieur ou égal à 10 ans révolus. Le taux d'analphabétisme que l'on obtient ainsi, quoique le plus bas des pays de la région, reste assez important : environ 31% pour l'ensemble du Liban (21,5% chez les hommes et 42,1% chez les femmes) » (p. 10).

importante encore. En effet, au niveau de l'école, le français est presque six fois plus utilisé que l'anglais, puisque 85 pour 100 au moins des élèves des trois cycles ont le français pour deuxième langue et seulement 15 pour 100 l'anglais (24), tandis que, au niveau de la population totale, le français est à peine trois fois plus employé que l'anglais (25). En passant de l'école à la vie, le français perd donc la moitié de son avance. Et si 50 pour 100 des gens qui disent savoir le français, n'en font en réalité qu'un usage passif, ce n'est pas seulement parce que, après l'école, ils n'ont pas eu l'occasion de le pratiquer, c'est aussi parce qu'ils l'ont appris comme une langue morte. Il y a donc, dans l'enseignement du français au Liban, une déficience grave qu'il importe de localiser.

Si, en passant de l'école à la vie, l'anglais n'accuse pas une perte de vitesse analogue à celle du français, c'est qu'il est surtout pratiqué dans les écoles et les collèges libres, qui non seulement dispensent un enseignement soigné de la deuxième langue, mais aussi utilisent cette langue pour l'enseignement de plusieurs matières. Il en va autrement du français qui fait office de deuxième langue non seulement dans la majorité des collèges libres, mais aussi dans la presque totalité des établissements officiels, où l'enseignement en général et celui de la langue occidentale en particulier, laissent franchement à désirer. Or les sujets qui se contentent de comprendre le français sans jamais le parler sont en général issus de ces établissements, auxquels on peut assimiler les écoles libres gratuites subventionnées par l'État, ainsi qu'une partie des écoles libres de la montagne et de la banlieue urbaine, où les frais de scolarité sont minimes et la qualité de l'enseignement inférieure à la moyenne. Faisant allusion à ces catégories d'établissements, un conseiller pédagogique français écrivait en 1971 : « Si au terme d'une scolarité complète, soit après 2 500 ou 3 500 heures d'enseignement du français, les élèves ne sont pas capables de s'exprimer convenablement oralement ou par écrit, de comprendre, de juger et d'apprécier un texte en français, reconnaissons la faillite de cet enseignement » (26).

24 D'après une enquête sur l'abandon, le retard et le redoublement scolaire, effectuée sous les auspices du Centre de recherches pédagogiques, et non encore publiée.

25 Respectivement 40% et 14% de la population totale. Voir tableau de la note 17.

26 Maurice Aupècle, « L'Enseignement du français au Liban », in *Travaux et Jours*, n° 38, janvier-mars 1971.

Si, à l'échelle nationale, on peut parler d'un échec relatif du français, ce sont les classes défavorisées qui en font les frais. Les élèves des classes pauvres ne peuvent en effet accéder aux collèges et aux écoles privés, car ceux-ci sont payants et ne peuvent par ailleurs ni gonfler indéfiniment leurs effectifs, ni changer facilement leur clientèle. Or ces établissements nationaux ou étrangers qui, dès le jardin d'enfants, pratiquent un bilinguisme authentique, ne reçoivent que 20 pour 100 environ de la population totale. Par contre, 60 pour 100 n'ont droit qu'aux établissements officiels et assimilés où la langue occidentale est enseignée comme simple langue étrangère dans le cycle primaire pour devenir, dans le complémentaire, le véhicule des mathématiques et des sciences et, dans le secondaire, l'instrument d'accès à la littérature correspondante. Il reste 20 pour 100 qui ne sont pas scolarisés du tout (27).

Seuls les élèves des classes privilégiées ont donc la chance d'acquérir, dès le début de leurs études, un bilinguisme authentique. Souvent même leur bilinguisme est plus précoce, puisqu'il commence à la maison. Les autres apprennent le français selon des méthodes inefficaces et n'ont pas, dans leur milieu familial ou social, l'occasion de compenser cette lacune. Voilà qui est grave pour le destin même de la francophonie au Liban. Les conseillers pédagogiques français et libanais en ont pris conscience et cherchent avec anxiété les moyens les plus rapides de remédier à cette situation, mais ils sont tiraillés entre deux tendances. Les uns, désespérant de voir un jour le bilinguisme authentique s'étendre à toute la population, préconisent l'arabisation de l'enseignement et la réduction du français au statut de simple langue étrangère. Leur devise est simple : « Le français fondamental à tous plutôt que le bilinguisme à une minorité privilégiée ». Les autres, plus courageux et plus lucides, pensent qu'il est encore temps d'instaurer progressivement, dans un délai relativement court, un bilinguisme vivant depuis la base jusqu'au sommet de l'échelle scolaire. Au français fondamental de communication courante, que préconisent les premiers, ils opposent un français fondamental d'orientation culturelle, plus adapté aux besoins du Liban, et insistent sur la nécessité de diversifier les méthodes d'enseignement en fonction de la diversité des publics (28). Il est certain que c'est là la seule solution adéquate, si l'on veut élever à court terme le niveau des plus faibles, sans pour autant abaisser

27 Voir Sélim Abou, *Langues et culture au Liban*, article cité p. 119.
28 Voir Maurice Aupècle, *L'Enseignement du français au Liban*, article cité.

celui des plus forts, et fournir à tous les Libanais des chances égales quant à l'acquisition de la langue et de la culture françaises.

FRANCOPHONIE ET IDENTITÉ ETHNICO-RELIGIEUSE

Il n'existe pas au Liban de clivage ethnico-religieux des langues. Dans une même province – toutes choses égales d'ailleurs – Chrétiens et Musulmans sont également monolingues, bilingues ou trilingues. Et si, au niveau de la population totale, le taux de connaissance des langues occidentales est plus élevé chez les Chrétiens que chez les Musulmans, c'est essentiellement pour des raisons historiques. En effet les premiers sont majoritaires dans le Liban central qui, dès 1840, a bénéficié de l'enseignement des missionnaires européens, tandis que les derniers sont majoritaires dans les régions périphériques qui, jusqu'en 1920, ont pratiquement échappé à l'acculturation occidentale. Il s'en est suivi un décalage d'autant plus difficile à résorber que l'éducation, dans ces régions, est presque entièrement assumée par les écoles officielles, elles-mêmes très inférieures, du point de vue pédagogique et culturel, aux établissements privés.

Il reste que, à compétence linguistique égale, le Musulman et le Chrétien n'ont pas la même attitude vis-à-vis de la deuxième langue, en particulier vis-à-vis du français qui se propose directement comme langue de culture. Une proposition d'Einar Haugen aidera à comprendre ce phénomène : « Des motivations différentes pour l'usage de la deuxième langue, écrit-il, détermineront des différences dans le désir d'apprendre cette langue ; la motivation première est l'utilité pour la communication avec, parmi les motivations supplémentaires, la fonction dans l'avancement social, les facteurs émotionnels, les valeurs religieuses et culturelles-littéraires » (29) . Dans un pays dont l'économie repose essentiellement sur les services, les besoins de la communication internationale et l'aspiration à l'avancement social poussent tous les Libanais, à quelque communauté qu'ils appartiennent, à acquérir, en plus de l'arabe littéraire, une connaissance solide du français ou de l'anglais, parfois même des deux langues simultanément.

29 Einar Haugen, *Bilingualism in the Americas : a bibliography and research guide*, University of Alabama Press, 1956, p. 85.

Quant aux valeurs culturelles-littéraires du français, les Chrétiens y sont en général plus sensibles que les Musulmans, bien qu'ils soient aussi attachés que ces derniers aux lettres arabes. C'est d'ailleurs, nous l'avons dit, cet attachement aux valeurs véhiculées par les deux cultures littéraires qui leur a permis d'innover dans le domaine des lettres arabes, en y acclimatant l'expression d'une identité culturelle originale, issue du christianisme oriental. La différence se creuse quand il s'agit des valeurs religieuses ; les Chrétiens, même devenus agnostiques, retrouvent leurs valeurs spirituelles, au sens le plus général de ce terme, dans la littérature française, même la plus laïque, tandis que pour les Musulmans la langue du Coran et de la *Charî'a* est le seul véhicule, lui-même entouré d'une aura sacrée, des valeurs propres à leur monde spirituel. Pour toutes ces raisons, le facteur émotionnel tend à jouer, à des degrés divers et avec des nuances variables, en faveur du français et de l'arabe chez le Chrétien, et en faveur de l'arabe exclusivement chez le Musulman. Échappent à cette règle d'une part les Chrétiens, en majorité grecs orthodoxes, que fascinent les idéologies du panarabisme (30) et pour qui seule la langue arabe a droit de cité dans le cœur des Proche-Orientaux ; et d'autre part les Musulmans qui, nés en Afrique francophone ou au Liban même dans une famille très occidentalisée ou dans un foyer mixte islamo-chrétien, ont pratiqué les deux langues dès leur tendre enfance et qui, de ce fait, ne se distinguent en rien des Chrétiens et de la bourgeoisie beyrouthine.

La politique linguistique suivie par les établissements scolaires des deux groupes de communautés illustre clairement ces différences d'attitudes. Durant les premières décennies de l'indépendance, les collèges privés musulmans instituèrent une section anglaise et la développèrent au détriment du français. La ruée vers l'anglais, commencée aux environs de 1950, atteignit son apogée dans les années 1960-1965. Les arguments qui étayaient cette politique étaient les suivants : opter contre le français, c'était, pour les Musulmans, prendre leurs distances par rapport aux Chrétiens, en particulier aux Maronites, qui avaient refusé l'union avec la Syrie. C'était aussi, en contrepartie, resserrer leurs liens avec les pays arabo-musulmans de la région, qui avaient presque tous l'anglais pour deuxième langue. Enfin,

30 Il est à noter que les fondateurs des idéologies nationalistes arabes sont, pour la plupart, des Grecs orthodoxes : Antoun Saadé, fondateur du Parti populaire syrien (P. P. S.), Michel Aflak, fondateur du Baas, Georges Habache, fondateur et chef du F. P. L. P. sont des Grecs orthodoxes ; Nayef Hawatmeh, fondateur et chef du F. D. P. L. P. est Grec catholique.

du point de vue des affaires, l'anglais s'annonçait plus utile et plus rentable que le français. L'année scolaire 1967-1968 marqua le début d'un mouvement de « retour au français » qui se poursuit jusqu'à présent. Ce changement était déterminé par de nouvelles motivations. D'abord il était apparu à l'évidence que le français restait « la langue semi-officielle du pays » : de ce fait le francophone avait plus de débouchés universitaires que l'anglophone et était plus avantagé que lui du point de vue de l'avancement social. Ensuite il s'était avéré que l'anglais ne constituait pas un lien culturel réel avec les pays arabes de la région, puisque ceux-ci avaient procédé assez vite à une arabisation intégrale de l'enseignement secondaire et réduit l'anglais au statut de langue étrangère. Enfin la politique pro-arabe de la France, depuis juin 1967, avait dissipé l'hostilité sourde vis-à-vis de « la langue du mandat » et fait resurgir « les sympathies et les affinités profondes, mais refoulées » qui existaient de longue date entre la France et le monde arabe (31) . Les partisans de la francophonie peuvent sans doute se réjouir de ce changement « d'attitude linguistique ». Il reste qu'un nouveau renversement est possible aujourd'hui, si l'on tient compte de l'emprise qu'exercent sur les masses musulmanes les idéologies du nationalisme arabe, et du culte jaloux et fanatique dont tout nationalisme entoure la langue, la religion ou les deux éléments à la fois. Chez les Chrétiens, les trente ans d'indépendance n'ont pas introduit de modification substantielle dans l'attitude vis-à-vis des langues. L'importance croissante de l'anglais dans le domaine des affaires les conduit simplement, tous les jours davantage, à apprendre cette langue par surcroît, comme un complément plus ou moins nécessaire à leur bilinguisme arabe-français fondamental.

LE FRANÇAIS DANS LA VIE QUOTIDIENNE

Au-delà des chiffres et des distinctions, des indicateurs de divers ordres permettent une vision plus concrète de la place qu'occupe le français dans la vie quotidienne au Liban, et surtout à Beyrouth qui absorbe plus du tiers de la population totale. En 1957, un journaliste français en visite au Liban s'étonnait qu'« il fût venu de si loin pour se retrouver chez lui » (32) . Aujourd'hui son impression serait légèrement

31 D'après entretiens avec des professeurs et chefs d'établissements secondaires musulmans. Les expressions entre guillemets sont celles employées par nos interlocuteurs.

32 Eugène Mannoni, « Liban, dernier réduit de l'influence française au Proche-Orient », in *Le Monde*, sélection hebdomadaire, n° 456, 11-17 juillet 1957.

différente, non pas que le visage occidental du Liban ait perdu de son intensité, mais parce que, dans tout ce qui d'emblée attire l'attention du touriste fraîchement débarqué – les prospectus publicitaires, les guides et les plans, les enseignes des magasins, le sabir des chauffeurs de taxis, les formules d'accueil des commerçants – l'anglais n'est pas loin d'occuper autant de place que le français. Voilà qui est normal dans un pays où les habitants doivent traiter avec plusieurs milliers d'Américains établis à Beyrouth et recevoir des touristes de tous les pays du monde, dont 90 pour 100 s'adressent à eux en anglais.

Cependant une observation moins superficielle a vite fait de corriger cette impression première. Comme *langue de travail* – dans les secteurs bancaire, commercial, industriel – le français, il est vrai, ne règne plus sans conteste à côté de l'arabe. Il est en butte à la concurrence de l'anglais depuis le début de l'indépendance, c'est-à-dire depuis que le bilatéralisme des échanges avec la métropole imposé par la Puissance mandataire a cédé la place à un multilatéralisme commercial sans frontière. Mais ce qui étonne les milieux américains ou de formation américaine, c'est que, dans ce pays voué au commerce et aux services, la majorité des habitants, en particulier les Catholiques, n'aient pas, après l'indépendance, décidé de faire l'économie d'une langue en remplaçant le français par l'anglais et qu'ils se soient au contraire obstinés à apprendre et utiliser l'anglais comme simple langue d'appoint, s'ajoutant à leur bilinguisme fondamental arabe-français.

Le français demeure effectivement la *langue de culture* dominante après l'arabe. Quelques indices suffisent à le montrer. Ainsi par exemple, en 1970, le volume des livres français entrés au Liban était deux fois supérieur à celui des ouvrages anglo-américains et le volume des périodiques français quatre fois supérieur à celui des périodiques anglo-américains (33) . Depuis cette date, les entrées ont considérablement augmenté, sans que l'écart soit substantiellement modifié. La production locale d'ouvrages non scolaires écrits en français est de toute évidence plus importante que celle des livres écrits en anglais, mais il est impossible de l'évaluer quantitativement étant donné l'absence de tout répertoire. Quant à la presse locale de langue française, elle compte : deux quotidiens d'inégale importance, *L'Orient-Le Jour* qui tire à 20 000 exemplaires, et *Le Soir*, journal de combat qui passe de 4 000 exemplaires en temps normal à 13 000 en

33 D'après un rapport de la Mission culturelle française, doc. dact.

temps de crise politique (34) ; deux hebdomadaires illustrés, *La Revue du Liban*, 20 000 exemplaires et *Magazine du Proche-Orient*, 10 000 environ, revues d'actualité politique, sociale et mondaine ; un hebdomadaire d'intérêt économique, *Le Commerce du Levant* ; une revue mensuelle récente, *Le Beyrouthin*, dont la présentation luxueuse dissimule mal un contenu assez anecdotique ; enfin une revue de critique cinématographique, *Cinés d'Orient*, qui se contente en réalité de présenter les films de la semaine avec quelques indications sommaires censées orienter le choix du spectateur. La presse de langue anglaise est quantitativement moins importante, puisqu'elle se réduit à un quotidien et un magazine illustré. Mais il faut reconnaître que le *Daily Star* présente de plus en plus une qualité d'information que son émule de langue française, *L'Orient-Le Jour*, semble en train de perdre, et que les interviews et reportages de *Monday Morning* n'ont pas d'équivalent dans les magazines analogues de langue française.

Comparée à la presse de langue arabe – trente-trois quotidiens et une douzaine de revues d'intérêts divers, hebdomadaires ou mensuelles la presse de langue occidentale semble dérisoire. Il faut cependant savoir que la majorité de ces quotidiens, subventionnés par des partis politiques libanais ou étrangers, ne touchent qu'un public réduit, certains atteignant à peine 500 lecteurs. En tout cas, le taux de lecture nous permet, mieux que la quantité des publications, de situer l'importance de la presse de langue française. A Beyrouth et dans le Mont-Liban, 20 pour 100 de la population lisent régulièrement et 16 pour 100 occasionnellement un journal de langue française (35), tandis que dans le Liban périphérique (Liban-Nord, Liban-Sud et Békaa) les proportions tombent respectivement à 3 pour 100 et 6 pour 100.

Un domaine culturel où le français ne craint pas, pour le moment du moins, la concurrence de l'anglais est celui de la radio et de la télévision. Suite à une convention passée avec le ministère de l'Information en 1958, la Radio, Télévision

34 A cette date (26.4.1977), deux quotidiens ont cessé de paraître : *Le Soir* et le *Daily Star*. Par contre un nouveau quotidien de langue française, Le Réveil, vient de voir le jour et l'on annonce la parution prochaine d'un quotidien de langue anglaise, Ike.

35 L'enquête à laquelle nous nous référons (effectuée par le Groupe de recherche en linguistique appliquée, et déjà citée) donne respectivement 23% et 19%. Mais l'échantillon est, de l'avis même des enquêteurs, insuffisamment représentatif en ce qui concerne d'une part les Musulmans, d'autre part les couches les plus pauvres de la population. Divers recoupements nous conduisent à penser qu'en diminuant les chiffres de 3%, nous serons assez proches de la réalité.

françaises assurent 42 heures d'émissions hebdomadaires, dont 15 consacrées à l'information (journal parlé, enquêtes, reportages) et 27 heures aux variétés qui consistent soit en des émissions parlées (magazine, théâtre, feuilletons), soit en des émissions musicales (musique classique et légère). Par ailleurs Radio-Liban assure quelques heures d'émissions musicales et de variétés, présentées en français. Sur l'antenne de Radio-Liban, l'anglais dispose seulement d'une heure et demie par jour, partagée entre les nouvelles et les variétés.

L'anglais est pratiquement absent de la télévision, si l'on excepte les nombreuses « séries » américaines, sous-titrées soit en français et en arabe, soit en arabe seulement. Ces films, policiers et « western » pour la plupart, alimentent une partie des programmes aussi bien sur les canaux 5 et 11, contrôlés par la Compagnie de télévision du Liban et du Proche-Orient à capitaux anglais, que sur les canaux 2, 4, 7 et 9, contrôlés par la Compagnie libanaise de Télévision, à capitaux majoritairement français mais aussi libanais et arabes (36) . Par contre le canal 9 assure à la télévision une présence française importante. Sur les 33 heures hebdomadaires qu'il assure, 3 seulement sont consacrées aux « séries » américaines, doublées ou sous-titrées en français. Les 30 heures consacrées aux programmes en langue française se distribuent ainsi : 7 heures de production locale : journal télévisé, programmes pour enfants et pour jeunes, interviews et portraits, magazine et variétés ; 23 heures de production étrangère importée : programmes pour enfants et pour jeunes, documentaires, dramatiques, longs métrages, feuilletons, variétés. La Radio, Télévision françaises en fournissent la plus grande partie, mais le Canada, la Belgique et la Suisse apportent aussi leur contribution. Quant au taux d'écoute du canal 9, il varie énormément en fonction des régions. Dans la ville de Beyrouth, 45 pour 100 au moins des téléspectateurs en suivent les émissions et les programmes. La proportion tombe à 19 pour 100 si l'on considère ensemble le grand-Beyrouth et le Mont-Liban (37) . Ailleurs, dans les régions qui peuvent capter ce canal, le taux d'écoute ne dépasse pas 9 pour 100 des téléspectateurs. Ayant un public restreint mais cultivé et exigeant, le canal 9 est naturellement porté à soigner la qualité de ses programmes et ne manque pas d'exercer de ce fait une certaine exemplarité sur les autres canaux de la télévision libanaise.

36 Le canal 5 est un relais du 11. Le canal 2 dessert le Nord du pays, le 4 la Békaa et le Sud. Le canal 7 couvre 80% du territoire et un certain nombre de pays voisins. Le canal 9 couvre le Grand-Beyrouth, le Mont-Liban, le Liban Nord ; il atteint très peu le Sud.

37 D'après un sondage effectué par la C. L. T.

Langue de travail et de culture, le français est aussi, pour beaucoup de Libanais, la *langue de la vie privée*. A ce niveau, le français entre en compétition non plus avec l'arabe littéraire, mais avec l'arabe dialectal. Près de 40 pour 100 des habitants de la ville de Beyrouth parlent souvent le français en famille. La proportion diminue de moitié si l'on prend en considération le Grand-Beyrouth et le Mont-Liban. Elle n'est plus que de 5 pour 100 dans le reste du pays (38). En réalité, dans les familles authentiquement bilingues, l'enfant pratique simultanément, dès la prime enfance, un mélange de français et d'arabe dialectal qui se distingue nettement d'un quelconque sabir en ce que, au sein du mélange, les éléments empruntés à chaque langue demeurent grammaticalement corrects (38). D'autre part il est capable, suivant l'interlocuteur, de glisser sans effort particulier du mélange à l'usage exclusif de l'une des deux langues. Pour cette catégorie de bilingues, le français et l'arabe dialectal accaparent très tôt, dans des proportions variables, tout le domaine de la vie affective et du langage intérieur : rêverie, méditation, réflexion, monologue. Leur profil linguistique se complique à partir de l'entrée à l'école puisque, avec l'adjonction d'une langue étrangère, en général l'anglais, leur bilinguisme tend alors à se transformer en trilinguisme et que, avec l'acquisition de l'arabe littéraire, ils font l'expérience des difficultés propres au phénomène de la diglossie qui affecte la langue arabe (40). Au sein de cette configuration linguistique particulièrement complexe, les deux langues parlées dans la première enfance gardent tous les privilèges que confère un enracinement précoce.

LITTÉRATURE LIBANAISE D'EXPRESSION FRANÇAISE

Un signe de la vitalité du français au Liban est la production littéraire francophone de ce pays. « En 1910, écrit Salah Stétié, le Théâtre national de l'Odéon, la grande scène française de l'époque, affichait *Antar*, drame en cinq actes et en vers, du Libanais Chucri Ghanem (dont le

38 D'après l'enquête du Groupe de recherches en linguistique appliquée, déjà citée.

39 Nous ne parlons pas ici des libanismes, somme toute peu nombreux, qui dans l'ensemble peuvent être considérés comme des régionalismes analogues à ceux de certaines provinces de France ou des pays francophones. Par ailleurs ces libanismes ne présentent aucune valeur novatrice pour mériter d'être recensés et commentés.

40 Sur les difficultés inhérentes à la diglossie, voir Sélim Abou, « Le problème de la diglossie », in *Cahiers d'histoire mondiale*, UNESCO, vol. XIV, n° 4, 1972.

musicien Gabriel Dupont devait faire une adaptation lyrique inscrite aujourd'hui au répertoire de l'Opéra). Et il y a quelques années, en 1967, la Comédie-Française créait à son tour *L'Émigré de Brisbane*, dernier ouvrage dramatique de Georges Schéhadé. Entre ces deux dates, environ soixante ans de notre vie culturelle et peut-être n'est-il pas indifférent de noter que Paris se trouve au point de départ et au point d'arrivée de la boucle ainsi bouclée » (41). Relativement jeune, la littérature libanaise de langue française a pourtant connu déjà trois étapes nettement caractérisées. De la fin du XIXe siècle à 1920, elle est essentiellement une littérature de combat ou de résistance contre la domination ottomane. De 1920 à 1945, elle se fait lyrique pour exalter les traits culturels fondamentaux de la nation libanaise enfin libérée. A partir de 1945, elle fait peau neuve, pour tenter d'inscrire, dans le vaste domaine littéraire de la francophonie, une expression particulière, originale, spécifique, des thèmes relatifs à l'homme en général.

Une littérature de combat

C'est en exprimant un idéal et non en illustrant une idéologie que les intellectuels peuvent le mieux servir leur pays. A la fin du XIXe siècle, les pionniers de la *Nahda* ne manipulèrent ni slogans, ni diatribes. Ils s'adonnèrent à une œuvre d'érudition austère, créant des dictionnaires, rénovant la langue, multipliant les traductions de chefs-d'œuvre européens. Mais cette production fiévreuse visait un idéal précis : récupérer et exalter une tradition culturelle bafouée, retrouver et affirmer une identité politique aliénée. « A l'enthousiasme des restaurateurs de la langue, écrit un historien, se mêle dès l'abord, comme il est naturel, l'expression d'une ferveur nationale » (42). Plus libres que leurs compatriotes demeurés dans le pays, les émigrés libanais firent un pas de plus : sans renoncer aux travaux linguistiques et littéraires, ils fondèrent en Égypte « la grande presse, celle qui devait fournir ses premières armes à l'esprit militant » (43).

Mais c'est à Paris et en langue française que prit naissance, au début du XXe siècle, ce qu'on peut appeler une véritable littérature de combat. Cette littérature appelle d'emblée une triple remarque. D'abord à aucun moment les écrivains francophones de la première génération ne versent

41 Salah Stétié, *Un pays sous un arbre*, in *Liban*, « Les Guides Bleus », Paris, Hachette, 1975, pp. 26-27.

42 Pierre Rondot, *Les Chrétiens d'Orient*, ouvrage cité, p. 117.

43 Salah Stétié, *Un pays sous un arbre*, ouvrage cité, p. 28.

dans le discours idéologique proprement dit, c'est-à-dire n'utilisent leur talent pour occulter consciemment une partie de la réalité et manipuler délibérément les sentiments du public. Qu'elle soit critique ou poétique, leur écriture est scrupuleusement honnête. Ensuite les impératifs de la lutte les poussent à adopter, à côté de genres proprement littéraires – théâtre, poésie, roman – d'autres formes d'écriture d'une efficacité plus immédiate, comme la chronique journalistique, l'étude historique ou l'analyse politique. Il arrive alors que leurs essais attestent des qualités littéraires remarquables et c'est à ce titre qu'ils prennent ici leur place. Enfin le sentiment national qui est au cœur de ces ouvrages, de quelque nature qu'ils soient, hésite encore entre la référence à un arabisme sans frontières déterminées et l'expression d'un patriotisme strictement libanais. Parlant de ces écrivains, Pierre Rondot écrit : « Chez ceux-ci coexiste, avec le désir ardent de porter un message de liberté et de progrès à l'ensemble du monde arabe, le souci du destin de leur petite patrie, sans grandes ressources mais déjà si avancée dans l'ordre culturel et politique », et l'auteur souligne « l'imbrication, parfois dans le même homme, de ces sentiments encore mal différenciés, recouverts et conciliés par l'urgence de la lutte contre le tyran » (44) .

Deux figures dominent cette période : celles des frères Ghanem. Haut fonctionnaire du gouvernement ottoman sous Midhat Pacha, Khalil Ghanem échappe de justesse à la potence après la disgrâce du premier ministre jugé trop libéral et, par l'intermédiaire de l'ambassade de France à Istanbul, se réfugie à Paris. Rédacteur au *Figaro* et au *Journal des Débats*, il s'efforce d'intéresser l'opinion française aux problèmes de l'Orient et consacre le plus clair de son temps à la critique du régime tyrannique de Abdulhamid. Outre son activité journalistique, Khalil Ghanem est l'auteur d'un important ouvrage historique en deux volumes, *Les Sultans ottomans* (Paris, 1901 et 1902), dans lequel il s'attache à présenter le plus objectivement possible l'histoire de l'ennemi qu'il combat, et d'un ouvrage poétique, *Le Christ* (1899), dans lequel il entreprend de traduire en vers l'histoire de la révélation chrétienne et le sens du message évangélique. Paradoxalement, plus que l'essai poétique, c'est l'étude historique qui manifeste le talent littéraire de l'auteur. La clarté de l'exposé, la souplesse du style, la sobriété de l'écriture frappent aujourd'hui encore le lecteur. Dans l'autre ouvrage, l'auteur, dont le but est de présenter sa foi à ses compatriotes musulmans sous une

44 Pierre Rondot, *Les Chrétiens d'Orient*, ouvrage cité, p. 120.

forme attrayante, adopte en réalité un style didactique et oratoire qui va à l'encontre du projet poétique.

Plus littéraire est l'œuvre de Chucri Ghanem, en qui l'on s'accorde à reconnaître le père de la littérature libanaise d'expression française. Après avoir publié, en 1890, un recueil de poèmes, *Ronces et fleurs*, il aborde le théâtre avec *Ouarda, ou Fleur d'Amour*, représentée à l'Odéon en 1904. Entre 1908 et 1910 il publie successivement un roman, *Daad* ; un drame en cinq tableaux, *Les Neuf Aigles* ; une chanson de geste biblique, *Youssof* ; un drame lyrique, *Le Giavour*, mis en musique et représenté à Vichy, et d'autres œuvres encore, comme *Tamerlan* ou *Les Ailes brisées*. La plupart de ces ouvrages, aujourd'hui oubliés, s'attachent à évoquer le monde oriental et les traditions arabes. Par contre *Antar* prend, dès sa représentation à l'Odéon en 1910, valeur de manifeste. Tel historien y voit une des « deux éclatantes manifestations publiques que le nationalisme arabe organise à Paris à la veille même de la guerre de 1914 » (45) , la seconde étant le Congrès arabe de 1913. Antar, héros d'une sorte de roman courtois de l'ancienne Arabie, *sirat Antar*, devient ici le symbole de tout un peuple asservi, mais intrépide et promis à un avenir exaltant. La pièce, qui connut à l'époque un succès considérable, nous paraît aujourd'hui désuète. Antar est une pâle copie de Cyrano et Ghanem n'est pas Rostand. Mais elle garde une valeur historique certaine.

Les frères Ghanem font école. L'essai historique ou politique d'une part, la poésie ou le drame poétique de l'autre deviennent les genres littéraires privilégiés de cette génération. Les ouvrages de la première catégorie n'ont pas besoin de commentaire ; les titres suffisent à en indiquer le sens et la portée (46) . Pour ne citer que les plus importants, en 1915 paraît *Le Réveil de la nation arabe dans l'Asie turque*, de Négib Azouri ; en 1908, Boulos Noujaim publie, sous le pseudonyme de M. Jouplain, *La Question du Liban* ; en 1912, Khairallah T. Khairallah publie un essai intitulé *La Syrie* et, en 1919, il tire de ses articles du *Temps* un ouvrage touffu, mais vivant et hardi : *Le Problème du Levant, les régions arabes libérées*. En 1916 et 1920 deux ouvrages importants voient le jour : *La Syrie de demain* de Nadra Moutran et *La Syrie* de Georges Samné. Il faut faire une place à part à l'ouvrage de Jacques Tabet, *La Syrie*, écrit en 1915 et publié en 1920 « pour éviter la vengeance des Turcs » comme le précise la préface. Cet essai historique et sociologique comporte des pages d'une grande valeur litté-

45 Pierre Rondot, *Les Chrétiens d'Orient*, ouvrage cité, p. 119.

46 Tous les ouvrages cités à la suite ont été édités à Paris.

raire. Les mœurs libanaises y sont décrites avec une finesse d'intuition et d'observation digne de l'ethnographe le plus avisé et un style qui évoque celui des grands moralistes de la littérature française.

Les œuvres proprement littéraires empruntent, pour la plupart, leur cadre et leur sujet aux réalités et aux légendes du Proche-Orient. Certaines sont signées par les historiens ou essayistes déjà signalés. Georges Samné est l'auteur d'un roman, *Au pays du Chérif* (1911), écrit en collaboration avec Maurice Barrère. Khairallah T. Khairallah, dans son conte illustré *Cais* (1921), raconte à sa manière la fameuse légende arabe de *Majnoun Leyla*. Jacques Tabet signe deux recueils de poésie, *Rires et sanglots* (1907) et *Poèmes divers* (1924), un roman, *L'Émancipée*, et un roman historique, *Hélissa, princesse tyrienne et fondatrice de Carthage*. Ce dernier ouvrage, ainsi que certains poèmes de l'auteur, anticipent sur la période suivante : ils se réfèrent en effet, pour l'exalter, au « passé phénicien », qui sera le thème de prédilection des écrivains de la deuxième génération. Pour terminer l'inventaire des écrits qui ont laissé quelque trace dans l'histoire de la littérature libanaise, il convient de citer les recueils poétiques de Jean Béchara Dagher : *Souvenirs d'Orient, Idéal et réalisme, Sous les cendres*, publiés en 1903-1904, ainsi que *Fleurs de rêves*, l'unique recueil de poèmes français que signe May Ziadé avant de se consacrer, en Égypte, à une brillante carrière de journaliste et d'essayiste en langue arabe.

Une littérature « nationale »

La période du mandat voit croître le nombre des essayistes francophones qui s'attachent à analyser les données politiques, économiques et sociales de l'État libanais et à critiquer, dans cette perspective, la formule du mandat et son application. Mais pour plus d'une raison, leurs œuvres n'ont plus droit de cité dans le domaine proprement littéraire. D'une part en effet les fonctions se sont différenciées : les hommes de lettres ne se mêlent que de littérature et les essayistes sont surtout des juristes ou des économistes ; d'autre part les essais en eux-mêmes sont devenus plus techniques et aucun ne présente la valeur littéraire des grands ouvrages de la période précédente, tels que *Les Sultans ottomans* de Khalil Ghanem ou *La Syrie* de Jacques Tabet.

Les hommes de lettres dont les œuvres paraissent entre 1920 et 1945 sont presque tous des poètes. Comme tous les poètes ils chantent leurs amours et leurs peines. Mais ils demeurent tourmentés par le problème national, bien que celui-ci ait pris une forme nouvelle : « Le Liban est certes libéré, son indépendance proclamée, ses anciennes frontières recouvrées ; mais son statut, son passé, sa personnalité sont encore discutés, de sorte que la patrie court un danger certain qu'il faut d'urgence écarter » (47). La tâche essentielle n'est donc pas tant de célébrer la patrie retrouvée que de dégager, d'affirmer, d'illustrer les traits culturels fondamentaux de la personnalité libanaise contestée. C'est dans cette perspective qu'il convient de comprendre la thématique du « Liban phénicien », centrale chez tous les poètes francophones de cette génération. Le premier moteur de ce courant littéraire est *La Revue phénicienne*, fondée par Charles Corm en 1920. Le projet est sans doute prématuré, car la revue cesse de paraître au bout d'un an. Mais en 1934, toujours sur l'initiative de Charles Corm, *La Revue phénicienne* devient le nom d'une maison d'édition qui se propose de publier les recueils poétiques les plus marquants de l'époque.

Né d'une protestation contre la mise en question, au nom du panarabisme, de l'indépendance politique et de la spécificité culturelle du Liban, le courant « phénicien » est à son tour contesté par un certain nombre d'intellectuels syriens et libanais, qui y voient un refus à peine déguisé de la vocation arabe du Liban. La polémique conduit les écrivains de *La Revue phénicienne* à expliciter leur position. L'histoire politique du Liban commence, il est vrai, avec l'invasion arabo-musulmane du Proche-Orient et l'entrée en scène de la Montagne libanaise comme refuge des minorités – chrétienne, druze, chiite – contre l'envahisseur, représentant de l'islam orthodoxe. Mais l'histoire culturelle et anthropologique qui a marqué le territoire libanais et, d'une façon difficile à reconstituer mais certaine, les populations qui s'y sont succédées est à la fois infiniment plus ancienne et plus complexe. Remonter à l'origine phénicienne, c'est donc exalter « un passé assez lointain et assez grand pour que tous les Libanais actuels puissent s'y reconnaître au-dessus de leurs différences de langues, de mœurs, de religion, de « race » (48). Les écrivains de *La Revue phénicienne* ne prétendent pas présenter ce passé phénicien comme le fondement du nationalisme libanais. Celui-ci n'a pas d'autre principe que la volonté de vivre ensemble exprimée par les diverses communautés. Mais l'exaltation de ce « passé glorieux », pensent-ils, est de nature à renforcer « la cohésion nationale ».

47 Maurice Sacre, *Anthologie des auteurs libanais de langue française*, Beyrouth, 1948, p. 111.

48 Michel Chiha, « La Querelle du libanisme phénicien », in *Le Jour* du 24 avril 1935.

C'est *La Montagne inspirée* de Charles Corm, publiée en 1934, qui donne le ton. « Elle provoque une secousse générale », témoigne un critique, et un poète confirme : « Nous nous abordions en nous interrogeant : avez-vous lu *La Montagne inspirée* ? » Dans cette suite de fragments épiques qui composent l'ouvrage, le poète invite son « frère musulman » à remonter avec lui le cours de l'histoire libanaise, pour en récapituler les grands moments, ceux qui ont marqué la conscience nationale : le passé phénicien bien sûr, mais aussi l'époque des émirs, la lutte contre les Turcs, puis les noces avec la France. Le tout se termine par l'exaltation des hauts lieux du Liban, chargés d'histoire et de légende. Favorablement accueilli à l'époque par la critique, au Liban et à l'étranger, l'ouvrage emporte difficilement l'adhésion du lecteur aujourd'hui. Il ne manque sans doute pas de souffle, mais la langue et la facture poétique ne sont pas à la hauteur du projet. Des vers d'une belle venue sont noyés au sein d'une masse d'autres que ne relèvent ni l'image ni le rythme, et il n'est pas rare que la richesse verbale tourne au verbalisme. *La Symphonie de la lumière* (1946), chant épique à la gloire du cosmos et *Le Mystère de l'amour* (1948), suite de 168 sonnets exaltant la figure de Marie-Madeleine, manifestent un progrès : la facture est plus rigoureuse, le langage plus discipliné, le rythme plus soutenu.

Hector Klat est le deuxième représentant du courant phénicien. Plus varié dans le choix de ses thèmes, plus souple dans sa prosodie, il passe avec une facilité déconcertante du pathétique au cocasse, réussissant souvent à multiplier l'émotion par l'humour. *Le Cèdre et les lys* (1935), comme son nom l'indique, célèbre les liens d'amitié qui unissent le Liban et la France. Le thème phénicien est loin d'être absent et pour Klat, comme pour Corm, l'âme phénicienne s'incarne avec prédilection dans la langue française telle que l'utilisent les Libanais. *Dans le vent venu* (1937) est de la même veine, à ceci près que les thèmes en sont plus variés. *Les Miettes du festin* (1939) est un recueil de poèmes amoureux, badins et légers. Il faut mettre à part *Sainte Maman* (1944), poème sobre et émouvant consacré par le poète à la mémoire de sa mère. Mais dans l'ensemble l'œuvre de Klat souffre de défauts analogues à ceux qui affectent la poésie de son émule. L'excessive spontanéité de la versification annule souvent la poésie et la métaphore entrave le surgissement de l'image.

Plus sobre, plus classique, mais aussi plus sèche est la poésie d'Élie Tyan, auteur d'un recueil, *Le Château merveilleux* (1934) où, sous le voile du conte et de la parabole, du paysage et du portrait, se mêlent harmonieusement le passé phénicien et le passé arabe et s'expriment les grands thèmes humains de l'amour et de la solitude. D'un style plus classique encore est *La Maison des champs* (1934) de Michel Chiha. Mais ce recueil est comme un accident dans la carrière de l'écrivain. C'est grâce à ses articles éditoriaux du *Jour* qu'il est devenu le maître à penser de toute une génération. Rassemblés dans une série de volumes, ces articles représentent le fruit de vingt ans de réflexion pour définir les assises politiques, sociales et économiques du Liban ainsi que ses relations avec le monde arabe et l'Occident. Si ces analyses sont aujourd'hui à maints égards dépassées, les *Essais* de Chiha gardent néanmoins une valeur littéraire incontestable. Claire et incisive, combinant harmonieusement la précision et l'évocation, son écriture excelle à dégager la signification humaine de l'événement quel qu'il soit et à débusquer les valeurs universelles enfouies dans une situation particulière, nationale ou individuelle.

Il ne nous semble pas injuste d'affirmer qu'aucun des poètes de *La Revue phénicienne* n'a réussi à s'imposer hors de son pays, ni même à survivre à sa génération. A leur sujet nous écrivions, il y a déjà une quinzaine d'années : « Leur style et leur langue suggèrent un néo-classicisme, mais un néo-classicisme qui n'aurait pas assumé la double révolution du langage accomplie par le Symbolisme et le Surréalisme français, et qui lui serait de quelque manière antérieur » (49). On ne versifie pas impunément, en plein XXe siècle, à la manière de Hugo ou de Banville, de Lamartine ou de Rostand.

D'autres poètes se manifestent durant les années 1920-1945, mais, on ne sait pourquoi, presque tous rendent les armes après la publication de leur premier et unique recueil (50). Joseph Farès publie *Teschkils* en 1926 ; Maurice Hajje, *Pêle-Mêle* en 1935 ; Michel Ghorayeb, *Arômes dans l'ombre* en 1936 ; Henri Hakim, *Les Lèvres blanches* en 1938 ; Antoine Abi-Zayd, *Songes asiatiques* en 1944 ; Edmond Saad, *Les Lampes d'argile* en 1943 ; Alfred Abousleiman, *Cendres chaudes* en 1943 ; Victor Hakim, *Pharnabaze* en 1945 ; enfin Camille Aboussouan publie, en 1943, *Tes cheveux dans le vent*, avant de fonder, en 1947, une excellente revue littéraire, *Les Cahiers de l'Est*, malheureusement trop tôt disparue. Ces recueils sont de valeur très inégale ; certains attestent la recherche timide d'une écriture poétique nouvelle. Le plus novateur en ce sens

49 Sélim Abou, *Le bilinguisme arabe-français au Liban*, ouvrage cité, p. 362.

50 Sauf indication contraire, tous les ouvrages cités à la suite ont été publiés à Beyrouth.

est Fouad Abi-Zayd, fervent lecteur de Valéry et de Rimbaud, et auteur de deux recueils qui n'ont peut-être pas reçu l'accueil qu'ils méritaient : *Les Poèmes de l'été* (1936) et *Nouveaux Poèmes* (1942). L'auteur s'y veut non pas le chroniqueur, mais le témoin direct du passé lointain – phénicien, byzantin, arabe – et c'est dans l'instant poétique qu'il revit, à travers une subjectivité exacerbée et une orgie d'images, les mystères de vie et de mort qui règlent le cours des civilisations et celui de l'existence humaine. Pour communiquer la magie de ses visions fiévreuses, le poète rompt avec la prosodie classique et recourt au rythme incantatoire du verset et de la prose poétique. Mais la vertu poétique tient moins à la musicalité qu'à l'image, qui naît du bouleversement des rapports sémantiques conventionnels. Il est regrettable que l'auteur n'ait pas su pousser l'audace jusqu'à opérer cette nécessaire rupture.

Mention doit être faite de la littérature féminine de cette époque, qui ne manque ni de variété ni de charme. Les *Heures libanaises* (1937) de Marie Hadad ont la grâce des aquarelles, où l'âme déteint subtilement sur les choses. *La Main d'Allah* (Paris, 1926), roman historique d'Evelyne Bustros, rappelle le ton savoureux des vieilles chroniques omeyyades, et son deuxième roman, *Sous la baguette du coudrier* (1958) chante discrètement, sous le couvert d'une intrigue, l'âme des villages de la montagne. Deux Libanaises établies en Égypte participent à l'activité littéraire de l'époque. Jeanne Arcache publie à Paris deux recueils de poèmes en prose, *L'Égypte dans mon miroir* (1931) et *La Chambre haute* (1938), ainsi qu'une histoire romancée de l'émir libanais Fakhreddine II Maan, *L'Émir à la Croix* (1938). Amy Kheir publie à Paris un roman d'atmosphère libanaise, *Selma et son village* (1933) et, au Caire, deux recueils de poésie, *La Traînée de sable* et *Méandres* (1936). Enfin Blanche Lohéac-Ammoun s'arrache un moment à la peinture pour composer une étonnante petite *Histoire du Liban* (1937), suite de miniatures dont la finesse et l'humour enchantent aussi bien les enfants que les grandes personnes. Peut-être jugera-t-on tous ces ouvrages quelque peu mineurs. Il reste paradoxalement que, pour la plupart, ils ont mieux résisté au temps que beaucoup d'ouvrages plus ambitieux.

Une littérature intégrée

Les aînés de la troisième génération commencent à écrire autour des années 35, mais ils se montrent si étrangers aux canons de l'école « phénicienne » qu'ils font figure de marginaux plutôt que de pionniers. La littérature qu'ils inaugurent, et dont les tendances s'affirmeront à partir de

1945, n'a plus rien à voir avec une quelconque thématique nationale ou une mode locale d'écriture. Elle s'intègre d'emblée dans le champ sémantique et stylistique de la littérature francophone la plus actuelle, tout en l'enrichissant d'un apport original.

Georges Schéhadé est sans conteste un cas à part. Entré dans les lettres françaises par la grande porte, en qualité de poète et d'auteur dramatique, il figure déjà dans les traités et les manuels de littérature française et son œuvre fait aujourd'hui l'objet de recherches et d'études dans nombre d'universités d'Europe et d'Amérique. « Georges Schéhadé, écrit Pierre Robin, est pour moi l'un des plus grands, des plus authentiques, parmi les poètes de notre temps ; et je suis heureux de me trouver d'accord avec des critiques aussi exigeants et aussi perspicaces qu'André Breton et Gabriel Bounoure, avec des poètes tels que Saint-John Perse, René Char ou Supervielle » (51). Ce jugement est de 1957. Depuis, des critiques comme Pierre de Boisdeffre, Gaëtan Picon, Jean-Pierre Richard et bien d'autres sont venus le confirmer de manière éclatante.

L'œuvre de Schéhadé compte deux écrits de jeunesse : *Rodogune Sinne*, roman d'allure surréaliste « écrit au sortir du collège » et *L'École Sultan* recueil de poésies cocasses et pétulantes (52) ; un recueil, *Les Poésies*, qui comprend quatre fascicules (53), dont trois publiés d'abord séparément entre 1938 et 1949 ; enfin six pièces de théâtre : *Monsieur Bob'le* (1951) représentée pour la première fois en 1951 au théâtre de La Huchette, *La Soirée des proverbes* (1954) avec laquelle Jean-Louis Barrault inaugure en 1956 le petit théâtre Marigny, *Histoire de Vasco* (1956) traduite dans la plupart des langues européennes et jouée sur une vingtaine de scènes, *Les Violettes* (1960), *Le Voyage* (1961) et *l'Émigré de Brisbane* (1965) également jouées avec succès sur les scènes européennes. Schéhadé est aussi l'auteur d'une pantomime, *L'Habit fait le prince* (1973), ainsi que du scénario de *Goha*, film de Jacques Baratier. Ces ouvrages ne constituent pas un ensemble bien volumineux. C'est que Georges Schéhadé déteste écrire et il le confesse avec complaisance. La quantité l'indiffère. Tout se passe comme si chacune de ses œuvres était le fruit d'une longue et nécessaire paresse. Elle surgit alors – idée et structure – au lieu et moment les plus inattendus ; il se prend à noter, à griffonner fiévreusement et

51 Pierre Robin, « Poésie et théâtre chez Georges Schéhadé », in *Cahiers du Cénacle* (Beyrouth), XIe année, 1er janvier 1957, p. 43.

52 Les deux écrits ont été édités tardivement, dans un même volume en 1957, et réédités en 1973, chez Gallimard.

53 *Poésies I* (1938), *Poésies II* (1948), *Poésies III* (1949) et *Si tu rencontres un ramier*.

déjà, sous sa plume, des grappes d'images se font et se défont spontanément. C'est du moins ainsi qu'il décrit volontiers ce que, faute de mot plus adéquat, il consent à appeler son inspiration.

Quel que soit le genre littéraire qu'il manie, Georges Schéhadé est essentiellement poète. Dans *Onze Études sur la poésie moderne*, Jean-Pierre Richard a magistralement mis à jour les mécanismes de cette écriture inimitable : « Point ... de ligne apparemment logique : au contraire des sauts, des trous de sens, mais c'est justement dans ces trous que se forme le sens ... Le langage ne devient pour lui ... poétiquement signifiant qu'en brisant la surface immédiate de son sens au profit d'une signification seconde qui naît de cette brisure même. Comme si souvent dans la poésie moderne, c'est l'interruption, l'écart – « le grand écart » – qui se font alors signifiants » (54) . Signifiants de quoi ? La poésie de Schéhadé – poèmes ou théâtre – est tout entière fondée « sur une fort efficace dialectique du *clos* et de l'*ouvert*, sur le dialogue toujours maintenu entre le village et le voyage, entre le *proche ... et le* cosmique ou le lointain » (55) . Cette dialectique, Jean-Pierre Richard l'analyse à travers les renversements d'images qui sont aussi bien des glissements de rêverie, jusqu'à dévoiler, derrière le jeu de l'humour et de la mélancolie, la portée métaphysique de cette poésie habitée par l'obsession de l'exil et du Paradis, à la fois paradis de l'enfance et paradis perdu.

Il serait fastidieux de donner ici la longue liste des œuvres d'Andrée Chédid : treize recueils de poésie parus entre 1949 et 1974, huit romans ou nouvelles, trois pièces de théâtre (56) . Chez elle, comme chez Schéhadé, roman et théâtre sont, par l'écriture et la facture, des prolongements

54 Jean-Pierre Richard, *Onze Études sur la poésie moderne*, Paris, Le Seuil, 1964, p. 157.

55 Jean-Pierre Richard, ouvrage cité, p. 147.

56 Poésie : *Textes pour une figure*, Paris, Pré-aux-Clercs, 1949 ; *Textes pour un poème*, Paris, G. L. M., 1950 ; *Textes pour le vivant*, Paris, G. L. M., 1952 ; *Textes pour la terre aimée*, Paris, G. L. M., 1955 ; *Terre et Poésie*, Paris, G. L. M., 1956 ; *Terre regardée*, Paris, G. L. M., 1957 ; *Seul, le visage*, Paris, G. L. M., 1960 ; *Lubies*, Paris, G. L. M., 1962 ; *Double pays*, Paris, G. L. M., 1965 ; *Contre-Chant*, Paris, Flammarion, 1968 ; *Visage premier*, Paris, Flammarion, 1972 ; *Fêtes et lubies*, Paris, Flammarion, 1973 ; *Prendre corps*, Paris, G. L. M., 1973.
Romans et nouvelles : *Le Sommeil délivré*, Paris, Stock, 1952 ; *Jonathan*, Paris, Le Seuil, 1955 ; *Le Sixième Jour*, Paris, Flammarion, 1972 ; *Le Survivant*, Paris, Julliard, 1963 ; *L'Étroite Peau* (nouvelles), Paris, Julliard, 1965 ; *L'Autre*, Paris, Flammarion, 1969 ; *La Cité fertile*, Paris, Flammarion, 1972 ; *Nefertiti et le Rêve d'Akhenaton*, Paris, Flammarion, 1974.
Théâtre : *Bérénice d'Égypte*, Paris, Le Seuil, 1968 ; *Les Nombres*, Paris, Le Seuil, 1968 ; *Le Montreur*, Paris, Le Seuil, 1969.

de la poésie. Libanaise d'origine, née au Caire, établie à Paris, Andrée Chédid n'a oublié ni la terre des pharaons, ni celle de la Bible ; mais ses personnages, *Bérénice, Nefertiti, Alefa* (57) sont surtout, comme elle l'est elle-même, des prêtresses de la Terre et de la Poésie – « Nommer la terre si le poème s'évade, délivrer la poésie lorsque s'enferrent les jours » – des prêtresses de la Vie et de la Mort, de l'Amour qui les rassemble et les réconcilie. C'est pourquoi « l'œuvre d'Andrée Chédid porte en elle une angoisse maîtrisée. Et ce qui caractérise d'abord son langage est un ton de grande sérénité sur des thèmes souvent dramatiques » (58) . Des mots simples, quotidiens, presque banals mais qui, tout à coup, creusent des abîmes.

Encore deux poètes qui s'imposent, bien que par des voies différentes. Toute la poésie de Fouad-Gabriel Naffah est enfermée dans un recueil, *La Description de l'homme, du cadre et de la lyre*, édité à Beyrouth en 1957 et réédité à Paris en 1963. Fidèle aux leçons formelles de Valéry, Naffah utilise le rite de l'alexandrin pour des célébrations qui lui sont propres : les noces de l'homme avec la matière. « Dans la distance créée par la cérémonie de la langue, les jeux étincelants de l'humour et de la mélancolie prennent, pour qui sait y prêter attention, dans la grande limpidité de la parole, une apparence saisissante, un sens presque tragique » (59) . Si Naffah « est entré tout armé dans la poésie » (60) , Nadia Tuéni y progresse d'un pas assuré. A moins que le progrès ne soit celui du lecteur qui, déconcerté par la simplicité des mots et l'audace des ruptures, se laisse lentement piéger par le mystère plutôt qu'il ne le découvre. Trois recueils, *L'Âge d'écume* (1966), *Juin et les mécréantes* (1968) et *Poèmes pour une histoire* (1972), où l'auteur chante, sur un ton plus âpre, les mêmes thèmes qu'Andrée Chédid. C'est qu'ici la Terre, la Terre de la Bible est aussi celle de la guerre et de la défaite – « Quand on rendra la terre aux gens de ma race Alors viendra ce qui sécrète la lumière » – et que la Mort est celle que l'homme donne à l'homme. Mais l'événement prend aussitôt la dimension de l'âme : « Il faut avoir connu la toute-puissance des fleurs pour accepter la Terre » et « Tout n'est beau que parce que tout va mourir Dans un instant ».

57 Personnage de *La Cité fertile*.

58 René Lacôte, cité par Saher Khalaf, *Littérature libanaise de langue française*, Québec, édit. Naaman, 1974, p. 82.

59 Salah Stétié, Préface à *F.G. Naffah, La Description de l'homme, du cadre et de la lyre*, Paris, Mercure de France, 1963, pp. 12-13.

60 Salah Stétié, *Préface à F.G. Naffah*, ouvragé cité, p. 9.

Quelqu'un tentera d'expliquer un jour pourquoi la poésie est le genre littéraire préféré des écrivains libanais, qu'ils soient de langue arabe ou française. Il nous est impossible ici de rendre justice aux nombreux poètes qui ont déjà affirmé leur talent ou qui cherchent encore leur voie. Il y a des parentés. Dans *Le Tireur isolé* (1972) de Marwan Hoss, la poésie est exclusivement langage, qui détruit le monde et en rassemble les éléments au gré d'un ici/maintenant imprévisible. Dans *Poésies latentes* (1968) de Claire Gebeyli, la poésie est immanente au monde et le transforme de l'intérieur ; il n'est que de la recueillir avec des mots clés. Dans *Mots de partance* (1974) d'Elmira Chackal, la poésie est présente/absente dans le monde, car le monde est ce qui parle d'exil et de ruptures. Le monde est davantage expérience intérieure dans la poésie fiévreuse et éclatée de Vénus Khoury : *Terres stagnantes* (1968) et *Au sud du silence* (1975), ou dans celle, plus contenue et close, de Samia Toutounji : *Multiples Présences* (1968). Mais il faudrait encore citer au moins un recueil de May Murr, *Quatrains* (1971) et *Médianes* (1970) de Christiane Saleh ; il faudrait aussi pouvoir suivre les recherches poétiques pleines de promesses de Ethel Adnan, Fouad el-Etr, Fady Noun, Claude Khal, Henry Khoury, et, dans un style plus classique, de Marie-Claire Doumet et Nohad Salameh.

Avant d'abandonner les poètes, il n'est peut-être pas inutile de nous demander s'il existe une quelconque spécificité de la poésie libanaise. Constatant que cette poésie est hantée par le thème de l'*exil*, Salah Stétié s'interroge : « D'où provient donc ce sentiment d'étrangeté qui alimente la poésie libanaise dans certains de ses moments les plus significatifs ? D'où vient l'exil ? » Il répond : « Peut-être l'exil n'est-il, au niveau profond, que la vocation, assumée par le poète, de cette terre, la sienne, le Liban – qui est seuil entre deux mondes, lieu de départ à la fois et point de nostalgie. Peut-être à un niveau plus déterminant encore, l'exil est-il référence symbolique à ce lieu culturel ambigu dont la trop complexe tradition intellectuelle et spirituelle échappe subtilement à la prise d'une conscience avide d'unité et qui se trouve ainsi meurtrie dans son aspiration fondamentale. Peut-être enfin, dis-je, peut-être que l'exil n'est que l'intuition première de l'impossibilité du lieu sûr chez ces Sémites, fils de navigateurs – mal guéris du Paradis terrestre » (61) . Mais chez la plupart des poètes libanais – la critique l'a maintes fois noté – l'exil est lié à une autre

61 Salah Stétié, *Un pays sous un arbre*, ouvrage cité, p. 36.

obsession, celle de l'*élémentaire*, qui est à l'horizon de tous les paradis et de tous les voyages. Le paysage extérieur n'est jamais que la combinaison sans cesse mouvante des quatre éléments – l'eau, la terre, l'air, le feu – et des figures, peu nombreuses, qui les multiplient. Le paysage intérieur n'est jamais que la combinaison toujours recommencée des rapports que la Vie entretient avec la Mort. A ce terme, l'exil est une nostalgie métaphysique ambiguë, où l'élémentaire visé oscille sans cesse entre l'Indifférencié et l'Absolu, et où chaque oscillation est juste l'instant offert à la vie pour, à force d'humour et de mélancolie, domestiquer la mort. Il y a là une manière d'être au monde qui, si elle n'est pas typiquement libanaise, est pour le moins méditerranéenne.

Le théâtre qui compte est resté au Liban entre les mains des poètes, de Georges Schéhadé, d'Andrée Chédid, mais aussi d'un auteur – poète lui aussi, bien qu'il n'ait jamais écrit un seul poème – dont les pièces ont connu un grand succès sur la scène du Théâtre de Beyrouth, mais n'ont malheureusement jamais été publiées. Je veux parler de Gabriel Boustany, qui nous a gratifiés d'au moins deux très belles pièces, *Les Vacances de Philippine* et *Criquet migrateur* (62) , qui méritent certainement d'être connues du grand public. Le roman, par contre, a échappé à l'hypothèque des poètes, pour trouver en Farjallah Haïk et Vahé Katcha ses meilleurs représentants.

« Haïk, dit un critique, écrit dans un français dont la pureté et la violence, la couleur et la vibration sont autant de leçons pour deux ou cinq cent romanciers nés à Carpentras et vivant à Paris . . . Je ne vois qu'un écrivain qui lui soit comparable, le Nikos Kazantzakis d'*Alexis Zorba*, ce Grec qui raconte des histoires venues du fond du peuple, aussi amples que des légendes et qui sentent la terre, le sang et la sueur. Cette odeur de sang et de sueur peuple *L'Envers de Caïn*, récit de révolte et poème de l'homme. Elle est indélébile » (63) . Elle peuple à vrai dire la plupart des romans de Haïk (64) , profondément enracinés dans la terre libanaise : *Barjoute* (1940), *Helena* (Beyrouth 1941),

62 Voir Sélim Abou, « Satire et poésie : Criquet migrateur de Gabriel Boustany », in *L'Orient* du 28 décembre 1966 ; et « Les Vacances de Philippine » au théâtre de Beyrouth », in *L'Orient* du 27 octobre 1967. Signalons deux autres pièces, que d'aucuns préfèrent à celles que nous avons citées dans le texte : *Aladin in Memoriam* (voir Sélim Abou, « Autour d'Aladin », in *Travaux et Jours*, n° 35, avril-juin 1970), et *Les Requins ou presque*.

63 Gabriel Venaissin, *in Combat* du 8 décembre 1955, cité par Saher Khalaf, ouvrage cité, p. 132.

64 Sauf *Helena*, édité à Beyrouth, tous les romans cités ont été édités à Paris.

Al-Ghariba (1947), *Gofril le mage* (1947), *Joumana* (1957), mais surtout *Abou-Nassif* (1948), *La Fille d'Allah* (1949) et *La Prison de la solitude* (1951), qui composent la trilogie des « Enfants de la terre ». A travers des êtres saisis sur le vif et prenant tout à coup les dimensions de véritables « types » humains, ce que décrivent les romans de Haïk, c'est une société prisonnière d'une histoire multiséculaire qu'elle n'a pas assimilée et d'un pluralisme ethnique qu'elle n'a pas su organiser ; une société où le modernisme le plus tapageur n'a pas eu raison des tabous ancestraux ; une société où le vernis des bonnes manières dissimule mal la primitivité des passions. Au-delà de tout cela, chez Haïk, une constante : la révolte contre ce monde oriental où l'abandon à la fatalité entrave sans cesse l'exercice de la liberté, et une préoccupation : le rôle de l'écrivain dans sa société (*De chair et d'esprit*, 1968) et le combat intime de l'intellectuel perdu entre la réalité et les mythes (*La Crique*, 1964) (65) .

Ceux qui n'ont pas lu l'œuvre de Vahé Katcha ont probablement vu l'adaptation cinématographique de l'un ou l'autre de ses romans. On ne sait d'ailleurs plus, à le lire, s'il écrit directement pour le cinéma ou si le cinéma a simplement déteint sur son style, marqué par la brièveté et la densité des chapitres-séquences, les changements brusques de plans et l'acuité des dialogues. Des critiques parisiens comme Pierre de Boisdeffre, Alain Bosquet ou Robert Kemp ont souligné le caractère obsessionnel de ses romans, ils ont parlé de diabolisme et d'hallucination, certains ont même parlé de chefs-d'œuvre et de tragédie pure. Plus que tous les autres romans (66) , *Œil pour œil* (1955) donne le ton général de l'œuvre. Mais il faut lire *L'Hameçon* (1957), *Ne te retourne pas Kipian* (1958), *Les Poings fermés* (1960), *Le Huitième Jour du Seigneur* (1960), *Le Repas des fauves* (1960), *Se réveiller démon* (1964), *La Mort d'un juif* (1968) . . . pour saisir les multiples figures que prend chez lui l'obsession : vengeance, haine, jalousie, sadisme. C'est peut-être le vieil adage de Hobbes, *Homo homini lupus*, qui définit le mieux les rapports que Katcha se plaît à tisser entre ses personnages.

L'importante œuvre romanesque de Haïk et Katcha ne saurait faire oublier l'art de la nouvelle et du récit qui semble être, au Liban, le privilège des femmes. Dans des

65 Citons encore, de Haïk, un roman, *La Croix et le croissant* (Paris 1959), un pamphlet contre la politique du mandat, *Dieu est Libanais* (Beyrouth 1945) et un pamphlet d'actualité, *Lettre d'un barbare aux civilisés* (Beyrouth 1971).

66 Tous les romans de Katcha ont été édités à Paris.

genres très différents, *Journal d'Anne* (1947) et *Les Grandes Horloges* (1961) de Laurice Schéhadé, *Le Mors aux dents* (Beyrouth 1973) de Denise Ammoun, *Enfance* de Frida Bagdadi, *Les Colombes d'Amchit* de Pascale Lahoud exercent un charme particulier, dû à un dosage délicat d'humour et de poésie, à une complicité exquise de l'imagination et de la sensibilité. Un intrus dans le gynécée : Gabriel Boustany, qui réussit à introduire dans ce monde de l'enfance un personnage inattendu, *Joachim l'imbécile* (1961).

Comme le roman, l'essai, en particulier l'essai critique, est représenté par deux écrivains de talent. Salah Stétié, diplomate en poste à Paris et collaborateur de quelques grandes revues, est l'auteur d'un brillant recueil de critiques littéraires, *Les Porteurs de feu et autres essais* (1972). Il excelle surtout à présenter les poètes, car poète, il l'est lui-même, comme l'atteste son recueil *L'Eau froide gardée* (1973). Robert Abirached, auteur d'un roman, *L'Émerveillée* (1963) et d'une pièce de théâtre récemment jouée à l'Odéon, *Connais-tu la musique ?* (1971), manifeste surtout son talent dans les chroniques dramatiques parues, depuis une dizaine d'années, dans *Études, Le Nouvel Observateur* et la *N. R. F.*, ainsi que dans un remarquable essai paru en 1961, *Casanova ou la dissipation*.

La littérature libanaise de langue française est donc bien vivante et elle n'a même pas un semblant d'équivalent en anglais. Mais l'usage du français dépasse de loin les limites de la littérature proprement dite. C'est en effet en français que paraissent, depuis une quarantaine d'années, à un rythme croissant, les meilleurs ouvrages dans les domaines des sciences juridiques et économiques, de l'histoire, de la sociologie, de l'anthropologie, de la psychologie et de la philosophie, ainsi que dans celui des sciences exactes et positives. La masse de ces publications excède de loin celle des œuvres proprement littéraires. Il serait déplacé ici de citer œuvres et auteurs. Nous pouvons du moins mentionner l'existence des revues et collections de niveau universitaire, qui suscitent et entretiennent la recherche dans les domaines signalés. Les principales revues sont *Proche-Orient, études juridiques* et *Proche-Orient, études économiques*, publiées par la Faculté de droit et sciences économiques de l'Université St. Joseph ; *Mélanges*, revue d'archéologie et de préhistoire, publiée par l'Institut des lettres orientales de la même Université ; *Hannon*, revue de géographie publiée par la Faculté des lettres et sciences humaines de l'Université libanaise ; les *Cahiers des lettres*, publiés par l'École supérieure des lettres ; enfin une excellente revue d'intérêt général, *Travaux et jours*, publiée par le Centre culturel universitaire de Beyrouth.

Quant aux collections, l'Université libanaise édite plusieurs séries d'ouvrages dans les domaines juridique, historique et sociologique (« Publications de l'Université libanaise ») et Dar el-Machreq édite deux importantes collections : l'une, *Recherches*, est connue de tous les spécialistes de l'islamologie et de l'Orient chrétien (« Publication de l'Institut des lettres orientales ») ; l'autre, *Hommes et sociétés du Proche-Orient*, récente puisque inaugurée en 1969, comporte des ouvrages relatifs aux problèmes socioculturels du Proche-Orient et plus particulièrement du Liban (« Publication du Centre Culturel Universitaire »).

CONCLUSION

Parlant, il y a une quinzaine d'années, du destin du bilinguisme arabe-français au Liban, nous écrivions : « La suppression du bilinguisme libanais signifierait logiquement l'asservissement de l'une des deux communautés et, à la limite, la réduction du Liban lui-même à une pure expression géographique » (67). Il est clair aujourd'hui que ceux qui, au-delà de toutes autres revendications, prétendent, par la force des armes, imposer au Liban un caractère exclusivement et jalousement arabe, sont pour le moins indifférents à la survie de ce pays comme entité indépendante. Nul ne peut prédire l'issue de la guerre civile en cours. En ce qui concerne le bilinguisme libanais, une chose est certaine : il survivra si le Liban survit, il succombera si le Liban succombe.

Sélim ABOU

(Université St Joseph-Beyrouth)

(Cet article a été écrit au début de l'année 1976 et revu sur épreuves en avril 1977).

67 Sélim Abou, *Le Bilinguisme arabe-français au Liban*, ouvrage cité, p. 479. A propos du rapport logique entre la composition ethnique de la nation libanaise et la nécessité du bilinguisme, voir Sélim Abou, « Les Conditions d'une culture nationale à partir du bilinguisme », in : Centre International de Recherche sur le Bilinguisme, *Les États multilingues, problèmes et solutions*, présentation Jean Guy Savard et Richard Vigneault, Québec, Les Presses de l'Université Laval, 1975, pp. 481-488.

BIBLIOGRAPHIE

Dans la série des bibliographies sur les pays d'expression française, nous présentons celle qui concerne le Liban. Comme toutes les précédentes elle est sélective, mais elle présente cependant un panorama de la civilisation libanaise contemporaine sous ses différents aspects. Pour d'autres renseignements, on pourra s'adresser au service des études françaises de l'A. U. P. E. L. F. Le prix des ouvrages, en livres libanaises ou en francs français (1 livre libanaise = 2 francs français) est donné à titre indicatif.

OUVRAGES GÉNÉRAUX

GÉOGRAPHIE

VAUMAS, Étienne de, *Le Liban, étude de géographie physique*, Paris, Firmin-Didot, 1955, tome I : texte, 367 p. ; tome II : planches ; tome III : photographies.

SANLAVILLE, Paul, *La Personnalité géographique du Liban*, dans *Revue de géographie de Lyon*, vol. XLIV, n° 4, 1969, pp. 375-394.

BOURGEY, André, *Problèmes de géographie urbaine au Liban*, dans *Hannon*, revue libanaise de géographie, vol. V, 1970, pp. 97-129.

HISTOIRE

RABBATH, Émile, *La Formation historique du Liban politique et constitutionnel*, Beyrouth, Publications de l'Université Libanaise, section des études juridiques, politiques et administratives, 1973, 586 p., 45 L.L.
(Ouvrage de base, essentiel ; point de vue d'un juriste historien).

ISMAIL, Adel, *Le Liban, histoire d'un peuple*, Beyrouth, Dar el-Makchouf éd., 1965, 235 p., 12 L.L.
(Survol rapide, depuis l'époque phénicienne jusqu'à nos jours).

NANTET, Jacques, *Histoire du Liban*, préface de François Mauriac, Paris, éd. de Minuit, Coll. « Documents », 1963, 385 p. (Bonne vue d'ensemble).

On peut joindre à ces ouvrages, deux études d'histoire sociale de qualité :

CHEVALIER, Dominique, *La Société du Mont-Liban à l'époque de la révolution industrielle en Europe*, Paris, éd. Paul Geuthner, Coll. « Bibliothèque archéologique et historique », 1971, 316 p., 40 L.L.

TOUMA, Toufic, *Paysans et institutions féodales chez les Druzes et les Maronites du Liban du XVIIe siècle à 1914*, Beyrouth, Publications de l'Université Libanaise, Coll. « Études historiques », 1971, t. I, 411 p. ; t. II, 424 p. ; 50 L.L. les 2 volumes.

ÉCONOMIE ET DÉMOGRAPHIE

MISSION IRFED, Ministère du Plan, *Besoins et possibilités du développement au Liban*, t. I : *Situation économique et sociale*, 365 p. ; t. II : *Problématique et orientation*, 508 p. ; t. III, *Analyse régionale des niveaux et conditions de vie*, 540 p., Beyrouth, 1960-1961.
(On peut se procurer ce document au ministère du Plan).

Ministère du Plan, Direction centrale de la statistique, *Enquête par sondage sur la population active au Liban*, t. I : *Méthode, analyse et présentation des résultats* 203 p. ; t. II : *Tableaux des résultats*, 582 p., Beyrouth, 1972.
(On peut se procurer ce document au ministère du Plan ou à la D. C. S.).

COURBAGE, Youssef, et FARGUES, Philippe, *La Situation démographique au Liban*, t. I : *Mortalité, fécondité et projection*, 98 p. ; t. II : *Analyse des données*, 129 p., Beyrouth, Publications de l'Université Libanaise, section des études philosophiques et sociales, 1973 et 1974, 40 L.L. les 2 volumes.

AZHARI, Naaman, *L'Évolution du système économique libanais ou la fin du laisser-faire*, Paris, Librairie générale de droit et de jurisprudence, 1970, 134 p., 14 F.

SOCIOLOGIE ET ANTHROPOLOGIE

RONDOT, Pierre, *Les Institutions politiques du Liban. Des communautés traditionnelles à l'État moderne*, Paris, Publications de l'Institut d'études de l'orient contemporain, 1947, 148 p.
(Ouvrage déjà ancien, mais qui demeure fondamental).

RIZK, Charles, *Le Régime politique libanais*, préface de Maurice

Duverger, Paris, Librairie générale de droit et de jurisprudence, 1966, 170 p.
(Bon instrument de travail).

COULAND, Jacques, *Le Mouvement syndical au Liban (1919-1946)*, préface de Jacques Berque, Paris, Éd. Sociales, 1970, 453 p., 45 F.
(Exellente monographie, fondée sur des documents inédits).

RONDOT, Pierre, *Les Chrétiens d'Orient*, Paris, éd. J. Peyronnet et Cie, Coll. « Les Cahiers de l'Afrique et de l'Asie », 1955, 332 p.
(Ouvrage indispensable sur les minorités chrétiennes du Proche-Orient).

CHAMOUN, Mounir, *Les Superstitutions au Liban*, Beyrouth, Publications du Centre culturel universitaire, Coll. « Hommes et Sociétés du Proche-Orient », Dar el-Machreq éd., 1973, 322 p., 18 L.L.
(Approche psychosociologique d'un phénomène important).

ABOU, Sélim, *Le Bilinguisme arabe-français au Liban. Essai d'anthropologie culturelle*, Paris, P. U. F., 1962, 502 p., 28 F.
(Étude de la réalité socioculturelle du Liban).

Ibid., *Langues et culture au Liban*, in *Travaux et Jours* (janvier-mars 1974, n° 50, pp. 105-128), Beyrouth (Bilan du bilinguisme douze ans après).

HISTOIRE DE LA LITTÉRATURE

La littérature libanaise de langue française attend encore son historien, mais on trouvera des indications utiles et des textes choisis dans :

KHALAF Saher, *Littérature Libanaise de langue française*, Préface de Michel Corvin, Ed. Naaman, Sherbrooke, Québec, 1974, 156 p., 7 $.

LETTRES

POÉSIE

Au-delà des précurseurs de la génération d'avant-guerre (Charles CORM, Hector KLAT, Michel CHIHA, Élie TYAN, Fouad ABI-ZAYD, etc.) :

SCHÉHADÉ, Georges, *Les Poésies*, Paris, Gallimard, Coll. « Poésies », rééd. 1969, 127 p., 4,50 F.

IBID, *L'écolier sultan suivi de Rodogune Sinne*, Paris, Gallimard, 1957, 69 p.

NAFFAH, Fouad Gabriel, *Description del'homme, du cadre et de la lyre*, Paris, Mercure de France, 1963, 92 p., 7,50 F.

STÉTIÉ, Salah, *L'Eau froide gardée*, Paris, Gallimard, 1973, 89 p., 15 F.

TUÉNI, Nadia, *L'Age d'écume*, Paris, Seghers, 1966, 61 p., 12 F.

Ibid, *Poèmes pour une histoire*, Paris, Seghers, 1972, 89 p., 11 F.

CHÉDID, Andrée, *Contre-Chant*, Paris, Flammarion, 1968, 107 p., 7,50 F.

Ibid., *Visage premier*, Paris, Flammarion, 1972, 100 p., 10 F.

Ibid., *Textes pour la terre aimée*, Paris, G. L. M., 1955, 50 p.

Ibid., *Double-pays*, Paris, G. L. M., 1965, 89 p.

GEBEYLI, Claire, *Poésies latentes*, Beyrouth, Cooperative Printing Co., S. A. L., 1968, 46 p.

SALEH, Christiane, *Médianes*, Beyrouth, Imprimerie Express, 1970, 93 p.

KHOURY, Vénus, *Terres stagnantes*, Paris, Seghers, 1968, 54 p., 10 F.

HOSS, Marwan, *Le Tireur isolé*, Paris, G. L. M., 1971, 33 p., 10 F.

CHACKAL, Elmira, *Mots de partance*, Paris, éd. Saint-Germain-des-Prés, 1974, 151 p.

TOUTOUNJI, Samia, *Multiples présences*, Beyrouth, 1967, H. C.

MURR, May, *Quatrains*, Paris, Jean Grassin éd., 1971, 199 p., 25 F.

Ainsi que : Ethel ADNAN, Claude KHAL, Fouad el-ETR, Fady NOUN, etc.

ROMAN

HAIK, Farjallah, *Les Enfants de la terre* : 1. *Abou-Nassif*, Paris, Plon, 1948, 242 p. (Prix Rivarol 1949) ; 2. *La Fille d'Allah*, Paris, Plon, 1949, 227 p. ; 3. *Le Poison de la solitude*, Paris, Plon, 1951, 252 p.

Ibid., *L'Envers de Caïn*, Paris, Stock, 1955, 235 p.

Ibid., *La Crique*, Paris, Calmann-Lévy, 1964, 235 p., 12 F.

KATCHA, Vahé, *Œil pour œil*, Paris, Plon, 1955, (Prix Rivarol 1957).

Ibid., *Se réveiller démon*, Paris, Plon, « Le livre de poche », 1964, 156 p.

CHÉDID, Andrée, *Le Sixième jour*, Paris, rééd. Flammarion, 1972, 188 p., 18 F.

Ibid., *Le Survivant*, Paris, Julliard, 1963, 217 p., 12,50 F.

ABIRACHED, Robert, *L'Émerveillée*, Paris, Grasset, 1963, 193 p., 15 F.

RÉCIT

SCHÉHADÉ, Laurice, *Les Grandes Horloges*, Paris, Julliard, 1961, 163 p.

Ibid., *Journal d'Anne*, Paris, G. L. M., 1947, 106 p., 15 F.

BAGDADI, Frida, *Enfance*, illustrations de Paul Guiragossian, Aref Rayess, Cici Sursock, etc., Beyrouth, 34 p.

BOUSTANY, Gabriel, *Joachim l'imbécile*, Les éd. du Scorpion, Paris, 1961, 155 p.

ESSAI

CHIHA, Michel, *Essais I*, Beyrouth, éd. du Trident, 1950, 234 p.

Ibid., *Essais II*, Beyrouth, éd. du Trident, 1952, 243 p.
(Recueil des éditoriaux parus dans le quotidien *Le Jour*).

ABIRACHED, Robert, *Casanova ou la Dissipation*, Paris, Grasset, 1961, 223 p. (Prix Sainte-Beuve 1961).

STÉTIÉ, Salah, *Les Porteurs de feu et autres essais*, Paris, Gallimard, Coll. « Essais », 1972, 148 p., 16 F.
(Brillantes études littéraires).

HAIK, Farjallah, *Lettre d'un arabe aux civilisés*, Beyrouth, Dar an-Nahar éd., 1971, 107 p.
(Pamphlet d'actualité).

THÉÂTRE

SCHÉHADÉ, Georges, *Monsieur Bob'le*, Paris, Gallimard, 1951, 253 p.

Ibid., *La Soirée des proverbes*, Paris, Gallimard, 1954, 251 p., 10 F.

Ibid., *Histoire de Vasco*, Paris, Gallimard, 1956, 241 p., 8 F.

Ibid., *Les Violettes*, Paris, Gallimard, 1960, 223 p.

Ibid., *Le Voyage*, Paris, Gallimard, 1961, 252 p.

Ibid., *L'Émigré de Brisbane*, Paris, Gallimard, 1965, 189 p., 8,80 F.

Ibid., *L'Habit fait le prince. Pantomimee*, Paris, Gallimard, 1973, 104 p., 8 F.

CHÉDID, Andrée, *Bérénice d'Égypte*, Paris, Seuil, 1968, 123 p., 12 F.

Ibid., *Les Nombres*, Paris, Seuil, 1968, 114 p., 12 F.

Ibid., *Le Montreur*, Paris, Seuil, 1969, 87 p., 12 F.

DIVERS

KALAYAN, Y.H., et LIGER-BELAIR, Jacques, *L'Habitation au Liban*, t. I : *Essai de classification*, 81 p. ; t. II : *La Formation de la tradition et son évolution*, 85 p., Beyrouth, publié par l'Association

pour la protection des sites et anciennes demeures, 1966, 15 L.L. les 2 volumes.
(Présentation des types traditionnels d'habitation).

LAHOUD, Édouard, *L'Art contemporain au Liban*, Beyrouth, Dar el-Machreq et Near East Books Cy N.Y. éd., 1974, 320 p., 100 L.L. (Première présentation de quarante peintres et sculpteurs libanais).

CHÉDID, Andrée, *Liban*, Paris, Seuil, Coll. « Microcosme », « Petite planète », n° 39, 1968, 190 p.

PUBLICATIONS COURANTES

L'Orient-Le Jour, quotidien, immeuble de la coopérative de Presse, rue de la Banque du Liban, Beyrouth.

Le Réveil, quotidien, Beyrouth.

Le Commerce du Levant, bihebdomadaire.

La Revue du Liban, hebdomadaire, rue Allenby, Beyrouth.

Magazine du Proche-Orient, hebdomadaire, immeuble Sayegh, rue Sursock, Archrafieh, Beyrouth.

Le Beyrouthin, mensuel.

REVUES SPÉCIALISÉES

Proche-Orient : études juridiques et *Proche-Orient : études économiques*, revues trimestrielles, Publications de la Faculté de droit et sciences économiques de l'Université Saint-Joseph, B.P. 293, Beyrouth.

Travaux et Jours, revue trimestrielle, Publication du Centre culturel universitaire, B.P. 946, Beyrouth.

Cahiers des Lettres, revue trimestrielle, Publication de l'École supérieure des lettres, B.P. 1931, Beyrouth.

Les Cahiers de l'Oronte, imm. Chidiac, rue Saïd Akl, Beyrouth.

Hannon, revue libanaise de géographie, Faculté des lettres et sciences humaines, Université Libanaise, B.P. 2691, Beyrouth.

ORGANISMES

UNIVERSITÉS ET CENTRES Université libanaise, Beyrouth.

Université Saint-Joseph, B.P. 293, Beyrouth.

École supérieure des lettres, B.P. 1931, Beyrouth.

Université américaine, B.P. 236, Beyrouth.

Université arabe de Beyrouth, B.P. 5020, Beyrouth.

Université libanaise, Beyrouth.

Centre de documentation économique, faculté de droit et sciences économiques de l'Université Saint-Joseph, B.P. 293, Beyrouth.

Centre de recherche de l'Institut des sciences sociales de l'Université Libanaise.

Centre culturel universitaire, B.P. 293, Beyrouth.

Cénacle Libanais. B.P. 1145, Beyrouth.

Cours pratiques de langue française, organisés par la Mission culturelle française, B.P. 1931, Beyrouth.

MAISONS D'ÉDITION

Dar el-Machreq, B.P. 946, Beyrouth, édite en particulier les collections suivantes : « Recherches » (islamologie), « Hommes et Sociétés du Proche-Orient » (sciences sociales), « Mélanges de l'Université Saint-Joseph » (préhistoire et archéologie).

Université Libanaise, édite plusieurs séries dans les domaines juridique, historique, sociologique (Publications de l'Université Libanaise).

Imprimerie catholique, B.P. 946, Beyrouth.

En guise de conclusion

En dehors des pays qui ont fait l'objet des chapitres précédents, le français est encore l'apanage d'autres communautés culturelles où il est tantôt langue maternelle d'une minorité, tantôt langue de communication privilégiée d'élites ou de groupes sociaux relativement bien déterminés.

Ainsi on ne saurait s'abstenir de mentionner les États-Unis. On sait qu'en Louisiane, en effet, le français joue un rôle important. S'il a beaucoup perdu de son prestige et de son influence à La Nouvelle-Orléans, ancienne capitale de la Louisiane française et ville de résidence des familles aristocratiques de vieille souche, la vie française s'est revivifiée dans le triangle acadien dans la région de Lafayette où les exilés de l'Acadie canadienne se sont refait une patrie. Après le « Grand Dérangement » et la tragédie splendidement évoquée dans les lettres anglaises par le poème de Longfellow (« Evangeline »), la vie française a sommeillé pendant plusieurs générations avant de s'exprimer avec une nouvelle volonté dans les dix dernières années. Ainsi, à la vie littéraire relativement riche du XIXe siècle en Louisiane, s'est substituée une culture francophone d'origine populaire qui a pris en partie la relève.

Dans le Nord, plus de trois millions d'Américains sont d'ascendance francophone, venus pour la plupart du Canada au début de ce siècle, espérant profiter avec l'industrialisation des bienfaits et du confort de la vie urbaine plus facile que la campagne québécoise, rude et exigeante. Il existe aujourd'hui dans de nombreuses paroisses des offices en français. Plusieurs journaux sont publiés en langue française et la radio diffuse dans les postes locaux des émissions de langue française. A l'imitation du CODOFIL (1) (Conseil

1 Conseil pour le développement du français en Louisiane, B.P. 3696, Lafayette, Louisiane 70501.

pour le développement du français en Louisiane) un conseil a été créé en Nouvelle-Angleterre dans le dessein de faciliter, en les coordonnant, les activités de la communauté francophone, et de permettre une nouvelle expression de leurs sentiments et de leurs particularités culturelles.

Sous d'autres cieux, européens ou orientaux, on sait qu'existent aussi des communautés de langue française relativement importantes, en Iran, en Syrie, en Roumanie ou en Pologne. Le français est rarement langue maternelle comme il l'est réellement dans les contrées américaines évoquées plus haut, mais il est langue de culture de la classe intellectuelle et politique. Il reste une langue pratiquée par de nombreux locuteurs, écrite par quelques écrivains de renom, et utilisée encore couramment dans plusieurs journaux, périodiques et revues scientifiques.

Pourtant dans ces différentes régions, ce n'est pas – ou rarement – la vie profonde du pays d'aujourd'hui qui s'exprime à travers la langue française. Les racines de la culture locale sont ailleurs. On est heureux alors d'appartenir à la grande communauté linguistique française, le français est une sorte de complément de culture, se greffant ou se juxtaposant à la culture nationale exprimée dans une autre langue.

Il serait très intéressant d'étudier ces pays et ces cultures minoritaires. Les limites de ce volume ne nous permettent pas de le faire. Nous sommes obligés de nous en tenir aux principaux pays d'expression française, ceux dans lesquels on peut considérer que la plus grande partie de ses habitants, ou à tout le moins une vaste communauté homogène, s'exprime et vit en français.

Répétons une fois encore que le but du présent ouvrage n'est pas de présenter de façon exhaustive tous les pays dans lesquels est parlé le français, mais seulement d'introduire aux principales cultures, civilisations et littératures d'expression française.

Nous aurions aussi aimé consacrer un chapitre à l'Extrême-Orient où le français fut florissant et donna l'occasion de merveilleux poèmes et très bons romans dans l'ex-Indochine. Depuis que le Viêt-nam a été unifié, le destin des langues occidentales a été scellé qu'on le veuille ou non. Sans doute le français reste-t-il la première langue étrangère étudiée dans de nombreux lycées et collèges. Une très grande partie des cadres du Parti du Travail, ainsi que les détenteurs du pouvoir, parlent très bien le français ; les médecins emploient la langue française dans leurs travaux. Des écrivains et poètes se manifesteront peut-être de nouveau en français au cours des prochaines années. On sait néanmoins que le français ne peut exprimer aujourd'hui qu'une partie de la vie nationale, et compte tenu de la complexité politique du pays, il aurait fallu de longues pages pour en faire comprendre l'histoire, son évolution et l'originalité de ses traits culturels.

Nous nous excusons donc auprès des lecteurs qui auraient souhaité une quasi exhaustivité. Nous leur rappelons que nous avons dû choisir et nous limiter. Les bibliographies sélectives qui leur sont ici présentées ne constituent qu'une initiation, elles n'ont pour but que d'en guider plusieurs dans leur découverte et d'inciter les autres à enrichir leurs connaissances. Dans le cadre d'un autre ouvrage relevant d'une étude plus spécialisée, il nous sera peut-être possible de présenter les pays dont nous n'avons pu traiter ici et de signaler les importantes études écrites en français concernant ces pays. (2). Nous souhaitons, en attendant, que ce présent guide culturel permette aux professeurs de français et aux étudiants de mieux connaître et apprécier les particularités du français hors de France, ainsi que les littératures et civilisations des principaux pays d'expression française.

A. R. et M. T.

2 Dans cet ordre d'idée, on pourra déjà consulter la Bibliographie latino-américaniste (1959-1972) de Michel Lambert, IFAL, Mexico 1973.

ÉLÉMENTS DE BIBLIOGRAPHIE GÉNÉRALE

I OUVRAGES

BLANCPAIN (M.) et REBOULLET (A.) (sous la direction de), *Une langue : le français, aujourd'hui dans le monde*, Paris, Hachette, 1976, 328 p., (Coll. « F »).

BRINDEAU (S.) et al., *La poésie contemporaine de langue française depuis 1945*, Paris, Éditions Saint-Germain-des-Prés, 1973, 928 p.

DURAND (M.), NGUYEN TRAN-HUAN, *Introduction à la littérature vietnamienne*, Paris, Maisonneuve-Larousse.

Le Français langue vivante, Paris, Esprit, 19 rue Jacob, 75006, 1962 (numéro spécial de la revue de novembre 1962).

Francophonie 197 (annuel), Paris, Association de solidarité francophone, 3 avenue Franklin D. Roosevelt, 75008.
Les événements de l'année concernant la francophonie.

Francophonie-Édition. Douze mois d'édition francophone, Paris, France-Expansion, 336 rue Saint-Honoré, 75001.
Volume annuel de 700 pages environ, paraissant en mars, et réunissant la totalité de la production éditoriale de l'année précédente, classée par auteurs, titres et matières.

La Francophonie en question, Paris, Agence de Coopération Culturelle et technique, 19 avenue de Messine, 75008 (Bulletin de liaison de l'ACCT, numéro spécial, février 1975).

GUILLERMOU (sous la direction de A.), *Le Français hors de France*, Dakar-Abidjan, Les Nouvelles éditions africaines, 1975, 374 p.

Travaux de la cinquième Biennale (Dakar, 1973) notamment sur : le français hors de France, l'enrichissement de la langue et de la littérature françaises par les apports africains et malgaches.

Inventaire de la presse de langue française hors de France, Paris, La Documentation française, 1972, 104 p., (« Travaux et Recherches n° 24).

Littératures de langue française hors de France. Anthologie didactique, Sèvres, F. I. P. F., 1976, 704 p., Diffusion : éd. J. Duculot, rue de la Posterie, B-5800 Gembloux (Belgique).

Littératures françaises connexes et marginales (sous la direction et avec une préface de R. QUENEAU), Paris, Gallimard, Histoire des littératures, tome 3, 1958, réimp. 1967, 2 058 p., (Coll. « Encyclopédie de la Pléiade »).
Dans ce volume, quelques chapitres intéressants sont consacrés à la littérature d'expression française dans la France d'Outre-Mer et à l'étranger.

Livres de l'année / Biblio 197 (annuel), Paris, Cercle de la Librairie, 117 bld Saint-Germain, 75006.
Volume de plus de 1 000 pages qui recense les ouvrages de langue française parus dans l'année en France et dans un certain nombre de pays ayant une édition francophone, mais ne couvre ni l'Amérique ni l'Europe francophone.

LUTHI (J.-J.), *Introduction à la littérature d'expression française en Égypte (1798-1945)*, Préface de Maurice Genevoix, Paris, Éd. de l'École, 1974, 353 p.

PAINCHAUD (P.) (sous la direction de), *Francophonie Bibliographie*. 1960-1969, Montréal, Les Presses de l'Université du Québec, 1972, 142 p., Diffusion hors d'Amérique, L'École, 11 rue de Sèvres, 75006 Paris.
Cette bibliographie recense les ouvrages de références scientifiques historiques et les sources d'information permettant de reconstituer la genèse de la Francophonie comme communauté internationale et de faire l'analyse de son idéal et de ses objectifs.

Répertoire des livres de langue française disponibles, Paris, France-Expansion, 1975, 6 volumes, 7 000 p.
Inventaire des ouvrages publiés en français dans le monde depuis le début du siècle et actuellement en vente. Recense plus de 180 000 titres classés par auteurs, titres et matières.

Répertoire des livres et matériels d'enseignement disponibles, Paris, France-Expansion, Montréal : Fdi-Québec, 1975, 600 p.
Réalisé la première vue d'ensemble de l'édition scolaire des pays francophones, dans tous ses supports, et de la maternelle aux premières entrées d'université.

Répertoire international des Éditeurs et Diffuseurs de langue française, Paris, Cercle de la Librairie, 1975, 468 p.
Répertoire alphabétique cumulatif des éditeurs de langue française belges, canadiens, français, suisses et des dépositaires en France et tous autres pays.

Le roman contemporain d'expression française, Actes du colloque de Sherbrooke, Sherbrooke (Québec, Canada), Université de Sherbrooke, Faculté des Arts, C. E. L. E. F., 1971, 350 p.
Colloque organisé par le Centre d'Étude des Littératures d'Expression Française.

TOUGAS (G.), *Les écrivains d'expression française et la France*. Essai, Paris, Denoël, 1973, 271 p.

TRAN CU CHAN, *Essais sur la littérature vietnamienne*, t. 1, Paris, Jean Vitiano, 1950, 168 p.

VIATTE (A.), *La francophonie*, Paris, Larousse, 1969, 205 p.

VIATTE (A.), *Histoire littéraire de l'Amérique française des origines à 1950*, Paris, P. U. F., 1954, 560 p.

II PÉRIODIQUES

AGECOP-LIAISON. Trimestriel, Bulletin de liaison de l'Agence de Coopération Culturelle et Technique, 19 avenue de Messine, 75008 Paris.

A. S. F. DOCUMENTATION. Trimestriel, Bulletin de l'Association de Solidarité Francophone, 3 avenue Franklin D. Roosevelt, 75008 Paris.

BULLETIN DE LA F. I. P. F. 1 ou 2 numéros par an, publié par la Fédération Internationale des Professeurs de Français, 1 avenue Léon Journault, 92310 Sèvres (France).

CAHIERS DE L'A. U. P. E. L. F. Annuel, Publication de l'Association des Universités Partiellement ou Entièrement de Langue Française, Université de Montréal, Bureau africain à Dakar, Bureau européen, 173 bld Saint-Germain, 75006 Paris.

CULTURE FRANÇAISE. Trimestriel, publié conjointement par l'Association internationale pour la Culture française à l'étranger, (Association « Culture Française »), 96 bld Raspail, 75007 Paris et par l'A. D. E. L. F. (Association des Écrivains de Langue Française), 38 rue du Faubourg Saint-Jacques, 75014 Paris.

ÉTUDES FRANÇAISES DANS LE MONDE. 4 numéros par an. Publié par l'A. U. P. E. L. F., Université de Montréal.
Bulletin de liaison des Départements et Centres Universitaires d'Études françaises, au sein de l'Association.

LE FRANÇAIS DANS LE MONDE. 8 numéros par an. Édité par Hachette et Larousse, 79 bld Saint-Germain, 75006 Paris.
Revue des professeurs de français langue seconde et langue étrangère.

FRANCOPHONIE-ÉDITION. 3 numéros par an. Revue bibliographique des nouvelles parutions de langue française dans le monde, constituant un répertoire permanent, publié par France-Expansion, 336 rue Saint-Honoré, 75001 Paris.

LA GAZETTE DE LA PRESSE DE LANGUE FRANÇAISE. Trimestriel. Bulletin de l'Union Internationale des Journalistes et de la Presse de Langue française, 3 cité Bergère, 75009 Paris.

PRÉSENCE FRANCOPHONE. Semestriel. Publié par le C. E. L. E. F. (Centre d'Étude des Littératures d'Expression française), faculté des Arts, Université de Sherbrooke (Québec, Canada).

REVUE DE L'A. U. P. E. L. F. Semestriel. Université de Montréal, (numéros spécialisés portant sur des problèmes d'enseignement universitaire francophone).

REVUE DES PARLEMENTAIRES DE LANGUE FRANÇAISE. Trimestriel. Publication de l'Association Internationale des Parlementaires de Langue française, 54 avenue de Saxe, 75015 Paris.

Imprimé en France par la S.P.I.
70, rue Compans, 75019 Paris
Dépôt légal n° 4589 du 2e trimestre 1977
Collection 21 - Édition 01
I.S.B.N. 2-01-003770-7
15/4542/5.